PODER
SEM LIMITES

TONY ROBBINS

PODER
SEM LIMITES

Tradução
Muriel Alves Brazil

50ª edição

Rio de Janeiro | 2024

CIP-BRASIL. CATALOGAÇÃO NA PUBLICAÇÃO
SINDICATO NACIONAL DOS EDITORES DE LIVROS, RJ

R545p
50ª ed.

Robbins, Tony
Poder sem limites: A nova ciência do sucesso pessoal/ Tony Robbins; tradução Muriel Alves Brazil. – 50ª ed. – Rio de Janeiro: Best*Seller*, 2024.
il.

Tradução de: Unlimited Power
ISBN: 978-85-465-0045-1

1. Sucesso. 2. Motivação (Psicologia). 3. Autorrealização. 4. Programação neurolinguística. I. Brazil, Muriel Alves. II. Título.

17-41966

CDD: 158.1
CDU: 159.95

Texto revisado segundo o novo Acordo Ortográfico da Língua Portuguesa.

Título original:
UNLIMITED POWER

Publicado mediante acordo com a Free Press, uma divisão da Simon Schuster Inc.

Design de capa: O Porto Design
Imagem de capa: Getty Images

Impresso no Brasil

ISBN 978-85-465-0045-1

AGRADECIMENTOS

Quando começo a pensar em todas as pessoas às quais gostaria de expressar minha gratidão pela ajuda, sugestões e trabalho árduo para tornar este livro possível, a lista não para de crescer. Primeiro, gostaria de agradecer a minha esposa e família, por criarem um ambiente onde pude deixar o fluxo criativo correr a qualquer hora do dia ou da noite, e onde minhas ideias eram recebidas por ouvidos compreensivos.

Claro, houve depois esforços conjuntos importantes de Peter Applebome e Henry Golden para editar minha febre de inspiração. Nos vários estágios de desenvolvimento, as sugestões de Wyatt Woodsmall e Ken Blanchard foram extremamente valiosas. O livro nunca teria sido feito sem os esforços de Jan Miller e Bob Asahina, que, juntos com o pessoal da Simon & Schuster, ficaram comigo nas horas finais das mudanças de último minuto.

Os professores cujas personalidades, métodos e amizades mais me afetaram — desde meus primeiros desenvolvimentos de comunicação com a sra. Jane Morrison e Richard Cobb, até com Jim Rohn, John Grinder e Richard Bandler —, nunca poderiam ser esquecidos.

Meus agradecimentos, também, ao pessoal de arte, de secretaria e pesquisa, que muito trabalharam sob pressão de prazo: Rob Evans, Dawn Aaris, Donald Bodenback, Kathy Woody e, claro, Patricia Valiton.

E, por último, mas não menos importante, especiais agradecimentos ao pessoal do Robbins Research Institute, diretores da matriz, e às centenas de membros da equipe promocional por todo o país que, diariamente, me ajudam, mandando nossa mensagem para o mundo.

Dedicado ao maior poder dentro de você — seu poder de amar —
e a todos aqueles que o ajudaram a compartilhar sua magia.

E também a Jairek, Joshua, Jolie, Tyler, Becky e mamãe.

SUMÁRIO

PARTE 3
Liderança: O desafio da excelência

PREFÁCIO

Quando Tony Robbins pediu-me que escrevesse o prefácio para *Poder sem limites*, fiquei muito satisfeito, por diversas razões. Antes de mais nada, considero Tony um jovem fora de série. Nosso primeiro encontro aconteceu em janeiro de 1985, quando eu estava em Palm Springs para participar do torneio de golfe Bob Hope Desert Classic Pro-Am Tournament. Tinha passado uma hora feliz, típica de golfista, no Rancho Las Palmas Marriot, onde todos competiam pelo direito às glórias do dia. A caminho do jantar, eu e Keith Punch, um amigo da Austrália, passamos por um cartaz que anunciava o seminário "Caminhada no Fogo", de Tony Robbins. *Libere sua força interior*, o anúncio dizia. Já tinha ouvido falar sobre Tony, e minha curiosidade foi aguçada. Uma vez que Keith e eu já havíamos tomado um drinque e não podíamos nos arriscar, decidimos nos abster de pisar sobre brasas, e assistir ao seminário.

Durante as quatro horas e meia seguintes, vi Tony hipnotizar uma enorme multidão formada de executivos, donas de casa, médicos, advogados e outros. Quando digo hipnotizar, não estou me referindo à magia negra. Tony mantinha todos presos às suas cadeiras com seu carisma, charme e a profundidade de seu conhecimento do comportamento humano. Foi o mais divertido e estimulante seminário a que assisti em 20 anos de envolvimento com treinamento de conduta. No final, todos, com exceção de Keith e eu, atravessaram um canteiro de 4,5 metros de brasas, que tinham estado ardendo a tarde toda, e ninguém queimou os pés. Era algo para se ver e uma animadora experiência para todos.

Tony usa o caminhar sobre brasas como uma metáfora. Ele não está ensinando uma técnica mística, mas sim um conjunto prático de meios para alguém ser capaz de conseguir ter uma ação eficiente, apesar de qualquer medo que tenha. E a capacidade de conseguir que você faça seja o que for para ter sucesso é um poder muito real. Assim, a primeira razão para estar encantado ao escrever este prefácio é que tenho um imenso respeito e admiração pelo autor.

A segunda razão para estar entusiasmado é que o livro de Tony mostrará a todos a profundidade e a amplitude de seu pensamento. Ele é mais do que um pregador de motivações. Aos 25 anos, já é um dos principais pensadores de psicologia de motivação e realização. Creio que este livro tem a capacidade de ser o texto definitivo no movimento sobre o potencial humano. Os pensamentos de Tony sobre saúde, estresse, determinação de metas, visualização e outros assuntos são a parte vital e uma necessidade para qualquer um que almeje a superioridade pessoal.

Minha esperança é que você obtenha tanto deste livro quanto eu. Embora seja maior do que *O gerente minuto* , espero que se interesse e leia o livro todo, para poder utilizar o pensamento de Tony e liberar a magia que há dentro de você.

Kenneth Blanchard, Ph.D.
Coautor de *O gerente minuto*

INTRODUÇÃO

Durante toda a minha vida tive dificuldades para falar em público, mesmo quando atuava em filmes. Antes de minhas cenas, ficava fisicamente doente. Assim, com meu implacável medo de falar em público, pode-se imaginar como fiquei empolgado ao ouvir que Tony Robbins, o homem que transforma medo em poder, podia me curar.

Apesar de estar excitado ao aceitar o convite para encontrar Tony Robbins, não conseguia evitar um sentimento de dúvida. Ouvira falar da Programação Neurolinguística (PNL) e de outros métodos nos quais Tony é um perito reconhecido, mas, no todo, eu gastara inúmeras horas e milhares de dólares procurando ajuda profissional.

Os profissionais anteriores haviam me dito que, por ter meu medo se desenvolvido durante anos, não deveria esperar uma cura rápida. Marcavam consultas semanais de retorno, para trabalhar no meu problema, indefinidamente.

Quando encontrei Tony, fiquei surpreso por ser ele tão grande. É muito raro encontrar alguém mais alto do que eu. Ele deve ter 1,97m de altura e pesar cerca de 107 quilos. Tão jovem, tão agradável! Sentamo-nos. Eu estava extremamente nervoso quando ele começou a fazer perguntas sobre o meu problema.

Perguntou-me então o que eu queria e como eu queria mudar. Parecia que minha fobia levantara-se para se defender, para evitar que acontecesse o que estava acontecendo. Mas a voz de Tony era suave, e comecei a escutar o que ele estava dizendo.

Comecei a reviver meus sentimentos de pânico quanto a falar em público. De repente, substituí-os por novos sentimentos, originados por energia e confiança. Tony me fez voltar na memória para uma ocasião em que estava no palco fazendo um discurso bem-sucedido. Enquanto eu falava naturalmente, Tony me dava âncoras. Âncoras são coisas a que posso recorrer para reforçar meus nervos e confiança, enquanto falo. Você lerá sobre elas neste livro.

Permaneci com meus olhos fechados por cerca de 45 minutos, durante a entrevista, enquanto ouvia Tony. De vez em quando, ele tocava meus joelhos e mãos, dando-me âncoras físicas. Quando terminou, levantei-me. Nunca havia me sentido tão relaxado, calmo e em paz. Não tinha sentimento de fraqueza. Agora, sinto-me bastante confiante para fazer o show de televisão de Luxemburgo, para uma possível audiência de 450 milhões de pessoas.

Se os métodos de Tony fizerem tão bem para os outros como fizeram para mim, então, todas as pessoas do mundo serão beneficiadas. Temos pessoas na cama com seus pensamentos fixos na morte. Seus médicos disseram-lhes que têm câncer, e elas ficaram tão perturbadas que seus corpos estão cheios de tensões. Agora, se a fobia de minha vida toda pôde ser eliminada em uma hora, os métodos de Tony devem também ser válidos para todos aqueles que sofrem de alguma espécie de doença — emocional, mental ou física. Eles também podem ser libertados de seus medos, tensões e ansiedades. Penso ser muito importante que não nos demoremos mais. Por que deve você ter medo de água, de altura, de falar em público, de cobras, de patrões, do fracasso ou da morte?

Agora, sou livre, e esta obra lhe oferece as mesmas opções. Estou certo que *Poder sem limites* será um sucesso, porque faz mais do que eliminar medos, ensinando as causas de todas as formas de comportamento humano. Ao assimilar as informações deste livro, você terá o controle completo de sua mente e de seu corpo e, assim, de sua vida.

Sir Jason Winters
Autor de *Killing Cancer*

Sucesso

*Rir muito e com frequência; ganhar o respeito de pessoas inteligentes
e o afeto das crianças; merecer a consideração de críticos honestos e
suportar a traição de falsos amigos; apreciar a beleza; encontrar o melhor
nos outros; deixar o mundo um pouco melhor, seja por uma saudável
criança, um canteiro de jardim ou uma redimida condição social;
saber que ao menos uma vida respirou mais fácil
porque você viveu. Isso é ter tido sucesso.*

— Ralph Waldo Emerson

PARTE 1

MODELANDO A EXCELÊNCIA HUMANA

CAPÍTULO 1
A RIQUEZA DOS REIS

"A grande finalidade da vida não é conhecimento, mas ação."

— Thomas Henry Huxley

Durante muitos meses eu ouvira falar dele. Diziam que era jovem, saudável, rico, feliz e bem-sucedido. Eu tinha de ver por mim mesmo. Olhei-o bem de perto quando saiu do estúdio de televisão, e segui-o durante as semanas seguintes, observando como aconselhava a todos: do presidente de um país a uma pessoa com fobia. Vi-o argumentar com dietistas, preparar executivos e trabalhar com atletas e crianças com problemas de aprendizagem. Parecia incrivelmente feliz e muito apaixonado por sua esposa, enquanto viajavam juntos pelo país e por outros países. E quando terminaram, tomaram um jato de volta a San Diego para passar uns poucos dias no lar com a família, no castelo que contempla o oceano Pacífico.

Como é que esse homem de apenas 25 anos, com educação de nível médio, pode ter realizado tanto em tão curto espaço de tempo? Afinal, esse era o rapaz que há somente três anos morava em um apartamento de solteiro de 37 metros quadrados e lavava seus pratos na banheira. Como ele se transformara de uma pessoa extremamente infeliz, com quase 14 quilos de excesso de peso, amizades difíceis e perspectivas limitadas, em um homem realizado, saudável, respeitado por sua individualidade, com grandes amizades e oportunidades de sucesso ilimitado?

Tudo parecia muito incrível, e, no entanto, o que mais me espantou foi que percebi que ele era eu! A história dele era a minha própria história.

Por certo não estou dizendo que minha vida é o sucesso com que cada um sonha. É óbvio que todos nós temos diferentes sonhos e ideias sobre o que queremos criar para nossas vidas. Além do mais, tenho muita certeza de que aquilo que você é, aonde vai e o que possui não são a verdadeira medida para o sucesso pessoal. Para mim, sucesso é o processo contínuo do esforço para se tornar maior. É a oportunidade de continuar crescendo emocional, social, espiritual, fisiológica, intelectual e financeiramente, enquanto se contribui de alguma forma positiva para outros. A estrada do sucesso está sempre em construção. É um caminho que avança, não um fim a ser alcançado.

O objetivo de minha história é simples. Aplicando os princípios que você aprenderá neste livro, fui capaz de mudar não só a maneira como me sentia a meu respeito, como também os resultados que estava obtendo em minha vida — e consegui fazer isso de uma maneira mais eficiente e mensurável. A finalidade deste livro é compartilhar com você a diferença que fez a mudança de minha vida para melhor. Espero, com sinceridade, que as técnicas, estratégias, práticas e filosofias ensinadas nestas páginas sejam tão eficientes para você como foram para mim. O poder de transformar magicamente nossas vidas nos nossos maiores sonhos permanece aguardando dentro de nós. É a hora de liberá-lo!

Quando olho para a decisão por meio da qual pude transformar meus sonhos em minha vida atual, não posso deixar de sentir um quase inacreditável sentimento de gratidão e respeito. No entanto, com certeza, estou longe de ser o único. O fato é que vivemos em uma época onde muitas pessoas são capazes de conseguir coisas maravilhosas quase do dia para a noite, de alcançar sucessos inimagináveis tempos atrás. Veja Steve Jobs. Era um garoto de jeans, sem dinheiro, que pensou na criação de um computador doméstico e ergueu a empresa Fortune 500, mais rápido do que qualquer pessoa na história. Veja Ted Turner: pegou um artigo que mal existia — cabo de televisão — e criou um império. Veja pessoas na indústria de diversão, como Steven Spielberg ou Bruce Springsteen, ou homens de negócios, como Lee Iacocca ou Ross Perot. O que eles têm em comum, além do prodigioso e espantoso sucesso? A resposta, claro, é... poder.

Poder é uma palavra muito emocional. As reações das pessoas diante dela variam. Para algumas, o poder tem uma conotação negativa. Umas cobiçam o poder, outras, sentem-se tentadas por ele, como se fosse alguma coisa venal ou suspeita. Quanto poder você quer? Quanto acha que é certo obter ou desenvolver? O que o poder significa realmente para você?

Não encaro o poder em termos de conquistar pessoas. Não penso nisso como alguma coisa para ser imposta. Também não estou advogando que você deva fazê-lo. Essa espécie de poder raramente dura. Mas você deve perceber que o poder é uma constante no mundo. Você modela suas percepções, ou alguém as modela para você. Você faz o que quer fazer, ou cumpre os planos que alguém faz para você. Para mim, o poder supremo é a habilidade de produzir os resultados que você mais deseja e criar valores para outros no processo. Poder é a habilidade de mudar sua vida, de dar forma às suas percepções, fazer com que as coisas trabalhem a seu favor — e não contra você. O poder verdadeiro é compartilhado, não imposto. É a habilidade de definir as necessidades humanas e resolvê-las — tanto as suas como as das pessoas que lhe são caras. É a habilidade de dirigir seu próprio reino pessoal — seu processo de pensamentos, seu comportamento. Assim, você consegue com precisão os resultados que deseja.

Ao longo da história, o poder de controlar nossas vidas tomou muitas formas diferentes e contraditórias. Nos tempos primitivos, poder era simplesmente uma questão de fisiologia. Aquele que fosse o mais forte e o mais rápido tinha o poder de dirigir sua própria vida, assim como a daqueles à sua volta. Com o desenvolvimento da civilização, o poder resultava de herança. O rei, cercando-se com os símbolos de seu reino, governava com autoridade inconfundível. Outros podiam conseguir poder por sua ligação com ele. Então, no começo da Era Industrial, capital era poder. Aqueles que tinham acesso a ele dominavam o processo industrial. Todas essas coisas ainda são válidas. É melhor ter capital do que não tê-lo. É melhor ter força física do que não ter. No entanto, hoje, uma das maiores fontes de poder é derivada do conhecimento especializado.

A maioria de nós já ouviu dizer que estamos vivendo na idade da informação. Já não somos, fundamentalmente, uma cultura industrial, mas de informação. Vivemos numa época em que novas ideias, movimentos e conceitos mudam o mundo quase diariamente, quer sejam profundos e de importância, físicos ou mundanos, como o hambúrguer mais bem-vendido.

Se há alguma coisa que caracteriza o mundo moderno, é a corrente maciça, quase inacreditável, de informação e, pois, de mudança. Essa nova informação chega até nós por meio de livros, filmes e *chips* (unidades de memória) de computador, como uma tempestade de dados para serem vistos, sentidos e ouvidos. Nesta sociedade, aqueles com a informação e os meios de comunicá-la, têm aquilo que o rei costumava ter — poder ilimitado. Como John Kenneth Galbraith escreveu: "Dinheiro é o combustível da sociedade industrial. Mas, na sociedade da informática, o combustível, o poder, é o conhecimento. Vê-se, agora, a estrutura de uma nova classe, dividida entre aqueles que têm informação e os que devem atuar na ignorância. Esta nova classe não tem seu poder no dinheiro, ou na terra, mas no conhecimento."

O que há de notável é que a chave do poder, hoje, é acessível a todos nós. Nos tempos medievais, se você não fosse o rei, teria grande dificuldade em tornar-se um. Se não tivesse capital no começo da Revolução Industrial, as possibilidades de consegui-lo eram, na verdade, muito poucas. Mas, hoje, qualquer rapaz de jeans tem condições de criar uma corporação que pode mudar o mundo. No mundo moderno, informação é a riqueza dos reis. Aqueles que têm acesso a certas formas de conhecimento especializado podem se transformar e, de muitas maneiras, transformar também o mundo inteiro.

É certo que nos Estados Unidos as espécies de conhecimento especializado, necessárias para transformar a qualidade de nossas vidas, são acessíveis a todos. Estão em cada livraria, lojas de vídeo, bibliotecas. Podemos obtê-las em conferências, seminários e cursos. E todos nós queremos ter êxito. As listas de best-sellers estão cheias de obras de conselhos para o desenvolvimento pessoal. A informação está lá. Por que, então, algumas pessoas conseguem resultados fabulosos, enquanto outras só passam perto? Por que não somos todos capacitados, felizes, ricos, saudáveis e bem-sucedidos?

A verdade é que, mesmo na era da informação, só isso não é suficiente. Se tudo de que precisássemos fossem ideias e pensamentos positivos, então todos teríamos tido pôneis quando crianças e estaríamos vivendo nossos sonhos agora. Todo grande sucesso está relacionado com ação. E é a ação que produz resultados. O conhecimento é somente um poder potencial, até que chegue às mãos de alguém que saiba como transformá-lo em ação efetiva. Na verdade, a definição literal da palavra *poder* é "habilidade de agir".

O que fazemos na vida é determinado pelo que comunicamos a nós mesmos. No mundo moderno, a qualidade de vida é a qualidade de comunicação. O que imaginamos e dizemos para nós mesmos, como movemos e usamos os músculos de nosso corpo e expressões faciais determinarão quanto usaremos do que conhecemos.

Com frequência, ao ver pessoas muito bem-sucedidas, caímos na armadilha mental de pensar que elas estão onde estão por terem algum dom especial. No entanto, uma observação mais acurada mostrará que o maior dom que as pessoas excepcionalmente bem-sucedidas têm, em relação às pessoas comuns, é sua habilidade de agir. É um "dom" que qualquer um pode desenvolver dentro de si mesmo. Afinal, outras pessoas tinham o mesmo conhecimento que Steve Jobs. Outras, além de Ted Turner, podiam ter percebido que a televisão a cabo tinha um enorme potencial econômico. Mas Turner e Jobs foram capazes de agir e, ao fazerem isso, mudaram a maneira como muitos de nós vivenciamos o mundo.

Todos nós produzimos duas formas de comunicação, com as quais elaboramos a experiência de nossas vidas: a primeira, as comunicações internas, que são as coisas que imaginamos, dizemos e sentimos dentro de nós mesmos; a segunda, são as denominadas comunicações externas, expressas por palavras, tonalidades, expressões faciais, postura de corpo e ações físicas para nos comunicarmos com o mundo. Toda comunicação que fazemos é uma ação, uma causa posta em movimento, e todas as comunicações têm alguma espécie de efeito em nós e nos outros.

Comunicação é poder. Aqueles que dominam seu uso efetivo podem mudar sua própria experiência do mundo e as experiências do mundo sobre si mesmos. Todo comportamento e sentimento encontram suas raízes originais em alguma forma de comunicação. Aqueles que afetam os pensamentos, sentimentos e ações da maioria de nós são os que sabem como usar esse instrumento de poder. Pense nas pessoas que mudaram nosso mundo — John F. Kennedy, Thomas Jefferson, Martin Luther King, Franklin Delano Roosevelt, Winston Churchill, Mahatma Gandhi. De uma forma aterradora, pense em Hitler. O que esses homens têm em comum é que foram mestres comunicadores. Eram capazes de pegar suas visões, quer fossem transportar pessoas no espaço ou criar um odioso Terceiro Reich, e comunicá-las aos outros com tanta coerência que influenciaram as maneiras de agir e pensar das massas. Por meio do seu poder de comunicação, eles mudaram o mundo. Na verdade, não é isso também que destaca dos outros um Spielberg, um Springsteen, um Iacocca, um Fonda ou um Reagan? Não são eles mestres da comunicação ou influências humanas? O meio que essas pessoas usam para mudar nossas comunicações é o mesmo que usamos para nos mudar.

Seu nível de domínio da comunicação no mundo exterior determinará seu nível de sucesso com os outros — pessoal, emocional, social e financeiramente. Mais importante ainda: o nível de sucesso que você experimenta internamente — felicidade, alegria, prazer, amor ou qualquer outra coisa que deseje — é o resultado direto de como você se comunica consigo mesmo. Como você se sente não é o resultado do que está acontecendo em sua vida — é a sua *interpretação* do que está acontecendo. A vida de pessoas de sucesso tem nos mostrado que a qualidade de nossas vidas não é determinada pelo que está acontecendo conosco, mas pelo que fazemos com o que acontece.

É você quem decide como se sentir ou agir, baseado nas maneiras que escolheu para perceber sua vida. Nada tem significado algum, exceto aquele que nós lhe damos. A maioria de nós já tem esse processo de interpretação automático, mas podemos retirar esse poder e logo mudar nossa experiência do mundo.

Este livro é sobre como juntar as espécies de ações maciças, centralizadas, coerentes, que levam a resultados expressivos. De fato, se tivesse que dizer a você em duas palavras o que é este livro, diria: produzir resultados! Pense sobre isso. Não é no que está mesmo interessado? Talvez você queira mudar o modo como pensa sobre si mesmo e o seu mundo. Talvez você gostasse de ser um comunicador melhor, desenvolver uma relação mais amorosa, aprender com mais rapidez, tornar-se mais saudável ou ganhar mais dinheiro. Você pode conseguir todas essas coisas para si, e muito mais, pelo uso efetivo das informações deste livro. No entanto, antes que consiga novos resultados, deverá compreender que já os está conseguindo. Mas poderão não ser os resultados que deseja. Nós, em geral, pensamos em nossos estados mentais e na grande parte do que acontece em nossas mentes como coisas que acontecem fora de nosso controle. Mas a verdade é que podemos controlar nossas atividades mentais e comportamento a tal ponto que antes não acreditaríamos ser possível. Se você está deprimido, você criou e produziu esse show que chamou de depressão. Mas, se estiver eufórico, você também criou isso.

É importante lembrar que emoções como a depressão não acometem você. Não se "pega" depressão. Você a cria, como qualquer outro resultado em sua vida, por meio de ações específicas mentais e físicas. Para ficar deprimido você tem de olhar sua vida de maneira específica. Tem de dizer certas coisas para si mesmo, nos tons exatos de voz. Tem de adotar uma postura específica e um modo de respirar. Por exemplo, se você quiser ficar deprimido, ajudará muito deixar cair os ombros e olhar muito para baixo. Atitudes como falar em um tom de voz triste e pensar nos piores momentos de sua vida também ajudarão. Se você provocar distúrbios em sua bioquímica, como consequência de uma dieta pobre, excesso de álcool ou uso de drogas, ajudará seu corpo a ficar com baixo teor de açúcar no sangue — e, assim, garantirá uma depressão.

O que quero mostrar aqui é que é preciso esforço para criar depressão. É trabalho pesado, e são precisos tipos específicos de ação. Algumas pessoas criam esse estado com tanta frequência que, para elas, é fácil repeti-lo. De fato, muitas vezes ligaram esse tipo de comunicação interna a toda espécie de acontecimentos externos. Algumas conseguem tantos ganhos secundários — atenção dos outros, simpatia, amor e outras coisas — que passam a adotar esse estilo de comunicação como seu estado natural de vida. Outras, viveram tanto tempo com isso que agora se sentem bem assim. Tornaram-se identificadas com o estado. Podemos, no entanto, mudar nossas ações mentais e físicas e, com isso, mudar, imediatamente, nossas emoções e nosso comportamento.

Você pode tornar-se extasiado, adotando logo o ponto de vista que cria essa emoção. Pode imaginar as espécies de coisas que criam esse sentimento. Pode mudar o tom e o conteúdo de seu diálogo interno. Pode adotar as posturas específicas e a maneira de respirar que criam esse estado em seu corpo, e, *voilà*, experimentará êxtase. Se quiser ser piedoso, basta mudar suas ações físicas e mentais para combiná-las com aquelas que o estado de compaixão requer. O mesmo é válido para o amor ou qualquer outra emoção.

Você pode considerar o processo de produzir estados emocionais, dirigindo suas comunicações internas, semelhante ao trabalho de um diretor de cinema. Para produzir os resultados precisos que quer, o diretor de um filme manipula o que você vê e ouve. Se quer que você fique com medo, mudará o som e jogará alguns efeitos especiais na tela, no momento certo; se quer que fique inspirado, arranjará a música, a iluminação e tudo que for preciso para produzir esse efeito. Um diretor pode produzir uma comédia ou uma tragédia, a partir do mesmo evento, dependendo do que decida pôr na tela. Você pode fazer as mesmas coisas na tela de sua mente. Pode dirigir sua atividade mental, que é a base de toda a ação física, com a mesma destreza e poder; pode acender a luz e o som das mensagens positivas em seu cérebro e pode escurecer as cenas e os sons das negativas. Pode, também, dirigir seu cérebro com tanta habilidade quanto Spielberg ou Scorsese dirigem suas filmagens.

Alguns fatos que seguem, parecerão difíceis de acreditar. Provavelmente, você não acredita que há uma maneira de se olhar uma pessoa e saber ao certo seus pensamentos, ou que se pode convocar seus mais poderosos recursos à vontade. Mas se, há 100 anos, você tivesse sugerido que os homens iriam à Lua, teria sido considerado um louco, um lunático. (De onde você pensa que veio essa palavra?) Se tivesse dito que era possível viajar de Nova York para Los Angeles em cinco horas, teria parecido um louco sonhador. Mas foi preciso somente o domínio de tecnologias específicas e leis da aerodinâmica para tornar essas coisas possíveis. Hoje, uma companhia aeroespacial está trabalhando em um veículo, que, segundo eles, dentro de dez anos levará pessoas de Nova York à Califórnia em 12 minutos. Da mesma forma, neste livro você aprenderá as "leis" das Técnicas de Desempenho Ótimo, que lhe darão acesso a recursos que nunca imaginou ter.

"Para cada esforço disciplinado, há múltiplas recompensas."

— Jim Rohn

As pessoas que conseguiram superioridade seguem um caminho coerente para o sucesso. Chamo a isso de Fórmula do Sucesso Definitivo. O primeiro passo para essa fórmula é saber seu resultado, isto é, definir precisamente o que se quer. O segundo passo é tomar medidas, pois, de outra forma, seus desejos serão sempre sonhos. Você deve tomar os tipos de medidas que acredita que criarão as maiores probabilidades de produzir o resultado desejado. Nem sempre as medidas que tomamos produzem o resultado desejado; logo, o terceiro passo é desenvolver uma acuidade sensorial para reconhecer as espécies de respostas e resultados que se está conseguindo, e reparar — o mais rápido possível — se elas estão aproximando ou afastando você de seu objetivo. Você tem de saber o que está conseguindo, seja em uma conversa ou em seus hábitos diários. Se está obtendo o que não deseja, precisa anotar os resultados que suas medidas produziram, a fim de aprender com a experiência de cada ser humano. Então, você dá o quarto passo, que é desenvolver a flexibilidade para mudar seu comportamento até conseguir o que quer. Se observar as pessoas de sucesso, descobrirá que seguiram esses passos. Elas começaram com uma meta, pois você não pode atingir uma se não a tiver; tomaram providências (porque só saber não é suficiente); tiveram a habilidade de ler nos outros (para saber que respostas estavam conseguindo) e continuaram adaptando, ajustando, mudando seus comportamentos, até acharem que funcionavam.

Veja o caso de Steven Spielberg. Com 36 anos de idade, tornou-se o mais bem-sucedido cineasta da história. Ele já é responsável por quatro dos dez maiores filmes de todos os tempos, incluindo *E. T. O Extraterrestre*, o mais notável filme já feito. Como chegou a esse ponto com tão pouca idade? É uma história notável.

Desde a idade de 12 ou 13 anos, Spielberg sabia que queria ser diretor de cinema. Sua vida mudou quando, numa tarde — tinha então 17 anos —, deu um passeio pelos estúdios da Universal. O passeio não incluía os palcos de som, onde estava toda a ação. Assim, Spielberg, conhecendo seu objetivo, começou a agir. Escapou sozinho para observar uma filmagem. Acabou se encontrando com o chefe do departamento editorial da Universal, que conversou com ele durante uma hora e demonstrou interesse pelas suas ideias.

Para a maioria das pessoas, é aí que a história terminaria. Mas Spielberg não era como a maioria das pessoas. Ele tinha poder pessoal. Sabia o que queria. Aprendeu na primeira visita e, assim, mudou sua abordagem. No dia seguinte, vestiu um terno, levou a maleta de seu pai, com um sanduíche e doces, e voltou ao local, como se pertencesse ao lugar. Passou de propósito pelo guarda do portão naquele dia. Encontrou um *trailer* abandonado e, usando letras adesivas, afixou na porta: Steven Spielberg, Diretor. Daí, então, passou todo o verão junto a diretores, escritores e editores, aprendendo em cada conversa, observando e desenvolvendo mais e mais seu senso de observação sobre o que é importante para fazer cinema.

Com a idade de 20 anos, após tornar-se assíduo no local, Steven mostrou à Universal um filme modesto que havia montado, e recebeu um contrato de sete anos para dirigir uma série para a televisão. Conseguira tornar seu sonho realidade.

Spielberg seguiu a Fórmula do Sucesso Definitivo? Com certeza. Teve o conhecimento especializado para saber o que queria. Tomou iniciativas. Teve a acuidade sensorial para reconhecer se os resultados que estava obtendo o aproximavam ou afastavam de seu objetivo. E teve a flexibilidade para mudar seu comportamento para conseguir o que queria. Todas as pessoas de sucesso que conheço fazem a mesma coisa. Aqueles que conseguem, estão empenhados em mudar e em ser flexíveis até criarem a vida que desejam.

Considere a reitora Barbara Black, da Columbia University School of Law, que sonhou ser reitora um dia. Ainda jovem, entrou em um campo predominantemente masculino e, com sucesso, obteve seu grau de advogada em Colúmbia. Decidiu, então, deixar de lado a meta de sua carreira, enquanto realizava outro objetivo — constituir uma família. Depois de nove anos, resolveu que estava pronta para prosseguir em busca da primeira meta, sua carreira, e inscreveu-se em um curso de graduação em Yale, onde desenvolveu o ensino, a pesquisa e a anotação de práticas que a levaram ao "serviço que sempre quisera". Expandiu seus pontos de vista, mudou sua abordagem, combinou as duas metas e, agora, é a reitora de uma das mais prestigiadas escolas de direito dos Estados Unidos. Ela quebrou a regra e provou que se pode conseguir sucesso em todos os níveis, ao mesmo tempo. Ela seguiu a Fórmula do Sucesso Definitivo? Com certeza. Sabendo o que queria, tentou alguma coisa, e, se não resolveu, ficou mudando — mudando até agora, que aprendeu a conciliar sua vida. Além de dirigir uma importante escola de direito, é também mãe e dona de casa.

Veja um outro exemplo: sabe como o coronel Sanders construiu o império da Kentucky Fried Chicken, que fez dele um milionário e mudou os hábitos alimentares de uma nação? Quando começou, não era mais que um aposentado, com uma receita de frango frito. Só isso. Nada de organização, nada de nada. Tinha um pequeno restaurante falido porque a estrada principal fora desviada. Quando recebeu seu primeiro cheque do Seguro Social, decidiu ver se conseguia algum dinheiro vendendo a receita de frango. Sua primeira ideia era vendê-la para proprietários de restaurantes e combinar de receber uma porcentagem dos lucros.

Na verdade, essa não é a ideia mais realista para se começar um negócio. E as coisas foram acontecendo, não o levando exatamente ao estrelato. Rodou o país todo dormindo em seu carro, tentando encontrar alguém que o ajudasse, batendo em todas as portas. Foi rejeitado 1.009 vezes. Então, aconteceu uma coisa milagrosa. Alguém disse "sim". O coronel estava no negócio.

Quanta gente tem uma nova receita? Quantos têm o poder físico e o carisma de um velho corpulento, num terno branco? O coronel Sanders fez uma fortuna por ter a habilidade de tomar iniciativas, em bloco e determinadas. Teve o poder pessoal necessário para conseguir os resultados que mais desejava. Teve a capacidade de ouvir a palavra "não" centenas de vezes e, ainda assim, manter-se disposto a bater na porta seguinte, convencido mesmo de que seria nessa que ouviria "sim".

De uma forma ou de outra, tudo neste livro é dirigido para prover seu cérebro com os sinais mais eficientes para capacitá-lo a tomar medidas bem-sucedidas. Quase toda semana conduzo um seminário de quatro dias chamado "A Revolução da Mente". Nele, ensinamos tudo às pessoas, desde como usar sua inteligência com mais eficiência, até como comer, respirar e se exercitar de uma maneira que aumente ao máximo sua energia pessoal. A primeira noite desse processo é chamada "Poder contra o Medo", e a finalidade é ensinar às pessoas como entrar em ação em vez de serem paralisadas pelo medo. No final do seminário, as pessoas têm oportunidade de andar sobre fogo — cerca de 3 metros de carvões queimando, sendo que, nos grupos avançados, pessoas andaram sobre 12 metros de carvão. Andar no fogo fascina a maioria, a tal ponto que temo que a mensagem esteja se perdendo. A questão não é andar sobre o fogo. Creio ser correto assumir que não há grande benefício social ou econômico a ser ganho de um passeio bem-sucedido sobre um leito de brasas. Mas andar sobre o fogo é uma experiência de poder pessoal e uma metáfora de possibilidades, uma oportunidade para as pessoas conseguirem resultados que antes pensavam ser impossíveis.

Faz milhares de anos que há pessoas realizando alguma versão de andar sobre o fogo. Em algumas partes do mundo, é um teste religioso de fé. Quando conduzo um passeio sobre o fogo, não se trata de uma experiência religiosa, no sentido convencional, mas de uma experiência de crença, porque ensina às pessoas — no sentido mais autêntico — que elas podem mudar, crescer, esticar-se, fazer coisas que nunca pensaram ser possíveis, que seus maiores medos e limitações são autoimpostos.

A única diferença entre você poder ou não andar sobre brasas é sua capacidade de comunicar-se consigo mesmo, de uma forma que o faça agir, apesar de toda sua programação passada de medo do que poderia lhe acontecer. A lição é que as pessoas podem fazer, virtualmente, qualquer coisa, desde que reúnam os meios para acreditar que podem e tomem as medidas efetivas.

Tudo isso leva a um fato simples e irrefutável: sucesso não é um acidente. A diferença entre pessoas que conseguem resultados positivos e aquelas que não conseguem não é um tipo de acaso, como o rolar dos dados. Há padrões consistentes e lógicos de ação, caminhos específicos para a superioridade, que estão ao alcance de todos nós. Todos podemos liberar a magia que há dentro de nós. Só temos de aprender como mudar e usar nossa mente e nosso corpo da maneira mais eficiente e vantajosa.

Já imaginou o que um Spielberg e um Springsteen possam ter em comum? O que um John F. Kennedy e um Martin Luther King Jr. compartilharam que os tornou capazes de atingir tantas pessoas de uma forma tão profunda e emocional? O que separa um Ted Turner e uma Tina Turner das massas? E um Pete Rose e um Ronald Reagan? Todos eles foram capazes de agir com firmeza, tendo em vista a realização de seus sonhos. Mas o que faz com que continuem, dia após dia, a pôr tudo que conseguiram em tudo que fazem? Existem, é claro, muitos fatores. No entanto, acredito que há sete características fundamentais de caráter que eles cultivaram dentro de si, que lhes dão o entusiasmo para fazer o que for preciso para serem bem-sucedidos. São os sete mecanismos acionadores básicos que podem garantir também o seu sucesso:

CARACTERÍSTICA NÚMERO UM: *Paixão*. Todas essas pessoas descobriram uma razão, um motivo que é consumidor, energizante, quase obsessivo, que as levou a fazer, a crescer, a se tornarem maiores. Isso lhes dá estímulo para reforçar a busca do sucesso e faz com que liberem seu verdadeiro potencial. É paixão o que faz um Pete Rose sempre mergulhar de cabeça na segunda base, como se fosse um principiante, disputando sua primeira partida, na primeira divisão. É paixão o que distingue as ações de um Lee Iacocca de tantos outros. É paixão o que dirige os cientistas de computadores, ao longo de anos de dedicação, para criarem a espécie de conhecimento técnico que colocou homens e mulheres no espaço exterior e os trouxe de volta. É paixão o que faz com que as pessoas deitem tarde e levantem cedo. É paixão o que as pessoas querem em seus relacionamentos. A paixão dá à vida poder, interesse e significado. Não há superioridade sem uma grande paixão, quer seja a aspiração de um atleta, quer seja a de um artista, cientista, pai ou executivo. Descobriremos como liberar essa força interna pelo poder das metas no Capítulo 11.

CARACTERÍSTICA NÚMERO DOIS: ***Crença***. Todo livro religioso fala sobre o poder e o efeito da fé e da crença na humanidade. As pessoas bem-sucedidas diferem, numa escala muito maior, em suas crenças, daquelas que falham. Nossas crenças sobre o que somos e o que podemos ser determinam precisamente o que seremos. Se acreditamos em magia, viveremos uma vida mágica. Se acreditamos que nossa vida é definida por limites estreitos, de repente transformaremos esses limites em realidade. O que acreditamos ser verdade, o que acreditamos ser possível torna-se verdade, torna-se possível. Este livro lhe indicará um meio específico, científico, para mudar logo suas crenças, a fim de que elas o ajudem na realização de suas metas mais desejadas. Muitas pessoas são impetuosas, mas, devido às suas crenças limitadas sobre quem são e o que podem fazer, nunca agem de forma a tornar seus sonhos uma realidade. Pessoas bem-sucedidas sabem o que querem, e acreditam que conseguirão. Aprenderemos sobre o que são crenças e como usá-las nos Capítulos 4 e 5.

Paixão e crença ajudam a conseguir o estímulo, a propulsão em direção à excelência. Mas só propulsão não é suficiente. Se fosse, bastava pôr combustível em um foguete e mandá-lo, voando às cegas, para os céus. Além desse poder, precisamos de um caminho, um senso inteligente de progressão lógica. Para conseguirmos atingir nosso alvo precisamos do que vem a seguir.

CARACTERÍSTICA NÚMERO TRÊS: ***Estratégia***. Estratégia é um meio de organizar recursos. Quando Steven Spielberg decidiu tornar-se um cineasta, planejou um caminho que o levaria ao mundo que queria conquistar. Calculou o que queria aprender, quem precisava conhecer e o que precisava fazer. Ele tinha paixão e crença, mas também tinha a estratégia que fez com que essas coisas produzissem o seu maior potencial. Ronald Reagan desenvolveu outras estratégias de comunicação, que usa em uma base sólida para produzir os resultados que deseja. Todo grande apresentador, político, pai ou patrão sabe que não é suficiente ter os recursos para ser bem-sucedido. Deve-se usar esses recursos de maneira mais efetiva. Estratégia é o reconhecimento de que os melhores talentos e ambições também precisam encontrar o caminho certo. Você pode abrir uma porta pondo-a abaixo, ou pode encontrar a chave que a abre e a deixa intata. Aprenderemos sobre as estratégias que conduzem à excelência nos Capítulos 7 e 8.

CARACTERÍSTICA NÚMERO QUATRO: *Clareza de valores*. Quando pensamos nas coisas que tornaram grande os Estados Unidos, lembramo-nos dos sentimentos de patriotismo e orgulho, de tolerância e do amor pela liberdade. Essas coisas são valores, o julgamento fundamental, ético, moral e prático que fazemos sobre o que é importante, o que realmente importa. Valores são sistemas específicos de crenças que temos sobre o que é certo e errado para nossas vidas. São os julgamentos que fazemos sobre o que torna a vida digna de ser vivida. Muitas pessoas não têm uma ideia clara do que seja importante para elas. Muitas vezes, os indivíduos fazem coisas que depois os tornam infelizes consigo mesmos, só porque não são lúcidos sobre o que — inconscientemente — acreditam ser certo para eles e para os outros. Quando olhamos para aqueles que alcançaram grande sucesso, eles quase sempre são pessoas com um senso fundamental e claro sobre o que é realmente importante. Pense em Ronald Reagan, John F. Kennedy, Martin Luther King Jr., John Wayne, Jane Fonda. Todos eles tinham visões diferentes, mas o que têm em comum é uma base moral fundamental, um sentido de quem são e por que fazem o que fazem. Uma compreensão de valores é uma das mais gratificantes e desafiadoras chaves para se conseguir excelência. Consideraremos os valores no Capítulo 18.

Como você deve ter reparado, todas essas características se apoiam e se entrelaçam umas nas outras. A paixão é afetada por crenças? Claro que sim. Quanto mais acreditamos que podemos realizar alguma coisa, mais estamos querendo investir em sua realização. A crença, por si só, é suficiente para se conseguir excelência? É um bom começo, mas se você acredita que irá assistir ao nascer do sol e sua estratégia para realizar essa meta é começar a correr para Oeste, você poderá ter alguma dificuldade.

Nossas estratégias para o sucesso são afetadas por nossos valores? Acertou. Se sua estratégia para o sucesso exige que faça coisas que não combinam com suas crenças inconscientes, sobre o que é certo ou errado para sua vida, então, nem mesmo a melhor estratégia dará resultado. Vê-se isso com frequência em indivíduos que nem bem começam a ser bem-sucedidos e já estão sabotando o próprio sucesso. O problema é que há um conflito interno entre os valores do indivíduo e sua estratégia para a realização deles.

Da mesma forma, todas as quatro coisas que já consideramos são inseparáveis da Energia.

CARACTERÍSTICA NÚMERO CINCO: ***Energia***. Energia pode ser o formidável e alegre desempenho de um Bruce Springsteen, ou de uma Tina Turner. Pode ser o dinamismo empresarial de um Donald Trump, ou de um Steve Jobs. Pode ser a vitalidade de um Ronald Reagan, ou de uma Katharine Hepburn. É quase impossível ficar marcando passo, com vagar, em direção à excelência. Pessoas de excelência pegam as oportunidades e modelam-nas. Vivem como que obcecadas pelas extraordinárias oportunidades de cada dia e pelo reconhecimento de que ninguém tem tempo suficiente. Há muitas pessoas neste mundo que têm uma paixão na qual acreditam. Elas conhecem a estratégia, e seus valores estão alinhados, mas não têm a vitalidade física para agir naquilo que sabem. O grande sucesso é inseparável da energia física, intelectual e espiritual, que nos permite obter quase tudo o que temos. Nos Capítulos 9 e 10 aprenderemos e aplicaremos os instrumentos que podem, de imediato, aumentar a vibração física.

CARACTERÍSTICA NÚMERO SEIS: ***Poder de união***. Quase todas as pessoas de sucesso têm em comum uma extraordinária capacidade de unir-se com outras, de ligar-se e desenvolver uma relação harmônica com pessoas de diferentes procedências e crenças. De fato, há o gênio louco ocasional que inventa alguma coisa que muda o mundo. Mas se esse gênio passa todo o seu tempo só, no meio da multidão, ele será bem-sucedido em um nível, mas falhará em muitos outros. Os que alcançaram grande sucesso — como os Kennedy, os King, os Reagan, os Gandhi — têm a capacidade de formar laços que os unem a milhares de outros. O maior sucesso não é no palco do mundo. É nos mais profundos recessos de nosso próprio coração. Bem no fundo, todos precisamos estabelecer laços duradouros e afetuosos com os outros. Sem isso, qualquer sucesso, qualquer excelência é, na verdade, vazia. Aprenderemos sobre esses laços no Capítulo 13.

A característica-chave final é algo sobre o que já falamos.

CARACTERÍSTICA NÚMERO SETE: ***Domínio da comunicação.*** Essa é a essência do que trata este livro. A maneira como nos comunicamos com os outros e conosco é que, no final, determina a qualidade de nossas vidas. As pessoas que se realizam na vida são aquelas que aprenderam a aceitar qualquer desafio que a vida lhes apresenta e a comunicar a experiência para si mesmas de uma forma que as faça mudar as coisas com sucesso. As pessoas que falham recebem as adversidades da vida e as aceitam como limitações. Aqueles que modelam nossas vidas e nossa cultura são também mestres de comunicação para outros. O que têm em comum é a habilidade de comunicar uma visão, uma indagação, uma alegria ou uma missão. O domínio da comunicação é o que faz um grande pai, um grande artista, um grande político ou um grande professor. Quase todos os capítulos deste livro, de uma forma ou de outra, têm a ver com comunicação, preencher as lacunas, construção de novos caminhos e compartilhamento de novas visões.

A primeira parte deste livro vai lhe ensinar como se responsabilizar e dirigir seu próprio cérebro e corpo com mais eficiência do que conseguia antes. Trabalharemos com fatores que afetam a maneira como você se comunica consigo mesmo. Na segunda parte, estudaremos como descobrir o que na realidade você quer da vida e como pode comunicar-se mais eficazmente com os outros, assim como ser capaz de antecipar padrões de comportamento que diferentes tipos de pessoas, com certeza, criarão. A terceira parte vê — através de uma perspectiva mais larga e mais global — como nos comportamos, o que nos motiva e como podemos contribuir em um nível mais amplo e extrapessoal. Refere-se a como usar as práticas aprendidas e tornar-se um líder.

Quando escrevi este livro, minha meta original era oferecer uma contribuição para o desenvolvimento humano — um livro que se juntaria ao que houvesse de melhor e mais recente sobre a tecnologia da mudança humana. Queria armá-lo com as práticas e estratégias que o capacitariam a mudar qualquer coisa que quisesse, e a consegui-lo muito mais depressa do que já tivesse sonhado antes. Queria criar oportunidades para que você, de uma maneira bastante concreta, logo aumentasse a qualidade de sua experiência de vida. Também imaginei uma obra para a qual você pudesse voltar sempre que quisesse, e sempre encontrar alguma coisa útil para sua vida. Sei que muitos dos assuntos sobre os quais discorri poderiam dar outros tantos livros. No entanto, eu quis lhe dar a informação completa, algo que pudesse usar em cada área. Espero que este livro cumpra sua finalidade.

Quando os originais estavam prontos, os primeiros que os leram foram muito positivos, com apenas uma ressalva. Disseram: "Você tem dois livros aqui. Por que não os separa? Publica um agora e anuncia o outro como continuação, um ano mais tarde." Minha meta era atingir o leitor com as melhores informações, e o mais rápido que pudesse. Não queria dar essas informações uma de cada vez. No entanto, tornei-me ciente de que muitas pessoas sequer chegariam às partes do livro que penso serem as mais importantes, porque me foi explicado que pesquisas revelaram que menos de 10 por cento das pessoas que compram livros leem além do primeiro capítulo. A princípio, não podia acreditar nessa estatística. Então, lembrei-me de que menos de 3 por cento da população norte-americana é independente financeiramente, menos de 10 por cento têm metas definidas, só 35 por cento das mulheres americanas — e até menos homens — sentem-se em boa forma física e, em muitos estados, um em cada dois casamentos termina em divórcio. Só uma pequena porcentagem de pessoas vive, de fato, a vida de seus sonhos. Por quê? É preciso esforço. É preciso ação firme.

Perguntaram certa vez a Bunker Hunt, o bilionário do petróleo do Texas, se ele tinha algum conselho que pudesse dar às pessoas sobre como ser bem-sucedido. Ele respondeu que o sucesso era simples: primeiro, você decide com precisão o que quer; segundo, decide que pagará o preço para fazê-lo acontecer — e, então, paga esse preço. Se não der esse segundo passo, nunca terá o que quer a longo prazo. Gosto de chamar as pessoas que sabem o que querem e estão dispostas a pagar o preço para consegui-lo de "os poucos que fazem" *versus* "os muitos que falam". Eu o desafio a aproveitar esse material, a lê-lo todo, a compartilhar o que aprender e a apreciá-lo.

Neste capítulo esgotei a prioridade de fazer ações efetivas. Mas há muitas maneiras de agir. A maioria delas depende, em grande parte, de tentativas e erros. Muitas pessoas que são grandes sucessos tiveram de se ajustar e reajustar inúmeras vezes, antes de conseguirem o que queriam.

Tentar e errar é ótimo, exceto por uma coisa: usa-se uma vasta quantidade de um recurso que nenhum de nós jamais terá suficientemente — tempo.

E se houvesse uma maneira de agir que acabasse o processo de aprender? E se eu pudesse lhe mostrar como aprender as lições certas que as pessoas de excelência já aprenderam? E se você pudesse aprender em minutos o que alguém levou anos para aperfeiçoar? A maneira de se fazer isso é por meio da *modelagem*, uma forma de produzir com precisão a excelência dos outros. O que eles fazem que os distingue daqueles que somente sonham com sucesso?

CAPÍTULO 2

A DIFERENÇA QUE FAZ A DIFERENÇA

"Há uma coisa engraçada sobre a vida: se se recusar
a aceitar qualquer coisa que não seja a melhor,
você, muitas vezes, vai conseguí-la."

— W. Somerset Maugham

Ele estava viajando pela estrada principal a mais de 100 quilômetros por hora quando, de repente, aconteceu. Alguma coisa ao lado da estrada chamou sua atenção, e quando ele voltou a olhar para o caminho, só teve um segundo para reagir. Era quase tarde demais. O caminhão Mack à sua frente tinha feito uma parada inesperada. No mesmo instante, num esforço para salvar sua vida, inclinou sua moto numa derrapagem louca, que pareceu durar uma eternidade. Em angustiante movimento lento, deslizou para baixo do caminhão. A tampa da gasolina pulou de sua moto, e o pior aconteceu: combustível espalhou-se e incendiou-o. Seu momento de consciência seguinte é a experiência de acordar em uma cama de hospital, com dores de queimaduras, incapaz de mover-se, temendo respirar. Três quartos de seu corpo estão cobertos por terríveis queimaduras de terceiro grau. Ainda assim, recusa-se a desistir. Ele luta para voltar à vida e reassumir sua carreira de negociante, para acabar sofrendo outro golpe abalador: uma queda de avião que o deixa paralisado, da cintura para baixo, para o resto da vida.

Na vida de cada homem e de cada mulher, chega uma hora de supremo desafio. Uma hora quando cada reserva que temos é testada. Uma hora em que a vida parece injusta. Uma hora em que nossa fé, nossos valores, nossa paciência, nossa compaixão, nossa capacidade de resistir são todos empurrados para além de nossos limites. Alguns usam tais testes como oportunidades para se tornarem pessoas melhores. Outros, permitem que essas experiências da vida os destruam. Você já pensou o que é que cria a diferença nas maneiras como os seres humanos reagem aos desafios da vida? Eu já pensei. Durante quase toda a minha vida fui fascinado pelo que leva os seres humanos a se comportarem do jeito que o fazem. Desde que consigo me lembrar, tenho estado obcecado pela ideia de descobrir o que separa certos homens e mulheres de seus semelhantes. O que cria um líder, um empreendedor? Como é que há tantas pessoas neste mundo que vivem tão alegres, apesar de muita adversidade, enquanto outras parecem ter sempre levado vidas de desespero, raiva e depressão?

Deixe-me compartilhar a história de outro homem com vocês, e notemos as diferenças entre os dois. A vida dele parece muito mais brilhante. Ele é fabulosamente rico, artista de enorme talento, com muitos admiradores. Aos 22 anos, era o mais jovem membro do famoso grupo de comédia Second City, de Chicago. Quase em seguida, tornou-se o astro mais conhecido do show. Logo era um grande sucesso teatral em Nova York. Tornou-se um dos maiores êxitos da televisão, nos anos 1970, e logo um ídolo do cinema. Entrou para a música e teve o mesmo sucesso instantâneo. Tinha dúzias de amigos e admiradores, um bom casamento, lindas casas na cidade e no campo. Parecia ter tudo que uma pessoa poderia pedir.

Qual dessas duas pessoas você preferia ser? É difícil imaginar alguém escolhendo a primeira opção em vez da segunda.

Mas deixe-me contar-lhe mais sobre essas duas pessoas. A primeira, é uma das mais cheias de vida, fortes e bem-sucedidas que conheço. Seu nome é W. Mitchell, e ele está vivo, bem, e morando no Colorado. Desde seu terrível acidente de moto, ele conheceu mais sucesso e alegria do que a maioria das pessoas durante a vida toda. Ele desenvolveu excelentes relações pessoais, com alguns dos mais influentes nomes nos Estados Unidos. Tornou-se um milionário nos negócios. Até candidatou-se ao Congresso, apesar de sua face estar grotescamente marcada. Seu *slogan* na campanha? "Mande-me para o Congresso e não serei somente outra cara bonita." Hoje ele tem uma fabulosa relação com uma mulher muito especial, e fez campanha para sair candidato a governador do Colorado em 1986.

A segunda pessoa é alguém que você conheceu bem, alguém que, com certeza, já lhe proporcionou muito prazer e alegria. Seu nome era John Belushi. Foi um dos mais célebres comediantes de nosso tempo, e um dos maiores sucessos da história do entretenimento nos anos 1970. Belushi era capaz de enriquecer inúmeras vidas, mas não a sua própria. Quando morreu, com a idade de 33 anos, daquilo que o delegado chamou de "intoxicação aguda por cocaína e heroína", poucos dos que o conheciam ficaram surpresos. O homem que tinha tudo tornara-se um bêbado, um incontrolável viciado, velho apesar da idade. Por fora ele tinha tudo; por dentro, estava vazio havia anos.

Vemos exemplos similares a toda hora. Já ouviu falar de Pete Strudwick? Nascido sem mãos e pés, resolveu tornar-se um corredor de maratona e já correu cerca de 40 quilômetros. Pense na história espantosa de Helen Keller. Ou pense em Candy Lightner, a fundadora de um movimento denominado Mães contra Motoristas Bêbados. Ela sofreu uma terrível tragédia, a morte de uma filha atropelada por um motorista embriagado, e formou uma organização que, com certeza, já salvou centenas ou milhares de vidas. No outro extremo, pense em pessoas como Marilyn Monroe ou Ernest Hemingway, que tiveram sucesso fabuloso e acabaram se destruindo.

Assim, eu lhe pergunto: qual é a diferença entre os que têm e os que não têm? Qual é a diferença entre os que podem e os que não podem? Qual é a diferença entre os que fazem e os que não fazem? Por que algumas pessoas superam adversidades horríveis e inimagináveis e fazem de suas vidas um triunfo, enquanto outras, apesar de todas as vantagens, transformam suas vidas em um desastre? Por que algumas pessoas aproveitam qualquer experiência e fazem-na trabalhar a seu favor, enquanto outras fazem-na trabalhar contra? Qual é a diferença entre W. Mitchell e John Belushi? Qual é a diferença que faz a diferença, na qualidade de vida?

Tenho sido obcecado por essa questão durante toda a minha vida. Conforme cresci, vi pessoas que tinham grandes riquezas de todos os tipos, grandes empregos, amizades maravilhosas, físicos bem desenvolvidos. Queria saber o que fazia suas vidas serem tão diferentes da minha e de meus amigos. Toda a diferença vinha dar na maneira como nos comunicávamos conosco e nas ações que praticávamos. O que fazemos quando tentamos tudo que podemos e as coisas continuam saindo erradas? As pessoas bem-sucedidas não têm menos problemas do que as que falham. As únicas pessoas sem problemas são aquelas que estão no cemitério. Não é o que acontece conosco que distingue os sucessos dos fracassos. É como percebemos isso e o que fazemos a respeito do que "acontece" que faz a diferença.

Quando W. Mitchell recebeu a informação de que três quartos de seu corpo estava coberto de queimaduras de terceiro grau, teve uma escolha sobre como interpretar essa informação. O significado desse fato podia ter sido uma razão para morrer, lamentar ou qualquer outra coisa que quisesse exprimir. Ele preferiu exprimir firmeza, acreditar que aquela experiência tinha ocorrido por alguma razão, e que algum dia lhe daria até maiores vantagens em sua meta para destacar-se no mundo. Como resultado dessa comunicação consigo mesmo, formou conjuntos de crenças e valores que continuavam a dirigir sua vida, a partir de um sentido de vantagem, mais do que de tragédia — mesmo depois de ter ficado paralítico. Como Pete Strudwick foi capaz de correr com sucesso a Pike's Peak, a mais difícil maratona do mundo, apesar de não ter mãos nem pés? Simples. Ele dominava sua comunicação consigo mesmo. Quando os sentidos de seu corpo lhe enviavam sinais que, no passado, interpretara como dor, como limitação, como exaustão, ele simplesmente tornou a rotular seus significados e continuou a comunicá-los a seu sistema nervoso de uma maneira que o manteve correndo.

"As coisas não mudam; nós mudamos."

— Henry David Thoreau

O que sempre me deixou curioso era, em especial, como as pessoas conseguiam resultados. Tempos atrás, compreendi que o sucesso deixa vestígios, que as pessoas que conseguem resultados notáveis fazem coisas específicas para criar esses resultados. Compreendi que não era suficiente só saber o que W. Mitchell ou Pete Strudwick comunicavam para si, de uma forma que produziam resultados. Tinha que saber, especificamente, como eles faziam isso. Acreditava que, se eu duplicasse as ações de outros, poderia reproduzir a mesma qualidade de resultados que eles tinham. Acreditava que, se plantasse, também colheria. Em outras palavras, se houvesse alguém que pudesse ser piedoso, mesmo nas mais horríveis das circunstâncias, eu poderia descobrir sua estratégia — como ele olhava para as coisas, como usava o corpo naquelas situações —, e me tornaria mais piedoso. Se um homem e uma mulher tinham um casamento bem-sucedido, estando ainda muito apaixonados depois de 25 anos, eu poderia descobrir que atitudes haviam tomado, quais as crenças deles, para criar aquele resultado, e poderia adotar aquelas atitudes e crenças para conseguir resultados semelhantes em minhas relações. Na minha vida, consegui o resultado de ser muito gordo. Comecei a compreender que tudo que precisava fazer era me modelar por pessoas magras, descobrir o que comiam, como comiam, o que pensavam, quais eram suas crenças, e poderia obter o mesmo resultado. Foi assim que perdi meus 13,5 quilos de excesso de peso. Fiz a mesma coisa na área financeira e nas minhas relações pessoais. Assim, comecei a procurar modelos de excelência pessoal, e, na minha própria procura pela excelência, estudei todos os caminhos possíveis.

Conheci, então, a ciência conhecida como Programação Neurolinguística, abreviada para PNL. Se você analisá-la, o nome vem de *neuro*, que se refere ao cérebro, e *linguístico*, que se refere à linguagem. Programação é a instalação de um plano ou procedimento. PNL é o estudo de como a linguagem, tanto a verbal como a não verbal, afetam nosso sistema nervoso. Nossa capacidade de fazer qualquer coisa na vida está baseada em nossa capacidade de dirigir nosso próprio sistema nervoso. Aqueles que alcançam algum resultado importante conseguiram comunicações específicas para o sistema nervoso por meio dele.

A PNL estuda como as pessoas se comunicam entre si, em formas que produzem ótimos estados de desembaraço, criando assim maior número de escolhas de conduta. O nome "Programação Neurolinguística", embora seja a expressão exata do que trata a ciência, pode também ser responsável pelo fato de que você talvez nunca tenha antes ouvido falar dela. No passado, era de preferência ensinada a terapeutas e a um pequeno número de afortunados executivos. Em meu primeiro contato com ela, logo percebi que era alguma coisa bastante diferente de tudo que eu já havia experimentado antes. Observei um praticante da PNL tratar uma mulher que havia mais de três anos estava em terapia por causa de reações fóbicas, e em menos de 45 minutos não havia mais fobia. Fiquei cativado. Tinha que saber tudo! (Por sinal, muitas vezes o mesmo resultado pode ser conseguido em cinco ou dez minutos.) A PNL proporciona uma estrutura sistemática para dirigirmos nosso próprio cérebro. Ensina-nos como dirigir não só nossos próprios estados e comportamentos, mas também os estados e comportamentos dos outros. Resumindo: é a ciência de como dirigir seu cérebro de uma forma favorável para conseguir os resultados que deseja.

A PNL proporcionou exatamente o que eu estava procurando. Deu a chave para desvendar o mistério de como certas pessoas são capazes de, com frequência, conseguir o que chamo de resultado *ótimo*. Se alguém é capaz de levantar-se de manhã, com rapidez, facilidade e cheio de energia, isso é um resultado que conseguiu.

A próxima pergunta é: como ele conseguiu isso? Uma vez que as ações são a origem de todos os resultados, que ações específicas mentais ou físicas produzem o processo neurofisiológico de acordar do sono com rapidez e facilidade? Uma das pressuposições da PNL é que todos nós temos a mesma neurologia. Assim, se alguém no mundo pode fazer qualquer coisa, você também pode, se conduzir seu sistema nervoso exatamente da mesma forma. Esse processo de descobrir, exata e especificamente, o que as pessoas fazem para conseguir um resultado específico é chamado modelagem.

Mais uma vez, a questão é: se é possível para os outros, é possível para você. Não é uma questão de saber se você pode conseguir os resultados que outra pessoa conseguiu. É uma questão de estratégia, isto é, de como a pessoa consegue os resultados. Se alguém pronuncia muito bem as palavras, há uma maneira de copiá-lo, a fim de que você também seja como ele, em questão de quatro ou cinco minutos. (Você aprenderá essa estratégia no Capítulo 8.) Se alguém que você conhece se comunica muito bem com o filho, você pode fazer o mesmo. Se alguém acha fácil levantar-se com rapidez pela manhã, você também pode. É só copiar como outras pessoas dirigem seus sistemas nervosos. Claro, algumas tarefas são mais complexas do que outras e podem levar mais tempo para serem copiadas e duplicadas. No entanto, se você tiver bastante vontade e crença, que o ajudarão enquanto continuar se ajustando e mudando, conseguirá, pois qualquer coisa que qualquer ser humano faz, pode ser copiada. Em muitos casos, uma pessoa pode levar anos em tentativas e erros, até encontrar uma maneira específica de usar o corpo ou a mente para conseguir um resultado. Mas você pode começar a copiar as ações que levaram anos para serem aperfeiçoadas e conseguir resultados similares em uma questão de momentos, meses, ou, pelo menos, em muito menor tempo que levou a pessoa cujos resultados deseja duplicar.

Os dois primeiros homens responsáveis pela PNL são John Grinder e Richard Bandler. Grinder é linguista, um dos mais proeminentes do mundo. Bandler é matemático, gestalt-terapeuta e perito em computadores. Os dois decidiram juntar seus talentos em uma única tarefa: sair copiando as pessoas que fossem as melhores nos seus respectivos ramos. Procuraram aquelas que fossem exemplares na criação daquilo a que a maioria dos seres humanos aspiram, ou seja, mudança. Conversaram com homens de negócios e terapeutas de sucesso, e outros, a fim de extrair as lições e os exemplos que tais pessoas descobriram em anos de tentativas e erros.

Bandler e Grinder são muito conhecidos pelo número de exemplos efetivos de intervenção de comportamento que codificaram, copiando o Dr. Milton Erikson, um dos maiores hipnoterapeutas que já existiu, Virginia Satir, uma extraordinária terapeuta de família, e Gregory Bateson, um antropólogo. Os dois descobriram, por exemplo, como Satir era capaz de conseguir com eficiência soluções para relacionamentos onde outros terapeutas haviam falhado. Descobriram que padrões de ações ela seguia para criar resultados. E ensinaram esses padrões para seus alunos, que então, se tornaram capacitados para aplicá-los e para conseguir a mesma qualidade de resultados, apesar de não terem os anos de experiência da notável terapeuta. Eles semearam as mesmas sementes, assim, colheram as mesmas recompensas. Trabalhando com os padrões fundamentais que copiaram desses três mestres, Bandler e Grinder começaram a criar seus próprios padrões, e a ensiná-los também. Esses padrões são comumente conhecidos como Programação Neurolinguística — PNL.

Esses dois gênios fizeram muito mais do que nos dar uma série de padrões significativos e eficientes para criar mudanças. Mais importante ainda: eles nos deram uma visão sistemática de como duplicar qualquer forma de excelência humana em um curto período de tempo.

O sucesso deles é lendário. No entanto, mesmo com os instrumentos disponíveis, muitas pessoas só aprenderam os padrões para criar mudança emocional de comportamento e nunca obtiveram o poder pessoal para usá-

-los de uma forma efetiva e congruente. Mais uma vez, ter o conhecimento não é suficiente. Ação é que produz resultados.

Quanto mais eu lia livros sobre PNL, mais ficava surpreso de encontrar pouco ou nada escrito sobre o processo de modelagem. Para mim, modelagem é o caminho para a excelência. Significa que, se eu vejo alguém neste mundo conseguindo um resultado que desejo, posso produzir os mesmos resultados, se quiser pagar o preço do tempo e do esforço. Se você quiser alcançar o sucesso, tudo o que precisa fazer é encontrar um meio de copiar aqueles que já são um sucesso. Isto é, descobrir como agiram, e, em especial, como usaram seus cérebros e corpos para conseguirem os resultados que você deseja duplicar. Se você quiser ser um bom amigo, uma pessoa mais rica, um pai ou um atleta melhor, um homem de negócios mais bem-sucedido, tudo que precisa fazer é encontrar modelos de excelência.

Os que mudam e abalam o mundo são, muitas vezes, modeladores profissionais — pessoas que dominam a arte de aprender tudo que podem, seguindo mais a experiência de outros do que a própria. Sabem como salvar a única riqueza que nenhum de nós consegue ter suficiente, que é tempo. De fato, se você olhar a lista de *best-sellers* no *The New York Times*, descobrirá que a maioria dos livros que lideram a lista contém modelos de como fazer alguma coisa com mais eficiência. O último livro de Peter Drucker é *Innovation and Entrepreneurship*. Nele, o autor delineia as ações específicas que se deve tomar para ser um empresário eficiente e inovador. Deixa bem claro que inovação é um processo muito especial e deliberado. Não há nada misterioso ou mágico em ser um empresário. Não está na composição genética. É uma disciplina que pode ser aprendida. Parece familiar? Ele é considerado o fundador das práticas modernas de negócios, devido à sua perícia em copiar. *The One Minute Manager* (Kenneth Blanchard e Spencer Johnson) é um modelo para comunicação humana e orientação simples e efetiva para qualquer relacionamento humano. Foi elaborado para modelar alguns dos mais eficientes gerentes do país. *In Search of Excellence* (Thomas J. Peters e Robert H. Waterman Jr.) é, sem dúvida, um livro que mostra um modelo de corporações bem-sucedidas nos Estados Unidos. *A ponte para o sempre* (Richard Bach) proporciona outro ponto de vista, um novo modelo de como encarar os relacionamentos. A lista continua. Este livro também está cheio de muitas séries de modelos de como dirigir sua mente, seu corpo e sua comunicação com os outros, de uma forma que produza resultados importantes para todos os envolvidos. No entanto, minha meta para você não é só aprender esses padrões de sucesso, mas também ultrapassá-los, possibilitando-lhe criar seus próprios modelos.

Você pode ensinar a um cachorro padrões que melhorarão seu comportamento. Pode fazer a mesma coisa com pessoas. Mas o que quero que aprenda é um processo, uma estrutura, uma disciplina que permitirá que você duplique excelência onde quer que a encontre. Quero lhe ensinar alguns dos mais eficientes padrões da PNL. Porém, quero que se torne mais do que só um adepto da PNL. Quero que se torne um modelador. Alguém que saiba reconhecer excelência, e a torne própria. Alguém em constante busca do desempenho ótimo, pois você não está preso, comprometido com nenhuma das séries de sistemas ou padrões, mas, em vez disso, está procurando com afinco novos e efetivos meios para conseguir os resultados que deseja.

Para modelar excelência você precisa tornar-se um detetive, um investigador, alguém que faz uma porção de perguntas e segue todas as pistas do que produz excelência.

Ensinei ao melhor atirador de pistola do Exército dos Estados Unidos a atirar melhor encontrando os padrões exatos de excelência em tiro de pistola. Aprendi as habilidades de um mestre de caratê, observando o que ele pensava e fazia. Melhorei o desempenho de atletas profissionais e olímpicos. Fiz isso encontrando um meio de modelar com precisão o que esses homens fizeram quando conseguiram seus melhores resultados e, então, mostrei a eles como podiam usar aqueles desempenhos como "deixas".

Construir a partir do sucesso dos outros é um dos aspectos fundamentais da maioria dos aprendizados. No mundo da tecnologia, cada processo em engenharia ou computação é, naturalmente, precedido de novas descobertas e avanços. No mundo dos negócios, as firmas que não aprendem com o passado, que não operam com informações sobre a condição em que as coisas se acham, estão perdidas.

Mas o mundo do comportamento humano é uma das poucas áreas que continua a operar com teorias e informações fora de moda. Muitos de nós ainda usamos um modelo do século XIX, de como o cérebro trabalha e de como nos comportamos. Colocamos uma etiqueta chamada "depressão" em alguma coisa e... adivinhe o que acontece? Ficamos deprimidos. A verdade é: aqueles termos podem estar se tornando profecias. Este livro ensina uma tecnologia que logo se mostra acessível, uma tecnologia que pode ser usada para você criar a qualidade de vida que deseja.

Bandler e Grinder descobriram que existem três ingredientes fundamentais que devem ser duplicados, a fim de reproduzir qualquer forma de excelência humana. Eles são, na realidade, as três formas de ações mentais e físicas que correspondem mais diretamente à qualidade dos resultados que produzimos. Imagine-os como três portas que levam a uma espetacular sala de banquete.

A primeira porta representa o *sistema de crença* da pessoa. O que uma pessoa acredita, o que pensa ser possível ou impossível. Em maior extensão, determina o que ela pode, ou não, fazer. Há uma velha frase que diz: "Quer você acredite que pode fazer uma coisa, ou acredite que não pode, você está certo." De certa forma, é verdade, pois quando você não acredita que pode fazer alguma coisa, está mandando mensagens coerentes ao seu sistema nervoso, que limitam ou eliminam sua capacidade de conseguir aquele mesmo resultado. Se, por outro lado, estiver consistentemente enviando mensagens congruentes ao seu sistema nervoso que dizem que pode fazer alguma coisa, ele então avisa seu cérebro para produzir o resultado que deseja, e isso abre a possibilidade para que aconteça. Assim, se você consegue copiar o sistema de crença de uma pessoa, dá o primeiro passo para agir como ela age, conseguindo, então, um tipo similar de resultado. Veremos os sistemas de crença mais adiante, no Capítulo 4.

A segunda porta que deve ser aberta é a *sintaxe mental* da pessoa. Sintaxe mental é a maneira como as pessoas organizam seus pensamentos. Sintaxe é como um código. Nos Estados Unidos, há sete dígitos em um número de telefone, mas você tem de discá-los na ordem certa, para encontrar a pessoa que quer. O mesmo é verdadeiro para encontrar as partes de seu cérebro e de seu sistema nervoso que poderão ajudá-lo, com mais eficiência, a conseguir o resultado que deseja. O mesmo é verdadeiro em comunicação. Muitas vezes, as pessoas não se comunicam bem com outras porque pessoas diferentes usam códigos diferentes, sintaxes mentais diferentes. Decifre os códigos e terá passado pela segunda porta, em direção à modelagem das melhores qualidades das pessoas. Olharemos a sintaxe no Capítulo 7.

A terceira porta é a *fisiologia*. A mente e o corpo estão totalmente ligados. A maneira como você usa sua fisiologia — como respira e mantém seu corpo, sua postura, expressões faciais, a natureza e a qualidade de seus movimentos — é que determina em que estado você está. O estado em que esteja, então, determinará a extensão e a qualidade dos comportamentos que você será capaz de conseguir. Aprenderemos mais sobre fisiologia no Capítulo 9.

No momento, estamos modelando todo o tempo. Como uma criança aprende a falar? Como um jovem atleta aprende com outro, mais velho? O que faz um promissor homem de negócios decidir estruturar sua firma? Aqui está um exemplo simples de modelagem do mundo dos negócios. Uma maneira de muitas pessoas ganharem muito dinheiro neste mundo é graças ao que eu chamo de modismo. Vivemos em uma cultura que é bastante consistente. Assim, o que funciona em um lugar, com muita probabilidade, funcionará em outro. Se alguém abriu um negócio bem-sucedido, vendendo bolinhos de chocolate em uma alameda em Detroit, as possibilidades são que o mesmo negócio funcionará em uma alameda em Dallas. Se alguém em Chicago dirige um negócio, fornecendo pessoas em trajes ridículos para entregar mensagens, as chances são de que a mesma coisa funcione em Los Angeles, ou Nova York.

Tudo que muitas pessoas fazem para ter sucesso nos negócios é encontrar alguma coisa que foi bem-sucedida em uma cidade e fazer a mesma coisa em algum outro lugar, antes que o modismo termine. Tudo que têm a fazer é pegar um sistema provado e duplicá-lo, e talvez até melhorá-lo. Pessoas que fazem isso estão de fato garantindo sucesso.

Os maiores modeladores do mundo são os japoneses. O que está por trás do espantoso milagre da economia japonesa? Será inovação brilhante? Algumas vezes. No entanto, se você checar a história industrial das duas últimas décadas, descobrirá que muito pouco dos novos produtos, ou dos avanços tecnológicos, começou no Japão. Os japoneses só recolheram ideias e produtos que começaram nos Estados Unidos, expandindo-se em todo lugar, de carros a semicondutores, e, por meio de meticulosa modelagem, retiraram os melhores elementos — e melhoraram o resto.

O homem considerado o mais rico do mundo por muitas pessoas é Adnam Mohamed Khashoggi. Como ficou assim? Simples. Ele fez moldes dos Rockefeller, Morgan e outros, da mesma estatura financeira. Lia tudo que podia sobre eles, estudou suas crenças e modelou suas estratégias. Por que W. Mitchell foi capaz não só de sobreviver, mas de prosperar, saindo de uma experiência tão perturbadora que poucos poderiam suportar? Quando estava no hospital, amigos liam para ele histórias de pessoas que superaram grandes obstáculos. Ele tinha um modelo de possibilidade, e esse modelo positivo foi mais forte do que as experiências negativas que suportou. A diferença entre os bem-sucedidos e aqueles que falham não é o que têm, mas sim o que escolhem para ver e fazer com suas reservas e experiências de vida.

Por meio desse mesmo processo de modelagem, comecei a conseguir resultados imediatos para mim e para os outros. Continuei a procurar outros padrões de pensamento e ação que produzissem resultados satisfatórios, em curtos períodos de tempo. Chamo esses padrões combinados de Técnicas de Desempenho Ótimo. Essas estratégias compõem o corpo deste livro. Mas quero tornar uma coisa clara. Minha meta, o que espero de você, não é que só domine os padrões que descrevo aqui. O que precisa fazer é desenvolver seus próprios padrões, suas próprias estratégias. John Grinder ensinou-me a nunca acreditar muito em alguma coisa, porque, se acreditar, sempre haverá um ponto sem solução. A PNL é um instrumento poderoso, mas apenas um instrumento, que pode ser usado para desenvolver suas próprias abordagens, suas próprias estratégias, seus próprios critérios. Nenhuma estratégia funciona sempre.

É claro que modelar não é nada novo. Todo grande inventor copiou suas descobertas de outros, para apresentar alguma coisa nova. Toda criança copia o mundo à sua volta.

Porém, o problema é que a maioria de nós copiamos num nível desfocado e muito aleatoriamente. Pegamos ao acaso pedaços e partes desta ou daquela pessoa e perdemos por completo alguma coisa muito mais importante de uma outra. Copiamos alguma coisa boa aqui e alguma ruim acolá. Tentamos copiar alguém que respeitamos, mas descobrimos que, na verdade, não sabemos como fazer o que ele, ou ela, faz.

> "O encontro da preparação com a oportunidade gera
> o rebento que chamamos sorte."
>
> — Tony Robbins

Pense neste livro como um guia preciso, uma oportunidade para tornar-se ciente de alguma coisa que sempre tenha feito em sua vida.

Há recursos e estratégias fenomenais à sua volta. Meu desafio para você é que comece a pensar como um modelador, estando sempre atento aos padrões e tipos de ações que produzem resultados importantes. Se alguém é capaz de fazer alguma coisa notável, a questão imediata que deve surgir é: "Como ele criou esse resultado?" Espero que continue a procurar por excelência, pela magia em tudo que vê, e aprenda como é produzida, a fim de que possa criar a mesma espécie de resultados, no momento que desejar.

O próximo tema que iremos explorar é o que determina nossas respostas às várias circunstâncias da vida. Continuemos.

CAPÍTULO 3

O PODER DO ESTADO

"É a mente que faz a bondade e a maldade,
Que faz a tristeza ou a felicidade, a riqueza e a pobreza."

— Edmund Spenser

Você já passou pela experiência de estar em maré alta, de sentir que não poderia fazer nada errado, numa época quando tudo parece andar direito? Talvez, em uma partida de tênis, quando toda raquetada acerta a linha, ou em uma reunião de negócios, em que você tem todas as respostas. Talvez, em uma ocasião quando fica surpreso ao se ver fazendo alguma coisa heroica ou dramática, que nunca pensou que pudesse fazer. Provavelmente, já passou também pela experiência oposta, num dia em que nada dá certo. Com certeza, você pode se lembrar de ocasiões em que confundiu as coisas que em geral faz com facilidade, quando todo passo está errado, toda porta, trancada, quando tudo que tenta não dá certo.

O que acontece? Você é a mesma pessoa. Deveria ter os mesmos recursos à sua disposição. Então, por que consegue resultados desanimadores uma hora e resultados fabulosos em outra? Por que é que mesmo os melhores atletas têm dias em que fazem tudo certo e, em seguida, dias em que não conseguem encestar uma bola ou marcar um ponto?

A diferença é o estado neurofisiológico em que estão. Há estados que habilitam — confiança, amor, força interior, alegria, êxtase, crença — e deixam sair grandes mananciais de poder pessoal. Há os estados paralisantes — confusão, depressão, medo, ansiedade, tristeza, frustração —, que nos deixam sem poder. Todos nós entramos e saímos de bons e maus estados. Já foi a um restaurante onde a garçonete resmunga: "O que vai querer?" É possível que ela tenha uma vida tão difícil que a deixa sempre assim. É mais provável que tenha tido um mau dia, atendendo a muitas mesas, talvez alguns até tenham sido duros com ela, que não é uma pessoa má, mas que está terrivelmente embaraçada. Se você puder mudá-lo, poderá mudar seu comportamento.

Entender estados é a chave para entender mudanças e conseguir excelência. Nosso comportamento é o resultado do estado em que estamos. Sempre fazemos o melhor que podemos, com os recursos de que dispomos, mas, algumas vezes, nos encontramos em estados sem recursos. Sei que houve épocas em minha vida quando, dentro de determinado estado, fiz ou disse coisas das quais mais tarde me arrependi ou de que me envergonhei. Talvez você também já tenha feito isso. É importante lembrar dessas ocasiões quando alguém nos trata com pouco-caso. Assim, você cria um sentimento de compaixão, em vez de raiva. Afinal, quem tem telhado de vidro não deve atirar pedras. Lembre-se: a garçonete e outras pessoas não têm os seus comportamentos. A chave, então, é tomar conta de nossos estados e, assim, de nossos comportamentos. O que acharia se pudesse, num estalar de dedos, ficar em um estado mais dinâmico, mais cheio de recursos, um estado no qual ficaria excitado, certo do sucesso, com o corpo vibrando de energia, com a mente viva? Bem, você pode.

Quando terminar este livro, estará sabendo como se pôr em seu estado mais rico de recursos e poder, e como sair de estados empobrecedores, quando quiser. Lembre-se: a chave do poder é agir. Minha meta é compartilhar com você como usar os estados que levam à ação decisiva, coerente, assumida. Neste capítulo vamos aprender o que são estados e como trabalham. E vamos aprender por que podemos controlá-los e fazê-los trabalhar para nós.

Um estado pode ser definido como a soma de milhões de processos neurológicos acontecendo dentro de nós. Em outras palavras, a soma total de nossa experiência a qualquer tempo, em qualquer momento. A maioria de nossos estados acontece sem nenhum direcionamento consciente de nossa parte. Vemos alguma coisa e respondemos a ela entrando em um estado. Pode ser um estado rico e útil, ou um empobrecedor e limitador, mas não há muito que a maioria de nós possa fazer para controlá-lo. A diferença entre aqueles que falham em realizar suas metas na vida e aqueles que são bem-sucedidos é a diferença entre aqueles que não conseguem se pôr num estado de apoio e aqueles que, com segurança, se põem num estado que os ajuda em suas realizações.

PIMENTINHA

"POR QUE SERÁ QUE CERTAS COISAS TÃO BOBAS PARECEM TÃO INTELIGENTES QUANDO É VOCÊ QUE AS FAZ?"

Dennis The Menace © News America Syndicate. Publicado com permissão de Hank Ketcham.

Quase tudo que as pessoas querem é algum estado possível. Faça uma lista das coisas que quer na vida. Quer amor? Bem, amor é um estado, um sentimento ou emoção que comunicamos para nós mesmos e que sentimos dentro de nós, baseados em certos estímulos do meio. Confiança? Respeito? São coisas que criamos. Produzimos esses estados dentro de nós. Talvez você queira dinheiro. Bem, você não se interessa em ter pequenos pedaços de papel verde, enfeitados com os rostos de diversos mortos notáveis. Você quer o que o dinheiro representa para você: amor, confiança, liberdade, ou qualquer outro estado que acredite que conseguirá com a ajuda dele. Assim, a chave para o amor, a alegria, para aquele poder que o homem tem procurado há anos — a capacidade de dirigir sua vida —, é a habilidade de saber como dirigir seus estados.

A primeira chave para dirigir seu estado e produzir os resultados que deseja na vida é aprender a controlar efetivamente o seu cérebro. A fim de fazer isso, precisamos entender um pouco como ele funciona. Em primeiro lugar, precisamos saber o que cria um estado. Há séculos o homem é fascinado pelas maneiras de alterar seus estados e, assim, sua experiência de vida. Ele tentou jejum, drogas, rituais, música, sexo, comida, hipnose, cantos. Todas essas coisas têm seus usos e suas limitações. De qualquer modo, você vai ser agora introduzido em meios muito mais simples, que são igualmente poderosos e, em muitos casos, mais rápidos e mais precisos.

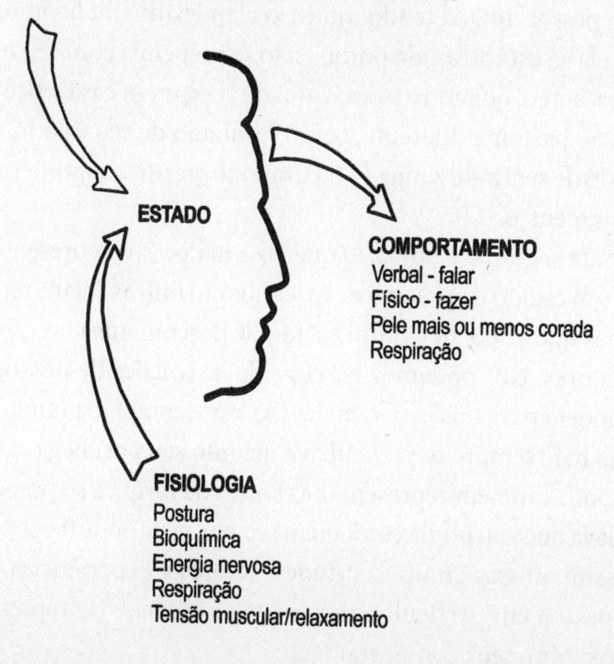

Se todo comportamento é o resultado do estado em que estamos, poderemos conseguir diferentes comportamentos e comunicações quando estivermos em estados de muitos recursos, o que não acontecerá se estivermos em estados pobres de recursos. Então, a próxima pergunta é: o que cria o estado em que estamos? Existem dois componentes principais do estado: o primeiro é nossa representação interna; o segundo, é a condição e o uso de nossa fisiologia. O que e como você imagina as coisas, assim como o que e como diz coisas para si mesmo sobre a situação do momento, criam o estado em que fica e, assim, as espécies de comportamento que produz. Por exemplo, como você trata seu esposo, ou esposa, namorado, ou namorada, quando ele, ou ela, chega em casa mais tarde do que prometeu? Bem, seu comportamento dependerá, em grande parte, do estado em que esteja quando a pessoa voltar, e seu estado será determinado, em grande escala, pelo que estava representado em sua mente, como razão do atraso. Se, durante horas, você estava imaginando a pessoa com quem se preocupa em um acidente, ferida, morta ou hospitalizada, assim que ela entrar pela porta poderá recebê-la com lágrimas, com um suspiro de alívio ou com um grande abraço e uma pergunta sobre o que aconteceu. Esses comportamentos surgem de um estado de preocupação. No entanto, se imaginou a pessoa amada tendo um caso clandestino ou ficou repetindo para si que ela só está atrasada porque não se preocupa com seu tempo ou sentimentos, então, quando a pessoa amada chegar em casa, você lhe dará uma recepção bastante diferente, como resultado de seu estado. A partir de um estado de sentir-se zangado ou usado surge um conjunto todo novo de comportamentos.

A pergunta seguinte é óbvia. O que faz uma pessoa representar coisas a partir de um estado de preocupação, enquanto outras criam representações internas que as põem em um estado de desconfiança ou raiva? Bem, há vários fatores. Nós podemos ter copiado as reações de nossos pais ou de outro modelo para tais experiências. Se, por exemplo, quando você era criança, sua mãe sempre se preocupava quando seu pai chegava tarde em casa, você pode também representar as coisas de forma a se preocupar. Se sua mãe falava que não podia confiar em seu pai, você pode ter copiado esse padrão. Assim, nossas crenças, atitudes, valores e experiências passados com uma pessoa em particular, tudo afeta as espécies de representações que faremos sobre seus comportamentos.

Há um fator até mais importante e forte no modo como percebemos e representamos o mundo: é a condição e nosso padrão de uso de nossa própria fisiologia. Coisas como tensão muscular, o que comemos, como respiramos, nossa postura, o nível global de nosso funcionamento bioquímico, tudo provoca um impacto importante em nosso estado. A representação interna e a fisiologia trabalham juntas, num enlace cibernético. Tudo que afeta uma, automaticamente afetará a outra. Assim, mudanças de estado envolvem mudanças de representação interna e fisiologia. Se seu corpo estiver em estado de muitos recursos, é provável que pense que seu amante, cônjuge, filho ou filha, que já deveria ter chegado, esteja preso no trânsito, ou a caminho de casa. Se, no entanto, você está, por várias razões, num estado fisiológico de grande tensão muscular, ou muito cansado, se está com dor, ou com pouco açúcar no sangue, a tendência é representar as coisas de forma que possam aumentar seus sentimentos negativos. Pense nisso: quando está se sentindo fisicamente vibrante e bem vivo, você não olha para o mundo de maneira diferente da que quando está cansado ou doente? A condição de sua fisiologia muda por completo o modo como representa e, assim, experimenta o mundo. Quando você sente as coisas como sendo difíceis e perturbadoras, seu corpo não segue o exemplo e fica tenso? Esses dois fatores, representação interna e fisiologia, estão sempre em interação, para criar o estado em que estamos. E esse estado determina o tipo de comportamento que produzimos. Assim, para controlar e dirigir nossos comportamentos, devemos controlar e dirigir nossos estados, e, para controlá-los, devemos controlar e, conscientemente, dirigir nossa representação interna e nossa fisiologia. Imagine-se sendo capaz de controlar cem por cento de seu estado, em qualquer circunstância.

Antes que possamos dirigir nossas experiências de vida, devemos, primeiro, entender como as experimentamos. Como mamíferos, os seres humanos recebem e representam informações sobre o meio graças a receptores especializados e órgãos dos sentidos. Há cinco sentidos: paladar ou gosto, olfato ou cheiro, visão ou vista, audição ou ouvir e cinestesia ou tato. Tomamos a maioria das decisões que afetam nosso comportamento, a princípio, usando só três desses sentidos: o visual, o auditivo e os sistemas cinestésicos.

Esses receptores especializados transmitem o estímulo externo para o cérebro. Por meio de processos de generalização, distorção e cancelamento, o cérebro, então, pega esses sinais elétricos e filtra-os, em uma representação interna.

Portanto, sua representação interna, sua experiência do evento, não é exatamente o que aconteceu, porém uma representação interna personalizada. A mente consciente de um indivíduo não pode usar todos os sinais que são enviados para ela. Com certeza, você ficaria num estado de completa loucura se, conscientemente, tivesse de entender os milhares de estímulos da pulsação do sangue pelo seu dedo esquerdo, até a vibração de seu ouvido. Então, o cérebro filtra e guarda a informação que precisa, ou espera precisar mais tarde, e permite à mente consciente do indivíduo ignorar o resto.

Esse processo de filtração explica a grande tensão da percepção humana. Duas pessoas podem ver o mesmo acidente de trânsito, mas dar versões bastante diferentes. Uma pode ter prestado mais atenção no que viu, outra, no que ouviu. Elas observaram de ângulos diferentes. Em primeiro lugar, ambas têm fisiologias diferentes para começar com o processo de percepção. Uma pode ter visão 20-20, enquanto outra pode ter recursos físicos pobres em geral. Talvez uma tenha estado num acidente e tenha uma representação muito viva já estocada. Qualquer que seja o caso, as duas terão representações muito diferentes do mesmo acontecimento. E irão guardar essas percepções e representações internas como novos filtros, por meio dos quais irão ter experiência de coisas no futuro.

Há um conceito importante que é usado na PNL: "O mapa não é o território." Como Alfred Korzybski fez notar em seu *Science & Sanity*: "As características importantes dos mapas devem ser notadas. Um mapa não é o território que ele representa, mas, se estiver correto, tem uma estrutura similar ao território, o que é válido para sua utilização." O significado para indivíduos é que sua representação interna não é a versão precisa de um evento. É só uma interpretação — filtrada através de crenças pessoais específicas, atitudes, valores e uma coisa chamada metaprograma. Talvez seja por isso que Einstein, certa vez, disse: "Aquele que tenta se pôr como juiz no campo da verdade e do conhecimento é soterrado pela risada dos deuses."

Uma vez que não sabemos como são as coisas na realidade, mas só como as representamos para nós mesmos, por que não representá-las de uma forma que nos fortaleça e aos outros, em vez de criar limitações? A chave para fazer isso com sucesso é o direcionamento da memória, a formação de representações que criem com solidez os mais fortalecedores estados para o indivíduo. Em qualquer experiência, você tem muitas coisas que pode enfocar. Mesmo a pessoa mais bem-sucedida pode pensar no que não está dando certo e entrar em um estado de depressão, frustração ou raiva, ou pode enfocar todas as coisas que dão certo em sua vida. Não importa quão terrível seja a situação, você pode representá-la de uma forma que o fortaleça.

As pessoas de sucesso são capazes de ter acesso aos seus estados mais cheios de recursos de uma forma consistente. Não é essa a diferença entre as pessoas bem-sucedidas e as que não o são? Torne a pensar em W. Mitchell. Não é o que lhe aconteceu que importa, mas a maneira como representou o que aconteceu. Apesar de estar terrivelmente queimado e, depois, paralisado, ele encontrou uma forma de se pôr num estado rico de recursos. Lembre-se: nada é intrinsecamente mau ou bom. O valor é como nós o representamos para nós mesmos. Podemos representar as coisas de uma maneira que nos deixa num estado positivo, ou podemos fazer o oposto. Pare um momento para pensar num tempo em que você estava num estado de força.

Isso é o que fazemos ao andar no fogo. Se eu lhe pedir que deixe este livro e ande por um leito de brasas, duvido que se levante e o faça. Não é alguma coisa que acredite que possa fazer, e você pode não ter recursos de percepções e estados associados a essa tarefa. Assim, quando digo isso, com certeza, você não entra num estado que o apoiaria para executar essa ação.

O passeio no fogo ensina às pessoas como mudar seus estados e seus comportamentos de uma forma a fortalecê-las para agir e conseguir novos resultados, apesar do medo ou de outros fatores limitadores. Pessoas que andaram no fogo não são diferentes do que eram quando entraram, pensando que andar no fogo era impossível. Mas elas aprenderam como mudar sua fisiologia e como mudar suas representações internas sobre o que podem ou não podem fazer. Assim, o andar no fogo é transformado de algo terrível em uma coisa que sabem que poderão fazer. Elas agora podem se pôr num total estado de recursos e, a partir desse estado, podem produzir muitas ações e resultados que, no passado, rotularam de impossíveis.

O passeio no fogo ajuda as pessoas a formarem uma nova representação interna de possibilidades. Se essa coisa que parecia tão impossível era só uma limitação em suas mentes, então, que outras "impossibilidades" são também realmente muito possíveis? Uma coisa é falar sobre o poder do estado, outra, é experimentá-lo. Isso é o que o passeio no fogo faz. Proporciona um novo modelo para crença e possibilidade e cria uma nova associação de percepção interna ou de estado para as pessoas, que faz com que suas vidas andem melhor e as capacita a fazer mais do que jamais pensaram ser "possível". Demonstra-se com clareza para elas que seus comportamentos são o resultado do estado em que estão, pois, num momento, se fizeram umas poucas mudanças em como representam a experiência para si, podem tornar-se tão confiantes a ponto de chegarem à ação efetiva. Claro que há muitas maneiras de fazer isso. O passeio no fogo é só uma maneira drástica e divertida que as pessoas raramente esquecem.

A chave para produzir os resultados que deseja, então, é representar coisas para si, de uma maneira e colocá-lo em tal estado de recursos que fique fortalecido para praticar os tipos e qualidades de ação que criem o desejado resultado. Fracassar nisso também significará fracassar até mesmo na tentativa de fazer o que deseja. Se lhe digo "Vamos andar no fogo", o estímulo que produzo para você, em palavras e linguagem corporal, vai para seu cérebro, onde você forma uma representação. Se imaginar pessoas com argolas nos narizes, tomando parte em algum ritual impressionante, ou pessoas queimando em postes, não ficará em muito bom estado. Se formar a representação de você mesmo se queimando, pior ainda será seu estado. No entanto, se imaginasse pessoas batendo palmas, dançando e festejando juntas, se visse uma cena de total alegria e excitação, você ficaria num estado bem diferente. Se se visse andando com saúde e alegria e dissesse: "Sim! Posso fazer isso, com certeza", e movesse seu corpo como se estivesse totalmente confiante, então, esses sinais neurológicos o colocariam em um estado no qual poderia muito bem agir e andar.

O mesmo é verdade para tudo na vida. Se representamos para nós que as coisas não vão funcionar, elas não funcionarão. Se formarmos uma representação de que as coisas funcionarão, então criamos os recursos internos que precisamos para conseguir o estado que nos apoiará na produção de resultados positivos. A diferença entre Ted Turner, Lee Iacocca, W. Mitchell e outras pessoas é que eles representam o mundo como um lugar onde podem conseguir qualquer resultado que desejem muito, mesmo. É óbvio que, mesmo no melhor estado, nem sempre conseguimos os resultados que desejamos, mas quando criamos o estado apropriado, criamos as maiores chances possíveis para usarmos todos os nossos recursos efetivamente.

A pergunta lógica seguinte é: se a fisiologia e as representações internas trabalham juntas para criar o estado do qual emergem os comportamentos, o que determina a espécie específica de comportamentos que produzimos quando estamos nesse estado? Uma pessoa num estado de amor abraçará, enquanto outra só dirá que ama. A resposta é: quando entramos em um estado, nosso cérebro tem acesso, então, a possíveis escolhas de comportamento. O número de escolhas é determinado pelos nossos modelos do mundo. Algumas pessoas, quando zangadas, seguem um modelo amplo de respostas, e assim podem agredir, como aprenderam a fazer olhando seus pais. Ou, talvez, tentem alguma coisa e, se parecer que conseguiram o que queriam, isso se torna uma lembrança armazenada de como responder no futuro.

Todos temos visões do mundo, modelos que formam as percepções pessoais de nosso ambiente, de pessoas que conhecemos, de livros, cinema e televisão. Formamos uma imagem do mundo e do que é possível nele. No caso de W. Mitchell, uma coisa que moldou sua vida foi a lembrança de um homem que conheceu em criança, um homem que, embora paralítico, fizera de sua vida um triunfo. Logo, Mitchell tinha um modelo que o ajudou a representar sua situação como algo que de forma nenhuma impediria que fosse um tremendo sucesso.

O que precisamos fazer ao copiar as pessoas é encontrar as crenças específicas que fazem-nas representar o mundo de forma a permitir que tomem medidas efetivas. Precisamos descobrir com exatidão como representam para si sua experiência do mundo. O que fazem visualmente em suas mentes? O que dizem? O que sentem? Mais uma vez, se conseguirmos as mesmas exatas mensagens em nossos corpos, podemos conseguir resultados semelhantes. Modelagem é isso.

Uma das constantes na vida é que sempre estão sendo produzidos resultados. Se você não decide conscientemente que resultados quer produzir e não representa as coisas em consonância com isso, então algum agente externo, como uma conversa, um show de televisão, poderá criar estados que gerarão comportamentos desfavoráveis a você. A vida é como um rio. Está em movimento, e você pode estar à mercê do rio, se não tomar medidas deliberadas e conscientes para se manter na direção que predeterminou. Se não plantar as sementes mentais e fisiológicas dos resultados que quer, sem dúvida crescerão ervas daninhas. Se não orientarmos com consciência nossas próprias mentes e estados, nosso ambiente pode produzir, por acaso, estados indesejáveis. Os resultados podem ser desastrosos. É fundamental, pois, que diariamente fiquemos de guarda à porta de nossa mente, visto que bem sabemos como estamos sempre representando coisas para nós mesmos. Devemos todos os dias tirar as ervas daninhas de nosso jardim.

Um dos mais convincentes exemplos de estar num estado indesejável é a história de Karl Wallenda, dos Flying Wallendas, famosos equilibristas de circo. Ele representara sua rotina no fio de arame durante anos com grande sucesso, nunca considerando a possibilidade de falha. Cair simplesmente não fazia parte de seu arranjo mental. Então, uns poucos anos atrás, principiou de repente a mencionar à sua esposa que começara a se ver caindo. Pela primeira vez começava concretamente a fazer para si mesmo uma representação de queda. Três meses depois de ter, pela primeira vez, falado sobre isso, caiu e morreu. Algumas pessoas diriam que tivera uma premonição. Outro ponto de vista é que forneceu a seu sistema nervoso uma representação coerente, um aviso, que o deixou num estado que apoiou o comportamento de queda — ele criou um resultado. Indicou ao cérebro um novo caminho para seguir e, por fim, foi o que fez. É por isso que é tão decisivo na vida focalizarmos o que queremos, em oposição ao que não queremos.

Se você está sempre focalizando todas as coisas más da vida, tudo que não quer, ou todos os possíveis problemas, você se põe num estado que apoia esses tipos de comportamentos e resultados. Por exemplo: você é uma pessoa ciumenta? Não, não é. No passado, você pode ter produzido estados de ciúme e os tipos de comportamento que surgem dele. No entanto, seu comportamento não se confunde com *você*. Fazendo esses tipos de generalizações sobre si mesmo, você cria uma crença que governará e dirigirá suas ações no futuro. Lembre-se: seu comportamento é resultado de seu estado, e seu estado é o resultado de suas representações internas e de sua fisiologia, as quais você pode mudar em questão de momentos. Se, no passado, você foi ciumento, isso só significa que representou coisas de forma tal a criar esse estado. Agora você pode representar coisas de uma nova maneira e produzir novos estados e seus respectivos comportamentos. Lembre-se, sempre temos uma escolha de como representar as coisas para nós mesmos. Se você representar que a pessoa que ama o está enganando, logo se encontrará num estado de fúria e raiva. Guarde na memória: você não tem prova de que isso é verdade, mas experimente-o em seu corpo como se fosse. Assim, quando a pessoa que você ama chegar em casa, estará desconfiado e zangado. Nesse estado, como irá tratar essa pessoa? Em geral, não muito bem. Você pode agredi-la e atacá-la com palavras, ou só sentir-se muito mal internamente, e criar algum outro comportamento de represália mais tarde.

Lembre-se: a pessoa que você ama pode não ter feito nada, mas a espécie de comportamento que você produziu, a partir de tal estado, talvez faça com que ela queira estar com alguma outra pessoa! Se você é ciumento, você cria esse estado. Você pode mudar as cenas negativas para imagens da pessoa tendo dificuldades para voltar para casa. Esse novo processo de encenação deixará você em um estado tal que, quando ela chegar em casa, você se comportará de um jeito que a fará sentir-se querida e, assim, aumentará o desejo dela de estar com você. Poderá haver ocasiões em que a pessoa estará na realidade fazendo aquilo que você imaginou. Porém, por que gastar tanta emoção até ter certeza?! A maioria das vezes é pouco provável que seja verdade e, no entanto, você criou todas as espécies de dores para ambos — e para quê?

"Toda ação é antecedida por um pensamento."

— Ralph Waldo Emerson

Se controlamos nossas comunicações dentro de nós e produzimos sinais visuais, auditivos e cinestésicos do que queremos, consequentemente, podem ser produzidos resultados positivos relevantes, mesmo em situações em que as possibilidades de sucesso parecem limitadas ou inexistentes. Os mais poderosos e efetivos gerentes, treinadores, pais e motivadores são aqueles que podem representar as circunstâncias da vida para si e para outros, de uma forma que assinale sucesso para o sistema nervoso, apesar dos estímulos externos aparentemente sem interesse. Eles se mantêm e aos outros num estado de total desembaraço, a fim de poderem continuar a tomar medidas até serem bem-sucedidos. Com certeza, você já ouviu falar de Mel Fisher. É o homem que por dezessete anos procurou um tesouro submerso no mar e que acabou descobrindo barras de ouro e prata valendo cerca de 400 mil dólares. Em um artigo que li a respeito dele, perguntaram a um dos membros da tripulação por que Mel Fisher havia se empenhado por tanto tempo. Respondeu que Mel tinha a habilidade de manter todos excitados. Todos os dias, Fisher dizia para si e para a tripulação: "Hoje é o dia, e no fim do dia, amanhã é o dia." Mas só dizer isso não era suficiente. Também dizia isso em harmonia com seu tom de voz, as imagens de sua mente e seus sentimentos. Todos os dias ele se punha num estado tal que pudesse continuar a tomar medidas, até ser bem-sucedido. Ele é um exemplo clássico da Fórmula do Sucesso Definitivo. Conhecia seu objetivo, tomou medidas, aprendeu o que dava certo, e, se não dava, tentava outra coisa, até ser bem-sucedido.

Um dos melhores motivadores que conheço é Dick Tomey Trevisan, treinador de futebol da Universidade do Havaí. Ele realmente entende como as representações internas das pessoas afetam seus desempenhos. Certa vez, num jogo contra a Universidade de Wyoming, seu time estava sendo esmagado em campo. No intervalo, a contagem era 22 a 0, e seu time não parecia estar no mesmo campo que o Wyoming.

Você pode imaginar em que espécie de estado os jogadores de Tomey estavam quando se reuniram no vestiário, no intervalo. Ele os observou, cabisbaixos, expressões desanimadas, e percebeu que, a menos que mudasse seus estados, estariam perdidos no segundo tempo. Pela fisiologia em que estavam, cairiam na armadilha de se sentirem como fracassados e, a partir desse estado, não teriam os recursos para vencer.

Dick trouxe, então, um pôster de papelão de artigos mimeografados, que colecionava havia anos. Cada um dos artigos descrevia times que estavam perdendo por uma margem igual ou maior e tinham reagido contra essa probabilidade quase impossível e ganhado o jogo. Fazendo os jogadores lerem os artigos, tentou injetar uma crença toda nova, uma crença de que poderiam, na realidade, se recuperar, e essa crença (recuperação interna) criou um estado neurofisiológico todo novo. O que aconteceu? O time de Tomey voltou no segundo tempo e jogou o jogo de sua vida, impedindo que o Wyoming marcasse mais pontos no segundo tempo inteiro, e ganhando por 27 a 22. Fizeram isso porque ele foi capaz de mudar as representações internas deles — suas crenças sobre o que era possível.

Há pouco tempo, eu estava em um avião com Ken Blanchard, coautor de *O gerente minuto*. Ele acabara de escrever um artigo para o *Golf Digest*, intitulado "The One Minute Golfer". Tinha se agarrado a um dos principais instrutores de golfe dos Estados Unidos e, como resultado, melhorara sua contagem de pontos. Disse que aprendera toda espécie de conhecimentos úteis, mas estava tendo dificuldade em lembrar-se deles. Eu afirmei que ele não tinha de se lembrar dos conhecimentos. Perguntei se já havia dado uma tacada perfeita em uma bola de golfe. Falou-me que já sim, claro. Perguntei se havia feito isso em muitas ocasiões. Disse que sim. Então, expliquei que a estratégia ou maneira específica de organizar esses recursos já deviam estar bem-gravadas em seu inconsciente. Tudo que ele precisava fazer era se colocar de volta no estado em que estava quando fizera uso de toda aquela informação que já tinha. Passei uns poucos minutos ensinando-lhe como ficar naquele estado e, então, como reativá-lo mediante sugestão. (Você aprenderá essa técnica no Capítulo 17.) O que aconteceu? Ele foi e jogou a melhor partida em quinze anos, batendo quinze tacadas além de sua partida anterior. Por quê? Porque não há poder como o de um estado cheio de recursos. Ele não precisou se esforçar para lembrar. Tinha acesso a tudo de que precisava. Só precisava aprender a ligar-se.

Lembre-se: o comportamento humano é o resultado do estado em que estamos. Se você já conseguiu um resultado de sucesso, pode reproduzi--lo, adotando as mesmas medidas mentais e físicas que tomou na ocasião. Antes das Olimpíadas de 1984, trabalhei com Michael O'Brien, um nadador que competiu nos 1.500 metros, estilo livre. Ele estava treinando, mas sentia que não estava dando tudo que podia para alcançar o sucesso. Havia desenvolvido uma série de bloqueios mentais que pareciam estar limitando-o. Tinha algum medo sobre o que o sucesso pudesse significar, e, assim, sua meta era a medalha de bronze ou a de prata. Não era o nadador cotado para ganhar a de ouro. O favorito, George Di Carlo, já vencera Michael em diversas ocasiões.

Passei uma hora e meia com Michael e ajudei-o a modelar seus estados em desempenhos máximos, isto é, a descobrir como se pusera em fisiologias cheias de recursos, o que imaginara, o que dissera para si mesmo e o que sentira na única competição em que vencera George Di Carlo. Começamos a separar as medidas, mentais e físicas, que tomara quando vencera as competições. Ligamos o estado em que estava nessas ocasiões a um acionador automático, o som do revólver de partida disparando. Descobri que no dia em que vencera George Di Carlo estivera ouvindo Huey Lewis & the News, bem antes do início. Assim, no dia das finais das Olimpíadas, ele repetiu as mesmas coisas, as mesmas ações que fizera no dia em que vencera, e até ouviu Huey Lewis momentos antes. Venceu George Di Carlo e ganhou a medalha de ouro por seis segundos cravados.

Você já assistiu ao filme *Os gritos do silêncio*? Há nele uma cena espantosa que nunca esquecerei, que envolve um garoto de 12 ou talvez 13 anos, que vive no meio do terrível caos de destruição da guerra no Camboja. Em certo ponto, em total frustração, ele pega uma metralhadora e simplesmente acaba com alguém. É uma cena chocante. Como você imagina que um garoto de 12 anos de idade possa chegar ao ponto de fazer uma coisa como essa? Bem, duas coisas acontecem. A primeira, é que ele está tão frustrado que entrou em um estado em que sua personalidade ficou ligada a abismos de violência. A segunda, é que ele vive em uma cultura tão permeada de guerra e destruição que pegar uma metralhadora parece uma resposta apropriada. Ele viu outros fazerem isso, e fez o mesmo. É uma terrível cena negativa. Tentei me concentrar nos estados mais positivos. Mas é um dramático lembrete de como podemos fazer coisas em um estado — bom ou mau — que nunca fizemos em outro. Estou enfatizando isso mais e mais a fim de que fique bem entranhado em você: *a espécie de comportamento que as pessoas produzem é o resultado do estado em que estão. A forma como respondem especificamente a partir desse estado se baseia nos seus modelos do mundo*, isto é, em suas estratégias neurológicas armazenadas. Eu não poderia ter feito Michael O'Brien ganhar a medalha de ouro nas Olimpíadas. Ele teve de trabalhar a maior parte de sua vida para guardar as estratégias, as respostas musculares e assim por diante. Mas o que pude fazer foi descobrir como ele poderia convocar os mais efetivos recursos, suas estratégias de sucesso, sob sugestão e nos minutos-chave em que precisava deles.

A maioria das pessoas toma muito poucas medidas conscientes para dirigir seus estados. Elas acordam deprimidas ou acordam energizadas. As mudanças boas as levantam, as más, as derrubam. Uma diferença entre pessoas em qualquer campo é quão efetivamente elas dirigem seus recursos. Isso fica mais claro no atletismo. Ninguém é bem-sucedido todas as vezes, mas certos atletas têm a habilidade de se colocarem num estado rico de recursos, quase por sugestão, que geralmente aparece no momento certo. Por que Reggie Jackson venceu todas aquelas corridas em outubro? Como Larry Bird ou Jerry West desenvolveram a estranha habilidade de acertar todos os tiros na competição? Eles foram capazes de mobilizar o que tinham de melhor quando precisaram, quando a pressão era maior.

A maioria das pessoas está atrás de mudança de estado. Querem ser felizes, alegres, plenas de êxtase, concentrarem-se em alguma coisa. Querem ter paz de espírito, ou estão tentando sair de estados dos quais não gostam. Sentem-se frustradas, zangadas, perturbadas, aborrecidas. Então, o que a maioria das pessoas faz? Bem, elas se viram para um aparelho de televisão que lhes dá novas representações, que podem interiorizar, veem alguma coisa e riem. Não mais estão em seu estado de frustração. Saem e comem, ou fumam um cigarro ou tomam uma droga. Em um sentido mais positivo, podem fazer exercícios. O único problema com a maioria dessas abordagens é que os resultados não são duradouros. Quando o show de televisão termina, as pessoas ainda têm a mesma representação interna de suas vidas. Lembram-se dela e sentem-se mal outra vez, após o excesso de comida ou droga ter sido consumido. Há agora um preço a pagar pela mudança temporária de estado. Ao contrário, este livro vai lhe mostrar como mudar diretamente sua representação interna e a fisiologia, sem o uso de instrumentos externos, que muitas vezes criam problemas adicionais a longo prazo.

Por que as pessoas usam drogas? Não é por gostarem de espetar agulhas em seus braços, mas por gostarem da experiência e não saberem outra maneira de ficar naquele estado. Tive garotos que eram empedernidos usuários de drogas e que deixaram o hábito após um passeio pelo fogo, porque lhes foi dado um modelo mais elegante de como atingir o mesmo pique. Um garoto, que diziam estar na heroína há seis anos e meio, terminou seu passeio pelo fogo e disse para o grupo: "Acabou. Nunca uma agulha me fez sentir nada que chegue perto do que senti do outro lado dessas brasas."

Isso não significa que ele tenha de andar pelo fogo regularmente. Ele só tinha de ter acesso com regularidade a esse novo estado. Fazendo alguma coisa que pensava ser impossível, ele desenvolveu um novo modelo, que podia fazê-lo sentir-se bem.

Pessoas que atingiram a excelência são mestras em penetrar nas partes mais ricas de recursos de seu cérebro. É isso que as separa do grupo. O fundamental a lembrar deste capítulo é que seu estado tem um poder admirável, e você pode contatá-lo. Você não tem de estar à mercê do que quer que seja que lhe apareça em seu caminho.

Há um fator que determina com antecipação como iremos representar nossa experiência da vida, um fator que filtra os modos de representação do mundo para nós mesmos, um fator que determina as espécies de estado consistentes que criaremos em certas situações. Tem sido chamado de o maior poder, e é o que vamos investigar a seguir.

CAPÍTULO 4

O NASCIMENTO DA EXCELÊNCIA: CRENÇA

"O homem é o que ele acredita."

— ANTON TCHECÓV

Em seu maravilhoso livro *Anatomy of an Illness*, Norman Cousins conta uma instrutiva história sobre Pablo Casals, um dos maiores músicos do século XX. É uma história de crença e renovação, e todos nós podemos aprender com ela.

Cousins descreve o encontro com Casals, pouco antes do 90° aniversário do grande violoncelista. Diz ele que era doloroso olhar o velho homem quando começava seu dia. Sua fragilidade e artrite eram tão debilitadoras que precisava de ajuda para vestir-se. Seu enfisema era evidente na difícil respiração. Andava com um arrastar de pés, curvado, cabeça inclinada para a frente. Suas mãos eram inchadas, seus dedos, apertados. Parecia um homem muito velho, velho e cansado.

Antes mesmo de comer, foi até o piano, um dos vários instrumentos em que Casals se tornara perito. Com grande habilidade, ajustou-se na banqueta. Parecia para ele um terrível esforço levar seus dedos inchados e rijos até o teclado.

E, então, algo de muito milagroso ocorreu. Casals, de repente, transformou-se completamente ante os olhos de Cousins. Entrou num estado cheio de recursos e, conforme o fez, sua fisiologia mudou a tal ponto que começou a mover-se, e a tocar, produzindo no seu corpo e no piano resultados que só teriam sido possíveis a um pianista saudável, forte e flexível. Como Cousins descreveu: "Os dedos se abriram lentamente e acharam as teclas, como os brotos de uma planta em direção à luz do sol. Suas costas endireitaram-se. Parecia respirar com mais facilidade." O simples pensamento de tocar piano mudava todo o seu estado, e da mesma forma a eficiência de seu corpo. Casals começou com uma peça do *Cravo Bem-temperado*, de Bach, com grande sensibilidade e controle. Atirou-se, então, ao concerto de Brahms, e seus dedos pareciam correr sobre o teclado. "Seu corpo inteiro parecia fundido com a música", escreveu Cousins. "Não estava mais rijo e encolhido, mas ágil, gracioso e completamente livre de suas torceduras artríticas." Quando se afastou do piano, parecia uma pessoa bem diferente da que se sentara para tocar. Levantou-se ereto e mais alto e andou sem sinal de arrastar os pés. Logo se dirigiu para a mesa do café, comeu com satisfação, e, então, saiu para dar um passeio pela praia.

Sempre pensamos em crenças no sentido de credos ou doutrinas, e muitas crenças o são. Mas, no sentido básico, uma crença é qualquer princípio orientador, máximas, fé ou paixão que pode proporcionar significado e direção na vida. Estímulos ilimitados estão disponíveis para nós. Crenças são os filtros pré-arranjados e organizados para nossas percepções do mundo. São como comandos do cérebro. Quando acreditamos com convicção que alguma coisa é verdade, é como se enviássemos um comando para nosso cérebro de como representar o que está ocorrendo. Casals acreditava na música e na arte. Foi isso que conferiu beleza, ordem e nobreza para sua vida, e é o que poderia ainda lhe proporcionar milagres diários. Por acreditar no poder transcendente de sua arte, ele estava fortalecido de uma forma que quase desafiava o entendimento. Suas crenças transformavam-no, diariamente, de um velho homem cansado em um gênio de vida. No sentido mais profundo, elas o mantinham vivo.

Certa vez, John Stuart Mill escreveu: "Uma pessoa com uma crença é igual à força de 99 que só têm interesses." É bem por isso que as crenças abrem a porta para a excelência. A crença envia um comando direto para seu sistema nervoso. Quando acredita que alguma coisa é verdade, você entra mesmo no estado de que aquilo deve ser verdade. Tratadas de maneira certa, as crenças podem ser as mais poderosas forças para criar o bem em sua vida. Por outro lado, crenças que limitam suas ações e pensamentos podem ser tão devastadoras como as crenças cheias de recursos podem ser fortalecedoras. Ao longo da história, as religiões têm fortalecido milhões de pessoas, dando-lhes força para fazerem coisas que pensavam que não podiam. As crenças nos ajudam a liberar os mais ricos recursos que estão bem dentro de nós, criando-os e dirigindo-os para apoiarem nossos resultados desejados.

As crenças são os compassos e os mapas que nos guiam em direção a nossas metas e nos dão a certeza de saber que chegaremos lá. Sem as crenças ou a capacidade de entrar nelas, as pessoas podem ser totalmente enfraquecidas. São como um barco a motor sem o motor ou o leme. Com crenças orientadoras fortes, você tem o poder de tomar medidas e criar o mundo no qual quer viver. As crenças ajudam-no a ver o que quer e lhe conferem condições para obtê-lo.

De fato, não há força diretora mais poderosa no comportamento humano do que a crença. Em essência, a história humana é a história da crença humana. As pessoas que mudaram a história — Cristo, Maomé, Copérnico, Colombo, Edison ou Einstein — foram as que mudaram nossas crenças. Para mudar nossos comportamentos temos de começar a alterar nossas crenças. Se quisermos modelar excelência, precisamos aprender a modelar as crenças daqueles que alcançaram excelência.

Quanto mais aprendemos sobre o comportamento humano, mais compreendemos sobre o extraordinário poder que as crenças têm em nossas vidas. Esse poder desafia de várias formas os modelos lógicos que muitos de nós possuímos. Mas é claro que, mesmo no âmbito da fisiologia, as crenças (representações internas coerentes) controlam a realidade. Não faz muito tempo foi feito um notável estudo sobre esquizofrenia. Um dos casos era o de uma mulher com personalidade dividida. Normalmente, seus níveis de açúcar no sangue eram completamente normais. Mas quando acreditou que estava diabética, toda a sua fisiologia mudou para tornar-se a de uma diabética. Sua crença se tornara sua realidade.

No mesmo sentido, houve numerosos estudos em que uma pessoa em transe hipnótico era tocada com um pedaço de gelo, representado para ela como um pedaço de metal quente. Todas as vezes apareceu uma bolha no lugar do contato. O que contava não era a realidade, mas a crença, ou seja, a comunicação direta, não questionada pelo sistema nervoso. O cérebro simplesmente faz o que é mandado.

A maioria de nós conhece o efeito placebo. Pessoas a quem se diz que uma droga terá certo efeito, muitas vezes, experimentarão esse efeito, mesmo quando recebem uma pílula inócua, sem propriedades ativas. Norman Cousins, que aprendeu em primeira mão o poder da crença, ao eliminar sua própria doença, concluiu: "As drogas não são sempre necessárias. Mas a crença na recuperação sempre é." Um notável estudo sobre placebo refere-se a um grupo de pacientes com úlceras supuradas. Estavam divididos em dois grupos. Foi dito às pessoas de um dos grupos que receberiam uma nova droga que, certamente, produziria alívio. Às do segundo grupo foi dito que iam receber uma droga experimental sobre cujos efeitos se sabia muito pouco. Setenta por cento das do primeiro grupo tiveram alívio significativo. Somente vinte e cinco por cento das do segundo grupo tiveram resultado semelhante. Em ambos os casos, os pacientes receberam uma droga sem nenhuma propriedade medicinal. A única diferença foi o sistema de crença que adotaram. Ainda mais notáveis são os numerosos estudos em pessoas a quem foram dadas drogas de efeitos prejudiciais conhecidos, e que não experimentaram nenhum efeito ruim, quando lhes disseram que experimentariam um resultado positivo.

Estudos conduzidos pelo Dr. Andrew Weil mostraram que as experiências de usuários de drogas correspondem quase exatamente ao que esperam. Descobriu-se que se podia induzir uma pessoa que recebera uma dose de anfetamina a sentir-se sedada ou a uma que recebera um barbitúrico sentir-se estimulada. "A 'magia' das drogas reside dentro da mente do usuário, não nas drogas", concluiu Weil.

Em todos esses exemplos, a única constante que afetou com mais força os resultados foi a crença, as mensagens consistentes e coerentes enviadas ao cérebro e ao sistema nervoso. Apesar de todo o seu poder, não há magia confusa no processo. A crença não é mais que um estado, uma representação interna, que governa o comportamento. Pode ser uma crença fortalecedora numa possibilidade, a crença de que seremos bem-sucedidos em alguma coisa ou de que realizaremos algo mais. Pode ser uma crença enfraquecedora, a crença de que não seremos bem-sucedidos, que nossas limitações são claras, insuperáveis, esmagadoras. Se você acredita em sucesso, ficará fortalecido para consegui-lo. Se acredita em fracasso, sua crença tenderá a levá-lo para o caminho que faz provar o fracasso. Lembre-se: quer você diga que pode fazer alguma coisa ou diga que não pode, você está certo.

Ambas as espécies de crença têm grande poder. A questão é: que espécie de crença é melhor ter e como desenvolvê-la?

O nascimento da excelência começa com nosso reconhecimento de que nossa crença é uma escolha. Em geral, não pensamos nela dessa forma, mas a crença pode ser uma escolha conscienciosa. Você pode escolher crenças que o limitem, ou que o apoiem. O truque é escolher crenças que contribuam para o sucesso e os resultados que queira, e descartar as que o retardam.

O maior erro de concepção que as pessoas, em geral, têm sobre a crença é ser ela (pensam) um conceito estático, intelectual, algo divorciado da ação e resultados. Nada pode estar tão longe da verdade. A crença é a entrada para a excelência, precisamente por não haver nada separado ou estático nela.

É nossa crença que determina quanto de nosso potencial seremos capazes de liberar. As crenças podem liberar ou deter o fluxo de ideias. Imagine a seguinte situação. Alguém lhe diz: "Por favor, passe-me o sal", e enquanto você vai para a sala ao lado, diz: "Mas eu não sei onde ele está." Depois de procurar por uns poucos minutos, você grita: "Não consigo encontrar o sal." Então, aquela pessoa dirige-se para lá, pega o sal na prateleira bem na sua frente e diz: "Olhe aqui, seu bobo, está aqui, bem na sua frente. Se fosse uma cobra, teria picado você." Quando você disse: "Eu não consigo encontrar", deu a seu cérebro um comando para não ver o sal. Em psicologia chamamos a isso de escotoma, mancha imóvel que ocupa uma fonte do campo visual. Lembre-se, toda experiência humana, tudo que você já disse, viu, ouviu, sentiu, cheirou ou degustou, está arquivado em seu cérebro. Quando diz coerentemente que não pode se lembrar, está certo. Quando diz que pode, você dá uma ordem a seu sistema nervoso, que abre os caminhos para a parte do cérebro que tem capacidade de dar as respostas necessárias.

"Eles podem porque pensam que podem."

— Virgílio

Assim, outra vez, o que são crenças? São abordagens para a percepção, pré-formadas, pré-organizadas, que filtram nossa comunicação para nós mesmos, de maneira consistente. De onde vêm as crenças? Por que algumas pessoas têm crenças que as empurram na direção do sucesso, enquanto outras têm crenças que só as ajudam a falhar? Se vamos tentar modelar as crenças que favorecem a excelência, a primeira coisa que precisamos descobrir é de onde vêm essas crenças.

A primeira fonte é o ambiente. É aí que os ciclos de sucesso, que estão produzindo sucessos, e os de fracasso, que estão produzindo fracassos, são apresentados da forma mais implacável. O verdadeiro horror da vida no *gueto* não são as frustrações e privações diárias. As pessoas podem superá-las. O verdadeiro pesadelo é o efeito que o ambiente tem nas crenças e nos sonhos. Se tudo que vê é fracasso e desespero, é muito difícil para você formar representações internas que favoreçam o sucesso. Lembre-se: no capítulo anterior dissemos que modelagem é algo que todos nós fazemos com coerência. Se você crescer com bem-estar e sucesso, pode, com facilidade, modelar bem-estar e sucesso. Se você cresceu na pobreza e desespero, é daí que vêm seus modelos de possibilidade. Albert Einstein disse: "Poucas pessoas são capazes de expressar com equanimidade opiniões que diferem dos preconceitos de seu ambiente social. A maioria das pessoas é até incapaz de formar tais opiniões."

Em um dos meus cursos avançados de modelagem, faço um exercício no qual encontro pessoas que moram nas ruas de grandes cidades. Eu as trago e modelo seus sistemas de crenças e estratégias mentais. Ofereço-lhes comida e muito amor e só pergunto se contariam sobre suas vidas para o grupo, como se sentem a respeito de onde estão agora e por que acreditam que as coisas são daquele jeito. Depois, faço o contraponto deles com pessoas que, apesar de grandes traumas físicos e emocionais, deram uma guinada de 180 graus em suas vidas.

Em uma sessão recente, tínhamos um homem de 28 anos, forte, obviamente inteligente, de físico perfeito, com um belo rosto. Por que ele era tão infeliz e morava na rua, enquanto W. Mitchell, que, pelo menos na superfície, tinha poucos recursos à mão para mudar sua vida, era tão feliz? Mitchell cresceu em um ambiente que proporcionava exemplos, modelos de pessoas que tinham superado grandes dificuldades para conseguir uma vida de alegria. Isso criou uma crença em si mesmo. "Isso era possível para mim também." Em constraste, esse outro jovem (vamos chamá-lo de John) cresceu em um ambiente em que não existiam tais modelos. Sua mãe era prostituta e seu pai estava preso por ter atirado em alguém. Quando tinha 8 anos de idade, o pai injetou-lhe heroína. Esse tipo de ambiente, por certo, teve papel naquilo que acreditava ser possível — pouco mais do que sobreviver — e como conseguir isso: morar nas ruas, roubar, tentar apagar a dor com drogas. Acreditava que as pessoas sempre se aproveitariam dele, se não ficasse atento, que ninguém ama ninguém e assim por diante. Trabalhamos com esse homem e mudamos seus sistemas de crença (como será explicado no Capítulo 6). Como resultado, nunca mais voltou para as ruas. Desde então, deixou as drogas. Começou a trabalhar, agora tem novos amigos e está morando em um novo ambiente, com novas crenças, conseguindo novos resultados.

O Dr. Benjamin Bloom, da Universidade de Chicago, estudou 100 jovens atletas, músicos e estudantes de extraordinário sucesso. Ficou surpreso ao descobrir que a maioria dos jovens prodígios não tinha começado mostrando grandes lampejos de brilho.

Em vez disso, a maior parte deles recebera atenção cuidadosa, direção, apoio e, então, começara a se desenvolver. A crença de que poderiam ser especiais veio antes de qualquer sinal evidente de grande talento.

O ambiente pode ser, sozinho, o mais potente gerador de crenças, mas não é o único. Se fosse, moraríamos em um mundo estático, onde as crianças ricas só conheceriam a riqueza e as pobres nunca subiriam acima de suas origens. Mas há outras experiências e meios de aprender que também podem ser incubadores de crença.

Acontecimentos, pequenos ou grandes, podem ajudar a criar crenças. Há certos acontecimentos em nossa vida dos quais a gente nunca esquece. Onde estava você no dia em que John F. Kennedy foi morto? Se já tinha idade para se lembrar, tenho certeza que sabe. Para muitas pessoas, foi um dia que alterou para sempre seus pontos de vista. Da mesma forma, a maioria de nós tem experiências das quais nunca esquecerá, circunstâncias que provocaram tal impacto que ficaram instaladas para sempre em nossos cérebros. São essas as espécies de experiências que formam as crenças que podem mudar nossas vidas.

Quando eu tinha 13 anos, estava pensando no que queria fazer com minha vida, e decidi que me tornaria um escritor/locutor esportivo. Um dia, li no jornal que Howard Cosell estaria autografando seu novo livro na loja local de departamentos. Pensei: se vou me tornar um locutor esportivo, preciso começar a entrevistar profissionais. Por que não começar de cima? Saí da escola, tomei emprestado um gravador e minha mãe me levou de carro até a loja de departamentos. Quando cheguei, Cosell já estava se levantando para sair. Comecei a entrar em pânico. Ele também estava cercado por repórteres, todos lutando pelos seus últimos comentários. De alguma forma, mergulhei por baixo dos braços dos repórteres e me aproximei de Cosell. Falando com rapidez de raio, contei-lhe o que estava fazendo e pedi uma curta entrevista gravada. Com dúzias de repórteres esperando, Howard Cosell deu-me uma entrevista pessoal. Essa experiência mudou minha crença sobre o que era possível, quem era acessível na vida e quais as recompensas por procurar o que queria. Devido ao encorajamento de Cosell, fui escrever em um jornal diário e desenvolvi uma carreira no campo da comunicação.

Um terceiro caminho para criar crenças é por meio do conhecimento. Uma experiência direta é uma forma de conhecimento. Outra, é obtida pela leitura, vendo filmes, vendo o mundo como é retratado por outros. O conhecimento é uma das grandes maneiras de quebrar as algemas de um ambiente limitador. Não importa quão rígido seja o seu mundo; se puder ler sobre as realizações dos outros, pode criar as crenças que lhe permitirão ser bem-sucedido. O Dr. Robert Curvin, um cientista político negro, escreveu no *New York Times* como o exemplo de Jackie Robinson, o primeiro jogador negro na primeira divisão, mudou sua vida quando era jovem. "Eu fui enriquecido pela minha ligação com ele; o nível de minhas aspirações foi elevado pelo seu exemplo."

Um quarto caminho para criar resultados é por meio de nossos resultados passados. A maneira mais certa para criar a crença de que você pode fazer alguma coisa é fazê-la uma vez. Só uma vez. Se você for bem-sucedido uma vez, é bem mais fácil formar a crença de que fará novamente, com sucesso. Eu tinha de escrever o primeiro rascunho deste livro em menos de um mês, a fim de cumprir o prazo. Não estava certo se poderia fazê-lo. Mas, quando tive de redigir um capítulo em um único dia, descobri que podia. E, uma vez que fora bem-sucedido com um, sabia que poderia fazê-lo outra vez. Fui capaz de formar a crença que me permitiu terminar este livro no tempo determinado.

Os jornalistas aprendem a mesma coisa escrevendo com prazo. Há poucas coisas na vida tão desanimadoras como ter de apresentar uma história completa em uma hora ou menos, e sob a pressão diária de prazo. A maioria dos jornalistas principiantes teme isso mais que qualquer outra coisa de seu trabalho. Contudo, o que descobrem é que, se conseguirem uma ou duas vezes, também conseguirão no futuro. Não é que fiquem mais espertos ou rápidos quando ficam mais velhos, mas, uma vez enriquecidos com a crença de que podem apresentar uma história no tempo estipulado, descobrem que podem sempre fazer isso. O mesmo é verdadeiro para comediantes, homens de negócios ou pessoas em qualquer outro ramo na vida. Acreditar que algo pode ser feito torna-se uma profecia autorrealizadora.

O quinto caminho para estabelecer crenças é por meio da criação em sua mente da experiência que deseja no futuro, como se estivesse aqui agora. Assim como as experiências passadas podem mudar suas representações internas — fazendo, desse modo, com que aquilo em que você acredita passe a ser possível —, elas também podem mudar as experiências imaginárias de como você quer que as coisas sejam no futuro. Chamo isso de *resultados experimentais antecipados.* Quando os resultados que tem à sua volta não o estão apoiando para que você possa ficar em um estado rico e efetivo, você pode simplesmente criar o mundo da maneira que quer que ele seja, e entrar nessa experiência, mudando, assim, seus estados, suas crenças e suas ações. Afinal, se você é um vendedor, é mais fácil vender 10 mil ou 100 mil dólares? A verdade é que é mais fácil vender 100 mil. Deixe-me lhe dizer por quê. Se sua meta é vender 10 mil, o que está tentando é conseguir o suficiente para pagar as contas. Se essa é sua meta, se isso é o que representa para si mesmo como sendo o motivo para trabalhar com tanto afinco, você pensa que ficará num estado excitante, fortalecido, rico de recursos, enquanto trabalha? Você fica fervilhando de excitação quando pensa: "Amigo, tenho de ir trabalhar a fim de conseguir o suficiente para pagar minhas contas nojentas"? Eu não o conheço, mas isso não funcionaria comigo.

Mas venda é venda. Você tem de dar os mesmos telefonemas, encontrar as mesmas pessoas, entregar os mesmos produtos, não importando o que espera alcançar. Assim, é muito mais excitante, muito mais tentador partir para uma meta de fazer 100 mil do que 10 mil. E esse estado de estímulo é muito mais capaz de incentivá-lo a tomar o tipo de medidas consistentes que liberarão seu alto potencial do que ficar esperando vender o suficiente para viver.

Claro que dinheiro não é a única maneira de você se motivar. Qualquer que seja sua meta, se criar em sua mente uma imagem clara do resultado que quer, e representá-lo para si mesmo como se já o tivesse alcançado, então você entrará nas espécies de estados que o apoiarão para criar os resultados que deseja.

Todas essas coisas são meios para mobilizar crenças. A maioria de nós forma suas crenças ao acaso. Nós absorvemos coisas — boas e más — do mundo à nossa volta. Mas uma das ideias-chave deste livro é que você não é só uma folha ao vento. Você pode controlar suas crenças. Pode controlar as maneiras como modela os outros. Pode, conscientemente, dirigir sua vida. Pode mudar. Se há uma palavra-chave neste livro, ela é mudança. Deixe-me fazer a pergunta mais básica que posso: quais são algumas das crenças que você tem sobre quem é você e do que é capaz? Por favor, espere um momento e anote rapidamente cinco crenças-chave que o limitaram no passado.

1. ____________________
2. ____________________
3. ____________________
4. ____________________
5. ____________________

Agora, faça uma lista de, pelo menos, cinco crenças positivas que possam, no momento, servir para apoiá-lo a alcançar suas metas mais altas.

1. ____________________
2. ____________________
3. ____________________
4. ____________________
5. ____________________

Uma das premissas que temos é que toda declaração que você faz é datada, e é relativa ao tempo em que é feita. Não é uma declaração de verdade universal. É verdadeira só para uma certa pessoa, num certo tempo. É sujeita à mudança. Se você tem sistemas de crenças negativas, agora já deve saber que tipos de efeitos prejudiciais eles têm. Mas é essencial compreender que os sistemas de crenças não são mais imutáveis do que o comprimento de seu cabelo, sua inclinação para um tipo particular de música, a qualidade de seu relacionamento com uma pessoa especial. Se estiver dirigindo um Honda e decidir que seria mais feliz com um Chrysler, Cadillac ou Mercedes, está em seu poder mudar.

Suas representações internas e crenças trabalham da mesma forma. Se você não gostar delas, pode trocá-las. Todos nós temos uma hierarquia, uma escala de crenças. Temos crenças profundas, coisas que são tão fundamentais que morreríamos por elas — coisas como nossas ideias sobre patriotismo, família e amor. Mas grande parte de nossas vidas é governada por crenças sobre possibilidades, sucessos ou felicidade que adquirimos, inconscientemente, durante anos. A chave é utilizar essas crenças e ter certeza de que trabalharão para você, que elas são efetivas e fortalecedoras.

Falamos sobre a importância da modelagem. A modelagem da excelência começa com a modelagem da crença. Algumas coisas levam tempo para modelar, mas, se puder ler, pensar e ouvir, você pode modelar as crenças das mais bem-sucedidas pessoas do planeta. Quando Paul Getty (tido, certo tempo, como o homem mais rico do mundo) começou na vida, resolveu descobrir sobre as crenças das pessoas mais bem-sucedidas e, então, foi e modelou-as. Você pode, com convicção, modelar as crenças dele e as dos maiores líderes, lendo suas autobiografias. As livrarias estão fervilhando de respostas para as perguntas sobre como conseguir praticamente qualquer resultado que queira.

De onde vêm suas crenças pessoais? Vêm do homem médio da rua? Vêm da televisão e do rádio? Vêm de quem fala mais e mais alto? Se você quer sucesso, é mais inteligente escolher suas crenças com cuidado do que sair por aí como um pedaço de papel pega-mosca, aceitando qualquer crença que fique presa nele. Uma coisa importante para compreender é que os potenciais que liberamos, os resultados que conseguimos, são, todos, parte de um processo dinâmico que começa com a crença. Gosto de pensar no processo em termos do seguinte diagrama:

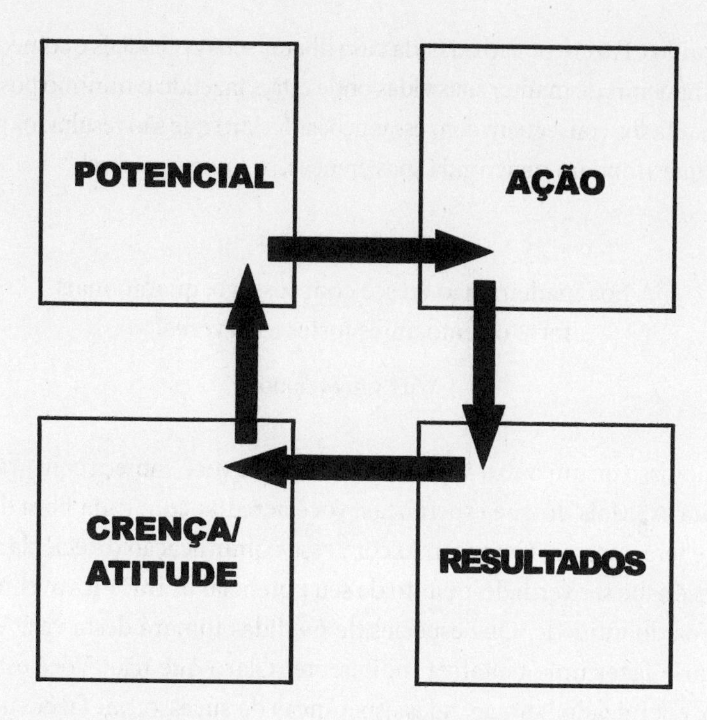

Digamos que alguém tem uma crença de que é ineficaz em alguma coisa. Digamos que ele fique dizendo que é um mau estudante. Se tem expectativas de fracasso, quanto de seu potencial vai liberar? Não muito. Ele já disse a si mesmo que não sabe. Já sinalizou a seu cérebro para que espere fracasso. Tendo começado com essas espécies de expectativas, que espécies de ações terá probabilidade de praticar? Serão elas confiantes, energizantes, coerentes e afirmativas? Refletirão seu potencial real? Pouco provável. Se você está convencido de que vai falhar, por que fazer tentativas para tentar se esforçar? Assim, se você começou com um sistema de crença que pressiona ou que não pode fazer, o sistema, em seguida, envia sinais para seu sistema nervoso responder de uma certa forma. Você liberou uma quantidade limitada de seu potencial. Você tomou medidas experimentais e indiferentes. Que espécies de resultados saíram de tudo isso? É provável que eles sejam bastante desanimadores. O que esses resultados desanimadores farão para suas crenças com relação a empenhos subsequentes? Provavelmente, reforçarão as crenças negativas que deram início a toda a cadeia.

O que temos aqui é uma clássica espiral descendente. Fracasso gera fracasso. Pessoas que são infelizes e que vivem "vidas partidas" têm estado há tanto tempo sem os resultados por elas desejados que não mais acreditam ser possível consegui-los. Fazem pouco ou nada para liberar seus potenciais e começam a tentar maneiras de manter suas vidas onde estão, fazendo o mínimo possível. Que resultados conseguem com essas ações? É claro que são resultados miseráveis, que afundam mais ainda suas crenças, se é que é possível.

> "A boa madeira não cresce com sossego; quanto mais forte o vento, mais fortes as árvores."
>
> — J. Willard Marriott

Olhemos isso de um outro ângulo. Digamos que você começa com grandes esperanças. Mais do que esperanças, você acredita com cada fibra de seu ser que terá sucesso. Começando com essa comunicação direta, clara, do que você sabe ser verdade, quanto de seu potencial usará? Provavelmente, uma boa quantidade. Que espécies de medidas tomará desta vez? Vai se arrastar e fazer uma tentativa indiferente? Claro que não! Você está excitado, energizado, tem grandes esperanças de sucesso, vai fazer sucesso rapidamente. Se você mostra esse tipo de esforço, que tipo de resultados será gerado? Há possibilidade de que sejam muito bons. E o que isso faz para sua crença em sua capacidade de conseguir grandes resultados no futuro? É o oposto do círculo vicioso. Neste caso, sucesso alimenta sucesso, e gera mais sucesso, e cada sucesso cria mais crença e momentos para serem bem-sucedidos, numa escala até mais alta.

Pessoas de sucesso progridem? Certo que sim. Crenças afirmativas sempre garantem resultados? Claro que não. Se alguém lhe diz que conseguiu uma fórmula mágica para garantir sucesso perpétuo e perfeito, é melhor que você agarre sua carteira e comece andando na direção oposta. Mas a história tem mostrado, de tempos em tempos, que se pessoas mantêm o sistema de crença que as fortalece, continuarão voltando com ações e recursos bastantes para finalmente serem bem-sucedidas. Abraham Lincoln perdeu algumas eleições importantes, mas continuou a acreditar em sua capacidade de ser bem-sucedido a longo prazo. Ele se permitiu ser fortalecido pelo sucesso, e recusou-se a ficar amedrontado por seus fracassos. Seu sistema de crença estava engrenado em direção à excelência, e ele finalmente conseguiu-a. Quando o fez, mudou a história de seu país.

Algumas vezes, não é necessário ter uma tremenda crença ou atitude sobre alguma coisa, a fim de ter sucesso. Algumas vezes, as pessoas conseguem resultados de destaque simplesmente porque não sabiam que aquilo era difícil ou impossível. Algumas vezes não ter uma crença limitadora já é suficiente. Como exemplo, temos a história de um jovem que adormeceu a aula de matemática. Acordou quando o sino tocou, olhou para o quadro--negro e copiou os dois problemas que estavam lá. Ele achou que eram a tarefa de casa, para a noite. Foi para casa e trabalhou todo o dia e toda a noite. Não podia resolver nenhum deles, mas continuou tentando durante o resto da semana. Por fim, conseguiu a resposta para um deles, levou-a para a aula. O professor ficou absolutamente pasmo. Acontece que o problema que resolvera era considerado insolúvel. Se o estudante soubesse disso, é provável que não o tivesse resolvido. Mas, uma vez que não disse a si mesmo que não poderia ser feito, ele o conseguiu. Na verdade, foi bem o oposto: ele pensou que tinha de resolvê-lo, e foi capaz de encontrar um jeito de fazê-lo.

Outra maneira de mudar sua crença é ter uma experiência que a desaprove. Essa é outra razão pela qual fazemos o passeio pelo fogo. Eu não me preocupo se as pessoas podem andar pelo fogo, mas me preocupo que possam fazer alguma coisa que pensavam ser impossível. Se você pode fazer algo que pensava ser impossível, isso faz com que repense suas crenças.

A vida é mais sutil e mais complexa do que alguns de nós gostamos de acreditar. Assim, se você ainda não o fez, reveja suas crenças e decida quais as que você deve mudar agora e para que crenças mudaria.

A questão seguinte é: a figura abaixo é côncava ou convexa?

É uma questão tola. A resposta é: depende de como a está olhando. Sua realidade é a realidade que você cria. Se tem representações internas ou crenças positivas, é porque as criou. Se as tem negativas, você também as criou. Há um número de crenças que favorecem a excelência, mas escolhi sete que me parecem bastante importantes. Vamos conhecê-las.

CAPÍTULO 5
AS SETE MENTIRAS DO SUCESSO

"A mente está em seu próprio lugar, e em si mesma.
Pode fazer um Céu do Inferno, um Inferno do Céu."

— JOHN MILTON

O mundo em que vivemos é o mundo que escolhemos para viver, quer consciente ou inconscientemente. Se escolhermos felicidade, é o que teremos. Se escolhermos miséria, assim será, também. Como aprendemos no capítulo anterior, a crença é o alicerce da excelência. Nossas crenças são abordagens específicas, organizáveis e coerentes da percepção. São as escolhas fundamentais que fazemos sobre como entender nossas vidas e, assim, como vivê-las. É com elas que ligamos ou desligamos nosso cérebro. Assim, o primeiro passo em direção à excelência é encontrar as crenças que nos guiem em direção aos resultados que queremos.

O caminho para o sucesso consiste em saber seu resultado, agir, saber que resultados se está conseguindo e ter flexibilidade para mudar, até se obter sucesso. O mesmo é verdade para as crenças. Você tem de encontrar as crenças que apoiam seu resultado, as crenças que o levem aonde quer ir. Se suas crenças não fazem isso, você tem de pegá-las e tentar alguma coisa nova.

As pessoas, às vezes, ficam desconcertadas quando falo sobre as "mentiras" do sucesso. Quem quer viver de mentiras? Mas tudo que quero dizer é que não sabemos como o mundo é, na realidade. Não sabemos se a linha é côncava ou convexa. Não sabemos se nossas crenças são verdadeiras ou falsas. No entanto, o que podemos saber é se elas funcionam, se nos apoiam, se tornam nossas vidas mais ricas, se nos fazem pessoas melhores, se nos ajudam e aos outros.

A palavra "mentiras" é usada neste capítulo como um consistente lembrete de que não sabemos ao certo como são as coisas com exatidão. Uma vez que sabemos que a linha é côncava, por exemplo, não estamos mais livres para vê-la como convexa. A palavra "mentira" não significa "ser enganoso ou desonesto". Antes, é uma maneira útil de nos lembrar que, não importa o quanto acreditemos em um conceito, devemos ser abertos para outras possibilidades e contínuo aprendizado. Sugiro que olhe para estas sete crenças e decida se são úteis para si. Encontrei-as repetidas vezes em pessoas de sucesso que modelei. Para modelar excelência, temos de começar com os sistemas de crença da excelência. Descobri que estas sete crenças fortaleceram pessoas a usar, fazer mais, adotar maiores medidas e produzir maiores resultados. Não estou dizendo que são as únicas crenças úteis do sucesso. São um começo. Elas funcionaram para outros, e gostaria que visse se funcionam para você.

CRENÇA 1: ***Tudo acontece por uma razão e um fim, e isso nos serve.*** Lembra-se da história de W. Mitchell? Qual foi a crença central que o ajudou a superar a adversidade? Ele decidiu aproveitar o que acontecera e trabalhar com isso a seu favor, de todo modo que pudesse. Da mesma forma, todas as pessoas de sucesso têm a estranha capacidade de focalizar o que é possível numa situação, que resultados positivos podem vir dela. Não importa quão negativo seja o "retorno" ou *feedback* que tragam de seu ambiente, elas pensam em termos de possibilidade. Pensam que tudo acontece por uma razão, e isso as satisfaz. Acreditam que toda adversidade contém a semente de um benefício equivalente ou maior.

Posso lhe garantir que pessoas que conseguem resultados relevantes pensam dessa forma. Pense sobre isso em sua própria vida. Há um infinito número de maneiras de reagir a cada situação. Digamos que sua firma falha ao tentar conseguir um contrato com o qual você contava, um contrato que você estava certo que merecia. Alguns de nós ficariam magoados e frustrados. Podemos sentar em casa e lastimar, ou sair e nos embebedar. Alguns ficariam loucos. Podemos culpar a companhia que julgou o contrato, imaginando que são um bando de indivíduos ignorantes. Ou podemos nos culpar por arruinarmos uma coisa tida como certa.

Tudo isso pode nos ajudar a desabafar um pouco, mas não resolverá o problema. Não nos deixa mais próximos do resultado desejado. É preciso muita disciplina para sermos capazes de refazer nossos passos, aprender lições penosas, reparar falhas e dar uma boa olhada nas novas possibilidades. Mas é a única maneira de extrair um resultado positivo do que parecia um resultado negativo.

Deixe-me lhe dar um bom exemplo de possibilidade. Marilyn Hamilton, uma ex-professora e rainha de beleza, é uma mulher de negócios bem-sucedida em Fresno, Califórnia. É também a sobrevivente de um terrível acidente. Quando tinha 21 anos, caiu em um terreno pedregoso, num acidente de voo livre, que a deixou em cadeira de rodas, paralisada da cintura para baixo.

Marilyn, certamente, podia ter se concentrado numa porção de coisas que não podia mais fazer. Porém, concentrou-se nas possibilidades que estavam abertas para ela. Tentou ver, na tragédia, a oportunidadc. A princípio, ficou frustrada com sua cadeira de rodas. Achou-a muito apertada e restritiva. Nem você nem eu podemos, provavelmente, ter qualquer ideia de como julgar a eficiência de uma cadeira de rodas. Mas Marilyn Hamilton podia. Ela imaginou-se como a única capacitada para desenhar uma melhor. Assim, juntou-se a dois amigos que faziam asas-delta e começaram a trabalhar em um protótipo de uma cadeira de rodas melhor.

Os três formaram uma companhia chamada Motion Designs. É agora uma história de sucesso de muitos milhões de dólares, que revolucionou a indústria de cadeiras de rodas e tornou-se a Pequena Empresa do Ano, da Califórnia, em 1984. Empregaram seu primeiro funcionário em 1981 e agora têm 80, e mais de 800 revendedores.

Não sei se Marilyn Hamilton, alguma vez, sentou-se conscienciosamente e tentou imaginar suas crenças, mas ela atuou a partir de um sentido dinâmico de possibilidade, um sentido do que podia fazer. Em verdade, todos os grandes sucessos trabalham no mesmo esquema.

Pare um momento para pensar, outra vez, em suas crenças. Em geral, você espera que as coisas funcionem bem ou mal? Você espera que seus melhores esforços sejam um sucesso, ou espera que sejam contrários? Você vê o potencial em uma situação ou vê os obstáculos? Muitas pessoas tendem a enfocar mais o negativo que o positivo. O primeiro passo para mudar isso é reconhecer. Crença em limites cria passos limitados. A chave é pôr de lado essas limitações e atuar com base em um conjunto mais alto de recursos. Em nossa cultura, os líderes são as pessoas que veem as possibilidades, que podem ir a um deserto e ver um jardim. Impossível? O que aconteceu em Israel? Se você tiver uma forte crença na possibilidade, é certo que poderá consegui-la.

CRENÇA 2: ***Não há essa coisa chamada fracasso. Há somente resultados.*** Esta crença é quase um corolário da número 1, e é também importante em si mesma. Muitas pessoas em nossa cultura foram programadas para temer essa coisa chamada fracasso. No entanto, todos nós podemos pensar em ocasiões em que quisemos uma coisa e conseguimos outra. Fomos todos reprovados em um teste, sofremos por um romance frustrante que não deu certo, montamos um plano de negócios para ver tudo sair errado. Usei as palavras "efeito" e "resultados" porque é o que as pessoas bem-sucedidas veem. Elas não veem fracasso. Não acreditam nele. Isso não conta.

As pessoas sempre conseguem alcançar algum tipo de resultado. Os supersucessos de nossa cultura não são pessoas que não falham, mas, simplesmente, pessoas que sabem que se tentarem alguma coisa e não obtiverem o resultado desejado, pelo menos terão tido uma experiência de aprendizado. Elas usam o que aprenderam e tentam alguma outra coisa. Tomam algumas novas medidas e produzem alguns novos resultados.

Pense nisso. Qual é o único item, o único benefício que você tem, hoje, a mais que ontem? A resposta, claro, é experiência. Pessoas que temem o fracasso fazem com antecedência representações internas do que poderá não funcionar. É isso que não lhes permite tomar a única medida que poderia assegurar o cumprimento de seus desejos. Você tem medo de fracasso? Bem, como se sente sobre o aprendizado? Você pode aprender com cada experiência humana e pode, por meio disso, ter sucesso em qualquer coisa que faça.

Certa vez, Mark Twain disse: "Não há visão mais triste do que um jovem pessimista." Ele estava certo. Pessoas que acreditam em fracasso têm quase garantida uma existência medíocre. Fracasso é alguma coisa que só não é percebida por pessoas que conseguiram grandeza. Elas não residem com ele. Não juntam emoções negativas a alguma coisa que não funciona.

Deixe-me compartilhar com vocês a história da vida de alguém. Trata-se de um homem que:

Faliu nos negócios aos 22 anos de idade.
Foi derrotado em uma eleição para o Legislativo aos 23.
Faliu outra vez nos negócios aos 25 anos.
Superou a morte de sua namorada aos 26.
Teve um colapso nervoso aos 27.
Perdeu uma eleição aos 29.
Perdeu nas eleições para o Congresso aos 34, 37 e 39.
Perdeu uma disputa para o Senado aos 46.
Fracassou na tentativa de tornar-se vice-presidente aos 47.
Perdeu uma disputa senatorial aos 49.
Foi eleito presidente dos Estados Unidos aos 51.

O nome do homem é Abraham Lincoln. Poderia ele ter se tornado presidente se tivesse visto suas perdas nas eleições como fracassos? É pouco provável. Há uma famosa história sobre Thomas Edison. Após ter tentado 9.999 vezes aperfeiçoar a lâmpada e não ter conseguido, alguém perguntou-lhe: "Você vai ter 10 mil fracassos?" E ele respondeu: "Não falhei. Acabo de descobrir outra maneira de não inventar a lâmpada elétrica." Tinha descoberto como outro conjunto de ações produzira um resultado diferente.

"Nossas dúvidas são traidoras,
E nos fazem perder o bem que sempre poderíamos ganhar,
Por medo de tentar. "

— William Shakespeare

Vencedores, líderes, mestres — pessoas com poder pessoal —, todos entendem que se você tentar alguma coisa e não conseguir o efeito que quer, isso é simplesmente *feedback*. Você usa essa informação para fazer distinções mais precisas sobre o que necessita para produzir os resultados que deseja. Certa vez, Buckminster Fuller escreveu: "Qualquer coisa que os seres humanos tenham aprendido, eles o fizeram como consequência do processo de tentativa e erro. Os humanos só aprenderam por meio de erros." Algumas vezes aprendemos com nossos erros, outras vezes, com os erros de outros. Pare um minuto para refletir sobre os cinco maiores, assim chamados, "fracassos" de sua vida. O que aprendeu com essas experiências? É provável terem sido algumas das mais valiosas lições que teve na vida.

Fuller usa a metáfora do leme de um navio. Diz que quando o leme está em ângulo em relação a um outro lado, o navio tende a manter o rumo, sem a intenção do timoneiro. Ele tem de corrigir o rumo, movendo-o para trás, em direção à posição original, em um processo interminável de ação e reação, ajustamento e correção. Imagine isso em sua mente — um timoneiro em mar tranquilo, dirigindo seu barco mansamente em direção a seu destino, superando milhares de inevitáveis desvios de sua rota. É uma imagem agradável, e é um lindo modelo para o processo de viver com sucesso. Mas a maioria de nós não pensa dessa maneira. Cada erro, cada engano, tende a fixar-se na bagagem emocional. É um fracasso que se reflete muito mal em nós.

Muitas pessoas, por exemplo, ficam desanimadas porque são gordas. Suas atitudes com relação à obesidade não mudam em nada. Em vez disso, poderiam admitir o fato de que estão tendo sucesso na obtenção de um resultado chamado excesso de gordura e que agora vão conseguir um novo resultado chamado ser magro. Conseguiriam esse novo resultado praticando novas ações.

Se você não estiver certo de que ações precisa incrementar para conseguir esse resultado, preste especial atenção ao Capítulo 10, ou modele alguém que conseguiu o resultado chamado ser magro. Descubra que ações específicas essa pessoa consegue, mental e fisicamente, para permanecer sempre magra. Consiga as mesmas ações e conseguirá os mesmos resultados. Enquanto encarar seu excesso de peso como um fracasso, você estará imobilizado. No entanto, no minuto em que mudá-lo para um resultado que conseguiu, portanto, um resultado que você pode mudar outra vez, então, seu sucesso estará garantido.

A crença no fracasso é um modo de envenenar a mente. Quando armazenamos emoções negativas, afetamos nossa fisiologia, nosso processo mental e nosso estado. Uma das maiores limitações da maioria das pessoas é seu medo de fracassar. O Dr. Robert Schuller, que ensina o conceito de pensamento de possibilidade, faz uma grande pergunta: "O que você tentaria fazer se soubesse que não poderia fracassar?" Pense nisso. Como responderia? Se realmente acreditasse que não poderia falhar, poderia adotar toda uma série nova de medidas e conseguir novos resultados desejados, fortalecedores. Não estaria você ficando melhor, tentando-os? Não é essa a única maneira de crescer? Portanto, sugiro que comece a compreender agora que não existe coisa como o fracasso. Há somente resultados. Você sempre produz um resultado. Se não é aquele que deseja, pode só mudar suas ações e produzirá novos resultados. Corte a palavra "fracasso", assinale a palavra "resultado" neste livro, e comprometa-se a aprender com toda experiência.

CRENÇA 3: ***Qualquer coisa que aconteça, assumo a responsabilidade.*** Outro atributo que os grandes líderes e realizadores têm em comum é que operam a partir da crença de que criaram o mundo deles. A frase que você ouvirá com frequência é: "Sou responsável. Cuidarei disso."

Não é coincidência você ouvir o mesmo ponto de vista muitas vezes. Os realizadores tendem a acreditar que, não importa o que aconteça, seja bom ou mau, eles o criaram. Se não realizaram isso com suas ações físicas, talvez o tenham feito pelo nível e teor de seus pensamentos. Agora, não sei se isso é verdade. Nenhum cientista pode provar que seus pensamentos criaram nossa realidade. Mas é uma mentira útil. É uma crença fortalecedora. Por isso, prefiro acreditar nela. Acredito que geramos nossas experiências na vida, seja por comportamento, seja por pensamentos, e que podemos aprender com todas elas.

Se você não acredita que está criando o seu mundo, sejam seus sucessos ou fracassos, então está à mercê das circunstâncias. As coisas simplesmente acontecem com você. Você é um objeto, não um sujeito. Deixe-me contar--lhe: se eu tivesse essa crença, partiria agora e procuraria outra cultura, outro mundo, outro planeta. Por que ficar aqui se você é só o produto de forças externas do acaso?!...

Assumir responsabilidade é, em minha opinião, uma das melhores medidas do poder e da maturidade de uma pessoa. É também um exemplo de crença apoiando outras crenças, de capacidade sinergética de um sistema coerente de crenças. Se você não acredita em fracasso, se sabe que atingirá seu efeito, não tem nada a perder e tudo a ganhar, assumindo responsabilidade. Se você estiver no controle, terá sucesso.

John F. Kennedy tinha seu sistema de crenças. Dan Rather certa vez disse que Kennedy tornou-se um verdadeiro líder durante o incidente da baía dos Porcos (a fracassada invasão de Cuba), quando, perante o povo norte-americano, disse que aquilo fora uma atrocidade que nunca deveria ter acontecido — e, então, assumiu total responsabilidade pelo fato. Quando fez isso, transformou-se de jovem político hábil em verdadeiro líder. Kennedy fez o que todo grande líder deve fazer. Aqueles que assumem responsabilidade, estão com força. Aqueles que a evitam, estão enfraquecidos.

O mesmo princípio de responsabilidade mantém-se verdadeiro também no âmbito pessoal. Quase todos nós tivemos a experiência de tentar expressar uma emoção positiva para alguém. Tentamos dizer a alguém que o amamos, ou que entendemos o problema que ele está tendo. Mas se, em vez de passarmos essa mensagem positiva, ele a entende como negativa, fica transtornado e hostil. Em geral, nossa tendência é de também ficarmos aborrecidos, culpá-lo, torná-lo responsável por qualquer mal-entendido que tenha surgido. Essa é a maneira mais fácil, mas nem sempre a mais sábia. O fato é que sua comunicação pode ter sido o acionador. Você ainda pode produzir o resultado de comunicação que deseja, se lembrar seu efeito, isto é, o comportamento que quer criar. Compete a você mudar seu comportamento — tom de voz, expressões faciais e assim por diante. Dizemos que o sentido da comunicação é a resposta que você obtém. Mudando suas ações, você pode mudar sua comunicação. Retendo responsabilidade, você retém o poder de mudar o resultado que produz.

CRENÇA 4: ***Não é necessário entender tudo para ser capaz de usar tudo.*** Muitas pessoas bem-sucedidas vivem pela crença útil de outras. Elas não acreditam que precisam saber tudo sobre tudo, a fim de usá-las. Sabem como usar o que é essencial, sem sentir necessidade de aprofundar-se em cada detalhe. Se você estudar pessoas que estão com poder, descobrirá que têm um conhecimento elaborado sobre uma porção de coisas, mas frequentemente têm pouco domínio de *cada* detalhe de seu empreendimento.

Falamos no primeiro capítulo sobre como a modelagem pode poupar, para as pessoas, um de nossos insubstituíveis recursos — o tempo. Observando as pessoas de sucesso, a fim de descobrir que ações específicas criam para conseguir resultados, nos tornamos capazes de duplicar suas ações e, assim, seus resultados, em muito menos tempo. Tempo é uma das coisas que ninguém pode criar para você. Mas realizadores, invariavelmente, conseguem ser avaros quanto ao tempo. Eles extraem a essência de uma situação, tiram o que precisam e não se detêm no restante. É claro que, se estiverem intrigados com alguma coisa, se quiserem entender como um motor funciona, ou como um produto é manufaturado, usam um tempo extra para aprender. Mas estão sempre conscientes do que mais precisam. Sempre sabem o que é essencial e o que não é.

Aposto que se eu lhe perguntar como funciona a eletricidade, você virá com alguma coisa entre uma resposta confusa e uma esquemática. Mas, de qualquer forma, está feliz por poder dar um toque no interruptor e acender as luzes. Duvido que muitos de vocês estejam, agora, sentados em suas casas, lendo este livro à luz de velas. Pessoas de sucesso são boas em fazer distinções entre o que é necessário para elas entenderem e o que não é. A fim de, eficientemente, usar as informações deste livro, e de usar tudo que você é nesta vida, deve descobrir que há um equilíbrio entre uso e conhecimento. Você pode passar todo o seu tempo estudando as raízes, ou pode aprender a colher o fruto. Pessoas de sucesso não são sempre as que têm maiores informações ou maior conhecimento. É provável que haja muitos cientistas e engenheiros na Stanford e na Cal Tech que saibam mais sobre componentes de circuito de computadores do que Steve Jobs ou Steve Wozniak, mas eles são alguns dos mais eficientes em usar o que têm. São eles os que conseguem resultados.

CRENÇA 5: ***As pessoas são os seus maiores recursos.*** Indivíduos de excelência, isto é, pessoas que conseguem resultados notáveis, quase universalmente têm um tremendo senso de respeito e de reconhecimento pelas pessoas. Têm um senso de equipe, de interesse comum e unidade. Se há alguma perspicácia no conteúdo da nova geração de livros sobre negócios, como *Inovação e espírito empreendedor: Prática e princípios, In Search of Excellence* ou *O gerente minuto*, é que não há sucesso duradouro sem relação entre as pessoas, e que a maneira de ser bem-sucedido é formar uma equipe de sucesso que esteja trabalhando junto. Todos nós vimos relatórios sobre fábricas japonesas, onde trabalhadores e diretoria fazem as refeições no mesmo refeitório e onde ambos se entrosam para avaliar desempenhos. Seus sucessos refletem as maravilhas que podem ser realizadas quando respeitamos as pessoas, em vez de tentar manipulá-las.

Quando Thomaz J. Peters e Robert H. Waterman Jr., autores de *In Search of Excellence*, apuraram os fatores que tornam grandes as empresas, uma das coisas-chave que encontraram foi a intensa atenção para com as pessoas. "Dificilmente há um tema mais penetrante em empresas excelentes do que o respeito pelo indivíduo", escreveram. Empresas bem-sucedidas são aquelas que tratam as pessoas com respeito e dignidade, que olham seus empregados como sócios, não como ferramentas. Notaram que, num estúdio, 18 dos 20 executivos da Hewlett-Packard entrevistados disseram que o sucesso da companhia dependia da filosofia das pessoas orientadas pela HP. A HP não é um varejo, que negocia com o público, ou uma companhia de serviços dependente de boa vontade. É um negócio dentro das mais complexas fronteiras da moderna tecnologia. Mas mesmo lá está claro que lidar com eficiência com pessoas é visto como o desafio predominante.

Como em relação a muitas das crenças aqui apresentadas, também no caso desta é mais comum as pessoas fingirem que a aceitam do que a adotarem na realidade. É fácil concordar com a ideia de tratar as pessoas, sejam de sua família ou do serviço, com respeito. Nem sempre é tão fácil fazê-lo.

Enquanto você lê este livro, tenha em mente a imagem de um timoneiro reajustando a rota de seu navio, à medida que se desloca em direção a seu destino. Com a vida, é a mesma coisa. Temos de nos manter sempre alertas, reajustar nosso comportamento e recalibrar nossas ações, para termos certeza de estarmos indo onde queremos. Dizer que você trata as pessoas com respeito e fazê-lo não é a mesma coisa. Aqueles que são bem-sucedidos são mais eficientes em dizer aos outros: "Como podemos fazer isso melhor?", "Como podemos aceitar isso?", "Como podemos conseguir resultados melhores?". Eles sabem que para um homem sozinho, não importa quão brilhante seja, será muito difícil igualar os talentos reunidos de uma equipe eficiente.

CRENÇA 6: ***Trabalho é prazer.*** Você conhece alguma pessoa que alcançou grande sucesso fazendo o que odeia? Eu não. Uma das chaves do sucesso é fazer um casamento bem-sucedido entre o que faz e o que gosta. Pablo Picasso certa vez disse: "Quando trabalho, descanso; ficar sem fazer nada ou entreter visitantes me deixa cansado."

Podemos não pintar tão bem como Picasso, mas todos nós podemos fazer o melhor para encontrar um trabalho que nos revigore e excite. E podemos trazer, para o que quer que façamos no trabalho, muitos dos aspectos do que fazemos no prazer. Mark Twain disse: "O segredo do sucesso é fazer de sua vocação sua distração." É isso que pessoas bem-sucedidas parecem fazer.

Hoje em dia ouvimos falar muito de maníacos por trabalho. E há algumas pessoas para quem o trabalho tornou-se uma obsessão, algo pouco saudável. Elas parecem não conhecer nenhum prazer fora de seu trabalho, e chegam ao ponto de não poderem fazer mais nada.

Os pesquisadores estão descobrindo coisas surpreendentes sobre alguns maníacos por trabalho. Há alguns que parecem loucamente concentrados no trabalho porque o amam. Isso os desafia, os estimula a olhar o trabalho do modo como a maioria de nós olha o prazer. Eles o veem como uma maneira de se expandir, aprender coisas novas, explorar novos caminhos.

Alguns tipos de trabalho conduzem mais a isso do que outros? Claro que sim. A chave é dirigir seu caminho para aqueles empregos. Uma daquelas espirais ascendentes está trabalhando aqui. Se você puder encontrar meios criativos para fazer seu trabalho, isso irá ajudá-lo a se mover em direção ao trabalho que é até melhor. Se você decide que trabalho é algo enfadonho, nada mais que uma maneira de trazer para casa o pagamento, é provável que ele nunca será alguma coisa mais.

Falamos sobre a natureza sinérgica de um sistema de crença coerente, a maneira positiva como crenças apoiam outras crenças positivas. Este é outro exemplo. Não penso que existam quaisquer trabalhos sem alternativas. Há somente pessoas que perderam o senso de possibilidade, pessoas que decidiram não assumir responsabilidades, pessoas que decidiram acreditar no fracasso. Não estou sugerindo que você deva se tornar um maníaco por trabalho. Não estou sugerindo que você deva fazer seu mundo girar em torno de seu trabalho. Mas estou sugerindo que enriquecerá seu mundo e seu trabalho se tentar colocar nele a mesma curiosidade e vitalidade que coloca em seu lazer.

CRENÇA 7: ***Não há sucesso permanente sem confiança.*** Indivíduos que têm sucesso, têm crença no poder da confiança. Se há uma única crença que parece quase inseparável do sucesso é a de que não há grande sucesso sem grande confiança. Se você olhar para as mais bem-sucedidas pessoas, em qualquer campo, descobrirá que não são, necessariamente, as melhores e as mais brilhantes, as mais rápidas e as mais fortes. Descobrirá que são aquelas com maior confiança. A grande bailarina russa Anna Pavlova disse certa vez: "Seguir um objetivo sem parar, esse é o segredo do sucesso." É só outra maneira de exprimir nossa Fórmula do Sucesso Definitivo — conhecer seu efeito, modelar o que funcione, tomar medidas, desenvolver o sentido de perspicácia para saber o que está conseguindo e continuar aprimorando-o, até conseguir o que quer.

Vemos isso em qualquer campo, mesmo naqueles em que a habilidade natural parece ser predominante. Nos esportes, por exemplo. O que faz de Larry Birds um dos melhores jogadores de basquete? Muitas pessoas ainda estão imaginando. Ele é lento. Não pode pular. Em um mundo de donzelas graciosas, ele, algumas vezes, parece estar jogando em câmara lenta. Mas quando chega o momento exato, Larry Birds é bem-sucedido, porque possui imensa confiança na vitória. Ele pratica com afinco, tem mais obstinação mental, joga com mais garra, ele quer mais. Consegue mais de suas habilidades que quase todos os outros. Pete Rose abriu seu caminho para o livro dos recordes da mesma maneira, usando com frequência seu compromisso para com a excelência, como uma força que o dirigia para colocar tudo que podia em tudo que fazia. Tom Watson, o grande jogador de golfe, não era nada especial em Stanford. Era só outro garoto no time. Mas seu treinador ainda se maravilha com Watson, dizendo: "Nunca vi alguém praticar tanto." A diferença de puras habilidades físicas entre os atletas raras vezes diz alguma coisa. É a qualidade do compromisso que separa os bons dos grandes.

Compromisso é um componente importante do sucesso em qualquer campo. Antes de atingir o apogeu, Dan Rather era uma lenda como o mais esforçado repórter de televisão em Houston. Eles ainda falam de quando ele fez uma reportagem pendurado em uma árvore, enquanto um furacão rugia em direção à costa do Texas. Ouvi, outro dia, alguém falar sobre Michael Jackson, e dizer que ele era um milagre surgido da noite para o dia. Milagre da noite para o dia? Michael Jackson tinha um grande talento? Certo, ele tinha. Ele trabalhou esse talento desde os 5 anos de idade. Fez espetáculos desde então, praticou seu canto, aperfeiçoou sua dança, escreveu suas canções. É claro que havia algum talento natural. Ele também cresceu em um ambiente que o ajudou, desenvolveu sistemas de crença que o estimularam, teve muitos modelos de sucesso disponíveis, teve uma família que o guiou. Mas o pano de fundo era que ele queria pagar o preço. Gosto de usar a expressão W.I.T. [*Whatever It Takes*], isto é, o que for necessário. As pessoas bem-sucedidas estão a fim de fazer o que for necessário para terem sucesso (sem, é claro, prejudicar alguém). Isso, tanto quanto alguma outra coisa, é o que as distingue das outras.

Existem mais crenças que favorecem a excelência? Certo que sim. Quanto mais você pensa nelas, tanto melhor. Com este livro, você irá ficar ciente de distinções adicionais ou critérios que pode juntar. Lembre-se: o *sucesso deixa pistas.* Estude aqueles que são sucesso. Descubra as crenças--chave que têm e que intensificam a habilidade para tomar medidas efetivas consistentemente e produzir resultados relevantes. Essas sete crenças fizeram maravilhas para outros antes de você, e acredito que possam fazer maravilhas por você, se puder comprometer-se firmemente com elas.

Quase posso ouvir alguns de vocês pensarem. Bem, isso é um grande *se.* E se você tiver crenças que não o apoiem? E se suas crenças forem negativas e não positivas? Como mudamos as crenças? Você já deu o primeiro passo: estar consciente. Você sabe o que quer. O segundo passo é ação, aprender a controlar suas representações internas e crenças, aprender como dirigir seu cérebro.

Assim, começamos a juntar pedaços que, acredito, levam à excelência. Começamos com a ideia de que a informação é o bem dos reis, que mestres comunicadores são aqueles que sabem o que querem e que tomam medidas efetivas, variando seu comportamento até obter resultados. No Capítulo 2, aprendemos que o caminho para a excelência passa pela modelagem. Se você pode encontrar pessoas que criaram sucesso sólido, pode modelar as ações específicas que elas praticam com coerência e que produzem resultados — suas crenças, sintaxe mental e fisiologia —, a fim de poder produzir resultados similares em um tempo de aprendizado menor. No Capítulo 3, falamos sobre o poder do estado. Vimos como comportamentos fortes, ricos de recursos e efetivos resultam de uma pessoa que esteja em um estado neurofisiológico efetivo e rico de recursos. No Capítulo 4 aprendemos sobre a natureza da crença, como crenças fortalecedoras abrem a porta da excelência. Neste capítulo, exploramos as sete crenças que são os alicerces da excelência.

Agora vou compartilhar com vocês técnicas poderosas, que podem ajudá-los a fazer uso do que aprenderam.

CAPÍTULO 6

DOMINANDO SUA MENTE: COMO DIRIGIR SEU CÉREBRO

"Não encontre um defeito, encontre uma solução."

— Henry Ford

Este capítulo é sobre como encontrar soluções. Até agora falamos sobre o que você deve mudar se desejar modificar sua vida, que tipos de estados o fortalecem e quais o deixam hesitante. Nesta parte do livro você irá aprender como mudar seus estados, a fim de poder conseguir o que quiser, e quando quiser. Em geral, não faltam recursos às pessoas: falta-lhes o controle sobre seus recursos. Este capítulo ensinará como estar no controle, como conseguir mais sabor da vida, como mudar seus estados, suas ações e, assim, os resultados que consegue em seu corpo — tudo em questão de momentos.

O modelo de mudança que eu e a PNL ensinamos é muito diferente do usado em muitas escolas de terapia. O cânone terapêutico, uma mistura de várias escolas, é tão familiar que se tornou algo como um totem cultural. Um grande número de terapeutas acredita que, a fim de mudar, você tem de voltar às experiências negativas profundamente assentadas, e vivê-las outra vez. A ideia é que as experiências negativas das pessoas ficam represadas dentro delas como um líquido, até que não haja mais espaço e elas ou rompam ou transbordem. A única maneira de entrar em contato com esse processo, diz o terapeuta, é reexperimentar todos os eventos de dor, outra vez, e, então, tentar fazê-los sair para sempre.

Tudo na minha experiência diz que esse é um dos meios menos eficazes de ajudar pessoas com problemas. Em primeiro lugar, quando pede a alguém que volte atrás e reviva algum trauma terrível, você o está colocando no estado mais doloroso e de menos recursos em que ele pode estar. Se você põe alguém em um estado sem recursos, suas chances de conseguir novos resultados e comportamentos de recursos são muito diminuídas. Na verdade, essa abordagem pode até reforçar o padrão doloroso e sem recursos. Devido ao acesso seguido a estados neurológicos de limitação e dor, torna-se muito mais fácil acionar esses estados no futuro. Quanto mais você revive uma experiência, com mais facilidade a usa outra vez. Talvez seja por isso que tantas terapias tradicionais levem tanto tempo para conseguir resultados.

Tenho alguns bons amigos que são terapeutas. Eles se preocupam sinceramente com seus pacientes. Acreditam que o que estão fazendo está fazendo diferença. E está. A terapia tradicional consegue resultados. No entanto, a questão é: podem esses resultados ser conseguidos com menos dor pelo paciente e em um período de tempo mais curto? A resposta é sim, se modelarmos as ações dos mais efetivos terapeutas do mundo, que é exatamente o que Bandler e Grinder fizeram. De fato, dominando um simples entendimento de como seu cérebro funciona, você pode tornar-se seu próprio terapeuta, seu próprio consultor pessoal. Você ultrapassa a terapia para ser capaz de mudar qualquer sentimento, emoção ou comportamento seu, em questão de momentos.

Acredito que começamos a conseguir mais resultados efetivos com a criação de um novo modelo para o processo de mudança. Se você crê que seus problemas ficam guardados em seu interior até que extravasem, é exatamente isso que experimentará. Vejo nossa atividade neurológica mais como toca-discos do que como se toda a dor agisse como um fluido letal. O que, na realidade, acontece é que os seres humanos têm experiências que são gravadas. Nós as guardamos no cérebro como discos em um aparelho de som. Assim como os discos, nossas gravações podem ser tocadas outra vez, a qualquer momento, se o estímulo certo em nosso ambiente for desencadeado, se o botão certo for acionado.

Então, para lembrar nossas experiências, podemos optar por acionar botões que tocam "canções" de felicidade e alegria, ou podemos usar botões que criam dor. Se seu plano terapêutico inclui apertar o botão que cria dor muitas vezes seguidas, você poderá estar reforçando o estado muito negativo que deseja mudar.

Acredito que você precise fazer alguma coisa bem diferente. Talvez possa, simplesmente, reprogramar seu toca-discos para tocar uma música bem diferente. Você aperta o mesmo botão, mas, em vez de tocar uma canção triste, surge uma extasiante. Ou, talvez, você possa regravar o disco, pegar as velhas memórias e mudá-las.

O ponto é: os discos que não estão sendo tocados não vão crescer e explodir. É absurdo. E assim como reprogramar um toca-discos é um procedimento simples, é fácil mudarmos os meios que nos fazem produzir sentimentos e emoções desprovidos de recursos. Não temos que experimentar tudo que lembra dor para mudarmos nosso estado. O que temos de fazer é mudar a representação interna de negativa para uma positiva, que é automaticamente acionada e nos induz a produzir resultados mais efetivos. Temos de aumentar a rotação dos circuitos para êxtase e desligar a corrente dos circuitos para a dor.

A PNL olha para a estrutura da experiência humana, não para o conteúdo. Enquanto podemos ser e somos simpáticos de um ponto de vista pessoal, não nos importa nem um pouco o que aconteceu. O que importa mesmo é como você junta em sua mente o que aconteceu. Qual é a diferença entre como você produz o estado de depressão e o estado de êxtase? A principal diferença é a maneira como estrutura suas representações internas.

> "Nada tem poder algum sobre mim além daquilo que
> permito por meio de meus pensamentos conscientes."
>
> — Tony Robbins

Estruturamos nossas representações internas por meio de nossos cinco sentidos — visão, audição, tato, gosto e olfato. Em outras palavras, nós experimentamos o mundo na forma de sensações visuais, auditivas, cinestésicas, gustativas ou olfativas. Assim, quaisquer experiências que tenhamos guardadas na mente são representadas por meio desses sentidos, originalmente pelas três maiores modalidades: a visual, a auditiva e as mensagens cinestésicas.

Essas modalidades são amplos agrupamentos de maneiras como formamos representações internas. Você pode considerar seus cinco sentidos ou sistemas representacionais como os ingredientes com os quais constrói qualquer experiência ou resultado. Lembre-se que se alguém é capaz de produzir um determinado resultado, esse resultado é criado por ações específicas, mentais e físicas. Se você reproduzir as mesmas ações exatas, pode duplicar os resultados que uma certa pessoa produz. A fim de produzir um resultado, você deve saber quais são os ingredientes necessários. Os "ingredientes" de todas as experiências humanas derivam de nossos cinco sentidos, ou modalidades. No entanto, não é suficiente só saber quais são os ingredientes necessários. Para produzir o resultado preciso você deve saber exatamente quanto de cada ingrediente é necessário. Se puser demais ou muito pouco, de qualquer ingrediente em particular, não obterá a espécie e a qualidade do resultado que quer.

Quando os seres humanos querem mudar, geralmente visam alterar uma ou ambas de duas coisas: como sentem, isto é, seus estados e/ou como se comportam. Por exemplo, um fumante com frequência quer mudar como se sente física e emocionalmente (estado) e também seu padrão de comportamento, de procurar um cigarro após o outro. No capítulo sobre o poder do estado deixamos claro que existem duas maneiras de mudar os estados das pessoas e, assim, seus comportamentos: ou elas mudam sua fisiologia, que mudará o modo como se sentem e a espécie de comportamento que produzem, ou mudam suas representações internas. Este capítulo é sobre aprender como mudar especificamente o modo como representamos coisas, a fim de que elas nos fortaleçam para sentir e produzir as espécies de comportamento que nos dão apoio na realização de nossas metas.

Há duas coisas que podemos mudar sobre nossas representações externas. Podemos mudar *o que* representamos — assim, por exemplo, se imaginamos o pior cenário possível, podemos mudar, para retratá-lo como o melhor cenário possível — ou podemos mudar *como* representamos alguma coisa. Muitos de nós temos certas chaves dentro de nossas próprias mentes, que acionam nosso cérebro para responder de uma maneira particular. Por exemplo, algumas pessoas acham que retratar alguma coisa como sendo muito, muito grande motiva-as grandemente. Outras acham que o tom de voz que usam quando falam para si mesmas sobre alguma coisa faz a maior diferença em sua motivação. Quase todos nós temos certas chaves de submodalidades que acionam respostas imediatas dentro de nós. Uma vez que descobrimos as diferentes maneiras como representamos as coisas e como elas nos afetam, podemos nos encarregar de nossa própria mente e começar a representar coisas de uma forma que nos fortaleça, mais do que de uma forma que nos limite.

Se alguém produz um resultado que gostaríamos de modelar, precisamos saber mais do que o fato de que ele retrata alguma coisa em sua mente e diz alguma coisa para si. Precisamos de instrumentos mais afinados para realmente termos acesso ao que está acontecendo em nossa mente. É onde entram as *submodalidades.* Elas são como as quantidades certas de ingredientes requeridos para criar um resultado. São os menores e mais exatos tijolos que fazem a estrutura da experiência humana. Para sermos capazes de entender e, assim, controlar a experiência visual, precisamos saber mais sobre ela. Precisamos saber se é escura ou brilhante, em branco e preto ou em cores, móvel ou estacionária. Da mesma maneira, queremos saber se uma comunicação auditiva é alta ou baixa, próxima ou distante, ressoante ou abafada. Queremos saber se uma experiência cinestésica é macia ou dura, áspera ou lisa, flexível ou rígida.

Outra distinção importante é se uma imagem é associada ou dissociada. Imagem associada é a que você experimenta como se realmente estivesse lá. Você a vê com seus próprios olhos, ouve e sente como se estivesse com seu próprio corpo naquela hora, naquele lugar. Imagem desassociada é a que você experimenta como se a estivesse vendo de fora de si mesmo, como se assistisse a um filme sobre você mesmo. Consulte a lista de submodalidades.

Pare um minuto para lembrar uma experiência agradável recente que tenha tido. Agora, entre dentro dessa experiência. Veja o que viu com seus próprios olhos: os eventos, as imagens, cores, brilhos e assim por diante. Ouça o que ouviu: as vozes, sons e assim por diante. Sinta o que sentiu: emoções, temperatura e assim por diante. Experimente como era. Agora, saia de seu corpo e sinta-se afastando-se da situação, mas de um lugar onde ainda possa se ver lá, na experiência. Imagine a experiência como se estivesse se vendo em um filme. Qual é a diferença de seus sentimentos? Em qual dos exemplos os sentimentos foram mais intensos, no primeiro ou no segundo? Isso distingue uma experiência associada de uma desassociada.

Usando submodalidades distintas, como associação *versus* desassociação, você pode mudar radicalmente sua experiência da vida. Lembre-se, aprendemos que todo comportamento humano é o resultado do estado em que estamos, e que nossos estados são criados por nossas representações internas — as coisas que imaginamos, que dizemos e assim por diante. Assim como um diretor de cinema pode mudar o efeito que seu filme tem sobre uma plateia, você pode mudar o efeito que qualquer experiência na vida tem sobre você. Um diretor pode mudar o ângulo da câmera, o volume e o tipo de música, a velocidade e a quantidade de movimento, a cor e a qualidade da imagem e, assim, criar qualquer estado que queira em seu público. Da mesma maneira, você pode dirigir seu cérebro para gerar qualquer estado ou comportamento que o apoie em suas metas.

Deixe-me mostrar-lhe como. É muito importante que faça estes exercícios, pois poderá se interessar e ler cada um até o fim. Então, você para e os faz, antes de dar prosseguimento à leitura. Pode ser divertido fazer os exercícios com mais alguém. Troque os papéis, dando sugestões e respondendo a elas.

RELAÇÃO DE SUBMODALIDADES POSSÍVEIS

Visual

1. Composições móveis ou paradas
2. Panorama ou enquadrada (se enquadrada, o formato do quadrado)
3. Colorido ou preto e branco
4. Brilho
5. Tamanho da imagem (tamanho natural, maior ou menor)
6. Tamanho do(s) objeto(s) central(is)
7. A pessoa fora ou dentro da imagem
8. Distância para a imagem da pessoa
9. Distância do objeto central para a pessoa
10. Qualidade de tridimensionalidade
11. Intensidade do colorido (ou preto e branco)
12. Grau de contraste
13. Movimento (se tiver, rápido ou lento)
14. Foco (quais as partes – dentro ou fora)
15. Foco intermitente ou fixo
16. De que ângulo é visto
17. Número de imagem (cenas)
18. Localização
19. Outra?

Auditiva

1. Volume
2. Ritmo
3. Cadência (interrupções, agrupamentos)
4. Inflexões (palavras realçadas, como)
5. Tempo
6. Pausas
7. Tonalidades
8. Timbre (qualidade, de onde ressoa)
9. Singularidade do som (áspero, suave e outros)
10. Som move-se em volta – espacial
11. Localização
12. Outro?

Cinestésico	**Para dor**
1. Temperatura	1. Tremor
2. Textura	2. Quente – Frio
3. Vibração	3. Tensão muscular
4. Pressão	4. Aguda – Fraca
5. Movimento	5. Pressão
6. Duração	6. Duração
7. Constante – Intermitente	7. Intermitente (assim como latejar)
8. Intensidade	8. Localização
9. Peso	9. Outra?
10. Densidade	
11. Localização	
12. Outro?	

Quero que pense numa recordação muito agradável. Pode ser recente ou antiga. Só feche os olhos, relaxe e pense nela. Agora, pegue essa imagem e a torne mais e mais brilhante. Enquanto a imagem brilha, note como seu estado muda. A seguir, quero que traga seu quadro mental para mais perto de você. Pare agora e o torne maior. O que acontece quando você manipula a imagem? Muda a intensidade da experiência, não é? Para a grande maioria das pessoas, fazer com que uma lembrança já agradável se torne maior, mais brilhante e mais próxima, cria uma imagem mais poderosa e mais agradável. Isso aumenta o poder e o prazer da representação interna, e deixa você em um estado mais poderoso e alegre.

Todos temos acesso às três modalidades ou sistemas representacionais — visual, auditivo e cinestésico. Mas as pessoas contam com variados graus nos diferentes sistemas representacionais. Muitas têm acesso a seus cérebros principalmente por uma estrutura visual. Reagem às cenas que veem em suas cabeças. Outras, principalmente pela auditivas, outras, pelas cinestésicas. Tais pessoas reagem com mais intensidade ao que ouvem ou sentem. Assim, após você ter variado as cenas visuais, vamos tentar a mesma coisa com os outros sistemas representacionais.

Traga de volta a lembrança agradável com a qual já trabalhamos. Aumente o volume das vozes ou sons que ouve. Dê-lhes mais ritmo, um tom mais profundo, uma mudança de timbre. Faça-os mais fortes e mais afirmativos. Agora, faça o mesmo com as submodalidades cinestésicas. Torne a lembrança mais quente, mais suave e mais macia do que era antes. O que acontece agora com seus sentimentos em relação à experiência?

Nem todas as pessoas respondem da mesma maneira. Em particular, as sugestões cinestésicas elicitam diferentes respostas em diferentes pessoas. É provável que a maioria de vocês ache que tornar a imagem maior e mais brilhante a realce, pois dá à representação interna mais intensidade, torna-a mais atrativa e, o mais importante, deixa você num estado mais positivo e mais cheio de recursos. Quando faço esses exercícios em sessões de consulta, posso ver exatamente o que está acontecendo na mente de uma pessoa, observando sua fisiologia. Sua respiração se torna mais profunda, outros se endireitam, o rosto relaxa e o corpo todo parece mais alerta.

Tentemos a mesma coisa com uma imagem negativa. Quero que pense em alguma coisa que o aborreceu e lhe causou dor. Agora, pegue essa imagem e torne-a mais brilhante. Traga-a para mais perto de você. Torne-a maior. O que está acontecendo em seu cérebro? A maioria das pessoas acha que seus estados negativos se intensificam. Os sentimentos ruins que sentiam antes ficam mais fortes. Agora, ponha a imagem de volta onde estava. O que acontece se você a tornar menor, mais apagada e mais afastada? Tente e note a diferença em seus sentimentos. Descobrirá que os sentimentos negativos perderam sua força.

Tente a mesma coisa com as outras modalidades. Ouça sua própria voz interior, ou qualquer outra que esteja continuando a experiência, num tom alto, *staccato*. Sinta a experiência como difícil e firme. É bem provável que a mesma coisa acontecerá — o sentimento negativo será intensificado. Mais uma vez, não quero que entenda isso de uma maneira acadêmica. Quero que faça esses exercícios de uma maneira concentrada, intensa, tendo o cuidado de notar quais as modalidades e submodalidades têm maior poder sobre você. Você pode querer percorrer esses passos outra vez em sua mente, tendo consciência de como a manipulação da imagem muda seus sentimentos sobre o fato.

Pegue a imagem negativa com a qual começou e, agora, torne-a menor. Esteja atento para o que acontece enquanto a imagem encolhe. Agora, desfoque-a, torne-a indistinta, apagada e difícil de ser vista. Depois, afaste-a de você, empurre-a para trás, de modo que mal possa vê-la. Finalmente, empurre-a de volta para um sol imaginário. Repare o que ouve, vê e sente enquanto ela desaparece do mundo.

Faça a mesma coisa com a modalidade auditiva. Abaixe o volume das vozes que ouve. Torne-as mais letárgicas. Tire-lhes o ritmo e as batidas. Faça a mesma coisa com suas percepções cinestésicas. Faça com que a imagem fique pairando fina e sem substância, flácida. O que acontece com a imagem negativa quando passa por esse processo? Se você for como a maioria das pessoas, a imagem perde seu poder, torna-se menos potente, menos dolorosa, ou, até, inexistente. Você pode pegar alguma coisa que lhe causou grande dor no passado e torná-la impotente, fazê-la dissolver-se e desaparecer completamente.

Penso que, com esta curta experiência, você pode ver como essa tecnologia pode ser poderosa. Em poucos minutos você pegou um sentimento positivo e fez com que se tornasse mais forte e mais fortalecedor. Também foi capaz de pegar uma imagem negativa poderosa e tirar-lhe o poder que tinha sobre você. No passado, você estava à mercê dos resultados de suas representações internas. Agora, já deve saber que as coisas não precisam ser desse jeito.

Basicamente, você pode viver sua vida de várias maneiras. Pode deixar seu cérebro dirigi-lo da forma que fazia no passado; pode deixá-lo lançar qualquer quadro, som ou sensação; e pode responder automaticamente sob sugestão, como um cachorro pavloviano responde a uma campainha. Ou pode optar por dirigir conscientemente seu próprio cérebro. Pode implantar as sugestões que quiser. Pode pegar as imagens e experiências ruins e enfraquecer em sua força e poder. Pode representá-las para si de forma a não mais dominá-lo, uma maneira de "cortá-las", deixando-as de um tamanho no qual sabe que poderá controlá-las de fato.

Todos nós já não tivemos a experiência de uma tarefa ou trabalho tão grande que sentimos que nunca o faríamos e sequer ao menos o começaríamos? Se você imaginar essa tarefa como sendo uma imagem pequena, sentirá que pode lidar com ela e, assim, tomará as medidas apropriadas, em vez de ficar oprimido. Sei que isso pode soar como uma simplificação, mas, quando tentar, descobrirá que a mudança de suas representações pode mudar a maneira como se sente com relação a uma tarefa e, assim, modificar suas ações.

E é claro que agora você sabe também que pode pegar boas experiências e realçá-las. Pode pegar as pequenas alegrias da vida e torná-las maiores, fazer com que tornem mais clara sua visão do dia e com que se sinta mais leve e mais feliz. O que temos aqui é uma maneira de criar mais interesse, mais alegria, mais ardor na vida.

"Não há nada bom ou mau, mas o pensamento o faz assim."

— William Shakespeare

Lembra-se, no primeiro capítulo, quando falamos sobre o bem dos reis? O rei tinha a capacidade de dirigir o reino dele. Bem, seu reino é seu cérebro. Assim como o rei dirige seu reino, você pode dirigir o seu, se começar a assumir o controle de como representa sua experiência da vida. Todas as submodalidades com as quais lidamos dizem ao cérebro como se sentir. Lembre-se, nós não sabemos como a vida é realmente. Nós só sabemos como a representamos para nós mesmos. Assim, se temos uma imagem negativa que é apresentada de uma forma grande, brilhante, potente e ressoante, o cérebro nos dá uma má experiência imensa, grande, brilhante, potente e ressoante. Mas, se pegamos essa imagem negativa e a encolhemos, a escurecemos, tornando-a uma imagem imóvel, então tiramos seu poder, e o cérebro responderá de acordo. Em vez de nos colocar em um estado negativo, podemos encolhê-lo ou lidar com ele sem maiores problemas.

Nossa linguagem nos dá muitos exemplos do poder de nossas representações. O que damos a entender quando dizemos que uma pessoa tem um futuro brilhante? Como você se sente quando uma pessoa diz que o futuro parece escuro? O que estará dizendo quando fala em jogar luz sobre um assunto? Que queremos dizer quando falamos que alguém deu uma dimensão exagerada a alguma coisa, ou tem uma imagem distorcida de alguma coisa? O que as pessoas querem dizer quando falam que alguma coisa está pesando muito em suas mentes, ou quando sentem que têm um bloqueio mental? O que você quer dizer quando fala que está tudo bem ou que teve um estalo?

PALAVRAS PREDICADAS

Visual	Auditiva	Cinestésica	Não específica
vê	ouve	sente	percebe
olha	escuta	toca	experimenta
observa	som(ns)	aperta	entende
aparece	faz música	segura	pensa
mostra	harmoniza	escapa através	aprende
amanhece	sintoniza/ou não	compreende	processa
revela	ser todo ouvidos	entrar em	decide
prevê	toca um sino	faz contato	motiva
ilumina	silêncio	expulsa	considera
faísca	ser ouvido	gira	muda
claro	ressoa	duro	percebe
nevoento	surdo	insensível	insensitivo
concentrado	melífluo	concretiza	diferente
ncbuloso	dissonância	arranha	tem em mente
cintilante	afina	não se move	ser
cristalino	inaudível	sólido	sabe
clarão	tons altos	tem controle	
imagina	pergunta	sofre	

FRASES PREDICADAS

Predicadas são as palavras de processo (verbos, advérbios, adjetivos) que as pessoas usam em suas comunicações para representarem suas experiências interiores, através de modalidade visual, auditiva ou cinestésicas. Listadas abaixo estão algumas das frases predicadas mais comumente usadas.

Visual (vê)	Auditiva (ouve)	Cinestésico (sente)
à luz de	alto e claro	afiado como um prego
às claras	bem-informado	aguentar firme
bem definido	claramente expresso	assim
bonita como uma pintura	dar conta de	cabeça quente
colírio para os olhos	declare sua intenção	carne de pescoço
dar uma olhada	dentro do alcance da voz	começar do nada
deixe claro		

embaixo de seu nariz	descrito em detalhe	controle-se
em pessoa	deu uma opinião	convencido
em vista de	dizer a verdade	de pernas para o ar
exibindo-se	dobre a língua	discussão acalorada
fechada	expressar-se	dissimuladamente
fez uma cena	falar com franqueza	entrou em contato com
ideia obscura	garantir uma audiência	escapou-me da mente
imagem mental	investigar	estar nas nuvens
lampejou sobre	língua amarrada	ficar enfurecido
memória fotográfica	linguaruda	firme-se
olhar vago	maneira de dizer	frio/calmo/controlado
olho da mente	mensagem escondida	fundamentos firmes
olho fixo	não ouvido	know-how
olho nu	nítido como um sino	vinho de mesa
olho por olho	ouça-me	lutar corpo a corpo
parece-se com	ouvir vozes	mantenha a calma
parece para mim	palavra por palavra	manter o controle
perceber de relance	poder da palavra	mãos dadas
pintar um retrato	porta-voz	momento de pânico
retrato mental	preste atenção	não o estou acompanhando
sem sombra de dúvida	reclamar	operador suave
ter uma perspectiva sobre	reflexão tardia	pegar o rumo de
ter uma oportunidade de	reprimenda	pendure lá
veja isso	ronronar como um gatinho	pôr as cartas na mesa
vista curta	sessão de batidas	por baixo do pano
	sintonizador	puxar as cordas
	não sintonizado	resumir
	tagarela	segure-o
	toca um sino	ter um peso
	totalmente	derrotado

*O objetivo, ao combinar predicados, é chegarmos à linguagem que nossos ouvintes falam, criando, pois, uma atmosfera de harmonia e entendimento.

Tendemos a pensar que essas frases são só metáforas. Mas não são. Em geral, são descrições bem precisas do que está acontecendo em nossa mente. Pense outra vez quando, poucos minutos atrás, lembrou-se de algo desagradável e aumentou-o. Lembra-se como você acentuou os aspectos negativos da experiência e colocou-a em um estado negativo? Pode encontrar uma maneira melhor de descrever essa experiência do que dizer que transformou-a em um cavalo de batalha? Assim, nós sabemos instintivamente como nossas imagens mentais são poderosas. Lembre-se que podemos controlar nosso cérebro; ele não tem de nos controlar.

Aqui está um exercício simples, que ajuda muitas pessoas. Você já se sentiu incomodado por um diálogo interno insistente? Já esteve numa situação em que seu cérebro não parava quieto? Muitas vezes, nosso cérebro repete diálogos repetidas vezes. Debatemos pontos conosco mesmos, tentamos ganhar velhos argumentos, ou nos desforramos de velhos problemas. Se isso acontece com você, só abaixe o volume. Torne a voz em sua cabeça mais suave, mais afastada, mais fraca. Isso resolve o problema para muitas pessoas. Ou você tem um desses diálogos internos que estão sempre limitando-o? Agora, ouça-o dizer as mesmas coisas, só que com sua voz sexy, num tom e tempo quase de flerte: "Você não pode fazer isso." Como parece agora? Você pode sentir que está até mais motivado a fazer o que a voz está lhe dizendo para não fazer. Tente isso agora e experimente a diferença.

Façamos outro exercício. Desta vez, pense em alguma coisa, na sua experiência, que você estava totalmente motivado a fazer. Relaxe e forme um quadro mental dessa experiência, o mais claro possível. Agora, vou fazer-lhe algumas perguntas sobre ela. Faça uma pausa e responda a cada pergunta, uma por uma. Não há respostas certas ou erradas. Pessoas diferentes responderão de maneiras diferentes.

Enquanto olha a imagem, vê um filme ou uma foto, ela é colorida ou em preto e branco? Está próxima ou distante? Está à esquerda, à direita ou no centro? No alto, embaixo ou no meio de seu campo de visão? Ela é associada — você a vê com seus próprios olhos — ou é desassociada — você a vê como uma pessoa de fora a enxerga? Tem uma moldura em volta, ou você a vê como um panorama que segue sem-fim? Ela é brilhante ou embaçada, escura ou clara? É focada ou desfocada? Enquanto faz esse exercício, não se esqueça de anotar quais as submodalidades mais fortes para você, quais as que têm mais poder quando se concentra nelas.

Agora, percorra suas submodalidades auditivas e cinestésicas. Quando escuta o que está acontecendo, você ouve sua própria voz ou as vozes dos outros na cena? Ouve um diálogo ou um monólogo? Os sons que você ouve são altos ou baixos? Têm inflexões variadas ou são monótonos? São rítmicos ou *staccato*? O andamento é lento ou rápido? Os sons vêm e vão ou mantêm um tema constante? Qual a principal coisa que você está ouvindo, ou dizendo para si? Onde o som está localizado, de onde está vindo? Quando você o sente, ele é duro ou macio? É quente ou frio? É áspero ou suave? É flexível ou rígido? É sólido ou líquido? É agudo ou abafado? Onde está a sensação localizada em seu corpo? É amargo ou doce?

Algumas dessas questões, a princípio, podem parecer difíceis de responder. Se você tem a tendência de formar suas representações internas, primeiramente, de uma forma cinestésica, pode pensar para si mesmo: eu não faço imagens. Lembre-se: isso é uma crença e, enquanto a mantiver, será verdade. Conforme você se torna mais consciente de suas próprias modalidades, aprenderá a melhorar suas percepções por meio de algo chamado sobrepor. Isso significa que, se você é fundamentalmente auditivo, por exemplo, fará melhor se recolher, em primeiro lugar, todas as sugestões auditivas que usa para compreender uma experiência. Assim, pode, primeiro, lembrar do que estava ouvindo naquele tempo. Uma vez que esteja nesse estado e tenha uma representação interna forte, rica, é muito mais fácil de entrar em uma moldura visual para trabalhar com as submodalidades visuais, ou em uma moldura cinestésica para experimentar as submodalidades cinestésicas.

Muito bem: você acabou de ver e experimentar a estrutura de alguma coisa, a qual gostaria de estar fortemente motivado a fazer, alguma coisa na qual, no presente, você não tem interesse especial, nenhuma motivação real para fazer. Mais uma vez, forme uma imagem mental. Agora, repita de forma exata as mesmas perguntas, tendo o cuidado de anotar como suas respostas diferem daquelas que teve para a coisa que estava fortemente motivado a fazer. Por exemplo, quando olha para a imagem, você vê um filme ou uma foto? Então continue repetindo todas as questões da submodalidade visual. Agora, repita as perguntas de suas modalidades auditivas e cinestésicas. Enquanto faz isso, não esqueça de anotar quais submodalidades são mais fortes para você, quais as que têm maior poder para afetar seus estados.

Agora, tome a coisa pela qual está motivado (vamos chamá-la de experiência 1) e a coisa pela qual quer ser motivado (experiência 2), e olhe para elas ao mesmo tempo. Não é difícil de fazer. Pense em seu cérebro *como* uma tela de televisão subdividida, e olhe ambas as imagens ao mesmo tempo. Há diferenças nas submodalidades, não há? Podemos prognosticar isso, é claro, porque *representações diferentes produzem tipos diferentes de resultados no sistema nervoso.* Agora, tome o que aprendemos sobre que espécies de submodalidades nos motivam e, então, passo a passo, reajuste as submodalidades da coisa que ainda não está motivado a fazer (experiência 2), de forma a combinar com aquelas da coisa que está motivado a fazer (as submodalidades da experiência 1). Mais uma vez, essas serão diferentes para pessoas diferentes, mas é provável que a imagem da experiência 1 será mais brilhante do que a da experiência 2. Será mais clara e mais próxima. Quero que você se concentre nas diferenças entre elas, e manipule a segunda representação para que se torne cada vez mais igual à primeira. Lembre-se de fazer o mesmo também com as representações auditivas e cinestésicas. Faça isso agora.

Como se sente agora sobre a experiência 2? Está mais motivado por ela? Você deve estar, se igualou as submodalidades da experiência 1 (por exemplo, se a experiência 1 era um filme e a experiência 2 era uma moldura fixa, você representou a experiência 2 em um filme) e continuou o processo com todas as submodalidades visuais, auditivas e cinestésicas. Quando encontra os acionadores específicos (submodalidades) que fazem com que entre em um estado desejável, pode então ligar esses acionadores para estados indesejáveis e, por meio disso, mudá-los em um momento.

Lembre-se: representações internas similares criarão estados ou sensações similares. E sensações ou estados similares acionarão ações similares. Também, se você descobre o que especificamente o faz sentir-se motivado para fazer qualquer coisa, então sabe com exatidão o que tem de fazer com qualquer experiência para que se sinta motivado. A partir desse estado motivado, pode tentar tomar medidas efetivas.

É importante notar que certas submodalidades-chave nos afetam mais do que outras. Por exemplo, trabalhei com um menino que estava sem motivação para ir à escola. A maioria das submodalidades visuais não pareciam tocá-lo muito. No entanto, se ele dissesse certas palavras para si mesmo, em certo tom de voz, imediatamente se encontrava motivado para ir à escola. Em compensação, quando estava motivado, sentia tensão em seu bíceps. No entanto, quando não estava motivado, ou estava zangado, ele tinha tensão em seu queixo e seu tom de voz era bastante diferente. Pela simples mudança dessas duas submodalidades apenas, pude transportá-lo quase instantaneamente de um estado de perturbação, ou de não motivação, para um estado de estar motivado. A mesma coisa pode ser feita com comida. Uma mulher adorava chocolate devido à sua textura, sua cremosidade e maciez; no entanto, odiava uvas, porque eram barulhentas. Tudo que tive de fazer foi induzi-la a se imaginar comendo uma uva lentamente, mordendo-a com vagar e sentindo a textura, enquanto a rolava na boca. Também fiz com que dissesse as mesmas coisas, com a mesma tonalidade. Fazendo isso, logo começou a desejar e apreciar uvas, até hoje.

Como modelador, você tem sempre que ser curioso sobre como alguém é capaz de produzir algum resultado mental ou físico. Por exemplo, pessoas vêm a mim para conselhos e dizem: "Estou tão deprimido!" Eu não pergunto: "Por que está deprimido?" Também não peço que representem para si e para mim o motivo. Isso as poria em um estado depressivo. Não quero saber por que estão deprimidas, quero saber *como* estão deprimidas. Assim, pergunto: "Como faz isso?" Em geral, recebo um olhar surpreso, porque a pessoa não percebe que há certas coisas em sua mente e fisiologia que a tornam deprimida. Logo, pergunto: "Se eu estivesse no seu lugar, de que maneira ficaria deprimido? O que imaginaria? O que diria para mim mesmo? Como diria isso? Que tonalidade usaria?" Esses processos criam ações mentais e físicas específicas e, dessa forma, resultados emocionais específicos. Se você muda a estrutura do processo, ele pode tornar-se alguma outra coisa, alguma coisa que não seja um estado depressivo.

Uma vez que você sabe como fazer coisas com sua nova consciência, pode começar a dirigir seu próprio cérebro e criar os estados que o apoiam para viver a qualidade de vida que deseja e merece. Exemplo: como é que você fica frustrado ou deprimido? Você pega alguma coisa e constrói uma imagem elevada dela em sua mente? Fica falando consigo mesmo em um tom triste de voz? Agora, como cria sensações de êxtase, alegria? Imagina quadros brilhantes? Eles se movem rápido ou com lentidão? Que tom de voz usa quando fala consigo mesmo? Suponhamos que alguém parece amar o trabalho, e você, não, mas gostaria. Encontre o que tal pessoa faz para criar essa sensação. Ficará espantado com a rapidez com que é capaz de mudar. Vi pessoas que estavam na terapia havia anos mudarem seus problemas, estados e comportamento com frequência em poucos minutos. Afinal, frustração, depressão e êxtase não são coisas. São processos criados por imagens mentais específicas, sons e ações físicas, que você controla consciente ou inconscientemente.

Já imaginou como o uso desses meios, de uma forma efetiva, pode mudar sua vida? Se ama a sensação de desafio que seu trabalho lhe dá, mas odeia limpar a casa, pode fazer uma dessas duas coisas: contrate uma empregada ou note a diferença entre como representa o trabalho e como representa limpar a casa. Representando a limpeza da casa e o desafio do trabalho nas mesmas submodalidades, você se sentirá compelido a limpar. Essa deve ser uma boa representação para suas crianças!

E se você pegar todas as coisas que odeia, mas acredita que deva fazer, e juntar a elas as submodalidades do prazer? Lembre-se: poucas coisas têm alguma sensação inerente. Aprendemos o que é agradável e o que é desconfortável. Você pode simplesmente reetiquetá-las em seu cérebro e logo criar uma nova sensação sobre elas. E se pegar todos os seus problemas, encolhê-los e colocar uma pequena distância entre eles e você? As possibilidades são infinitas. Você está no comando!

É importante lembrar que, como em qualquer habilidade, é preciso repetição e prática. Quanto mais você, conscientemente, sugestionar essas simples mudanças de submodalidades, melhor conseguirá produzir com rapidez o resultado que quer. Poderá descobrir que mudar o brilho ou o embaçado de uma imagem tem um efeito mais forte em você do que mudar a localização ou tamanho. Quando souber isso, saberá que o brilho deve ser uma das primeiras coisas a manipular quando quiser mudar alguma coisa.

Alguns de vocês devem estar pensando: essas mudanças de submodalidade são ótimas, mas o que impedirá que elas mudem de volta? Sei que posso mudar como eu me sinto no momento, e isso é valioso, mas seria ótimo se eu tivesse um meio de fazer as mudanças mais automáticas, mais consistentes.

A maneira para fazer isso é por meio de um processo que chamaremos sistema *swish*. Pode ser usado para lidar com alguns dos mais persistentes problemas e maus hábitos que as pessoas tenham. Sistema *swish* é aquele que toma uma representação interna que, em geral, produz estados de enfraquecimento e faz com que, automaticamente, acione novas representações internas, pondo você nos estados ricos de recursos que deseja. Quando você descobre, por exemplo, quais representações internas o fazem sentir-se guloso demais, com o sistema *swish* você pode criar uma nova representação interna de alguma coisa que é mais poderosa e faz com que você ponha de lado a comida. Se você ligar as duas representações, toda vez que pensar em comer demais, a primeira representação acionará imediatamente a segunda e o porá em um estado de não desejar comida. A melhor parte do sistema *swish* é que, uma vez que o implante com eficácia, nunca mais terá de pensar nele. O processo acontecerá automaticamente, sem nenhum esforço consciente. Eis como o sistema *swish* trabalha:

Passo 1: Identifique o comportamento que quer mudar. Em seguida, faça uma representação interna desse comportamento, e de como você o vê com seus próprios olhos. Se quiser parar de roer suas unhas, imagine-se levantando sua mão, trazendo os dedos para seus lábios e roendo suas unhas.

Passo 2: Uma vez tendo uma cena clara do comportamento que quer mudar, você precisa criar uma representação diferente, uma imagem de como você seria se fizesse a mudança desejada, e o que essa mudança significaria para você. Pode imaginar-se tirando os dedos da boca, criando uma pequena compressão no dedo que iria morder e vendo suas unhas muito bem-tratadas e você bem-vestido, magnificamente arrumado, mais controlado e mais confiante. A figura que fez de si mesmo nesse estado desejado deve ser desassociada. A razão para isso é que queremos criar uma representação interna ideal, para a qual você continue a ser atraído, mais do que por uma representação pela qual sinta que já tenha a atração.

Passo 3: Aplique o *swish* às duas cenas, de forma que a experiência desprovida de recursos automaticamente acione a de recursos ricos. Uma vez que tenha "capturado" esse mecanismo, qualquer coisa usada para acionar o ato de roer suas unhas o levará agora a um estado no qual você estará se movendo em direção àquela imagem ideal de si mesma. Assim, você estará criando uma maneira toda nova para seu cérebro lidar com o que no passado poderia tê-lo perturbado.

Aqui está como fazer o *swish*: comece fazendo uma grande cena brilhante do comportamento que quer mudar. Então, embaixo do canto direito dessa cena, faça uma cena pequena e escura, do jeito que quer ser. Agora pegue essa cena pequena, e em menos de um segundo faça-a aumentar em tamanho e brilho e, literalmente, faça-a irromper através da cena do comportamento que não deseja mais. Enquanto faz esse processo, diga a palavra *Uuuushhh* com todo entusiasmo e excitação que possa. Concordo que isso possa parecer um tanto infantil. No entanto, dizendo *Uuuushhh* de uma forma animada você envia para seu cérebro uma série de sinais poderosos e positivos. Uma vez que tenha ajeitado as cenas em sua mente, o processo todo deve levar só o tempo para dizer a palavra *Uuuushhh.* Agora, na sua frente está uma cena grande, brilhante, centralizada, colorida, de como você quer ser. A velha cena de como você era está quebrada em pedacinhos.

A chave para esse sistema é rapidez e repetição. Você deve ver e sentir a pequena e escura imagem tornar-se enorme, brilhante e explodir na imagem grande, destruindo-a e substituindo-a por uma maior, mais brilhante, de como quer que as coisas sejam. Agora experimente a grande sensação de ver as coisas da maneira como as quer. Abra então seus olhos por uma fração de segundo, a fim de quebrar o estado. Quando fechar os olhos outra vez, faça mais uma vez o *swish.* Comece por ver a coisa que quer mudar como grande, e, então, faça sua pequena cena crescer em tamanho e brilho e explodir nela. *Uuuushhh!* Pare para experimentá-la. Abra seus olhos. Feche seus olhos. Veja o que quer mudar. Veja a cena original e como quer mudá-la. *Uuuushhh!* Outra vez. Faça isso cinco ou seis vezes, o mais rápido que puder. Lembre-se, a chave para isso é rapidez — e senso de humor. O que está dizendo para seu cérebro é: Veja só, *Uuuushhh!* Faça isso, veja isso, *Uuuushhh!* Faça isso, veja isso, *Uuuushhh!* Faça isso... até que a imagem antiga, automaticamente, acione a nova, os novos estados e, assim, o novo comportamento.

Agora, tome a primeira cena: o que sucede? Se, por exemplo, você aplicou o *swish* ao padrão de roer suas unhas, quando se imaginar roendo-as, achará difícil fazê-lo. Agora isso não parece natural. Caso contrário, voltará ao hábito outra vez. Dessa vez, deve fazê-lo com maior clareza e rapidez, estando certo de experimentar só por um momento a sensação positiva que recebe da nova cena, antes de abrir os olhos e começar o processo outra vez. Pode não funcionar, se a imagem que escolheu para avançar não for bastante excitante e desejável. É muito importante que seja extremamente atraente, algo que deixe você em um estado motivador ou desejado, algo que queira mesmo ou que seja mais importante para você do que o comportamento antigo. Algumas vezes, poderá se ajudar, acrescentando novas submodalidades, como cheiro ou sabor. O sistema *swish* produz resultados espantosamente rápidos, devido a certas tendências do cérebro, que tende a se afastar das coisas desagradáveis e se aproximar das agradáveis. Formando a cena de não precisar mais roer as unhas, muito mais atraente do que a de precisar roê-las, você fornece ao cérebro um sinal poderoso sobre a espécie de comportamento de que deve se aproximar. Fiz isso comigo e parei de roer unhas. Era um hábito totalmente inconsciente. No dia seguinte, após ter feito esse sistema *swish,* de repente percebi que estava começando a chupar meus dedos. Poderia ter visto isso como um fracasso. Mas considerei como progresso o fato de me tornar consciente do hábito. Então, simplesmente, fiz *swish* dez vezes, e desde então nunca mais pensei em roer as unhas.

Você pode também fazer isso com medos ou frustrações. Pense em alguma coisa que tenha medo de fazer. Então, imagine essa coisa funcionando da maneira que você gostaria. Faça essa cena bem excitante. Depois, aplique o *swish,* às duas, sete vezes. Pense então na coisa que temia. Como ela fez com que você se sentisse? Se o *swish* foi feito de maneira convincente, no momento em que pensar nas coisas que teme, deve, automaticamente, ser desviado para pensar em como gostaria que as coisas fossem.

Outra variação do sistema *swish* é imaginar um alvo de estilingue em sua frente. Entre os dois postes está a cena do comportamento atual que quer mudar. Coloque no estilingue uma cena pequena de como quer ser. Depois, mentalmente, olhe essa pequena imagem ser puxada mais e mais para trás, até que o estilingue esteja esticado no máximo. Então, solte. Veja como ela explode através da cena bem antiga à sua frente, dentro de seu cérebro. É importante que, ao fazer isso, você puxe mentalmente o estilingue ao máximo antes de soltá-lo. Diga ainda a palavra *Uuuushhh* quando soltá-lo e atravessar a velha cena limitadora de si mesma. Se fez isso da maneira correta, quando soltar o estilingue, a cena deverá vir para você tão rápida que a sua cabeça a revide. Pare agora mesmo e gaste um momento para evocar algum pensamento ou comportamento limitador que gostaria de mudar, e use esse sistema *swish* de estilingue para mudá-lo.

Lembre-se que sua mente pode desafiar as leis do universo, de uma maneira crucial. Sua mente pode voltar. O tempo não pode, nem os acontecimentos, mas sua mente pode. Digamos que você entre em seu escritório e a primeira coisa que nota é que um importante relatório não foi redigido. O relatório incompleto tende a deixá-lo carente de recursos. Você se sente zangado, frustrado. Está pronto para sair e gritar com sua secretária. Mas gritar não irá produzir o resultado que você quer. Fará somente uma situação má ficar pior. A chave é mudar seu estado, voltar e colocar-se num estado que lhe permita conseguir que as coisas sejam feitas. É o que pode fazer, rearrumando suas representações internas.

Tenho falado neste livro de você ser um soberano, estar no controle, dirigir seu próprio cérebro. Agora está vendo a maneira de fazê-lo. Nos poucos exercícios que fizemos até agora, você viu que tem a capacidade de controlar totalmente seu próprio estado. Pense como seria sua vida se todas as suas boas experiências fossem lembradas com clareza, próximas e coloridas; soassem alegres, rítmicas e melódicas; fossem macias, quentes e nutrientes. E se guardasse suas más experiências como pequenas imagens indistintas, imóveis, com vozes quase inaudíveis e de formas irreais, que não poderia sentir por estarem muito longe de você? Pessoas de sucesso fazem isso inconscientemente. Sabem como aumentar o volume das coisas que as ajudam e desligar o som das coisas que não o fazem. O que aprendeu neste capítulo é como modelar tudo isso.

Não estou sugerindo que ignore os problemas. Algumas coisas precisam ser notadas. Todos nós conhecemos pessoas que atravessam o dia com 99 coisas que dão certo e voltam para casa totalmente deprimidas. Por quê? Bem, uma coisa não deu certo. Podem transformar essa uma coisa que deu errado em uma imagem grande, brilhante, tempestuosa, e todas as outras em imagens pequenas, sombrias, quietas, irreais.

Muitas pessoas passam a vida toda assim. Tive clientes que me contavam: "Estou sempre deprimido." Quase que o diziam com orgulho, pois a depressão tinha se tornado mesmo parte da sua visão do mundo. Bem, muitos terapeutas começariam com uma longa e árdua tarefa de desenterrar as causas dessa depressão. Deixariam o paciente falar durante horas sobre sua depressão. Remexeriam toda a lata de lixo mental do paciente para descobrir as experiências originais de melancolia a abusos emocionais passados. Os relacionamentos terapêuticos feitos com tais técnicas são muito longos e muito caros.

Ninguém está sempre deprimido. Depressão não é uma condição permanente, como perder uma perna. É um estado em que as pessoas podem entrar e do qual podem sair. De fato, a maioria das pessoas que estão experimentando depressão teve muitas experiências felizes em suas vidas, talvez tantas ou até mais que a média. Simplesmente, elas não representam essas experiências para si mesmas de uma forma brilhante, grande, associada. Podem, também, representar os tempos felizes como muito distantes, em vez de próximos. Pare um momento agora e lembre-se de um evento que aconteceu na semana passada e empurre-o para longe. Ainda parece a você uma experiência recente? E se o trouxer para mais perto? Parece agora mais recente? Algumas pessoas pegam suas experiências felizes do momento e empurram-nas para bem longe — e, assim, parece que aconteceram há muito tempo —, e guardam seus problemas perto. Nunca ouviu uma pessoa dizer: "Só preciso manter alguma distância de meus problemas"? Você não precisa voar para alguma terra distante para fazer isso. Só empurre-os para longe de você em sua mente, e note a diferença. Pessoas que se sentem deprimidas sempre têm seus cérebros repletos de imagens dos maus tempos, grandes, barulhentas, próximas, pesadas, insistentes, e dos bons tempos guardam só partículas finas e cinzentas. A maneira de mudar não é mergulhar nas lembranças más; é mudar as submodalidades, a estrutura real das lembranças em si. A seguir, ligue o que costuma fazê-lo sentir-se mal a novas representações que farão você se sentir em condições de enfrentar os desafios da vida com vigor, humor, paciência e força.

Algumas pessoas dizem: "Espere um momento: você não pode mudar as coisas tão rapidamente." Por que não? É frequente ser muito mais fácil agarrar alguma coisa num instante do que num longo período de tempo. É assim que o cérebro aprende. Pense em como assiste a um filme. Você vê centenas de cenas e as põe juntas num todo dinâmico. E se você visse uma cena, e, então, uma hora mais tarde visse outra, e um dia ou dois depois, visse uma terceira? Não conseguiria nada disso, não é? A mudança pessoal pode funcionar da mesma maneira. Se você faz alguma coisa, se faz uma mudança em sua mente agora, se muda seu estado e comportamento, você pode mostrar-se da maneira mais dramática possível. É um golpe mais potente do que meses de pensamentos angustiosos. A física quântica nos diz que a matéria não muda continuamente no tempo — ela dá saltos medidos em *quanta*, quantidades indivisíveis de energia eletromagnética. Pulamos de um nível de experiência para outro. Se não gosta de como se sente, mude o que você representa para si. É bem simples.

Olhemos para outro exemplo: o amor. Amor, para a maioria de nós, é uma experiência maravilhosa, etérea, quase mística. É também importante, do ponto de vista da modelagem, notar que amor é um estado e que, como todos os estados e todos os resultados, ele é produzido por conjuntos específicos de ações ou estímulos, quando são percebidos ou representados de certas maneiras. Como você se apaixona? Um dos mais importantes ingredientes perceptivos de se apaixonar é associar todas as coisas que ama em alguém e desassociá-lo das coisas de que não gosta. Apaixonar-se pode ser uma sensação muito inebriante, desorientadora, porque não é equilibrada. Você não está fazendo uma folha de balanço das boas e más qualidades de uma pessoa, para pô-la em um computador e aguardar o que sairá. Está totalmente associado a uns poucos elementos da outra pessoa, que acha inebriantes. Pelo menos, no momento, você nem está consciente das "Falhas".

O que arruína os relacionamentos? Existem, claro, muitos fatores. Um deles pode ser que, em primeiro lugar, você não mais associe as coisas que o atraem à pessoa. De fato, você pode ter ido muito longe ao associá-las a todas as experiências desagradáveis que tiveram e desassociá-las das agradáveis que compartilharam. Como acontece isso? Uma pessoa pode ter feito grandes cenas devido ao hábito de seu companheiro deixar a pasta de dentes destampada ou espalhar seus pertences pelo chão. Talvez ele não mais lhe escreva bilhetes amorosos. Ou, possivelmente, ela se lembra do que ele lhe disse no calor de uma discussão, e escuta esse diálogo repetir-se com frequência em sua cabeça, reexperimentando como se sentiu. Ela não se lembra da maneira gentil como ele a tocou nesse dia, ou as coisas especiais que disse na semana anterior, ou o que fez para ela no aniversário deles. Os exemplos podem seguir indefinidamente. Tenha em mente que, decididamente, não há nada "errado" em fazer isso. Só entenda bem que esse tipo de representações, provavelmente, não fortalecerá seu relacionamento.

E se você, no meio de uma discussão, lembrar-se da primeira vez que se beijaram ou ficaram de mãos dadas, de uma ocasião quando a pessoa que você ama fez alguma coisa muito especial para você, e imaginar aquela cena grande, próxima e brilhante outra vez? Nesse estado, como tratará essa pessoa?!...

É fundamental que olhemos para qualquer padrão de comunicação e nos perguntemos regularmente: "Se continuo a representar coisas para mim dessa maneira, como será o resultado final em minha vida? Para que direção meu presente comportamento está me levando? É para lá que quero ir? Agora é hora de examinar o que minhas ações mentais e físicas estão criando." Você não quer descobrir mais tarde que alguma coisa que poderia ter mudado simples e facilmente levou-o para um lugar aonde não quer estar.

Pode ser valioso notar que cada um de nós tem uma maneira particular de usar a associação e a desassociação. Há muitas pessoas que passam a maior parte de seu tempo desassociadas da maioria de suas representações. Raras vezes parecem ficar emocionalmente movidas por alguma coisa. A desassociação tem sua vantagem. Se você se mantém fora de emoções muito profundas acerca de algumas coisas, tem mais recursos para enfrentá-las. No entanto, se esse for seu sistema consistente de representar a maioria de suas experiências na vida, você está realmente perdendo o que gosto de chamar o sumo da vida, uma tremenda quantidade de alegria. Orientei pessoas conservadoras que eram limitadas em expressar o que sentiam sobre suas vidas e organizei novos sistemas perceptivos para elas. Aumentando muito suas representações interiores associadas, elas se tornaram mais vivas e descobriram a vida como uma experiência toda nova.

Por outro lado, se todas ou a grande maioria de suas representações interiores estão totalmente associadas, você pode encontrar-se em um desacerto emocional. Você pode ter grande dificuldade em competir com a vida porque sente cada coisa pequena, e a vida não é sempre engraçada, fácil ou excitante. Uma pessoa que é totalmente associada com tudo na vida é muito vulnerável e, em geral, encara as coisas muito pessoalmente.

A chave para a vida é um equilíbrio entre todas as coisas, incluindo os filtros perceptivos de associação e desassociação. Podemos nos associar com, ou nos desassociar de qualquer coisa que quisermos. A chave é associar conscienciosamente para nos ajudar. Podemos controlar qualquer representação que fazemos em nosso cérebro. Lembra-se quando aprendemos sobre o poder de nossas crenças? Aprendemos que não nascemos com crenças e que elas podem mudar. Quando éramos pequenos, acreditávamos em algumas crenças que agora achamos ridículas. Terminamos o capítulo sobre as crenças com uma questão-chave: como adotarmos as crenças que nos habilitam e desistirmos das negativas? O primeiro passo é tornar-se consciente de seus efeitos fortalecedores em nossas vidas. Você está dando o segundo passo, por meio deste capítulo: mudando a maneira como representa essas crenças para si. Pois se você muda a estrutura de como representar alguma coisa para si, mudará como se sente sobre isso e, assim, mudará o que é verdadeiro em sua experiência de vida. Você pode representar coisas para si de uma forma que consistentemente o fortaleça — agora!

Lembre-se: uma crença é um forte estado emocional de certeza que você mantém sobre pessoas, coisas, ideias ou experiências específicas de vida. Como você cria essa certeza? Por meio de submodalidades específicas. Você acha que estaria tão certo sobre alguma coisa que é escura, fora de foco, minúscula e afastada em sua mente como estaria sobre alguma coisa que é justamente o oposto?!

Também seu cérebro tem um sistema de arquivar. Algumas pessoas guardam as coisas em que acreditam na esquerda e coisas sobre as quais não estão certas na direita. Sei que isso parece ridículo, mas você pode mudar uma pessoa que tenha esse sistema de codificar simplesmente fazendo com que ela, por exemplo, pegue as coisas das quais não tem certeza, da direita, e coloque-as na esquerda, onde seu cérebro arquiva coisas em que ela acredita. Assim que faz isso, começa a sentir-se seguro. Começa a acreditar em uma ideia ou conceito do qual, somente um momento atrás, não tinha certeza!

Essa mudança de crenças é feita simplesmente contrastando como você representa alguma coisa, que sabe, com certeza, que é verdadeira, com alguma coisa da qual não tem certeza. Comece com alguma crença da qual esteja bem certo — que seu nome é John Smith, tem 35 anos e que nasceu em Atlanta, Geórgia, ou que ama suas crianças com todo o seu coração, ou que Miles Davis é o maior trompetista da história. Pense em alguma coisa em que acredite sem reserva, alguma coisa da qual esteja totalmente convencido que é verdade. Então, pense em alguma coisa da qual não tenha certeza, alguma coisa em que quer acreditar, mas da qual sente bastante certo. Você pode usar uma das sete mentiras do sucesso do Capítulo 5. (Não escolha alguma coisa na qual não acredita mesmo, pois dizer que não acredita em algo realmente significa que você *acredita* que não é verdadeiro.)

Agora, percorra suas submodalidades, como fizemos, ao lidar com motivação. Percorra todos os aspectos visuais, auditivos e cinestésicos da coisa em que acredita totalmente. Faça, então, o mesmo para a coisa da qual não está tão certo. Esteja consciente das diferenças entre elas. As coisas nas quais você acredita estão assentadas em um local e as coisas das quais não está certo, em outro? Ou as coisas nas quais acredita estão mais próximas, mais brilhantes, ou maiores do que as coisas das quais não está certo? Uma está num quadro estático e a outra em movimento? Está uma se movendo mais rápido que a outra?

Agora, faça o que fizemos com a motivação. Reprograme as submodalidades da coisa da qual não está certo, a fim de que combinem com aquelas das coisas em que você acredita. Mude as cores e a localização. Mude as vozes, os tons, os tempos, o timbre dos sons. Mude as submodalidades da textura, do peso e da temperatura. Como se sente ao terminar? Se você transformou corretamente a representação que costumava causar incerteza, sentirá certeza em relação à mesma coisa da qual poucos momentos atrás não tinha certeza.

A única dificuldade que muitas pessoas têm é sua crença de que simplesmente não pode mudar coisas tão depressa. Essa pode ser uma crença que você também queira mudar.

Esse mesmo processo pode ser usado para descobrir a diferença, em sua mente, entre coisas sobre as quais está confuso e coisas que sente que compreende. Se estiver confuso com alguma coisa, pode ser porque sua representação interior é pequena, desfocada, escura ou afastada, enquanto as coisas que compreende são representadas como mais próximas, brilhantes e mais focadas. Veja o que acontece com suas sensações quando muda suas representações para serem exatamente como aquelas das coisas que compreende.

É claro que trazer coisas para mais perto, ou torná-las mais brilhantes, não intensifica a experiência para todos. O oposto pode ser verdade. Algumas pessoas sentem as coisas se intensificarem quando ficam mais escuras e mais desfocadas. A questão é descobrir quais submodalidades são a chave

1 para você ou para a pessoa que quer ajudar a criar mudança e, então, ter suficiente poder pessoal para seguir adiante e usar seus instrumentos.

Na verdade, o que estamos fazendo enquanto trabalhamos com submodalidades é re-rotular o sistema de estímulos que diz ao cérebro como se sentir sobre uma experiência. Seu cérebro responde a quaisquer sinais (submodalidades) que você lhe ofereça. Se fornece sinais de um tipo, o cérebro sentirá dor. Se for na submodalidade diferente, pode sentir-se ótimo, em questão de momentos. Por exemplo: enquanto estava dirigindo um Treinamento para Profissionais de Neurolinguística, em Phoenix, Arizona, comecei a notar que um grande número de pessoas na sala mostrava uma enorme tensão muscular em suas faces, fazendo expressões que interpretei como de dor. Mentalmente, repassei o que estava falando e não encontrei nada que pudesse ter acionado tal resposta, em tantas pessoas. Assim, finalmente perguntei a alguém: "O que está sentindo neste momento?" A pessoa disse: "Tenho uma tremenda dor de cabeça." Assim que ela disse isso, outra também disse, e outra, e outra. Mais de 60 das pessoas na sala estavam com dor de cabeça. Explicaram que as luzes brilhantes, necessárias para gravar o videoteipe, estavam ofuscando seus olhos, e achavam isso irritante, doloroso mesmo. Para piorar, estávamos em uma sala sem janelas, a ventilação tinha encrencado cerca de três horas antes e, por isso, estava muito quente. Todas essas coisas criaram uma mudança fisiológica nessas pessoas. Assim, o que eu podia fazer? Mandar todos embora?

Claro que não. O cérebro libera dor só quando recebe estímulos que são representados de uma maneira que diz a ele para sentir dor. Assim, fiz as pessoas descreverem as submodalidades de suas dores. Para algumas, era pesada e latejante; para outras, não. Algumas sentiam dor muito grande e ampla (você pode imaginar como isso parecia), enquanto para outras era pequena. Fiz, então, com que mudassem as submodalidades da dor, em primeiro lugar, desassociando-se dela e pondo-a do lado de fora deles. Então, fiz com que saíssem de suas sensações, fazendo-os ver a forma e o tamanho da dor, e colocando-a cerca de 3 metros à frente deles. A seguir, fiz com que transformassem sua representação maior e menor, fazendo-a crescer e explodir, através do teto e, então, encolher quando caía. Fiz, então, com que empurrassem a dor para o Sol, e a olhassem derreter, caindo então na Terra, como luz, para alimentar as plantas. Finalmente, perguntei como se sentiam. Em menos de cinco minutos, 95 por cento não tinham mais dor de cabeça. Eles mudaram suas representações interiores do que estavam avisando o cérebro para fazer e, então, o cérebro, agora recebendo os novos sinais, estava produzindo uma nova resposta. Os restantes 5 por cento levaram outros cinco minutos para fazer mudanças mais específicas. Um homem estava experimentando uma enxaqueca, e até ele sentiu-se bem outra vez.

Quando descrevo este processo para algumas pessoas, elas têm dificuldade em acreditar que podem eliminar sua dor com tanta rapidez e facilidade. No entanto, você já não fez isso inconscientemente muitas e muitas vezes? Pode lembrar-se de alguma vez quando estava sentindo dor, mas teve de fazer outra coisa, ou alguma coisa excitante aconteceu e, quando mudou o que estava pensando ou representando para seu cérebro, não sentiu mais dor? A dor pode simplesmente ir embora e não voltar outra vez, a menos que comece a representá-la para si. Com uma pequena porção de direção consciente de nossas representações interiores, você pode eliminar, com facilidade, dores de cabeça à vontade.

De fato, uma vez que aprenda os sinais que produzem resultados específicos em seu cérebro, você pode fazer com que se sinta da maneira que quiser, com relação a praticamente qualquer coisa.

Uma advertência final: um maior conjunto de filtros em experiências humanas pode dirigir ou afetar sua capacidade de manter novas representações interiores, ou até fazer as mudanças em primeiro lugar. Esses filtros referem-se ao que nós mais valorizamos e aos benefícios inconscientes que podemos estar recebendo de nosso atual comportamento. O êxito e importância dos valores são um capítulo em si. Discutiremos o ganho inconsciente secundário no Capítulo 16, no processo de recompor: se a dor está lhe enviando importantes sinais sobre alguma coisa que precise mudar em seu corpo, a menos que resolva essa necessidade, a dor, provavelmente, voltará, porque está sendo útil a você.

Com o que já aprendeu até agora, você pode melhorar bastante sua própria vida, assim como a vida de alguém que conheça. Olhemos para outro aspecto da maneira pela qual estruturamos nossa experiência, um ingrediente crítico que pode nos fortalecer para, efetivamente, modelar qualquer um.

CAPÍTULO 7
A SINTAXE DO SUCESSO

"Que tudo, porém, se faça decentemente e com ordem."

— I Coríntios 14,40

Ao longo deste livro falamos sobre descobrir como as pessoas fazem coisas. Afirmamos que as pessoas capazes de conseguir êxitos consistentemente produzem um conjunto de ações mentais e físicas específicas (coisas interiores, eles fazem dentro de suas mentes, e exteriores, fazem no mundo). Se produzirmos as mesmas ações, criaremos resultados iguais ou similares. No entanto, há um outro fator que afeta os resultados — a sintaxe da ação. A sintaxe — a maneira como ordenamos as ações — pode fazer enorme diferença na espécie de resultados que produzimos.

Qual a diferença entre "O cachorro mordeu Jim" e "Jim mordeu o cachorro"? Qual é a diferença entre "Joe come a lagosta" e "A lagosta come Joe"? São muito diferentes, particularmente se você for Jim ou Joe. As palavras são exatamente as mesmas. A diferença é a sintaxe, a maneira como estão arranjadas. O significado da experiência é determinado pela ordem dos sinais mandados para o cérebro. Estão envolvidos os mesmos estímulos, as mesmas palavras, mas o significado é diferente. Isso é decisivo para entender se vamos efetivamente modelar os resultados das pessoas de sucesso. A ordem na qual são apresentados faz com que sejam registrados no cérebro de uma maneira específica. É como os comandos para um computador. Se você programar os comandos na ordem certa, o computador usará toda a sua capacidade e produzirá o resultado que deseja. Se programar os comandos corretos em ordem diferente, não conseguirá o resultado que deseja.

Usaremos a palavra "estratégia" para descrever todos esses fatores — as espécies de representações interiores, as submodalidades necessárias e a sintaxe exigida — que trabalham juntos para criar um resultado particular.

Temos uma estratégia para conseguir quase qualquer coisa na vida: a sensação de amor, atração, motivação, decisão, qualquer uma. Se descobrirmos qual é nossa estratégia para o amor, por exemplo, podemos acionar esse estado à vontade. Se descobrirmos que medidas adotamos — e em que ordem — para tomar uma decisão, então, se estivermos indecisos, poderemos nos tornar cheios de decisão em questão de momentos. Conheceremos quais as chaves para ligar e como produzir os resultados que queremos em nosso biocomputador interno.

Uma metáfora para os componentes e o uso das estratégias é aquela da culinária. Se alguém faz o melhor bolo de chocolate do mundo, você pode conseguir resultados com a mesma qualidade? Claro que pode, se tiver a receita da pessoa. Uma receita não é nada mais do que uma estratégia, um plano específico. Se acredita que todos temos a mesma neurologia, então você acredita que todos temos, disponíveis, os mesmos recursos potenciais. É a nossa estratégia, isto é, como usar esses recursos, que determina os resultados que produzimos. Essa também é a lei dos negócios. Uma companhia pode ter recursos superiores, mas a companhia com estratégias que melhor use seus recursos, em geral, dominará o mercado.

Assim, o que você precisa para produzir bolo com a mesma qualidade que a do confeiteiro especialista? Você precisa da receita e precisa segui-la explicitamente. Se seguir a receita passo a passo, conseguirá os mesmos resultados, mesmo que nunca tenha feito tal bolo. O confeiteiro deve ter trabalhado durante anos de erros e tentativas, antes de, por fim, desenvolver a receita final. Você pode poupar anos, seguindo a receita dele, modelando o que ele fez.

Há estratégias para sucesso financeiro, para conservar uma saúde vibrante, para sentir-se feliz e amado toda a sua vida. Se encontrar pessoas de sucesso financeiro ou relacionamento satisfatório, você só precisa descobrir a estratégia delas e aplicá-la para produzir resultados similares e poupar muito tempo e esforço. Esse é o poder da modelagem. Você não tem de trabalhar anos para fazê-la.

O que uma receita nos diz, o que nos estimula a tomar medidas efetivas? Bem, uma das primeiras coisas que nos diz é quais são os ingredientes necessários para produzir o resultado. Na "culinária" da experiência humana, os ingredientes são nossos cinco sentidos. Todos os resultados humanos são construídos ou criados a partir de algum uso específico dos sistemas representacionais visual, auditivo, cinestésico, gustativo e olfativo. O que mais uma receita nos diz que nos permita obter o mesmo exato resultado da pessoa que a criou? Diz a quantidade necessária. Ao reproduzir experiências humanas, precisamos também saber não só *quais* os ingredientes, mas *quanto* de cada um. Em estratégias, podemos pensar nas submodalidades como sendo as quantidades. Elas nos dizem especificamente de quanto precisamos. Por exemplo, quanto de visual é consumido, quão brilhante, escura ou próxima é a experiência? Qual é o tempo, a textura?

Isso é tudo? Se você sabe quais são os ingredientes e quanto deve usar, pode agora produzir a mesma qualidade de bolo? Não, a menos que saiba também a sintaxe da produção — isto é, quando fazer o quê, e em que ordem. O que aconteceria se, ao bater o bolo, você pusesse, primeiro, o que o confeiteiro pôs no fim? Você produziria um bolo com a mesma qualidade? Duvido. Se, no entanto, usar os mesmos ingredientes, nas mesmas quantidades, na mesma sequência, então, é claro que obterá resultados similares.

Temos uma estratégia para cada coisa — para motivação, para comprar, para amor, para ser atraído por alguém. Certas sequências de estímulos específicos sempre alcançarão um efeito específico. Estratégias são como a combinação para o cofre dos recursos de seu cérebro. Mesmo que conheça os números, se não usá-los na sequência certa, você não será capaz de abrir a fechadura. No entanto, se pegar os números e a sequência certos, a fechadura abrirá todas as vezes. Assim, você precisa encontrar a combinação que abre seu cofre e também a que abre o cofre das pessoas.

Quais são os blocos de construção da sintaxe? Nossos sentidos. Lidamos com *inputs* sensoriais em dois níveis — interno e externo. Sintaxe é a maneira como juntamos os blocos do que experimentamos externamente e o que representamos para nós, internamente.

Por exemplo: você pode ter duas espécies de experiências visuais. A primeira é o que vê no mundo exterior. Enquanto lê este livro e olha as letras pretas sobre fundo branco, você está tendo uma experiência visual externa. A segunda é visual interna. Lembra-se quando, no capítulo anterior, jogamos com modalidades e submodalidades visuais em nossa mente? Na verdade, não estávamos lá para ver a praia, ou as nuvens, os tempos felizes ou frustrantes que representamos em nossa mente. Em vez disso, nós as experimentamos de uma maneira visual interna.

O mesmo é verdadeiro para as outras modalidades. Você pode ouvir um trem apitar do lado de fora de sua janela. Isso é auditivo externo. Ou pode ouvir uma voz em sua mente. Isso é auditivo interno. Se o tom da voz é o que importa, isso é auditivo tonal. Se as palavras (o significado) transmitidas pela voz é que são importantes, isso é auditivo digital. Você pode sentir a textura do braço da cadeira onde está sentado. Isso é cinestésico externo. Ou você pode ter uma profunda sensação de que alguma coisa o fez sentir-se bem ou mal. Isso é cinestésico interno.

A fim de criar uma receita, devemos ter um sistema para descrever o que fazer e quando. Assim, temos um sistema de anotação para descrever estratégias. Representamos os processos sensoriais com uma notação abreviada, usando *V* para visual, *A* para auditiva, *K* para cinestésico [em inglês, *kinesthetic*], *i* para interiores, *e* para exterior, *t* para tonal e *d* para digital. Quando você vê alguma coisa no mundo exterior (visual externo), isso pode ser representado por Ve. Quando tem uma sensação interior, é Ki. Considere a estratégia de alguém que fica motivado vendo alguma coisa (Ve) e, depois, falando alguma coisa para si (Aid) que cria a sensação de movimento interior. Essa estratégia seria representada da seguinte maneira: Ve — Aid — Ki. Você poderia "conversar" o dia todo com essa pessoa, sobre o porquê de ela dever fazer alguma coisa, e é muito pouco provável que fosse bem-sucedido. No entanto, se você "mostrar-lhe" um resultado e mencionar o que ela diria para si quando visse tal coisa, você poderia pôr essa pessoa em um estado quase de sugestão. No próximo capítulo mostrarei como elicitar estratégias que as pessoas usam em situações específicas. Por enquanto, quero mostrar como essas estratégias trabalham e por que são tão importantes.

Temos estratégias para tudo, padrões representativos que consistentemente produzem efeitos específicos. Poucos de nós sabemos como usar conscientemente tais estratégias; assim, entramos e saímos de vários estados, dependendo de quais estímulos nos atingiram. Tudo que você precisa fazer é imaginar sua estratégia, a fim de que possa produzir seu estado desejado sob sugestão. E precisa ser capaz de reconhecer as estratégias das outras pessoas, a fim de que possa saber exatamente a que elas reagem.

Por exemplo: há uma maneira segundo a qual você organiza consistentemente suas experiências internas e externas, para fazer uma compra? Mais do que certo. Você pode não saber, mas a mesma sintaxe de experiências que o atraem para um carro em particular pode também atraí-lo para uma casa em particular. Há certos estímulos que, na sequência certa, de pronto o colocarão em um estado que é receptivo para compra. Todos nós temos sequências que consistentemente seguimos para produzir estados e atividades específicas. Apresentar informações na sintaxe de outra pessoa é uma poderosa forma de concordância. De fato, se isto for feito efetivamente, sua comunicação se torna quase irresistível, porque aciona automaticamente certas respostas.

Que outras estratégias existem? Há estratégias de persuasão? Há maneiras de organizar material que você apresenta para alguém, que o tornem quase irresistível? Sem dúvida nenhuma. Motivação? Sedução? Aprendizado? Atletismo? Vendas? Sem dúvida nenhuma. E sobre depressão? Ou êxtase? Há maneiras específicas de representar sua experiência do mundo em certas sequências, que criam essas emoções? Pode apostar. Há estratégias para administração eficiente. Há estratégias para criatividade. Quando certas coisas são acionadas, você entra nesse estado. Você só precisa saber qual é sua estratégia, a fim de ter acesso a um estado, sob sugestão. E você precisa ser capaz de imaginar as estratégias que os outros usam, a fim de saber como dar às pessoas aquilo que elas querem.

Assim, o que precisamos encontrar é a sequência específica, a sintaxe específica, que produzirá certo efeito, certo estado. Se tem condições de fazer isso e está disposto à ação necessária, você pode criar seu mundo como o deseja, indo além das necessidades físicas da vida, como comida e água. Quase tudo mais que você possa querer é um estado. E tudo que tem de saber é a sintaxe, a estratégia correta para chegar lá.

Uma experiência de modelagem muito bem-sucedida que tive foi no Exército. Fui apresentado a um general, com quem comecei a falar sobre as Técnicas de Desempenho Ótimo, como a PNL. Disse-lhe que poderia pegar qualquer programa de treinamento que tivesse, cortar o tempo pela metade e até aumentar a capacidade das pessoas nesse período de tempo mais curto. Grande pretensão, não acham? O general ficou intrigado, mas não convencido, e, assim, fui contratado para ensinar as práticas da PNL. Após um bem-sucedido treinamento de PNL, o Exército contratou-me para modelar programas de treinamento e, simultaneamente, ensinar a um grupo de seus homens como modelar com eficácia. Eu só seria pago se conseguisse os resultados que prometera.

O primeiro projeto que me apresentaram era um programa de quatro dias para ensinar recrutas a atirar com uma pistola calibre 45, com eficiência e exatidão. Antes, uma média de somente 70 por cento dos soldados que cumpriam o programa terminavam habilitados, e tinham dito ao general que isso era o melhor que se podia esperar. Nesse ponto, comecei a imaginar por que havia entrado nessa. Nunca disparara uma arma em minha vida. Nem gostava da ideia de disparar uma. Originalmente, John Grinder e eu éramos sócios no projeto, e então senti que, com sua prática de caça, poderíamos realizá-lo. Então, por várias razões de horário, John, de repente, desistiu. Bem, você pode imaginar em que estado fiquei! Além do mais, ouvi um boato de que algumas pessoas do grupo de treinamento iam fazer tudo que pudessem para sabotar meu trabalho, irritadas devido à quantia de dinheiro que eu iria receber. Pretendiam me dar uma lição. Sem prática de atirar, tendo perdido meu trunfo (John Grinder) e sabendo que havia pessoas tentando me fazer fracassar, que fiz eu?

Primeiro, peguei essa imagem gigantesca de fracasso que havia criado em minha mente e, literalmente, encolhi-a, deixando-a abaixo do normal. Então, comecei a montar um novo conjunto de representações, sobre o que poderia fazer. Mudei meu sistema de crenças de "Os melhores do Exército não podem fazer o que lhes é pedido, assim, é lógico que eu não posso" para "Os instrutores de tiro são os melhores naquilo que fazem, mas sabem pouco ou nada sobre o efeito das representações interiores no desempenho ou sobre como modelar as estratégias dos melhores atiradores". Pondo-me em um estado de total riqueza de recursos, informei ao general que precisaria ter acesso aos seus melhores atiradores, a fim de poder descobrir o que os levava — em suas mentes e ações físicas — ao resultado de atirarem com eficiência e exatidão. Uma vez que descobrisse "a diferença que faz a diferença", poderia ensiná-la a seus soldados em menos tempo e produzir os resultados desejados.

Junto com minha equipe de modelagem, descobri as crenças-chave que alguns dos melhores atiradores do mundo compartilham e comparei-as com as crenças dos soldados que não atiravam com eficiência. A seguir, descobri a sintaxe mental comum e as estratégias dos melhores atiradores, e copiei-as, a fim de poder ensiná-las para um atirador iniciante. Essa sintaxe foi o resultado de milhares, talvez centenas de milhares, de tiros e mudanças de minuto em suas técnicas. Então, modelei os componentes-chave de suas fisiologias.

Tendo descoberto a estratégia ótima para produzir o resultado chamado *atirar com eficácia*, dei um curso de dia e meio para atiradores iniciantes. Os resultados? Quando testados, em menos de dois dias, cem por cento dos soldados foram qualificados, e o número dos que se qualificaram no mais alto nível — perito — foi três vezes maior do que os que faziam o curso padrão de quatro dias. Ensinando a esses novatos como produzir os mesmos sinais para seus cérebros que os peritos produzem, nós os tornamos peritos em menos da metade do tempo. Peguei então os homens que havia modelado, os maiores atiradores do país, e ensinei a eles como intensificar suas estratégias. O resultado, uma hora mais tarde: um homem fez muito mais pontos do que em seis meses, outro, atirou mais na mosca do que em qualquer competição de que se lembrava, e o instrutor teve dificuldade em vencer esses dois homens. O coronel, em sua comunicação para o general, chamou a isso de primeiro avanço no tiro de pistola desde a Primeira Guerra Mundial.

O ponto fundamental é você entender que, mesmo quando tem pouca ou nenhuma informação anterior, e mesmo quando as circunstâncias parecem impossíveis, se tiver um modelo excelente de como produzir um resultado, você pode descobrir especificamente o que o modelo faz, e reproduzi-lo — e assim produzir resultados similares num período de tempo mais curto do que lhe pareceria possível.

Uma estratégia muito mais simples é aquela usada por muitos atletas para modelar o melhor em seu setor. Se quiser modelar um esquiador perito, você deve, primeiro, observar cuidadosamente para ver como é sua técnica (Ve). Enquanto observa, pode mover seu corpo com os mesmos movimentos (Ke), até parecer ser uma parte de você (Ki). Se já observou esquiadores, pode ter feito isso involuntariamente. Quando o esquiador observado precisa virar, você vira por ele, como se fosse você quem estivesse esquiando. A seguir, deve fazer uma imagem interior de um perito esquiando (Vi). Você foi do visual exterior para o cinestésico exterior e para o cinestésico interior. Agora, formaria uma nova imagem visual interior, desta vez desassociada da sua imagem esquiando (Vi). Seria como assistir a um filme com você modelando a outra pessoa o mais precisamente possível. A seguir, entraria dentro dessa imagem e, de uma maneira associada, experimentaria como seria sentir desempenhar a mesma ação da maneira exata que o atleta perito fez (Ki). Você repetiria isso tantas vezes quantas fosse preciso, para se sentir completamente à vontade fazendo-o. Assim teria se provido da estratégia neurológica específica que poderia ajudá-lo a mover-se e realizar-se em níveis ótimos. Finalmente, tentaria isso no mundo real (Ke).

Você poderia delinear a sintaxe dessa estratégia como Ve-Ke-Ki-Vi-Vi--Ki-Ke. Essa é uma das centenas de maneiras pelas quais pode modelar alguém. Lembre-se, há muitas maneiras de produzir resultados. Não há maneiras certas ou erradas — há somente maneiras eficazes e ineficazes de conseguir seus desejos.

É óbvio que você pode produzir resultados mais precisos se estiver bem--informado sobre todas as coisas que uma pessoa faz para produzir um resultado. O ideal seria que, ao modelar alguém, você também modelasse sua experiência interior, sistemas de crença e sintaxe elementar. No entanto, só ao observar uma pessoa você já pode modelar muito de sua fisiologia. E fisiologia é o outro fator (falaremos sobre ele no Capítulo 9) que cria o estado em que estamos e, assim, os tipos de resultados que produzimos.

Uma área crucial em que o entendimento das estratégias e sintaxe pode fazer a maior diferença é a do ensino e aprendizagem. Por que algumas crianças "não conseguem" aprender? Estou convencido de que há duas razões importantes. Primeiro, em geral, não sabemos a estratégia mais eficaz para ensinar a alguém uma tarefa específica. Segundo, os professores poucas vezes têm uma ideia exata de como crianças diferentes aprendem. Lembre--se: nós todos temos estratégias diferentes. Se você não sabe a estratégia de aprendizagem de alguém, vai ter muito aborrecimento tentando ensiná-la.

Por exemplo, algumas pessoas são péssimas em pronúncia. É por que são menos inteligentes do que as que pronunciam bem? Não. O sucesso da pronúncia pode ter mais a ver com a sintaxe de seus pensamentos — isto é, como você organiza, arquiva e recupera a informação de um contexto dado. O fato de você ser capaz — ou não — de produzir resultados consistentes tem a ver apenas com a capacidade de sua atual sintaxe mental de apoiar a tarefa que está pedindo a seu cérebro. Tudo que vê, ouve ou sente é guardado em seu cérebro. Inúmeros projetos de pesquisa mostraram que pessoas em transe hipnótico podem lembrar (isto é, têm acesso a) coisas que eram incapazes de recordar conscientemente.

Se você não está pronunciando certo, o problema é a maneira como está representando as palavras para si. Então, qual a melhor estratégia para a pronúncia? Por certo não é cinestésica. É difícil sentir uma palavra. Não é bem auditiva, porque há muitas palavras que você não pode fazer soar efetivamente. O que requer a pronúncia, então? Requer a habilidade de guardar caracteres exteriores visuais como uma sintaxe específica. A maneira de aprender a pronunciar é fazer imagens visuais que possam ser de fácil acesso a qualquer hora.

Tome a palavra "Albuquerque". A melhor maneira de aprender a pronunciá-la não é repetir as sílabas muitas e muitas vezes — é guardar a palavra como uma imagem em sua mente. No próximo capítulo vamos aprender algumas das maneiras que dão acesso às diferentes partes do cérebro. Bandler e Grinder, os fundadores da PNL, por exemplo, descobriram que o lugar para onde movemos os olhos determina para qual parte de nosso sistema nervoso temos acesso mais fácil. Entraremos nessas "disposições mentais de acesso", com detalhes, mais adiante. Por agora, note apenas que a maioria das pessoas lembra melhor de imagens visuais quando olha para cima e para a esquerda delas. A melhor maneira de aprender a pronunciar Albuquerque é colocar a palavra acima e à sua esquerda, formando uma imagem visual clara dela.

Neste ponto, preciso acrescentar outro conceito: separação. Em geral, as pessoas só podem processar conscientemente de cinco a nove fragmentos de informação por vez. Pessoas que aprendem com rapidez podem dominar até as mais complexas tarefas porque cortam as informações em pequenos passos e, depois, as reúnem no todo original. A maneira de aprender a pronunciar Albuquerque é quebrá-la em três fragmentos menores, assim: *Albu/quer/que*. Escreva as três partes em um pedaço de papel, mantenha-as acima e à esquerda de seus olhos, veja *Albu*, feche seus olhos e veja em sua mente. Abra os olhos. Veja *Albu*. Não pronuncie, só olhe; feche os olhos e veja-a em sua mente. Continue a fazer isso quatro, cinco ou seis vezes, até que possa fechar os olhos e claramente ver *Albu*. A seguir, pegue o segundo pedaço, *quer*, siga o mesmo processo, e, depois, com o pedaço *que*, até que a imagem inteira de *Albuquerque* esteja guardada em sua mente. Se você tiver uma imagem clara, provavelmente terá uma sensação (cinestésica) de que foi pronunciada corretamente. Agora será capaz de ver a palavra com tanta clareza que poderá pronunciá-la não só normalmente, mas também de trás para a frente. Tente. Pronuncie Albuquerque. Agora pronuncie ao contrário. Uma vez que consiga isso, dominará a palavra para sempre. Garanto. Você pode fazer isso com qualquer palavra e tornar-se excelente, mesmo que no passado tenha tido problemas para pronunciar seu próprio nome.

O outro aspecto da aprendizagem é descobrir as estratégias de aprendizagem preferidas de outras pessoas. Como foi notado acima, todas têm uma neurologia particular, um determinado terreno mental, que usam com muita frequência. Mas é raro ensinarmos visando o alcance de *um* indivíduo. Assumimos que *todos* aprendem da mesma forma.

Deixe-me dar um exemplo. Há pouco tempo me mandaram um jovem, com um relatório médico dizendo que era disléxico, que não podia aprender a pronunciar e tinha problemas psicológicos na escola. Pude afirmar, de pronto, que ele preferia processar uma grande parte de suas experiências cinestesicamente. Ao perceber como processava as informações, fiquei em condições de ajudá-lo. O jovem tinha uma compreensão maior das coisas que sentia. No entanto, grande parte do processo padrão de ensino é visual ou auditivo. Seu problema não era dificuldade para aprender. Era que seus professores tinham problemas para lhe ensinar de uma maneira que ele pudesse efetivamente entender, guardar e tornar a usar a informação.

A primeira coisa que fiz foi pegar o relatório e rasgá-lo. "Isso é um monte de lixo", eu disse. Esse gesto chamou sua atenção. Ele estava esperando a usual bateria de perguntas. Em vez disso, comecei a conversar com ele sobre todas as grandes maneiras como usava seu sistema nervoso. Disse: "Aposto como você é bom nos esportes", ao que ele respondeu: "Sim, bastante bom." Acontece que era um grande surfista. Conversamos um pouco sobre surfe, e ele logo ficou excitado e atento, num estado de sensação muito mais receptivo do que seus professores já tinham visto. Expliquei-lhe que tinha a tendência de guardar as informações cinestesicamente e que isso proporcionava grandes vantagens na vida. No entanto, o estilo de ensino tornava as coisas difíceis para ele. Mostrei a ele como trabalhar visualmente e recorri a suas submodalidades para lhe dar — para pronúncia — a mesma sensação que tinha com o surfe. Em 15 minutos estava pronunciando como um menino-prodígio.

E sobre crianças incapazes de aprender? Muitas vezes, não é bem isso, mas incapacidade de utilizar estratégias. Precisam aprender como usar seus recursos. Ensinei essas estratégias para uma professora que trabalhava com crianças com problemas de aprendizagem, de 11 a 14 anos, e que, em testes de pronúncia, nunca tinham acertado mais de 70 por cento, a maioria ficando em uma média de 25 a 50 por cento. Rapidamente, ela percebeu que 90 por cento de seus alunos "incapazes" tinham estratégias auditivas ou cinestésicas para a pronúncia. Em uma semana começou a usar as novas estratégias de pronúncia e 19 de 26 meninos fizeram 100 por cento, dois fizeram 90 por cento, dois, 80 por cento, e os outros, 70 por cento. Ela disse ter havido enorme mudança nos problemas de comportamento. "Como que por mágica, eles desapareceram." Ela agora está apresentando essa informação à diretoria da escola para que seja introduzida em todas as escolas de seu bairro.

Estou convencido de que um dos maiores problemas em educação é que os professores não conhecem as estratégias de seus estudantes. Não sabem a combinação dos cofres de seus alunos. A combinação pode ser 2 para a esquerda e 24 para a direita, e o professor estar tentando usar 24 para a direita e 2 para a esquerda. Até agora, nosso processo educacional tem sido baseado no que os alunos devem aprender, e não em como podem aprendê-lo melhor. As Técnicas de Desempenho Ótimo nos ensinam as estratégias específicas que diferentes pessoas usam para aprender e também as melhores maneiras de aprender um assunto específico, tal como pronúncia.

Você sabe como Albert Einstein foi capaz de conceber a teoria da relatividade? Disse ele que uma das coisas cruciais que o ajudaram foi sua habilidade de visualizar "como seria estar cavalgando no fim de um raio de luz". Uma pessoa que não pode ver a mesma coisa em sua mente terá problemas para aprender sobre relatividade. Assim, a primeira coisa a aprender é a maneira mais efetiva de dirigir seu cérebro. É sobre isso, precisamente, que versam as Técnicas de Desempenho Ótimo. Elas nos ensinam como usar as mais efetivas estratégias para produzir com mais rapidez e facilidade os resultados que queremos.

Os mesmos problemas que encontramos na educação ocorrem em quase todos os outros campos. Use o instrumento errado ou a sequência errada, e conseguirá o resultado errado. Use o certo, e conseguirá maravilhas. Lembre-se, temos uma estratégia para cada coisa. Se você é vendedor, ajudaria saber a estratégia de compra de seu cliente? Pode apostar que sim. Se ele for fortemente cinestésico, você quer começar mostrando-lhe as bonitas cores dos carros que ele está olhando? Eu não faria isso. Preferiria atingi-lo com uma sensação forte, faria com que ele se sentasse ao volante, sentisse o estofamento e se ligasse na sensação que teria, zunindo, em plena estrada. Se ele fosse visual, você começaria com as cores e linhas e as outras submodalidades que trabalham para essa estratégia.

Se você é treinador, ajudaria saber o que motiva diferentes jogadores, que espécies de estímulos trabalham melhor para colocá-los em seus estados de mais recursos? Gostaria de ser capaz de propor tarefas específicas em suas mais eficientes sintaxes, como fiz com os melhores atiradores do Exército dos Estados Unidos? Aposto que sim. Assim como há uma maneira de formar uma molécula de DNA ou uma maneira de construir uma ponte, há uma sintaxe que é melhor para cada tarefa, uma estratégia que as pessoas podem, consistentemente, usar para produzir os resultados desejados.

Alguns de vocês podem estar dizendo para si mesmos: "Bem, isso é ótimo, se você souber ler pensamentos. Mas eu não posso imaginar as estratégias de uma pessoa só olhando para ela. Não posso conversar com alguém durante uns minutos e saber o que o estimula a comprar ou a fazer qualquer coisa." A verdadeira razão disso é que você não sabe o que procurar ou como perguntar. Se você pergunta qualquer coisa, da maneira certa, com bastante convicção e confiança, conseguirá. Algumas coisas exigem grande convicção e energia para serem obtidas. Você pode consegui-las, apesar de ter de realmente trabalhar por elas. Mas estratégias são fáceis. Você pode trazer à tona as estratégias de uma pessoa em questão de minutos. É o que vamos aprender a seguir.

CAPÍTULO 8
COMO ELICITAR A ESTRATÉGIA DE ALGUÉM

"— Comece pelo começo — disse o rei gravemente —,
siga até chegar ao fim; então pare."

— Lewis Carroll, *Alice no País das Maravilhas*

Já viu um mestre chaveiro trabalhar? Parece um mágico. Ele mexe com a fechadura, ouve coisas que você não está ouvindo, vê coisas que você não está vendo, sente coisas que você não está sentindo e, de algum modo, descobre a combinação certa para abrir o cofre.

Mestres de comunicação trabalham da mesma forma. Você pode descobrir a sintaxe mental de qualquer pessoa — pode abrir a combinação para a caixa-forte da mente dela, ou de sua própria, se pensar como um mestre chaveiro. Você tem de procurar por coisas que não via antes, ouvir coisas que não ouvia antes, sentir coisas que não sentia antes, e fazer as perguntas que não sabia perguntar antes. Se fizer isso com gentileza e atenção, poderá elicitar as estratégias de qualquer pessoa, em qualquer situação. Pode aprender como dar às pessoas precisamente o que elas querem, e pode ensiná-las como fazer a mesma coisa por si mesmas.

A chave para elicitar estratégias é saber que as pessoas lhe dirão tudo que você precisa conhecer sobre suas estratégias. Elas lhe dirão em palavras. Elas lhe dirão por meio da maneira como usam seus corpos. Elas lhe dirão até com o olhar. Você pode aprender a *ler* uma pessoa com tanta perícia como aprende a ler um livro ou um mapa. Lembre-se: a estratégia é simplesmente uma ordem específica de representação — visual, auditiva, cinestésica, olfativa e gustativa — que produz um resultado específico. Tudo que você precisa é fazer com que as pessoas experimentem suas estratégias, e anotar com cuidado o que fazem especificamente para voltar a elas.

Antes que possa elicitar estratégias com efetividade, você deve saber o que procurar, quais são as pistas que indicam a parte do sistema nervoso que a pessoa está usando, a qualquer momento. É também importante reconhecer algumas das tendências comuns que as pessoas desenvolvem e usá-las para criar melhores harmonias e resultados. Por exemplo, as pessoas tendem a usar mais uma parte de sua neurologia — visual, auditiva ou cinestésica — do que outras. Assim, como algumas pessoas são destras e outras canhotas, elas tendem a favorecer mais uma modalidade do que outra.

Mas, antes de elicitar as estratégias de alguém, você precisa descobrir seu principal sistema representativo. Pessoas que são fundamentalmente visuais tendem a ver o mundo em imagens; conseguem seu maior senso de poder entrando na parte visual de seu cérebro. Por estarem tentando acompanhar as imagens em seus cérebros, as pessoas visuais tendem a falar muito depressa. Não se importam exatamente com o modo como se expressam; estão só tentando pôr palavras nas imagens. Essas pessoas tendem a conversar por metáforas visuais. Falam sobre como as coisas parecem para elas, que formas veem surgir, se as coisas são claras ou escuras.

Pessoas que são mais auditivas tendem a ser mais seletivas sobre as palavras que usam. Têm vozes mais ressonantes e suas falas são mais lentas, mas rítmicas e uniformes. Uma vez que as palavras significam tanto para elas, são cuidadosas sobre o que dizem. Tendem a dizer coisas como "Isso soa certo para mim", "Posso ouvir o que está dizendo" ou "Tudo está tinindo".

Pessoas que são mais cinestésicas tendem a ser ainda mais lentas. Reagem fundamentalmente a sensações. Suas vozes escoam devagar como melado. Usam metáforas do mundo físico. Estão sempre "agarrando" alguma coisa "concreta". Coisas são "pesadas" e "intensas", e elas precisam "entrar em contato" com as coisas. Dizem coisas como "Estou procurando por uma resposta mas ainda não a peguei".

Todos têm elementos das três modalidades, mas a maioria tem um sistema que o domina. Quando você está aprendendo sobre as estratégias das pessoas para entender como elas tomam decisões, precisa também saber quais são seus principais sistemas representativos, a fim de poder apresentar sua mensagem de uma maneira que atinja a pessoa. Se estiver lidando com uma pessoa visualmente orientada e não quiser seguir passo a passo, respire fundo e fale pausadamente. Você a deixará louca. Deve falar de forma que sua mensagem combine com a maneira como o cérebro dela trabalha.

Só de olhar as pessoas e escutar o que dizem, você pode ter uma ideia imediata de quais sistemas estão usando. E a PNL utiliza indicadores ainda mais específicos para saber o que está acontecendo na mente de alguém.

Há muito se diz que os olhos são os espelhos da alma. No entanto, há pouco tempo, aprendemos como isso é verdade. Não há nenhum mistério parapsicológico nisso. É só ser observador, olhar uma pessoa bem nos olhos, e você pode imediatamente ver qual o sistema representativo que ela está usando num momento específico: o visual, auditivo ou cinestésico.

Enquanto representam internamente informações, as pessoas movem seus olhos, ainda que esse movimento seja leve. Com uma pessoa destra o seguinte é verdadeiro, e as sequências resultantes são sistemáticas.
(Nota: Há pessoas que são organizadas de maneira inversa, da direita para a esquerda.)

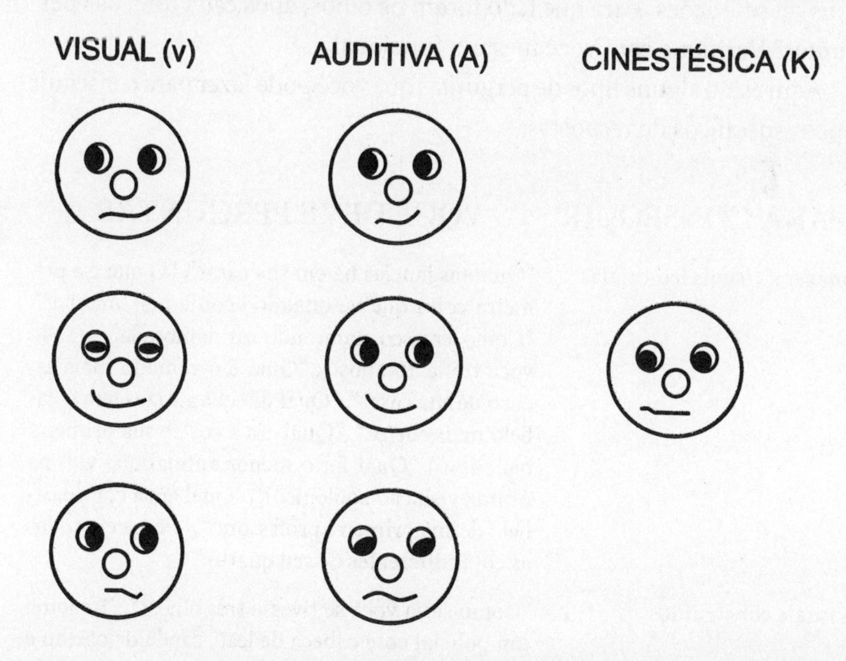

Os movimentos dos olhos podem permitir que você saiba como uma pessoa está representando interiormente seu mundo exterior. A representação interior do mundo exterior de uma pessoa é o seu "mapa" da realidade — e o mapa de cada pessoa é único.

Responda: de que cores eram as velas de seu bolo de aniversário quando fez 12 anos? Pare um momento e lembre-se... Para responder essa pergunta, 90 por cento das pessoas olham para cima e para a esquerda. É onde as pessoas destras, e mesmo algumas canhotas, têm acesso para recordar imagens visuais. Aqui está outra pergunta: como ficaria Mickey Mouse com uma barba? Pare um momento para imaginar isso. Desta vez, provavelmente, seus olhos irão para cima e para a direita. É onde os olhos das pessoas vão para ter acesso a imagens construídas. Assim, só de fitar os olhos das pessoas, é possível saber a qual sistema sensorial estão tendo acesso. Ao ler seus olhos, poderá ler suas estratégias. Lembre-se: uma estratégia é a sequência de representações internas que permitem a alguém executar uma determinada tarefa. A sequência lhe diz o "como" do que alguém está fazendo. Memorize as tabelas seguintes a fim de poder entender e reconhecer as pistas de acaso dos olhos.

Mantenha uma conversa com alguém e observe o movimento dos seus olhos. Faça perguntas que obriguem essa pessoa a lembrar-se de imagens, sons ou sensações. Para que lado foram os olhos, após cada uma das perguntas? Verifique com você mesmo: funciona!

Aqui estão alguns tipos de perguntas que você pode fazer para conseguir tipos específicos de respostas:

PARA CONSEGUIR	VOCÊ DEVE PERGUNTAR
Imagens visuais lembradas	"Quantas janelas há em sua casa?", "O que é a primeira coisa que vê quando acorda pela manhã?", "Como era seu namorado ou namorada, quando você tinha 16 anos?", "Qual é o cômodo mais escuro de sua casa?", "Qual de seus amigos tem o cabelo mais curto?", "Qual era a cor de sua primeira bicicleta?", "Qual foi o menor animal que viu, na última visita ao zoológico?", "Qual era a cor do cabelo de sua primeira professora?", "Pense em todas as cores diferentes de seu quarto."
Visuais construídos	"Como seria você se tivesse três olhos?", "Imagine um policial com cabeça de leão, cauda de coelho e asas de águia.", "Imagine o horizonte de sua cidade subindo em rolos de fumaça.", "Você consegue se ver com cabelos dourados?"

Auditivas lembradas "Qual foi a primeira coisa que você disse hoje?", "Qual foi a primeira coisa que alguém disse a você hoje?", "Diga o nome de uma das suas músicas favoritas, de quando era mais jovem", "Quais os sons da natureza de que mais gosta?", "Qual é a nona palavra do Hino Nacional?", "Cante para si uma canção de ninar", "Ouça em sua mente uma pequena queda-d'água, num calmo dia de verão", "Ouça em sua mente a sua música favorita", "Qual é a porta de sua casa que bate com mais força?", "Qual é mais suave: a batida da porta de seu carro ou a batida da tampa de seu baú?", "Quem de suas amizades tem a voz mais agradável?"

Auditivas construídas "Se pudesse fazer qualquer pergunta a Thomas Jefferson, Abraham Lincoln e John F. Kennedy, o que perguntaria?", "O que diria você se alguém lhe perguntasse como poderíamos eliminar a possibilidade de uma guerra nuclear?", "Imagine o som da buzina de um carro transformando-se no de uma flauta."

Diálogo auditivo interno "Repita esta pergunta para si mesmo, em seu interior: 'O que é mais importante para mim na minha vida agora?'"

Palavras cinestésicas "Imagine a sensação de gelo derretido em sua mão.", "Como se sentiu hoje de manhã logo que acordou?", "Imagine a sensação de um bloco de madeira transformando-se em seda.", "Quão frio estava o mar na última vez em que você esteve lá?", "Qual é o carpete mais macio de sua casa?", "Imagine-se preparando-se para um agradável banho quente.", "Pense em como seria a sensação de escorregar sua mão sobre um pedaço de madeira áspera e depois sobre um pedaço de musgo macio e fresco."

Se, por exemplo, os olhos de uma pessoa vão para cima e para a esquerda, ela imaginou alguma coisa a partir de sua memória. Se forem agora em direção à orelha esquerda, ela ouviu alguma coisa. Quando os olhos se abaixam para a direita, a pessoa está tendo acesso à parte cinestésica de seu sistema representativo.

Da mesma forma, se estiver tendo dificuldade para lembrar-se de alguma coisa, talvez seja porque você não está colocando seus olhos em uma posição que lhe dê claro acesso à informação de que precisa. Se está tentando lembrar-se de alguma coisa que viu há poucos dias, olhar para baixo e para a direita não o ajudará a ver a imagem. No entanto, se olhar para cima e para a esquerda, descobrirá que será capaz de se lembrar rapidamente da informação. Uma vez que sabe para onde olhar para achar a informação guardada em seu cérebro, será capaz de alcançá-la com rapidez e facilidade. (Para cerca de 5 a 10 por cento das pessoas, a direção dessas pistas de acesso será inversa. Veja se encontra um amigo canhoto ou uma pessoa ambidestra com pistas de acesso invertidas.)

Outros aspectos de fisiologia das pessoas nos dão pistas sobre seus modos. Quando as pessoas estão respirando com a parte alta dos pulmões, estão pensando visualmente. Quando a respiração é no meio do diafragma, ou do peito todo, estão num modo auditivo. Respiração profunda e baixa, no estômago, indica acesso cinestésico. Observe três pessoas respirando, e note a média e a localização de sua respiração.

A voz é igualmente expressiva. As pessoas visuais falam em torrentes rápidas e, em geral, têm tonalidades altas, nasais ou forçadas. Tonalidades baixas e profundas e fala lenta são, geralmente, de cinestésicos. Mesmo um ritmo e tonalidade ressonantes e claros indicam acesso auditivo. Você pode até ler a cor da pele. Quando você pensa visualmente, seu rosto tende a ficar mais pálido. Uma face corada indica acesso cinestésico. Quando a cabeça de alguém está levantada, está num modo visual. Se está balançando, ou ligeiramente erguida (como ao escutar), está em auditivo. Se está abaixada, ou se os músculos do pescoço estão relaxados, está em cinestésico.

Assim, mesmo com um mínimo de comunicação, você pode ter pistas claras, inconfundíveis, sobre como trabalha a mente das pessoas e a que tipos de mensagens ela responde e usa. A maneira mais simples de se elicitarem estratégias é, simplesmente, fazer as perguntas certas. Lembre-se: há estratégias para tudo — para compras e para vendas, para ficar motivado e para se apaixonar, para atrair pessoas e para ser criativo. Quero discorrer sobre algumas delas com você. A melhor maneira de aprender não é observar, mas fazer. Portanto, faça esses exercícios com mais alguém, se for possível.

SINAIS DE ACESSO VISUAL

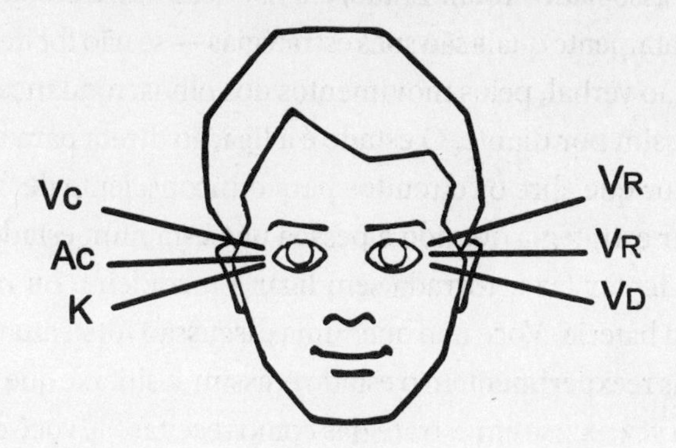

Vr Visual recordado: Ver imagens de coisas vistas antes, e da maneira como foram vistas antes. Exemplos de perguntas que usualmente elicitam essa espécie de processamento incluem "Qual é a cor dos olhos de sua mãe?" e "Com o que se parece seu casaco?"

Vc Visual construído: Ver imagens de coisas nunca vistas antes, ou ver coisas diferentemente do que eram vistas antes. Perguntas que em geral elicitam essa espécie de processamento incluem "Como seria um hipopótamo cor de laranja com bolas púrpuras?" e "Como você se pareceria do outro lado da sala?"

Ar Auditivo recordado: Lembrar sons ouvidos antes. Perguntas que usualmente elicitam essa espécie de processamento incluem "Qual foi a última coisa que eu disse?" e "Como é o alarme de seu despertador?"

Ac Auditivo construído: Ouvir palavras nunca ouvidas realmente dessa maneira antes. Pôr sons e palavras juntas numa nova forma. Perguntas que tendem a elicitar essa espécie de processamento incluem "Se você fosse criar uma música nova agora, como ela seria?" e "Imagine o som de uma sirene feito por uma guitarra elétrica".

Ad Auditivo digital: Falar para si mesmo. Afirmações que tendem a elicitar essa espécie de processamento incluem "Dizer alguma coisa para si que frequentemente diz para si mesmo" e "Recitar o Compromisso de Fidelidade".

K Cinestésico: Sentir emoções, sensações táteis (sentido de toque), ou sensações proprioceptivas (sensações de movimentos musculares). Perguntas que elicitam essa espécie de processamento incluem "Como é a sensação de ser feliz?", "Qual é a sensação de tocar num pinhão?", "Como é a sensação de correr?"

A chave para a elicitação eficaz da estratégia de uma pessoa é colocá-la num estado "associado" total. Então, ela não tem outra escolha a não ser contar-lhe exatamente quais são suas estratégias — se não for de uma forma verbal, será não verbal, pelos movimentos dos olhos, mudança de posição do corpo, e assim por diante. O estado é a ligação direta para a estratégia. É o interruptor que abre os circuitos para o inconsciente de uma pessoa. Tentar elicitar estratégia quando a pessoa não está num estado associado total é como tentar fazer torrada sem ligar a torradeira, ou movimentar um carro sem bateria. Você não quer uma discussão intelectual; você quer que as pessoas reexperimentem o estado e, assim, a sintaxe que o produziu.

Mais uma vez, pense em estratégias como receitas. Se você conhece um confeiteiro que faz o melhor bolo do mundo, poderá ficar desapontado ao constatar que ele não sabe exatamente como descrever o processo. Ele o faz inconscientemente. Sobre a quantidade dos ingredientes, ele diria: "Não sei, uma pitada disso, um pouco daquilo." Assim, em vez de pedir que lhe diga, faça com que ele mostre. Ponha-o na cozinha, a bater o bolo. Você anotaria cada passo que desse e, antes que ele pusesse aquele pouco disso ou daquilo, imediatamente você o pegaria e mediria. Seguindo o confeiteiro durante o processo inteiro, anotando os ingredientes, as quantidades e a sintaxe, teria, então, uma receita que você poderia repetir no futuro.

Elicitação de estratégia é exatamente o mesmo. Você deve pôr a pessoa de volta na cozinha — volta ao tempo quando estava experimentando um estado em particular — e, então, descobrir qual foi a primeira coisa que fez com que ela ficasse nesse estado. Foi alguma coisa que viu ou ouviu? Ou foi o toque de alguma coisa ou alguém? Após a pessoa ter contado o que aconteceu, observe-a e pergunte: "Qual foi a coisa seguinte que fez com que ficasse nesse estado? Foi...?" e assim por diante, até que ela fique no estado em que você está pensando.

Toda elicitação de estratégia segue esse modelo. Você tem de pôr a pessoa no estado apropriado, fazendo-a lembrar um tempo específico, quando estava motivada, ou apaixonada, ou criativa, ou qualquer outra estratégia que queira elicitar. Faça-a reconstruir sua estratégia, fazendo perguntas claras e sucintas sobre a sintaxe do que viu, ouviu e sentiu. Por fim, após ter a sintaxe, pegue as submodalidades da estratégia. Descubra o que, especificamente, sobre as imagens, sons e sensações, colocou a pessoa nesse estado. Foi o tamanho da imagem? O tom da voz?

Tente essa técnica para elicitar uma estratégia de motivação com mais alguém. Primeiro, ponha a outra pessoa num estado receptivo. Pergunte: "Pode lembrar-se de um tempo em que você estava totalmente motivado para fazer alguma coisa?" Você está procurando uma resposta coerente, na qual a voz da pessoa e a linguagem do corpo lhe deem a mesma mensagem de uma maneira clara, firme e confiável. Lembre-se: ela não está muito consciente da própria sequência. Se, por um momento, isso foi parte de seu comportamento, ela o faz muito rapidamente. A fim de seguir cada um de seus passos, você tem de lhe pedir que vá mais devagar e prestar atenção ao que ela diz e ao que os olhos e o corpo dela comunicam.

O que significa se você pergunta a uma pessoa: "Pode se lembrar de quando se sentiu muito motivada"?, e ela dá de ombros e responde: "O quê?" Significa que ainda não está no estado que você quer. Algumas vezes, alguém dirá sim e balançará a cabeça negativamente. Mesma coisa: não está realmente associada à experiência; não está no estado. Assim, você tem de ter certeza de que ela está dentro da experiência específica que a deixa no estado certo. Então, você pergunta: "Pode lembrar-se de uma época específica, quando você estava totalmente motivado a fazer alguma coisa? Pode voltar para aquele tempo e entrar outra vez naquela experiência?" Isso, na maioria das vezes, resolve.

Quando você tiver a pessoa num estado envolvente, pergunte: "Enquanto se lembrava daquele tempo, você pode dizer qual foi a primeira coisa que fez com que ficasse totalmente motivado? Foi alguma coisa que viu, que ouviu, ou foi o toque de alguma coisa ou alguém?" Se ela responde que, certa vez, ouviu um discurso empolgante e, imediatamente, sentiu-se motivada a fazer alguma coisa, sua estratégia motivacional começa com o auditivo exterior (Ae). Você não a motivaria mostrando-lhe alguma coisa, ou fazendo com que ela fizesse alguma coisa física. Ela responde melhor a palavras e sons.

Agora você já sabe como chamar a atenção dela. Mas ainda não se trata da estratégia inteira. As pessoas respondem tanto externa como internamente. Assim, você terá de encontrar a parte interior de sua estratégia. Pergunte a seguir: "Após você ouvir tal coisa, qual foi a coisa seguinte que fez com que ficasse totalmente motivado para fazer algo? O que imaginou em sua mente? Disse alguma coisa para si mesmo? Teve uma certa emoção ou sensação?"

ELICITAÇÃO DE ESTRATÉGIA

Pode se lembrar de uma época em que estava totalmente **X'd?**
Pode se lembrar de uma época especifica?
Volte para aquela época e experimente a... (ponha-os em estado)
Enquanto você se lembra daquela época... (mantenha-os em estado)

A. Qual foi exatamente a primeira coisa que fez com que ficasse **X'd?** Foi alguma coisa que viu?
Foi alguma coisa que ouviu?
Foi o toque de alguma coisa ou alguém?

Qual foi exatamente a primeira coisa que fez com que ficasse totalmente **X'd?**
Após você (ter visto, ouvido ou sido tocado), qual foi exatamente a coisa seguinte que fez com que ficasse totalmente **X'd?**

B. Você...
imaginou uma cena?
disse alguma coisa para si mesmo?
teve uma certa sensação ou emoção?

Qual foi exatamente a coisa seguinte que fez com que ficasse **X'd?**
Após você estar A'd? e B'd? (viu alguma coisa, disse alguma coisa para si mesmo, e assim por diante), qual foi exatamente a coisa seguinte que fez com que ficasse totalmente **X'd?**

C. Você...
imaginou uma cena?
disse alguma coisa para si mesmo?
teve uma certa emoção ou sensação?
Ou aconteceu mais alguma coisa?

Qual foi exatamente a coisa seguinte que fez com que ficasse **X'd?**
Pergunte, nesse ponto, se a pessoa estava muito **X'd** (atraída, motivada, ou outra coisa). Se for sim, a elicitação está completa.
Se for não, continue eliciando a sintaxe até a conclusão congruente do estado.
O passo seguinte é simplesmente elicitar as submodalidades especificadas de cada representação na estratégia dessa pessoa.
Assim, se o primeiro passo da estratégia era visual, você perguntaria:
E sobre o que você viu? (visual externo). Então você perguntaria:
O que foi que especificamente o motivou, no que viu?
Foi o tamanho?
O brilho
A maneira como se movia?

Continue esse processo até que tenha todas as submodalidades para a estratégia. Então simplesmente fale sobre alguma coisa que queira motivar essa pessoa a fazer, usando a mesma sintaxe e as mesmas palavras-chave das submodalidades e então julgue pelos resultados que você produziu no estado dessa pessoa.

Se ela responde que imaginou uma cena, a segunda parte de sua estratégia é visual interior (Vi). Após ouvir alguma coisa que a motiva, ela forma imediatamente uma imagem mental que a deixa mais motivada. É provável que seja uma imagem que a ajuda a focalizar o que quer fazer.

Você ainda não tem a estratégia toda; logo, precisa continuar perguntando: "Após ter ouvido alguma coisa e formado uma imagem em sua mente, o que fez, em seguida, com que ficasse totalmente motivado? Disse alguma coisa para si mesmo? Sentiu algo dentro de você, ou aconteceu mais alguma coisa?" Se nesse ponto a pessoa tem uma sensação que a deixa totalmente motivada, ela completou sua estratégia. Ela produziu uma série de representações, neste caso foram Ae-Vi-Ki que criaram o estado de motivação. Ela ouviu alguma coisa, viu uma imagem em sua mente e, então, sentiu-se motivada. A maioria das pessoas precisa de um estímulo exterior e dois ou três interiores, antes de terminarem, apesar de algumas terem estratégias que envolvem uma sequência de dez ou quinze representações diferentes, antes de atingirem o estado desejado.

Agora que você já sabe a sintaxe da estratégia dela, precisa descobrir as submodalidades. Então, pergunte: "O que, na coisa que ouviu, a motivou? Foi o tom de voz da pessoa, as palavras em si, a rapidez ou ritmo da voz? O que imaginou em sua mente? Era uma imagem grande, brilhante...?" Tendo perguntado tudo isso, você pode testar as respostas, contando-lhe, no mesmo tom, sobre alguma coisa que queria motivá-la a fazer e, então, dizer-lhe o que imaginava em sua mente e as sensações que isso criará. Se você fizer tudo isso com cuidado, verá a pessoa entrar num estado motivado bem diante de seus olhos. Se duvida da importância da sintaxe, tente mudar a ordem, de repente. Diga-lhe como se sentirá e o que dirá para si, e você a verá dirigir-lhe um olhar desinteressado. Você tem os ingredientes certos, na ordem errada.

Quanto tempo leva para elicitar a estratégia de uma pessoa? Depende da complexidade da atividade que você queira saber. Às vezes, leva somente um minuto ou dois para aprender a sintaxe exata que a motivará a fazer qualquer coisa que queira.

Digamos que você é um treinador de corridas. Você quer motivar a pessoa do exemplo anterior, digamos um rapaz, a tornar-se um grande corredor de maratona. Apesar de ele ter algum talento e interesse, não está realmente motivado a assumir um compromisso. Portanto, como você começaria? Iria levá-lo para ver os melhores corredores no treino? Mostraria a pista? Falaria rápido para manter-se animado, para mostrar--lhe como está empolgado? Não, claro que não. Cada demonstração desse comportamento poderia atingir uma pessoa de estratégia visual, e isso a deixaria fria.

Em vez disso, você precisa atingi-lo fazendo uma ligação com os estímulos auditivos que o mantêm interessado. Para começar, não falaria a mil por hora, como uma pessoa visual faria, nem num ritmo cinestésico lento e gotejante. Usaria uma voz bem modulada, firme, clara, ressonante. Falaria exatamente nas mesmas submodalidades de altura e tempo que, conforme aprendeu, acionam o começo da estratégia de motivação daquela pessoa. Pode-se dizer algo assim: "Estou certo de que você ouviu falar muito sobre o sucesso que nosso programa de corridas tem obtido. No momento, é só disso que se fala na faculdade. Este ano temos atraído grandes multidões. É espantosa a zoeira que fazem. Tenho rapazes que disseram que o barulho da multidão opera maravilhas com eles, levando-os a níveis que nunca pensaram poder alcançar. E a ovação, quando você atinge a linha de chegada, é assombrosa. Nunca tinha ouvido nada igual, em todos os meus anos de treinador." Agora você está falando a linguagem dele. Está usando o mesmo sistema representativo. Você pode gastar horas mostrando-lhe o imenso estádio novo, e ele estará cochilando. Deixe-o ouvir o grito da torcida quando cruzam a linha de chegada, e o terá cativado.

Essa é só a primeira parte da sintaxe, a isca que o mantém em ação, mas não o manterá totalmente motivado. Você precisa juntar também a sequência interior. Dependendo das descrições que ele lhe faça, você pode passar das sugestões auditivas para algo assim: "Quando você ouvir o grito da torcida de sua cidade natal, será capaz de imaginar-se correndo a melhor competição de sua vida? Vai se sentir absolutamente motivado para disputar a corrida de sua vida?"

Se você tem uma firma, motivar seus empregados é assunto do maior interesse, sob pena de não poder manter o negócio por muito tempo. Porém, quanto mais você sabe sobre estratégias de motivação, mais reconhece como é difícil motivar bem. Afinal, se cada um de seus empregados tem uma estratégia diferente, é difícil satisfazer as necessidades de todos. Se, simplesmente, puser em prática sua própria estratégia, irá motivar só as pessoas que são como você. Pode fazer a mais convincente e bem pensada preleção do mundo sobre motivação e, a menos que seja endereçada às estratégias específicas de pessoas diferentes, não adiantará nada.

O que pode você fazer sobre isso? Bem, compreender a estratégia deve dar-lhe duas ideias claras. Primeira, cada técnica de motivação dirigida a um grupo deve ter alguma coisa para todos — alguma coisa visual, alguma coisa auditiva e alguma coisa cinestésica. Deve mostrar-lhes coisas, fazer com que ouçam coisas e proporcionar-lhes sensações. E você deve ser capaz de variar sua voz e entonações, para prender todos os três tipos.

Segunda, não há substituto para trabalhar com pessoas, enquanto indivíduos. Você pode proporcionar amplas sugestões para um grupo, sugestões essas que darão a cada um alguma coisa com que trabalhar. Para entrar na tonalidade das estratégias que pessoas diferentes usam, o ideal seria elicitar as estratégias individuais.

O que vimos até o momento foi a fórmula básica para elicitar a estratégia de alguém. Para ser capaz de usá-la efetivamente, você precisa conhecer mais detalhes sobre cada passo da estratégia. Precisa acrescentar as submodalidades ao modelo básico.

Por exemplo, se a estratégia de compra de uma pessoa começa com algo visual, o que prende seus olhos? Cores brilhantes? Tamanho grande? Ela fica transtornada quando vê certos padrões ou desenhos rústicos e manchados? Se ela for auditiva, é atraída por vozes *sensuais* ou fortes? Gosta de ruídos altos ou de um murmúrio bem afinado? Saber a principal submodalidade de alguém é um grande começo. Para ser exato, para apertar realmente os botões certos, você precisa saber mais.

Compreender a estratégia é absolutamente essencial para se ter sucesso em vendas. Há alguns vendedores que compreendem isso por instinto. Quando encontram um cliente em potencial, logo se tornam cordatos e elicitam suas estratégias de tomar decisões. Eles podem começar: "Reparei que está usando a máquina copiadora de nosso concorrente. Estou curioso! Qual foi a primeira coisa que o fez querer comprar essa máquina? Foi alguma coisa que viu ou leu sobre ela... ou alguém lhe falou a respeito? Ou foi como se sentiu em relação ao vendedor, ou ao próprio produto?" Essas perguntas podem parecer um pouco estranhas, mas um vendedor que quer ser gentil dirá: "Estou curioso porque quero realmente satisfazer suas necessidades." A resposta a essas perguntas pode prover o vendedor de informações muito valiosas sobre como apresentar seu produto da maneira mais eficaz.

Clientes têm estratégias de compras muito específicas. Não sou diferente dos outros quando compro. Há muitas maneiras de fazer as coisas erradas — tentar empurrar-me o que não quero, de uma forma que não desejo ouvir. Não existem muitas maneiras de fazê-las corretamente. Assim, para ser eficiente, um vendedor deve fazer seus clientes voltarem para a época em que compraram alguma coisa de que gostaram. Ele tem de descobrir o que fez com que decidissem comprá-la. Quais são os ingredientes-chave e as submodalidades? Um vendedor que aprende como eliciar estratégias estará aprendendo as exatas necessidades de seu cliente. Estará, então, fortalecido para satisfazer realmente aquelas necessidades e ganhar um freguês permanente. Quando você elicia a estratégia de alguém, pode aprender em instantes o que de outra forma levaria dias ou semanas para aprender.

E sobre estratégias limitadoras, como comer demais? Eu mesmo pesava 123 quilos. Como estufei a tal ponto? Fácil. Desenvolvi uma estratégia de farras e superalimentação. E isso é que me dirigia. Descobri qual era minha estratégia, lembrando das vezes em que não estava com fome e, no entanto, tornava-me faminto depois de poucos minutos.

Voltando para essas vezes, perguntei-me: "O que provoca em mim a vontade de comer? É alguma coisa que eu vejo, ouço, ou o toque de alguma coisa ou de alguém?" Percebi que era alguma coisa que via. Estava dirigindo e, de repente, via anúncios de uma certa cadeia de lanchonetes. Assim que os via, imaginava minha comida favorita e, então, dizia para mim mesmo: "Caramba! Estou faminto." Isso criava sensações de fome, às quais eu reagia parando para fazer uma refeição. Eu poderia não estar nem um pouco faminto, até ver os anúncios e acionar essa estratégia. E esses anúncios estavam em toda parte. Também, se alguém me perguntasse: "Quer procurar alguma coisa para comer?", mesmo que eu não estivesse com fome, começaria a me imaginar (imagem em minha mente) comendo certos tipos de comida. Diria, então, para mim mesmo: "Caramba! Estou com fome", o que criaria a sensação de fome, e diria: "Vamos comer." E, é claro, havia os comerciais de televisão, que sempre mostravam comida após comida e perguntavam: "Você não está com fome?... Você não está com fome?" Meu cérebro responderia formando imagens, e eu diria para mim mesmo: "Puxa, estou com fome", e isso criaria a sensação suficiente para me dirigir ao restaurante mais próximo.

Finalmente, mudei meu comportamento, mudando minha estratégia. Arrumei-a de forma que, quando visse anúncios de comida, acionasse a minha imagem olhando para meu corpo feio e gordo num espelho, a me dizer: "Estou horrível. Posso dispensar esta refeição." Então me imaginava conseguindo, vendo meu corpo tornar-se mais resistente, falando para mim mesmo: "Esplêndido! Você está ótimo", que criava uma vontade de conseguir mais. Liguei tudo isso por meio da repetição — ver o anúncio, imediatamente ver minha imagem gorda, ouvir meu diálogo interior, e assim por diante, diversas vezes — da mesma forma que um sistema *swish*, até ver que os anúncios ou os convites para almoçar automaticamente acionavam minha nova estratégia.

O resultado obtido com essa nova estratégia é o corpo que tenho agora e os hábitos alimentares que mantenho até hoje. Você também pode descobrir estratégias com as quais sua mente inconsciente está criando resultados que não deseja. E pode mudar essas estratégias, agora!

Após descobrir as estratégias de alguém, você pode fazer esse alguém sentir-se realmente amado, acionando os estímulos exatos que provocam a ocorrência dessa sensação dentro da pessoa. Você pode também imaginar qual é sua própria estratégia para o amor. As estratégias amorosas são diferentes de muitas outras, de uma maneira geral. Em vez de um procedimento de três ou quatro passos, geralmente há um só. Há um toque, uma coisa para dizer, ou uma maneira de olhar para uma pessoa, que a faz sentir-se totalmente amada.

Isso significa que qualquer um precisa de somente uma coisa para se sentir amado? Não. Gosto de ter todas as três, e estou certo de que você também. Quero que alguém me toque da maneira certa, diga que me ama e mostre que me ama. Assim como um sentido, em geral, domina os outros, uma maneira de expressar amor instantaneamente abre sua combinação, fazendo você se sentir totalmente amado.

Como você elicita a estratégia amorosa de alguém? Você já deve saber. Qual é a primeira coisa a fazer? Qual é a primeira coisa que faz quando está eliciando qualquer estratégia? Você põe a pessoa no estado cuja estratégia quer eliciar. Lembre-se: estado é a corrente que mantém o circuito em movimento. Assim, pergunte à outra pessoa: "Pode lembrar-se de um tempo em que se sentia totalmente amada?" Para ter certeza que ele ou ela esteja no estado certo, continue com: "Pode lembrar-se de uma época específica em que se sentia totalmente amada? Volte para esse tempo. Lembra como se sentia? Reexperimente essas sensações em seu corpo, agora."

Assim você terá a pessoa no estado certo. A seguir, você tem de eliciar estratégia. Pergunte: "Enquanto se lembra daquele tempo e sente aquelas profundas sensações de amor, é absolutamente necessário que uma pessoa lhe mostre amor comprando-lhe presentes, saindo com você ou olhando-a de uma certa maneira? É absolutamente necessário que essa pessoa mostre amor dessa forma para que você se sinta totalmente amada?" Anote a resposta e sua coerência. A seguir, ponha a pessoa de volta no estado e diga: "Lembre-se daquele tempo em que se sentia totalmente amada. A fim de sentir essas profundas sensações de amor, é absolutamente necessário que alguém expresse seu amor de uma certa forma para que se sinta totalmente amada?" Julgue as respostas verbais e não verbais em termos de coerência. Por fim, pergunte: "Lembre-se como é sentir-se totalmente amada. A fim de que sinta aquelas profundas sensações de amor, é necessário que alguém o toque de uma certa maneira para que você se sinta totalmente amado?"

ELICITANDO ESTRATÉGIAS AMOROSAS

Pode lembrar-se de uma época em que se sentia totalmente amado?

Pode lembrar-se de uma época específica?

Enquanto você volta para aquela época e experimenta-a (ponha a pessoa no estado).

V: A fim de que sinta esses profundos sentimentos de amor, é absolutamente necessário que a pessoa lhe demonstre o seu amor...

levando-o(a) a lugares finos?
comprando-lhe coisas?
olhando-o(a) de certa forma?

É absolutamente necessário que a pessoa lhe demonstre seu amor dessa maneira, para que você se sinta amado(a)? (Julgue pela fisiologia.)

A: A fim de que sinta esses profundos sentimentos de amor, é absolutamente necessário que a pessoa diga a você que o(a) ama, de uma certa maneira? (Julgue pela fisiologia.)

K: A fim de que sinta esses profundos sentimentos de amor, é absolutamente necessário que a pessoa...
toque-o(a) de uma certa forma? (Julgue pela fisiologia.)

Agora elicite a submodalidade. Como, especificamente? Mostre-me, diga-me, demonstre-me.

Teste a estratégia interna e externamente. Julgue pela fisiologia congruente.

Uma vez descoberto o ingrediente-chave que cria essas profundas sensações de amor por uma pessoa, você precisa agora descobrir as submodalidades específicas. Por exemplo, pergunte: "Especificamente, como é que alguém precisaria tocá-lo para fazer você se sentir bem apaixonado?" Faça a pessoa demonstrar. E, depois, teste-a. Toque-a dessa forma — e se você o fez com jeito, verá uma mudança instantânea no estado.

Faço isso todas as semanas em seminários, e nunca falha. Todos temos um certo olhar, um certo modo de ajeitar o cabelo, um certo tom de voz — uma maneira de dizer "te amo", enfim — que deixa o outro derretido. Muitos de nós não sabíamos, antes, o que era isso. Mas, no estado, somos capazes de surgir com algo que faz alguém se sentir absoluta e totalmente amado.

Não importa que as pessoas que assistem aos seminários não me conheçam, que estejam de pé no meio de uma sala cheia de estranhos. Se localizo suas estratégias amorosas, se as toco e olho de maneira certa, elas se derretem. Elas têm pouca escolha porque seus cérebros estão recebendo os sinais semelhantes aos que criam para elas a sensação de serem completamente amadas.

Uma minoria de pessoas virá primeiro com duas estratégias amorosas, em vez de uma só. Pensarão num toque e em alguma coisa que gostam que lhes seja dita. Portanto, você tem de mantê-las no estado certo e conduzi-las a fazer uma distinção. Pergunte-lhes se se sentiriam totalmente amadas caso tivessem o toque mas não o som. Se tivessem o som mas não o toque, a sensação seria a mesma? Se estiverem no estado certo, poderão ser capazes de fazer uma distinção clara sem falhar. Lembre-se: nós precisamos de todas as três. Mas há uma que abre o cofre, que faz mágicas.

Conhecer a estratégia amorosa da pessoa que você ama ou de seu filho pode ser um dos mais poderosos conhecimentos que você tem condições de desenvolver para apoiar seu relacionamento. Saber fazer aquela pessoa se sentir amada a qualquer momento é um instrumento muito poderoso para se ter à disposição. Se você não conhece a estratégia amorosa dela, isso pode ser bastante triste. Estou certo de que, pelo menos uma vez na vida, todos nós estivemos na situação de amar alguém e expressar nosso amor, mas não acreditaram em nós, ou em que alguém manifestou amor por nós, mas não acreditamos. A comunicação não funcionou porque as estratégias não combinavam.

Há uma dinâmica interessante que ocorre em relacionamentos. Bem no começo de um relacionamento, estágio que eu chamo de "corte", somos muito mobilizados. Assim, o que fazemos para deixar uma pessoa saber que gostamos dela? Nós só lhe dizemos que a amamos? Nós só demonstramos ou tocamos? Claro que não! Durante a corte, fazemos tudo isso. Nós demonstramos afeição recíproca, falamos e tocamos o tempo todo. Agora, depois de um tempo, ainda fazemos todas essas três coisas? Alguns casais fazem. Eles são a exceção, não a regra. Agora, amamos menos a pessoa? Claro que não! Apenas já não estamos tão mobilizados. Sentimo-nos bem no relacionamento. Sabemos que aquela pessoa nos ama e que a amamos. Então, como comunicamos agora nossas sensações amorosas? Provavelmente da maneira exata que gostaríamos de recebê-

-las. Senão, o que acontece com a qualidade das sensações amorosas no relacionamento? Vejamos.

Se um marido tem uma estratégia amorosa auditiva, é mais provável que expresse seu amor pela esposa por meio de palavras. Mas e se ela tiver uma estratégia amorosa visual, de forma que seu cérebro a faça se sentir profundamente amada após receber certos estímulos visuais? O que acontecerá com o passar do tempo? Nenhum participante desse relacionamento vai se sentir totalmente amado. Enquanto estavam se cortejando, faziam isso tudo — mostravam-se e se tocavam — e acionavam as estratégias amorosas um do outro. Agora o marido chega e diz: "Te amo, querida", e ela responde "Não, não me ama!" Ele pergunta: "Do que é que você está falando? Como pode *dizer* isso?" A resposta poderia ser: "Falar é fácil. Você nunca mais me trouxe flores. Nunca me leva para sair com você. Nunca me *olha* daquela maneira especial." E ele pode insistir: "O que quer dizer com *olho para você*? Estou lhe *dizendo* que te amo." Ela não mais experimenta as mais profundas sensações de ser amada porque os estímulos específicos que acionam essas sensações não estão mais sendo aplicados consistentemente pelo seu marido.

Considere o oposto: o marido é visual e a esposa é auditiva. Ele mostra à esposa que a ama, comprando-lhe coisas, levando-a a lugares, mandando-lhe flores. Um dia ela diz: "Você não me ama." Ele fica transtornado: "Como pode você dizer isso?! Olhe essa casa que lhe comprei, todos os passeios..." Ela diz: "Sim, mas você nunca diz que me ama." E ele vai gritar "Te amo!", em uma tonalidade nem um pouco próxima da estratégia dela. Como resultado, ela não se sente amada.

Ou pense num dos mais malsucedidos pares de todos os tempos — um homem cinestésico e uma mulher visualmente orientada. Ele chega em casa e quer abraçá-la. "Não me toque", diz ela. "Você está sempre me agarrando. Tudo que você sempre quer é pegar e abraçar. Por que não podemos ir a algum lugar? Olhe-me antes de tocar-me." Alguma dessas cenas lhe parece familiar? Agora você pode ver como um relacionamento que tinha no passado terminou porque no começo você fazia tudo, mas, com o passar do tempo, começou a comunicar amor de uma forma só, e a pessoa que você amava precisava de outra? Ou vice-versa?

A atenção é um poderoso instrumento. A maioria de nós pensa que o mapa do nosso mundo é como o vemos. Pensamos saber o que nos faz sentir amados. Isso deve ser o que funciona para os outros. Esquecemos que o mapa não é o território. É só como o vemos.

Agora que você sabe como elicitar uma estratégia amorosa, converse com a pessoa com quem se relaciona e descubra o que a faz sentir-se totalmente amada. E, tendo elicitado sua própria estratégia amorosa, ensine essa pessoa a acionar sua sensação de ser totalmente amado ou amada. As mudanças que essa compreensão pode fazer na qualidade de seu relacionamento compensam muitas vezes o investimento neste livro.

As pessoas têm estratégias para tudo. Se alguém levanta-se pela manhã bem acordado e disposto, esse alguém tem uma estratégia para fazer isso, apesar de, provavelmente, não saber qual. Mas, se você lhe perguntar, essa pessoa não será capaz de contar o que diz, sente ou vê, o que faz com que continue. Lembre-se: a maneira de elicitar uma estratégia é pôr o cozinheiro na cozinha. Isto é, ponha-o no estado que quer, e então, enquanto ele está lá, descubra o que ele faz para criar e manter o estado. Você pode pedir a uma pessoa que se levante com facilidade pela manhã, para lembrar-se de uma manhã específica em que acordou com rapidez e facilidade. Peça-lhe que recorde a primeira coisa de que se tornou consciente. Ela pode dizer que ouviu uma voz interior que dizia: "É hora de levantar; vamos." Então peça-lhe que se lembre da coisa seguinte que fez com que se levantasse rapidamente. Imaginou alguma coisa ou sentiu alguma coisa? Ela pode dizer: "Imaginei-me pulando da cama e entrando num banho quente. Sacudi meu corpo e então saí." Parece uma estratégia bem simples. A seguir, você quer descobrir os tipos específicos e as quantidades dos ingredientes; assim, pergunta: "Como era a voz que dizia que era hora de sair da cama? O que havia com a qualidade da voz que fez com que se levantasse?" Provavelmente, responderá: "A voz era alta e falava rápido." Agora pergunte: "Como era a cena que imaginou?" Ela pode responder: "Era brilhante e se movia depressa". Agora você pode tentar essa estratégia consigo mesmo. Penso que descobrirá, como eu, que acelerando suas palavras e imagens, aumentando o volume e o brilho, você pode acordar num instante.

Reciprocamente, se você estiver tendo dificuldade para dormir é só abaixar e tornar lento o seu diálogo interior, criar bocejos, tons sonolentos, e sentirá que está ficando muito cansado, quase imediatamente. Tente outra vez. Fale com lentidão, dentro de sua cabeça, como uma pessoa muito cansada, com uma voz de bocejo. Fale... sobre... como você está c-a-n-s-a-d-o. Boceje, depois acelere. Sinta a diferença. A questão é que você pode modelar qualquer estratégia, desde que ponha alguém no estado e descubra especificamente como ele opera, em que ordem e sequência. A chave não é só aprender umas poucas estratégias e então usá-las. O mais importante é estar sempre harmonizado com o que as pessoas fazem bem, e então descobrir como elas fazem, quais são suas estratégias. Modelagem é isso tudo.

A PNL é como a física nuclear da mente. A física lida com a estrutura da matéria, a natureza do mundo. A PNL faz a mesma coisa com a mente. Permite que separemos as coisas em suas partes componentes, para fazê-las trabalhar. As pessoas gastam a vida inteira tentando encontrar uma maneira de se sentirem totalmente amadas. Gastam fortunas tentando "conhecer-se" com analistas e leem dúzias de livros sobre como obter sucesso. A PNL nos dá a tecnologia para conseguirmos essas e muitas outras coisas com elegância, eficiência e eficácia — agora!

Como já vimos, uma maneira de ficarmos num estado rico de recursos é por meio da sintaxe e da representação interior. Outra maneira é por meio da fisiologia. Antes, falamos como a mente e o corpo estão ligados num laço cibernético. Neste capítulo discutimos o lado mental do estado. Agora, vamos olhar o outro lado.

CAPÍTULO 9
FISIOLOGIA: A AVENIDA DA EXCELÊNCIA

"Demônios podem ser expulsos do coração,
pelo toque de uma mão em uma mão ou uma boca."

— Tennessee Williams

Quando dirijo seminários, sempre realço cenas de delírio atordoante, alegre, caótico.

Se você passar pela porta no momento certo, encontrará, talvez, trezentas pessoas pulando, guinchando e gritando, rugindo como leões, abanando os braços, sacudindo os punhos como Rocky, batendo palmas, enchendo o peito, empertigando-se como pavões, levantando o polegar, e outras ações parecidas, como se tivessem tanta força pessoal que pudessem iluminar uma cidade, se quisessem.

Que diabo está acontecendo?

O que está acontecendo é a outra metade do laço cibernético: fisiologia. Essa confusão é sobre uma coisa — agir como quando você se sente com mais recursos, mais poder, mais felicidade do que já sentiu antes, agir como se soubesse que vai ser bem-sucedido. Agir como se também estivesse totalmente energizado. Uma maneira de se pôr num estado que apoie sua realização de um efeito é agir "como se" já estivesse lá. Agir "como se" é mais efetivo quando você põe sua fisiologia no estado que estaria se já estivesse efetivo.

A fisiologia é o mais poderoso instrumento que temos para mudar um estado e produzir resultados dinâmicos instantaneamente. Há um velho ditado: "Se você quer ser poderoso, finja que é poderoso." Nunca foram ditas palavras tão verdadeiras. Eu espero que as pessoas obtenham resultados poderosos em meus seminários, resultados que mudarão suas vidas. Para fazer isso, elas têm de estar com sua fisiologia o mais rica de recursos possível, pois não há ação poderosa sem uma fisiologia poderosa.

Se você adotar uma fisiologia vital, dinâmica, excitada, automaticamente adotará a mesma espécie de estado. A maior alavanca em qualquer situação é a fisiologia — porque ela trabalha muito rápido e sem falhas. A fisiologia e as representações interiores estão totalmente ligadas. Se você muda uma, instantaneamente muda a outra. Gosto de dizer: "Não há mente, só há corpo", e "não há corpos, só há mente". Se você muda sua fisiologia — isto é, sua postura, modo de respirar, sua tensão muscular, sua tonalidade —, no mesmo instante você muda suas representações interiores e seu estado.

Pode lembrar-se de uma época em que você se sentia completamente exausto? Como percebia o mundo? Quando se sente fisicamente cansado, seus músculos estão fracos ou você sente dor em algum lugar, percebe o mundo de forma bastante diferente de quando se sente descansado, vivo e vital. A manipulação fisiológica é um instrumento poderoso para controlar seu próprio cérebro. Assim, é de extrema importância que entendamos quão fortemente ela nos afeta, que não é alguma variável insignificante, porém uma parte absolutamente crucial de um laço cibernético que está sempre em ação.

Quando sua fisiologia está esgotada, a energia positiva de seu estado se esgota. Quando sua fisiologia se ilumina e se intensifica, seu estado faz a mesma coisa. Assim, a fisiologia é a alavanca para a mudança emocional. De fato, você não pode ter uma emoção sem uma mudança correspondente na sua fisiologia. E não pode ter uma mudança na fisiologia sem uma mudança correspondente no estado. Há duas maneiras de mudar o estado: mudar as representações interiores ou mudar a fisiologia. Assim, se você quer mudar seu estado num instante, o que faz? *Zap!* Você muda sua fisiologia — isto é, sua respiração, sua postura, sua expressão facial, a qualidade de seu movimento, e assim por diante.

Se começa a ficar cansado, há certas coisas específicas que você pode fazer em sua fisiologia para continuar a comunicar isso para si: deixar cair os ombros, relaxar a maioria dos principais grupos musculares, e coisas assim. Você pode ficar cansado simplesmente pela mudança de suas representações interiores, fazendo com que deem a seu sistema nervoso uma mensagem de que está cansado. Se mudar sua fisiologia para a forma de quando você se sente forte, isso mudará suas representações interiores e como se sente no momento. Se continua a dizer para si mesmo que está cansado, você está formando uma representação interior que o mantém cansado. Se diz que tem os recursos para estar alerta e no alto das coisas, se conscientemente adota essa fisiologia, seu corpo também o fará. Mude sua fisiologia e você mudará seu estado.

No capítulo sobre as crenças, mostrei-lhe um pouco sobre o efeito que elas fazem com a saúde. Tudo que os cientistas estão descobrindo hoje enfatiza uma coisa: doença e saúde, vitalidade e depressão são muitas vezes decisões. São coisas que podemos decidir fazer com nossa fisiologia. Não são, em geral, decisões conscientes, mas de qualquer forma são decisões.

Ninguém conscientemente diz: "Prefiro estar deprimido do que feliz." Mas o que fazem as pessoas deprimidas? Pensamos na depressão como um estado mental, mas ela tem uma fisiologia muito clara e identificável. Não é difícil visualizar uma pessoa deprimida. As pessoas deprimidas, em geral, andam por aí com os olhos baixos. (Estão tendo acesso ao modo cinestésico e/ou falando para si mesmas sobre todas as coisas que as fazem sentir-se deprimidas.) Deixam cair os ombros. A respiração é fraca e superficial. Fazem todas as coisas para deixar seus corpos com uma fisiologia depressiva. Estão decidindo ficar deprimidas? Certo que sim. A depressão é um resultado e requer imagens específicas do corpo para criá-la.

O fato excitante é que você pode, com a mesma facilidade, criar o resultado chamado êxtase, mudando sua fisiologia de certas maneiras específicas. Afinal, o que são as emoções? São uma associação complexa, uma configuração complexa de estados fisiológicos. Sem mudar nenhuma de suas representações interiores, posso mudar o estado de qualquer pessoa deprimida, em segundos. Você não tem de olhar e ver quais imagens uma pessoa deprimida está formando em sua mente. É só mudar sua fisiologia, e, *zap*, você muda seu estado.

Se você se mantém ereto, se joga seus ombros para trás, se respira profundamente, se olha para cima — se se coloca numa fisiologia de recursos —, você não pode ficar deprimido. Tente você mesmo. Levante-se, jogue seus ombros para trás, respire profundamente, olhe para cima, movimente seu corpo. Veja se pode se sentir deprimido nessa postura. Descobrirá que é quase impossível. Em vez disso, seu cérebro estará recebendo uma mensagem de sua fisiologia para estar alerta, vital e cheio de recursos. E é assim.

Quando as pessoas vêm a mim e dizem que não podem fazer alguma coisa, eu digo: "Aja como se pudesse." Em geral, elas replicam: "Bem, não sei como." Ao que digo: "Aja como se soubesse como. Fique em pé, do modo que ficaria se soubesse como fazer isso. Respire da maneira que respiraria se soubesse como fazê-lo agora. Faça seu rosto parecer como se pudesse fazê-lo agora." Tão logo levantam-se dessa maneira, respiram dessa maneira e põem suas fisiologias nesse estado, as pessoas imediatamente sentem que podem fazê--lo. Isso funciona sem falha, devido à espantosa facilidade de se ser capaz de adaptar e mudar a fisiologia. Repetindo, simplesmente mudando a fisiologia, você pode fazer com que as pessoas façam coisas que nunca puderam fazer antes, porque, no minuto em que mudam sua fisiologia, elas mudam seu estado.

Pense em alguma coisa que acredita que não possa fazer, mas que gostaria de ser capaz de fazer. Agora, como ficaria se soubesse que pode fazê--lo? Como falaria? Como respiraria? Ponha-se — tão congruentemente quanto possível — na fisiologia que estaria se soubesse que pode fazê-lo. Faça com que seu corpo todo transmita a mesma mensagem. Fique na sua posição, respirando e com a face refletindo a fisiologia que teria se soubesse que pode fazê-lo. Agora, note a diferença entre esse estado e aquele em que estava. Se estiver positivamente mantendo a fisiologia certa, você se sentirá "como se" pudesse controlar aquilo que não pensava que poderia antes.

A mesma coisa acontece no passeio no fogo. Quando algumas pessoas olham o leito de brasas, estão num estado de total confiança e presteza, devido à combinação de suas representações interiores e de sua fisiologia. Daí por diante, podem andar confiantes e saudáveis sobre as brasas. Outras, no entanto, entram em pânico no último momento. Elas podem ter mudado suas representações interiores do que vai acontecer e, então, imaginam agora o pior cenário possível. Ou o calor causticante pode tirá-las do estado de confiança, quando se aproximam da beirada do leito de brasas. Como resultado, podem estar tremendo de medo, ou podem estar chorando, ou podem ficar geladas, com todos os seus músculos retesados, ou podem ter quaisquer outras grandes reações fisiológicas. Para ajudá-las a superar o medo em um instante e a agir, apesar de impossíveis aparências, preciso fazer só uma coisa — mudar seus estados. Lembre-se: todo comportamento humano é o resultado do estado em que estamos. Quando nos sentimos fortes e com recursos, tentamos coisas que nunca tentaríamos se nos sentíssemos amedrontados, fracos e cansados. Assim, o passeio no fogo não ensina as pessoas só intelectualmente: ele lhes dá uma experiência de mudar seus estados e comportamentos no momento, para apoiar suas metas, sem levar em consideração o que pensavam ou sentiam previamente.

O que faço com uma pessoa tremendo, chorando e gelada, gritando na beira de um leito de brasas? Uma das coisas que posso fazer é mudar suas representações interiores. Posso fazê-la pensar em como se sentirá depois de ter andado com sucesso e sem se machucar até o outro lado das brasas. Isso faz com que crie uma representação interior que muda sua fisiologia. Em questão de dois a quatro segundos, a pessoa está num estado de recursos — você pode vê-la mudar sua respiração e expressão facial. Então, digo a ela que vá e a mesma pessoa que segundos antes estava paralisada de medo agora anda decidida sobre as brasas e festeja do outro lado. Mas algumas vezes as pessoas têm imagens interiores nítidas de queimaduras ou tropeços, que são maiores do que suas representações de serem capazes de andar com sucesso e sem lesões. Assim, preciso fazer com que mudem suas submodalidades — e isso pode levar tempo.

Uma outra escolha — que é mais eficiente quando alguém está totalmente em pânico frente às brasas — é mudar sua fisiologia. Afinal, se ela muda suas representações interiores, o sistema nervoso tem de avisar o corpo para mudar sua postura, modo de respirar, tensão muscular, e assim por diante. Assim, por que não ir só ao ponto — ignorar todas as outras comunicações e mudar a fisiologia diretamente? Assim, pego a pessoa que está chorando e faço-a olhar para cima. Fazendo isso, ela começa a ter acesso aos aspectos visuais de sua neurologia em vez de seus aspectos cinestésicos. Quase imediatamente, ela para de chorar. Tente isso com você; se estiver transtornado ou chorando, e quiser parar, olhe para cima. Ponha os ombros para trás e fique num estado visual. Suas sensações mudarão quase no mesmo instante. Você pode fazer isso com suas crianças. Quando se machucam, faça-as olharem para cima. O choro e a dor pararão, ou pelo menos diminuirão muito, num instante. Posso, então, fazer a pessoa ficar em pé, da maneira que ficaria se estivesse totalmente confiante e soubesse que pode andar com sucesso e sem se ferir nas brasas, respirar da forma que estaria respirando, e dizer alguma coisa num tom de voz de alguém que está totalmente confiante. Dessa forma, seu cérebro recebe uma nova mensagem sobre como se sentir e, no estado resultante, a mesma pessoa — antes totalmente imobilizada pelo medo — pode produzir a ação que apoia sua meta.

A mesma técnica pode ser aplicada toda vez que sentimos que não podemos fazer alguma coisa — não podemos nos aproximar daquela mulher ou homem, não podemos falar com o patrão, e assim por diante. Podemos mudar nossos estados e nos fortalecer para agir, seja mudando as imagens e diálogos em nossas mentes, seja mudando a maneira como ficamos em pé, como respiramos, e o tom de voz que usamos. O ideal é mudar ambos — fisiologia e tom. Tendo feito isso, logo podemos nos sentir com recursos e sermos capazes de prosseguir com as ações necessárias para produzir os resultados que desejamos.

O mesmo é verdade com exercícios. Se você treinou muito e está sem fôlego, e fica dizendo para si como está cansado, ou quanto você correu, você favorecerá a fisiologia — como sentar-se ou arquejar — que apoia essa comunicação. Se, no entanto — mesmo que esteja sem fôlego —, você conscientemente se levanta bem ereto e faz com que sua respiração fique normal, se sentirá recuperado em questão de momentos.

Assim como mudamos nossas sensações e, assim, nossas ações, mudando nossas representações interiores e fisiologia, também a bioquímica e os processos elétricos de nossos corpos são afetados. Estudos mostram que quando as pessoas ficam deprimidas seus sistemas imunológicos seguem o mesmo comportamento e se tornam menos eficientes: a contagem das células brancas do sangue cai. Você já viu uma fotografia Kirlian de uma pessoa? É a representação da energia bioelétrica do corpo, e ela muda acentuadamente quando a pessoa muda seu estado, ou jeito. Devido à ligação de mente e corpo, em estados intensos todo nosso campo elétrico pode mudar e podemos fazer coisas que de outra forma pareceriam impossíveis. Tudo que experimentei e li diz-me que nossos corpos têm muito menos limites — ambos positivos e negativos — do que somos levados a acreditar.

O Dr. Herbert Benson, que tem escrito muito sobre a relação mente/corpo, conta algumas histórias espantosas do poder do vodu em diferentes partes do mundo. Numa tribo de aborígines australianos, médicos feiticeiros praticam um costume chamado "apontando o osso". Consiste em jogar um encanto mágico tão potente que a vítima sabe, com absoluta certeza, que apanhará alguma doença terrível, e talvez morra. Foi assim que o Dr. Benson descreveu uma dessas ocorrências, em 1925:

"O homem que descobre que está sendo 'ossado' por um inimigo é, em verdade, uma visão lamentável. Ele fica horrorizado, com os olhos fixos no traiçoeiro ponteiro, e suas mãos se levantam como para afastar o meio letal que ele imagina que está entrando em seu corpo. Suas faces empalidecem e seus olhos tornam-se vidrados, e a expressão de seu rosto torna-se horrivelmente distorcida... Ele tenta gritar, mas, em geral, o som morre em sua garganta, e tudo que se pode ver é a espuma em sua boca. O corpo começa a tremer e os músculos se contraem involuntariamente. Ele balança para trás e cai no chão e, pouco tempo depois, parece estar desmaiado; mas, logo depois, estremece como se tivesse em agonia mortal e, cobrindo seu rosto com as mãos, começa a gemer... Sua morte é só uma questão de pouco tempo."

Para você, não sei, mas para mim essa é uma das mais vívidas e apavorantes descrições que já li. Não lhes pedirei que a modelem. Mas é também um dos mais imaginosos exemplos relatados do poder da fisiologia e da crença. Em termos convencionais, nada estava sendo feito contra aquele homem, nada mesmo. Mas o poder de sua própria crença e a força de sua própria fisiologia criaram uma força negativa, terrivelmente potente, que o destruiu por completo!

Esse tipo de experiência se limita às sociedades que consideramos primitivas? Claro que não. Exatamente o mesmo processo acontece à nossa volta todos os dias. O Dr. Benson menciona que o Dr. George L. Engel, do Centro Médico da Universidade de Rochester, organizou um extenso fichário de notas de jornais do mundo inteiro, referentes a mortes súbitas em circunstâncias inesperadas. Em cada caso, não era que alguma coisa horrível estivesse acontecendo no outro lado do mundo. Em vez disso, o acusado era a vítima de suas próprias representações interiores negativas. Em cada caso, alguma coisa fez a vítima sentir-se fraca, desamparada e sozinha. O resultado foi virtualmente o mesmo do ritual aborígine.

O que acho interessante é que parece ter havido mais pesquisa e mais ênfase anedótica sobre o lado prejudicial da relação mente/corpo do que sobre o lado útil. Sempre ouvimos sobre o horrível efeito do estresse ou sobre pessoas que perdem a vontade de viver após a morte de um ente querido. Todos nós parecemos saber que emoções e estados negativos podem literalmente nos matar. Ouvimos menos, todavia, sobre as maneiras como os estados positivos podem nos curar.

Uma das mais famosas histórias deste lado do crédito é a de Norman Cousins. Na sua *Anatomy of an Illness*, ele descreve como conseguiu uma recuperação miraculosa de uma longa e debilitante doença, fazendo seu caminho para a saúde, rindo. Rir era um dos instrumentos que Cousins usava num esforço consciente para mobilizar sua vontade de viver e prosperar. A maior parte de seu tratamento era passar uma boa parte do seu dia imerso em filmes, programas de televisão e livros que o fizessem rir. É óbvio que isso mudou as consistentes representações interiores que fazia, e a risada mudou radicalmente sua fisiologia — e, assim, suas mensagens para o sistema nervoso sobre como devia reagir. Descobriu que se seguiam mudanças imediatas e físicas positivas. Dormia melhor, sua dor se aliviava, sua presença física toda melhorava.

Com o tempo, recuperou-se por completo, apesar de um de seus médicos ter dito, a princípio, que ele tinha uma em quinhentas probabilidades de conseguir recuperação total. Cousins concluiu: "Aprendi a nunca subestimar a capacidade da mente e do corpo humano em regenerar-se — mesmo quando as probabilidades forem as mais remotas. A força da vida talvez seja a menos compreendida das forças da terra."

Alguma pesquisa fascinante que esteja começando a surgir talvez jogue alguma luz sobre a experiência de Cousins e de outros como ele. Os estudos se voltam para a maneira como nossas expressões faciais afetam o modo como nos sentimos e concluem que não é tanto por sorrirmos quando nos sentimos bem ou rirmos quando estamos de bom humor. Antes, sorrir e rir determinam processos biológicos que, de fato, nos fazem sentir bem. Aumentam o fluxo de sangue para o cérebro e mudam o nível de oxigênio, o nível de estímulo dos neurotransmissores. A mesma coisa acontece com outras expressões. Ponha sua expressão facial na fisiologia de medo, raiva, repugnância ou surpresa, e será isso que irá sentir.

> "Nossos corpos são nossos jardins...
> nossas vontades são jardineiros."
>
> — William Shakespeare

Existem cerca de oitenta músculos no rosto, e eles agem como torniquetes, seja para manter o suprimento de sangue estável, enquanto o corpo está experimentando loucas atividades, seja para alterar o suprimento de sangue do cérebro e assim, de uma certa forma, o funcionamento do cérebro. Num famoso documento escrito em 1907, um físico francês, Israel Waynbaum, apresentou a teoria de que as expressões faciais realmente mudam as sensações. Hoje, outros pesquisadores estão descobrindo a mesma coisa. Assim como o Dr. Paul Ekman, professor de psiquiatria na Universidade da Califórnia, em São Francisco, falou ao *Los Angeles Times* (5 de junho de 1985): "Sabemos que se você tem uma emoção, ela se mostra no seu rosto. Agora estamos vendo-a seguir outro caminho, também. Você se torna o que põe em seu rosto... Se você ri no sofrimento, você não está sofrendo no seu interior. Se seu rosto mostra tristeza, você a sente no seu interior." De fato, diz o Dr. Ekman, o mesmo princípio é usado regularmente para repelir os detectores de mentiras. Pessoas que se põem numa fisiologia de crença, mesmo quando estão mentindo descaradamente, registrarão crença.

Tudo isso é como o que eu e outros da comunidade PNL estamos ensinando há anos. Só agora parece que a comunidade científica está verificando o que já achávamos útil. Há muitas outras coisas neste livro que serão confirmadas em anos futuros. Você não precisa, porém, esperar que um pesquisador acadêmico as confirme para você: você pode usá-las de imediato e conseguir os resultados que deseja agora.

Estamos aprendendo tanto sobre as correlações mente/corpo, que algumas pessoas ensinam que tudo o que realmente temos a fazer é cuidar bem de nosso corpo. Se seu corpo está trabalhando em sua máxima capacidade, seu cérebro também trabalhará mais efetivamente. Quanto melhor o modo como usa seu corpo, melhor o cérebro trabalha. Essa é a essência do trabalho de Moshe Feldenkrais, já falecido. Ele usava o movimento para ensinar as pessoas a pensar e a viver. Feldenkrais descobriu que, simplesmente pelo trabalho, num nível cinestésico, você pode mudar sua própria imagem, seu estado e o funcionamento total de seu cérebro. De fato, ele afirmava que a qualidade de sua vida é a qualidade de seu movimento. Seus trabalhos são uma fonte inestimável para criar transformações humanas, por meio da mudança da fisiologia, de maneira específica.

Um importante corolário de fisiologia é a congruência. Se estou lhe dando o que penso ser uma mensagem positiva, mas minha voz é fraca e experimental, a linguagem de meu corpo é desarticulada e desfocada, sou incongruente. A incongruência não me deixa ser tudo que posso ser, de fazer tudo que posso fazer e de criar meu mais forte estado. Dar a si mesmo mensagens contraditórias é uma maneira subliminar de atrair um soco.

Você deve ter tido experiências, quando não acreditou numa pessoa, mas não sabia ao certo por quê. O que a pessoa dizia fazia sentido, mas você — de alguma forma — acabava realmente não acreditando nela. Seu inconsciente captou alguma coisa que seu consciente não captou. Por exemplo, quando você formulou uma pergunta, a pessoa pode ter dito: "Sim", mas, ao mesmo tempo, a cabeça lentamente se movia dizendo não. Ou ela pode ter dito: "Posso resolver isso", mas você notou que seus ombros estavam curvados, seus olhos, baixos, e sua respiração era superficial — e tudo isso falou a seu inconsciente que, na realidade, a pessoa estava dizendo: "Não posso resolver isso." Parte dela queria fazer o que você estava pedindo, e parte não queria. Parte estava confiante, e parte não estava. A incongruência trabalhou contra aquela pessoa, que estava tentando ir em duas direções ao mesmo tempo. Estava representando uma coisa com suas palavras e outra bem diferente com sua fisiologia.

Todos temos experiência do preço da incongruência quando parte de nós realmente quer alguma coisa, mas a outra parte interior parece nos deter. Congruência é força. Pessoas consistentemente bem-sucedidas são aquelas que podem confiar em todos os seus recursos, mentais e físicos, para trabalharem juntos para a realização de uma tarefa. Pare por um momento e pense nas três pessoas mais congruentes que conhece. Agora pense nas três mais incongruentes que conhece. Qual é a diferença entre elas? Como as pessoas congruentes afetam você, pessoalmente, *versus* as que são incongruentes?

Desenvolver congruência é uma das grandes chaves para o poder pessoal. Quando estou comunicando, sou enfático em minhas palavras, em minha voz, em minha respiração, em toda minha fisiologia. Quando meu corpo e minhas palavras combinam, estou fornecendo sinais claros para meu cérebro que é isso que quero produzir. E minha mente reage de acordo.

Se você diz para si mesmo: "Bem, sim, acho que isso é o que eu devia estar fazendo", e sua fisiologia mostra-se fraca e indecisa, que tipo de mensagem seu cérebro recebe? É como tentar ver televisão com um tubo tremulante. Você mal pode ver as imagens. O mesmo acontece com seu cérebro. Se os sinais que seu corpo envia são fracos ou conflitantes, o cérebro não tem um senso claro do que fazer. É como um soldado indo para a batalha com um general que diz: "Bem, talvez devamos tentar isto. Não sei se vai dar certo, mas vamos em frente e veremos o que acontece." Em que espécie de estado isso deixa o soldado?

Se você diz: "Eu com certeza farei aquilo", e sua fisiologia está unificada — isto é, sua postura, sua expressão facial, seu ritmo de respiração, a qualidade de seus gestos e movimentos, e suas palavras e tonalidade estão de acordo —, com certeza você fará. O que nós todos queremos é alcançar os estados congruentes, e o maior passo que você pode dar é ter certeza de estar com a fisiologia firme, decisiva, congruente. Se suas palavras, seu corpo não combinam, você não vai ser totalmente eficaz.

Uma maneira para desenvolver congruência é modelar a fisiologia de pessoas que são congruentes. A essência é descobrir qual parte do cérebro que uma pessoa efetiva usa, numa dada situação. Se você quiser ser efetivo, irá querer usar seu cérebro da mesma maneira. Se você se espelha na fisiologia de alguém com exatidão, atingirá a mesma parte de seu cérebro. Você está agora num estado congruente? Se não estiver, mude para um. Qual é a porcentagem de tempo em que você está em estados incongruentes? Pode ser congruente com mais frequência? Comece a fazer isso hoje. Pare e identifique cinco pessoas que têm fisiologia poderosa, nas quais você gostaria de se espelhar. Como essas fisiologias diferem da sua? Como as pessoas se sentem? Elas se levantam? Elas se movem? Quais são algumas de suas principais expressões faciais e gestos? Pare por um momento e sente-se da maneira como uma dessas pessoas se senta. Faça expressões faciais e gestos similares. Repare como se sente.

Em nossos seminários, temos pessoas que se espelham na fisiologia de outras pessoas e descobrem que têm acesso a um estado similar e conseguem uma sensação similar. Assim, quero que tente um exercício. Você precisa fazê-lo com mais alguém. Faça com que essa pessoa recorde uma lembrança específica intensa e, sem comentar com você a respeito, volte para aquele estado. Agora, quero que você se espelhe nessa pessoa exatamente. Espelhe-se na maneira como ela está sentada, como as pernas estão posicionadas. Espelhe-se na posição dos braços e mãos. Espelhe-se na quantidade de tensão que vê no rosto e no corpo dela. Espelhe-se na posição da cabeça a cada movimento que vê em seus olhos, pernas e pescoço. Espelhe-se em sua boca, na tensão da pele, o tipo de respiração. Tente colocar-se exatamente na mesma fisiologia que ela. Se fizer tudo isso com exatidão, será bem-sucedido. Reproduzindo a fisiologia dessa pessoa, você estará provendo seu cérebro com os mesmos sinais que ela está enviando ao dela. Você será capaz de sentir as mesmas sensações ou sensações similares. Muitas vezes você verá a sua versão das imagens que ela está vendo, e terá na mente a sua versão dos pensamentos que ela está pensando.

Após ter feito isso, anote em poucas palavras a descrição do estado em que está — isto é, o que sente, enquanto se espelha na pessoa, exatamente. Agora confira com a pessoa para saber o que ela estava sentindo. Cerca de 80 a 90 por cento das vezes, você terá usado a mesma palavra para descrever o estado em que estava. Há muitas pessoas, em cada seminário, que começam a ver o que a outra pessoa está vendo. Descrevem exatamente onde estava a pessoa ou identificam as pessoas que imaginaram em sua mente. Algumas dessas exatidões desafiam explicações racionais. É quase uma experiência psíquica — só que não há treinamento psíquico. Tudo que fazemos é entregar nossos cérebros às mesmas mensagens da pessoa que estamos espelhando.

Sei que isso parece difícil de acreditar, mas em meus seminários há pessoas que aprenderam que isso pode ser feito após cinco minutos de treino. Não posso garantir que você será bem-sucedido logo na primeira vez, mas, se chegar perto, você se encontrará no mesmo estado de raiva, dor, tristeza, exaltação, alegria ou êxtase que a outra pessoa. No entanto, você não conversou com ela antes, para saber como ela estava se sentindo.

Algumas pesquisas recentes dão apoio científico para isso. Segundo uma reportagem da revista *Omni*, de divulgação científica, dois pesquisadores descobriram que as palavras têm um padrão elétrico característico no cérebro. O neurofisiologista Donald York, do Centro Médico da Universidade de Missouri, e o foniatra de Chicago Tom Jenson descobriram que os mesmos padrões mantêm-se verdadeiros de pessoa para pessoa. Numa experiência, eles até foram capazes de encontrar o mesmo padrão de onda cerebral em pessoas que falavam línguas diferentes. Eles já programaram computadores para reconhecer esses padrões de ondas cerebrais, e assim podem interpretar as palavras na mente de uma pessoa, antes mesmo de serem faladas! Os computadores podem literalmente ler mentes, da mesma forma que podemos quando refletimos a fisiologia com precisão.

Alguns aspectos únicos da fisiologia — olhares especiais, tonalidades de voz ou gestos físicos — podem ser encontrados em pessoas de grande poder, como John F. Kennedy, Martin Luther King Jr. ou Franklin Roosevelt. Se você puder modelar suas fisiologias específicas, terá acesso às mesmas partes ricas de recursos do cérebro e começará a processar informações da maneira que eles fazem. Literalmente, você se sentirá como eles se sentiam. É óbvio que, uma vez que a respiração, o movimento e a tonalidade da voz são fatores críticos para criar estados, as fotos dessas pessoas não fornecem as quantidades específicas de informações que seria desejável. Um filme, ou vídeo, seria ideal. Por um momento, espelhe só suas posturas, expressões faciais e gestos com toda precisão que puder.

Começará a sentir sensações similares. Se você lembrar-se de como soava a voz dessa pessoa, poderá dizer alguma coisa com o mesmo tom de voz.

Note também o nível de congruência que essas pessoas compartilhavam. Suas fisiologias estão passando uma única mensagem, e não mensagens conflitantes. Se você estiver incongruente ao espelhar suas fisiologias, não se sentirá como elas se sentiram, porque não estará enviando as mesmas mensagens para o cérebro. Se, por exemplo, você estiver espelhando a fisiologia e simultaneamente dizendo para si mesmo: "Pareço um tolo", não aproveitará todos os benefícios do espelhamento porque não estará congruente. Seu corpo estará dizendo uma coisa, e sua mente, outra. O poder resulta da entrega de uma mensagem unificada.

Se puder conseguir um teipe de um discurso de Martin Luther King Jr., e falar como ele falava, duplicando sua tonalidade, voz e tempo, você poderá sentir um senso de poder e força como nunca sentiu antes. E uma das grandes vantagens de ler um livro escrito por alguém como John Kennedy, Benjamin Franklin ou Albert Einstein é que você fica num estado similar ao deles. Você começa a pensar como os autores, criando a mesma espécie de representações interiores. Mas, duplicando suas fisiologias, você se sentirá como eles, na carne, e até se comportará como eles.

Gostaria de provar mais de seu poder interior e mágico? Comece conscientemente a modelar a fisiologia de pessoas que respeita ou admira. Começará criando os mesmos estados que elas experimentaram. Muitas vezes, é possível conseguir uma experiência exata. É óbvio que você não quererá modelar a fisiologia de alguém que esteja deprimido. Você quer modelar pessoas que estão num estado poderoso e cheio de recursos, porque duplicá-las lhe dará um novo conjunto de escolhas, um meio de ter acesso a partes de seu cérebro que você pode não ter usado efetivamente no passado.

Num seminário, encontrei um garoto que eu não conseguia entender. Ele estava com a fisiologia com menos recursos que eu já tinha visto, e eu não conseguia colocá-lo num estado mais forte. Soube que tinha tido parte de seu cérebro destruída num acidente. Mas fiz com que agisse "como se" — para modelar e pôr-se numa fisiologia à qual nunca pensou que tivesse acesso. E, modelando-me, seu cérebro começou a trabalhar de uma maneira toda nova. No fim do seminário, as pessoas quase não podiam reconhecê-lo. Estava agindo e se sentindo completamente diferente do que era antes.

Imitando a fisiologia dos outros, começou a experimentar novas escolhas de pensamento, emoção e ação.

Se você for modelar o sistema de crenças, a sintaxe mental e a fisiologia de um corredor de fama mundial, isso significa que você será capaz de correr um quilômetro e meio em menos de quatro minutos, logo após tê-lo modelado? Claro que não. Você não está modelando exatamente a pessoa, porque não desenvolveu as mesmas mensagens congruentes para seu sistema nervoso, como ele o faz por meio da prática consistente. É importante notar que algumas estratégias requerem um nível de desenvolvimento fisiológico ou programação que você ainda não tem. Você pode ter modelado o melhor padeiro do mundo, mas se tentar assar sua receita num forno que só chega aos 180 graus, enquanto o dele vai a cerca de 1.000 graus, você não irá obter o mesmo resultado. No entanto, usando sua receita, você pode maximizar o resultado que consegue, mesmo com seu forno. E se modelar a maneira como ele há anos usa o seu forno, para aumentar o rendimento, você pode criar o mesmo resultado se quiser pagar o preço. A fim de aumentar sua habilidade em produzir resultados modelando estratégias, você pode precisar investir algum tempo aumentando o poder de seu forno. É uma coisa da qual falaremos um pouco, no próximo capítulo.

Ser atento à fisiologia cria escolhas. Por que as pessoas consomem drogas, bebem álcool, fumam cigarros e comem demais? Não são tentativas indiretas para mudar o estado, mudando a fisiologia?

Este capítulo forneceu-lhe as abordagens diretas para mudar, rapidamente, os estados. Pela respiração ou pelo movimento do corpo, pelos músculos faciais de uma forma nova, você muda imediatamente seu estado. Produzirá os mesmos resultados que comida, álcool ou drogas, sem os efeitos prejudiciais para seu corpo ou sua psique. Lembre-se: em qualquer laço cibernético, o indivíduo que tem a maior escolha está no controle. Em qualquer esquema, o aspecto mais crítico é a flexibilidade. Se todas as outras coisas forem iguais, o sistema com a maior flexibilidade tem mais escolhas e mais habilidades para dirigir outros aspectos do sistema. O mesmo acontece com pessoas. As pessoas com mais escolhas são as mais encarregadas. A modelagem diz respeito a criar possibilidades. E não há maneira mais rápida, mais dinâmica, do que por meio da fisiologia.

A próxima vez que vir alguém extremamente bem-sucedido, alguém que você admire e respeite, imite seus gestos, sinta a diferença e aproveite a mudança dos padrões de pensamento. Brinque. Experimente. Novas escolhas o aguardam! Agora, olhemos um outro aspecto da fisiologia — os alimentos que comemos, a maneira como respiramos e os nutrientes de que nos suprimos. Falaremos sobre isso no próximo capítulo.

CAPÍTULO 10

ENERGIA: O COMBUSTÍVEL DA EXCELÊNCIA

"A saúde do povo é realmente a fundação da qual dependem toda a sua felicidade e todos os seus poderes como um Estado."

— Benjamin Disraeli

Vimos que a fisiologia é a avenida da excelência. Uma maneira de afetar a fisiologia é mudar o modo como você usa seu sistema muscular — você pode mudar sua postura, suas expressões faciais e sua respiração. Tudo sobre o que falo neste livro depende de um nível saudável de funcionamento bioquímico. Presume-se que você esteja purificando e nutrindo seu corpo, e não o obstruindo e envenenando-o. Neste capítulo, você olhará os suportes da fisiologia — o que você come e bebe, e como você respira.

Eu chamo a energia de "o combustível da excelência". Você pode mudar suas representações interiores durante todo o dia, mas se sua bioquímica estiver confusa, fará o cérebro criar representações distorcidas. Irá jogar fora todo o sistema. De fato, é altamente improvável até mesmo que você se sinta a fim de usar o que aprendeu. Você pode ter o mais lindo carro de corrida do mundo, mas se tentar fazê-lo andar com cerveja ele não funcionará. Você pode ter o carro e o combustível certos, mas se as velas de ignição não estiverem faiscando corretamente, não conseguirá um desempenho máximo. Neste capítulo, vou expor alguns pensamentos sobre energia e como fazê-la subir para níveis altos. Quanto mais alto o nível da energia, mais eficiente seu corpo. E quanto mais eficiente seu corpo, melhor você se sentirá e melhor usará seu talento para produzir resultados relevantes.

Por minha própria experiência, sei da importância da energia e da magia que a abundância dela pode liberar. Eu pesava 124 quilos. Agora peso 109. Antes, eu não estava exatamente procurando por todas as maneiras que pudessem fazer minha vida funcionar. Minha fisiologia não me ajudava a produzir resultados relevantes. O que eu pudesse aprender, fazer e criar era secundário, em relação ao que eu podia comer e ver na televisão. Um dia, porém, decidi que estava cansado de viver dessa forma e comecei a estudar sobre o que produzia saúde — então modelei pessoas que a tinham produzido consistentemente em si próprias.

O campo nutricionista era tão contraditório e confuso que eu não sabia o que fazer a princípio. Li um livro, e ele dizia faça isso, isso e isso e você viverá para sempre. Ficava então eufórico, até que lia o livro seguinte, que dizia que se você fizesse todas aquelas coisas, morreria; logo, devia fazer isso, aquilo e isso. E, claro, tão logo eu lia um terceiro livro, ele também contradizia os dois primeiros. Todos os autores eram médicos e, no entanto, não conseguiam concordar nem nos princípios.

Eu não estava procurando credenciais. O que queria eram resultados. Então encontrei pessoas que estavam produzindo resultados em seus corpos, pessoas que eram vibrantes e saudáveis. Descobri o que estavam fazendo — e fiz o mesmo. Compilei tudo que aprendi numa série de compromissos ou princípios para mim, e comecei um programa de 60 dias para ter uma vida saudável. Apliquei esses princípios diariamente e perdi perto de quinze quilos, em pouco mais de trinta dias. Mais importante: descobri por fim uma maneira de viver que estava fora de discussão e não era orientada por uma dieta — uma maneira que respeitava o modo como meu corpo trabalhava.

Compartilhei aqui com você os princípios pelos quais tenho vivido nos últimos cinco anos. No entanto, antes que o faça, darei um exemplo de como transformaram minha fisiologia. Antes, eu precisava de oito horas de sono. Também precisava de três despertadores para me acordar pela manhã — um de alarme, um que ligava o rádio e um que acendia as luzes. Agora, posso dirigir um seminário a noite toda, ir dormir à uma ou duas da manhã e acordar após cinco ou seis horas de sono, sentindo-me absolutamente vibrante, forte e energizado. Se minha corrente sanguínea estivesse poluída, e o nível de minha energia, abalado, estaria tentando fazer o máximo com uma fisiologia limitada. Mas começo com uma fisiologia que me permite mobilizar todas as minhas capacidades físicas e mentais.

Neste capítulo, vou apresentar seis chaves para uma fisiologia poderosa e invencível. Muito do que direi abalará coisas em que você sempre acreditou. Algumas irão contra as noções que você tem agora de boa saúde. Mas esses seis princípios fizeram maravilhas por mim e para as pessoas com quem trabalhei, assim como para centenas de outros que praticam uma ciência de saúde chamada higiene natural. Quero que pensem com cuidado, se eles podem trabalhar por você e se seus hábitos atuais de saúde são a maneira mais efetiva de cuidar de seu corpo. Aplique todos os seis princípios por dez a trinta dias, e julgue sua validade pelos resultados que produzirem em seu corpo, mais do que pelo que possa ter sido educado a acreditar. Entenda como seu corpo trabalha, respeite-o e cuide dele. E ele cuidará de você. Você esteve aprendendo como dirigir seu cérebro. Agora deve aprender a dirigir seu corpo.

Comecemos com a primeira chave para viver com saúde — o poder da respiração. A base da saúde é uma corrente sanguínea saudável, o sistema que transporta oxigênio e nutrientes para todas as células de seu corpo. Se você tiver um sistema circulatório saudável, viverá uma vida longa e saudável. Esse meio é a corrente sanguínea. Qual é o botão de controle desse sistema? A respiração. É a maneira de oxigenar completamente o corpo e, assim, estimular o processo elétrico de cada célula.

Olhemos mais de perto como o corpo trabalha. A respiração não controla só a oxigenação das células. Controla também o fluxo do fluido linfático, que contém os glóbulos brancos do sangue para proteger seu corpo. O que é o sistema linfático? Algumas pessoas pensam que é o sistema de esgoto do corpo. Cada célula de nosso corpo é cercada por linfa. Você tem quatro vezes mais linfa em seu corpo do que sangue.

Eis como o sistema linfático trabalha. O sangue é bombeado do coração pelas artérias, até os finos e porosos capilares. Ele carrega oxigênio e nutrientes para os capilares que estão difusos dentro desse fluido que circunda as células, chamado linfa. As células, tendo conhecimento ou afinidade com o que precisam, tiram oxigênio e nutrientes necessários para sua saúde e então eliminam as toxinas, algumas das quais voltam para os capilares. Mas as células mortas, proteínas do sangue e outros materiais tóxicos devem ser removidos pelo sistema linfático. E o sistema linfático é ativado por respiração profunda.

As células do corpo dependem do sistema linfático, como único meio de drenar os muitos materiais tóxicos e o excesso de fluido, que restringem a quantidade de oxigênio. O fluido passa pelos nódulos linfáticos, onde as células mortas e outros venenos, exceto as proteínas do sangue, são neutralizados e destruídos. Qual é a importância do sistema linfático? Se ficasse paralisado por vinte e quatro horas, você morreria com as proteínas do sangue que ficariam presas e o excesso de fluido em volta das células.

A corrente sanguínea tem uma bomba: seu coração. Mas o sistema linfático não tem. A única maneira de a linfa mover-se é pela respiração profunda e pelo movimento muscular. Assim, se você quiser ter uma corrente sanguínea saudável com sistemas linfático e imunológico eficientes, precisa respirar profundamente e produzir os movimentos que os estimulem. Olhe com reservas para qualquer "programa de saúde" que não o ensine a limpar seu corpo por meio de uma respiração eficiente.

O Dr. Jack Shields, linfologista muito conceituado de Santa Bárbara, Califórnia, conduziu um estudo interessante sobre o sistema imunológico. Colocou câmeras dentro do corpo de pessoas para ver o que estimulava a purificação do sistema linfático. Descobriu que uma profunda respiração diafragmática é a mais efetiva maneira para se conseguir isso. Essa respiração cria algo como um vácuo que aspira linfa, pela corrente sanguínea, e multiplica o espaço no qual o corpo elimina toxinas. Na verdade, a respiração profunda e o exercício podem acelerar esse processo em até quinze vezes.

Se você não aproveitar mais nada deste capítulo a não ser o entendimento de uma respiração profunda, poderá aumentar em muito o nível de saúde de seu corpo. Essa é a razão por que sistemas de saúde, como a ioga, dão tanta atenção à respiração saudável. Não há nada como isso para limpar seu corpo.

Não é preciso muito bom senso para perceber que de todos os elementos necessários para uma boa saúde o mais importante é o oxigênio. Mas é fundamental anotar como ele é importante. O Dr. Otto Warburg, ganhador do prêmio Nobel e diretor do Max Planck Institute for Cell Physiology, estudou o efeito do oxigênio nas células. Ele foi capaz de transformar células normais e saudáveis em células doentes, simplesmente reduzindo a quantidade de oxigênio disponível para elas. Seu trabalho foi continuado nos Estados Unidos pelo Dr. Harry Goldblatt. No *Journal of Experimental Medicine* (1953), Goldblatt descreveu as experiências que realizou com uma espécie de ratos, em relação à qual não constavam registros de doenças celulares. Pegou células de ratos recém-nascidos e dividiu-as em três grupos. Colocou um deles numa redoma, tirando o oxigênio durante até trinta minutos de cada vez. Como o Dr. Warburg, o Dr. Goldblatt descobriu que, após poucas semanas, muitas das células tinham morrido; os movimentos de outras eram lentos, e outras, ainda, começaram a mudar suas estruturas tomando a aparência de células malignas. Os outros dois grupos de células foram mantidos em redomas, cujo conteúdo de oxigênio era consistentemente mantido em concentrações atmosféricas.

Após trinta dias, o Dr. Goldblatt injetou os três grupos de células em três grupos separados de ratos. Depois de duas semanas, quando as células tinham sido reabsorvidas pelos animais, nada aconteceu com os dois grupos normais. No entanto, *todos* os ratos do terceiro grupo — aqueles cujas células tinham sido periodicamente privadas de oxigênio — desenvolveram crescimentos anormais. Esse trabalho continuou por um ano. As evoluções malignas permaneceram malignas, e as células normais permaneceram normais.

O que isso nos diz? Os pesquisadores concluíram que a falta de oxigênio parece desempenhar um papel importante, fazendo com que células se tornem malignas ou cancerosas. É certo que afetam a qualidade de vida das células. Lembre-se de que a qualidade de sua saúde é na verdade a qualidade de vida de suas células. Assim, oxigenar completamente seu sistema parece ser a prioridade número um, e respirar com eficácia é, por certo, por onde começar.

O problema é que a maioria das pessoas não sabe como respirar. Um de cada três norte-americanos tem câncer. No entanto, os atletas apresentam, em média, só um caso de câncer para cada sete. Por quê? Estes estudos começaram a nos dar explicações. Os atletas dão à sua corrente sanguínea o seu mais importante e vital elemento — oxigênio. Outra explicação é que os atletas estimulam o sistema imunológico de seus corpos a trabalharem em níveis máximos ao estimularem o movimento da linfa.

Deixe-me compartilhar com você a maneira mais eficaz de respirar, a fim de limpar o seu sistema. Você deve respirar nesta proporção: inspire e conte um, segure o ar e conte quatro, expire e conte dois. Se inspirar durante quatro segundos, segure o ar durante dezesseis e expire durante oito. Por que expirar no dobro do tempo em que você inspira? Porque é quando você elimina toxinas pelo seu sistema linfático. Por que segurar o ar durante quatro vezes mais tempo? Porque é quando pode oxigenar completamente o sangue e ativar seu sistema linfático. Quando você respira, deve começar bem do fundo do abdome, como um aspirador que esteja retirando todas as toxinas do sistema do sangue.

Após fazer exercício você se sente com muita fome? Quer sentar-se e comer um enorme bife, após correr 6 quilômetros? Sabemos que, na verdade, as pessoas não querem. Por que não? Porque por meio da respiração saudável seu corpo já está recebendo o que ele mais necessita. Assim, aqui está a primeira chave para uma vida saudável. Pare e respire fundo dez vezes, na proporção citada, pelo menos três vezes ao dia. Qual é a proporção? Inspire e conte um; segure o ar e conte quatro; expire contando dois. Por exemplo: começando pelo abdome, inspire fundo pelo nariz, enquanto conta até sete (ou escolha um número maior ou menor, dependendo de sua capacidade). Prenda a respiração por um tempo quatro vezes maior do que o da inspiração, ou seja 28. Agora, expire lentamente pela boca durante duas vezes o tempo da inspiração, ou seja, 14. Você nunca deve cansar-se. Veja com que números pode começar e, aos poucos, desenvolva maior capacidade pulmonar. Faça três vezes ao dia dez dessas respirações profundas e experimentará uma melhora notável no nível de sua saúde. Não há comida ou vitamina no mundo que possa fazer por você o que um excelente tipo de respiração pode.

O outro componente essencial de uma respiração, sobretudo saudável, é o exercício aeróbico diário (aeróbico significa, literalmente, "exercício com o ar"). Correr faz muito bem, apesar de um pouco cansativo. Natação é excelente. Mas um dos melhores exercícios aeróbicos, em qualquer época, é a cama elástica, fácil de fazer e pouco cansativa.

É importante que o exercício concentrado de cama elástica seja feito sem provocar estresse. Você pode começar devagar e, com cuidado, ir aumentando até poder fazer durante 30 minutos sem dor, estresse ou fadiga. Construa uma fundação sólida antes de começar a saltar ou pular para cima e para baixo. Se executar isso de forma correta, será capaz de respirar profundamente e continuar, até ter uma boa prática. Há muitos livros sobre exercícios em cama elástica e sobre como fortalecer cada órgão do corpo.

A segunda chave é o princípio de comer alimentos ricos em água. Setenta por cento do planeta está coberto por água. Oitenta por cento de seu corpo é feito de água. O que você acha que uma larga porcentagem de sua dieta devia conter? Você precisa estar certo de que setenta por cento de sua dieta é composta de alimentos ricos em água. Isso significa frutas frescas ou vegetais, ou seus sucos recém-preparados.

Algumas pessoas recomendam beber de oito a doze copos de água por dia para "limpar o sistema". Sabe que maluquice é essa? Em primeiro lugar, a maioria de nossa água não é tão boa. É provável que tenha cloro, flúor, minerais e outras substâncias tóxicas. Beber água destilada seria a melhor ideia. Mas, não importa a espécie de água que beba, você não limpará seu sistema afogando-o. A quantidade de água a ser bebida deve ser ditada pela sede.

Em vez de tentar limpar seu sistema afogando-o com água, tudo que você tem a fazer é comer alimentos que sejam naturalmente ricos em água — alimentos que contêm água. Só existem três espécies no planeta: frutas, legumes e brotos. Esses lhe fornecerão abundância de água, a substância que dá vida, que limpa. Quando as pessoas vivem com uma dieta deficiente de alimentos que contêm água, um funcionamento doentio do corpo é quase certo. Como declara o médico Alexander Bryce em *The Laws of Life and Health:* "Quando pouco líquido é fornecido, o sangue mantém um peso específico mais alto e os menores resíduos de tecidos, ou células alteradas, são eliminados só muito imperfeitamente. O corpo é, assim, envenenado pelas próprias excreções, e não é muito dizer-se que a principal razão disso é que não foi fornecida uma quantidade suficiente de fluido para carregar, em solução, a matéria gasta que as células desprendem."

Sua dieta deve assistir de maneira coerente o seu corpo, no processo de limpeza, mais do que sobrecarregá-lo com material comestível indigesto. O acúmulo de resíduos dentro do corpo favorece as doenças. Um modo de manter a corrente sanguínea e o corpo o mais livre possível de resíduos e tóxicos venenosos é limitar a ingestão dos alimentos ou não alimentos que forçam os órgãos de excreção; o outro é fornecer água suficiente ao sistema para ajudar a diluição e eliminação desses resíduos. Continua o Dr. Bryce: "Não há fluido conhecido dos químicos que possa dissolver tantas substâncias sólidas como a água, que é na verdade o solvente universal. Portanto, se quantidades suficientes dela forem fornecidas, o processo todo da nutrição será estimulado, porque o efeito paralisante dos resíduos tóxicos é removido pela sua solução e subsequente excreção pelos rins, pele, intestinos ou pulmões. Se, pelo contrário, permite-se que esses materiais tóxicos se acumulem no corpo, aparecerá toda espécie de doenças."

Por que são as doenças do coração nossos maiores matadores? Por que ouvimos falar de pessoas desmaiando e caindo mortas em quadras de tênis, com apenas 40 anos? Uma razão pode ser que elas passaram a vida obstruindo seus sistemas. Lembre-se: a qualidade de sua vida depende da qualidade da vida de suas células. Se a corrente sanguínea está repleta de resíduos, o ambiente resultante não proporciona uma forte, vibrante e saudável vida para a célula — nem uma bioquímica capaz de criar uma vida emocional equilibrada para um indivíduo.

O Dr. Alexis Carrel, ganhador do prêmio Nobel de Medicina em 1912, e então membro do Rockefeller Institute, começou a provar essa teoria tomando tecido de galinhas (que em condições normais vivem em média 11 anos) e conservando suas células vivas indefinidamente, só mantendo-as livres de seus próprios resíduos e fornecendo-lhes os nutrientes de que precisam. Essas células foram mantidas vivas durante 34 anos, depois dos quais o Rockefeller Institute ficou convencido de que poderiam ser mantidas vivas indefinidamente, decidindo portanto encerrar o experimento.

Qual é a porcentagem de alimentos ricos em água incluídos em sua dieta? Se você fosse fazer uma lista de todas as coisas que ingeriu na semana passada, qual porcentagem seria rica em água? Seria 70 por cento? Duvido. Que tal 50? 25? 15? Quando pergunto isso em meus seminários, em geral, descubro que a maioria das pessoas come cerca de 15 a 20 por cento de alimentos que contêm água. E isso é definitivamente mais alto do que a população, como um todo. Saiba uma coisa: 15 por cento é suicídio. Se não acredita, confira só as estatísticas de câncer e doenças do coração e reveja que espécies de alimentos a Academia Nacional de Ciências recomenda que evite, e a quantidade de água disponível contida naqueles alimentos.

Se olhar para a natureza e vir os maiores e mais fortes animais, descobrirá que são herbívoros. Gorilas, elefantes, rinocerontes e outros, todos comem somente alimentos ricos em água. Os herbívoros vivem mais do que os carnívoros. Pense num abutre. Por que você pensa que ele parece assim? Ele não come alimentos ricos em água. Se você come alguma coisa que é seca e morta, adivinhe com o que você vai ficar parecido... Eu só estou brincando um pouco sobre isso. Uma construção só pode ser tão forte e elegante como seus componentes. A mesma verdade vale para seu corpo. Se você quiser sentir-se bem vivo, então o bom senso diz que coma alimentos ricos em água, vivos. É simplesmente isso. Como pode ter certeza de que 70 por cento de sua dieta consistem em alimentos que contêm água? Na verdade, é muito simples. Tenha certeza, daqui para a frente, de comer saladas em todas as refeições. Faça da fruta o lanche que procura, em vez de uma barra de doce. Sentirá a diferença quando seu corpo funcionar com mais eficiência e, assim, permitir que você se sinta tão grande como você é!

A terceira chave para viver com saúde é o princípio da combinação efetiva de alimentos. Há pouco tempo, um médico chamado Steven Smith celebrou seu centésimo aniversário. Quando lhe perguntaram o que fazia com que vivesse tanto, explicou: "Cuide de seu estômago durante os primeiros 50 anos, e ele cuidará de você nos 50 seguintes." Nunca foram ditas palavras tão verdadeiras.

Grandes cientistas estudaram a combinação de alimentos. O Dr. Herbert Shelton é o mais conhecido. Mas você sabe quem foi o primeiro cientista a estudar o assunto amplamente? Foi o Dr. Ivan Pavlov, o homem mais conhecido pelo seu trabalho inicial sobre estímulo/reação. Algumas pessoas fazem da combinação de alimentos uma coisa muito complicada, mas é muito simples. Alguns alimentos não devem ser ingeridos com outros. Diferentes tipos de alimentos requerem diferentes tipos de sucos digestivos, e nem todos os sucos digestivos são compatíveis.

Por exemplo, você come carne e batata juntas? E queijo e pão, leite e cereais, ou peixe e arroz? E se eu lhe dissesse que essas combinações são totalmente destrutivas para seu sistema interior e que lhe tiram energia? É provável que diga que até aqui o que falei fazia sentido, mas que agora perdi a cabeça.

Deixe-me explicar por que essas combinações são destrutivas e como você pode poupar grandes quantidades de energia nervosa, que pode estar gastando no momento. Diferentes alimentos são digeridos de modos diferentes. Alimentos com amido (arroz, pão, batatas e outros) requerem um meio digestivo alcalino, que a princípio é suprido na boca, pela enzima ptialina. Alimentos proteicos (carne, laticínios, nozes, sementes e semelhantes) requerem um meio ácido para a digestão — ácido hidroclorídrico e pepsina.

Agora, é uma lei da química que dois meios contrários (ácido e alcalino) não podem trabalhar ao mesmo tempo. Um neutraliza o outro. Se você come uma proteína com um amido, a digestão é prejudicada, ou completamente paralisada. Alimentos indigestos tornam-se campo para bactérias, que os fermentam e decompõem, dando início a distúrbios digestivos e gases.

Combinações incompatíveis de alimentos roubam sua energia, e tudo que produz uma perda de energia é potencialmente um produtor de doenças. Cria ácidos em excesso, que causam o espessamento do sangue, que, por isso, flui mais devagar pelo sistema, roubando oxigênio do corpo. Lembra-se como se sentiu depois de ter saído arrastado da ceia de Natal no ano passado? Em que isso contribui para uma boa saúde, para uma corrente sanguínea saudável, para uma fisiologia energética?! Para produzir os resultados que deseja na sua vida? Qual o medicamento mais vendido nos Estados Unidos? Você sabe? Costumava ser o tranquilizante Valium. Agora é Tagamet, uma droga para distúrbios do estômago. Talvez haja uma maneira mais sensata de comer. A combinação de alimentos trata de tudo isso.

Aqui está uma maneira simples para pensar sobre isso. Coma só um alimento condensado por refeição. O que é um alimento condensado? É qualquer alimento que não seja rico em água. Por exemplo, carne-seca é condensado, enquanto uma melancia é rica em água. Algumas pessoas não querem limitar suas quantidades de alimentos condensados; logo, deixe-me dizer-lhe o mínimo que pode fazer. Esteja certo de não comer amido carboidratado e proteína na mesma refeição. Não coma aquela carne e batatas juntas. Se você sente que não pode viver sem ambos, coma um no almoço e o outro no jantar. Não é tão difícil, é? Você pode ir ao mais fino restaurante do mundo e dizer: "Quero meu bife *sem* as batatas assadas, uma salada grande e alguns legumes feitos no vapor." Não há problema: a proteína se misturará com a salada e os legumes, porque são alimentos que contêm água. Você pode também pedir uma batata assada (ou duas) sem o bife e, também, uma grande salada com legumes cozidos no vapor. Você sairá de uma refeição como essa sentindo-se faminto? De jeito nenhum!

Você se levanta cansado de manhã, mesmo após seis, sete ou oito horas de sono? Sabe por quê? Enquanto dorme, seu corpo está fazendo um trabalho extra para digerir as combinações de alimentos incompatíveis que você pôs em seu estômago. Para muitas pessoas, a digestão consome mais energia nervosa do que para outra atividade qualquer. Quando os alimentos não estão apropriadamente combinados no trato digestivo, o tempo que leva para digeri-los pode ser tanto quanto oito, dez, doze ou catorze horas, até mais. Quando os alimentos estão bem combinados, o corpo é capaz de fazer seu trabalho eficazmente, e a digestão dura, em média, três a quatro horas, e assim você não tem de gastar sua energia na digestão. (Após ingerir uma refeição adequadamente combinada, deve-se esperar pelo menos três a quatro horas antes de ingerir qualquer outro alimento. Também é importante anotar que beber às refeições dilui os sucos digestivos e atrasa o processo de digestão.)

Vejamos a quarta chave, a lei do consumo controlado. Você gosta de comer? Eu também. Quer aprender a comer muito? Aqui está: coma pouco. Desse modo, viverá o bastante para comer muito.

Muitos estudos médicos mostraram a mesma coisa. A maneira mais certa de aumentar o período de vida de um animal é cortar a quantidade de alimento que come. O Dr. Clive McCay realizou um famoso estudo na Cornell University. Em seu experimento, pegou ratos de laboratório e reduziu pela metade a alimentação dada a eles. Isso dobrou seu tempo de vida. Um estudo posterior feito pelo Dr. Edward J. Masaro, da Universidade do Texas, foi até mais interessante. Ele trabalhou com três grupos de ratos: um grupo comia quando quisesse; o segundo grupo teve sua alimentação reduzida em 60 por cento; e o terceiro podia comer quanto quisesse, mas suas proteínas foram cortadas pela metade. Quer saber o que aconteceu? Depois de 810 dias, só 13 por cento do primeiro grupo permaneciam vivos. Do segundo grupo, do qual o consumo de alimentos fora reduzido em 60 por cento, 97 por cento ainda estavam vivos. Do terceiro grupo, em que o fornecimento de alimento permanecia alto, mas o consumo de proteínas fora cortado pela metade, 50 por cento ainda estavam vivos.

Há um aviso nisso? O Dr. Ray Walford, famoso pesquisador da Universidade da Califórnia, concluiu: "Subnutrição é, até o momento, o único método que conhecemos que coerentemente retarda o processo de envelhecimento e prolonga ao máximo o tempo de vida de animais de sangue quente. Esses estudos são sem dúvida aplicáveis aos seres humanos porque funcionam em todas as espécies estudadas até agora."* Os estudos mostraram que a deterioração normal do sistema imunológico foi acentuadamente retardada pela restrição de alimento. Assim, o recado é simples e claro: *coma menos, viva mais.* (O momento de comer também é importante. O melhor é não se alimentar imediatamente antes de ir dormir. Um excelente hábito a desenvolver é não comer nada além de frutas depois das 21 horas.)

Sou como você: adoro comer. Isso pode ser uma forma de distração.

---

* Da seção "Informational News", de *Awake* (22/12/1982).

Mas esteja certo de que sua distração não o está matando. Se quiser ingerir grandes quantidades de comida, você pode. É só ter certeza de que sejam alimentos ricos em água. Você pode comer uma quantidade muito maior de salada do que de carne e continuar vibrante e saudável.

A quinta chave do programa para viver com saúde é o princípio do consumo efetivo de frutas. As frutas são o alimento mais perfeito e gastam uma quantidade mínima de energia para serem digeridas, dando ao seu corpo o máximo em retorno. O único alimento que faz seu cérebro trabalhar é a glicose. A fruta é principalmente frutose (que pode ser transformada com facilidade em glicose), e na maioria das vezes 90 a 95 por cento de água. Isso significa que ela está limpando e alimentando ao mesmo tempo.

O único problema com as frutas é que a maioria das pessoas não sabe como comê-las de forma a permitir que o corpo use efetivamente seus nutrientes. Deve-se sempre comer frutas com o estômago vazio. Por quê? A razão é que as frutas não são, em princípio, digeridas no estômago: são digeridas no intestino delgado. As frutas são destinadas a passarem rapidamente pelo estômago, indo depois para o intestino, onde liberam seus açúcares. Mas se houver carne, batatas ou amidos no estômago, as frutas ficam presas lá e começam a fermentar. Você já comeu alguma fruta de sobremesa, após uma lauta refeição, e passou o resto da noite arrotando aquele desconfortável sabor restante? É porque você não a comeu da maneira adequada. Você deve sempre comer frutas com o estômago vazio.

A melhor espécie de fruta é a fresca ou o suco feito na hora. Você não deve beber suco direto da lata ou do recipiente de vidro. Por que não? A maioria das vezes o suco foi aquecido no processo de vedação e sua estrutura tornou-se acidífera. Quer fazer a mais valiosa compra que possa? Compre uma centrífuga. Você tem um carro? Venda-o e compre uma centrífuga. Ela levará você muito mais longe. Ou simplesmente, compre a centrífuga agora! Você pode ingerir o suco extraído na centrífuga como se fosse a fruta, com o estômago vazio. E o suco é digerido tão depressa que você pode comer uma refeição quinze ou vinte minutos mais tarde.

Isso não sou só eu quem diz. O Dr. William Castillo, chefe da famosa clínica cardiológica Framington, em Massachusetts, declarou que as frutas são o melhor alimento que podemos comer para nos proteger contra doenças do coração. Disse que elas contêm bioflavonoides, que evitam que o sangue se espesse e obstrua as artérias. Também fortalecem os capilares, e capilares fracos quase sempre provocam sangramentos internos e ataques cardíacos.

TABELA DE COMBINAÇÃO DE ALIMENTOS PARA A DIGESTÃO COMPLETA E EFICIENTE

Esta tabela mostra como alimentos frescos e vitais propriamente combinados favorecerão uma ótima digestão energizando e fortalecendo o corpo.

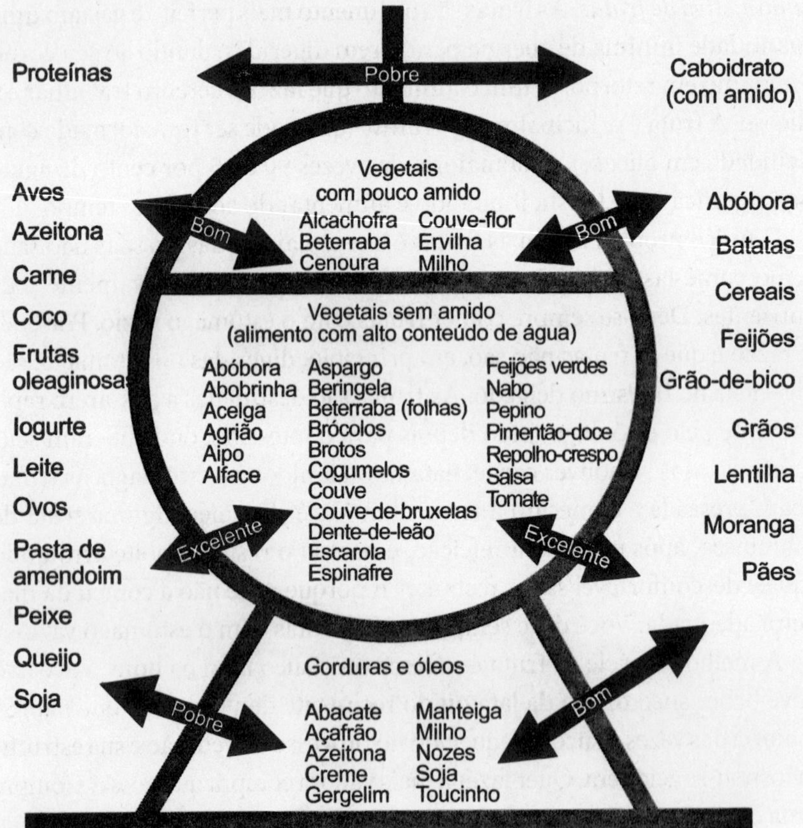

Frutas: FRUTA É O ALIMENTO MAIS RICO EM ÁGUA.
EVITE COMER FRUTAS JUNTO COM QUALQUER OUTRO ALIMENTO.

Alimentos com substância irritante (use com moderação):
alho, alho-poró, cebola, cebolinha e rabanete.

1. Alimentos dos grupos das proteínas e carboidratos nunca devem ser combinados.
2. Uma salada de folhas verdes pode ser comida com qualquer proteína, carboidrato ou gordura.
3. Gorduras inibem a digestão das proteínas. Se você for comer gordura com uma proteína coma uma salada mista. Ela compensará o efeito inibidor da digestão.
4. Nunca tome líquido durante as refeições nem imediatamente depois.

Há pouco tempo, conversei com um corredor de maratona, num dos seminários de saúde que promovo. Ele era bastante cético quanto à natureza, mas concordou em fazer uso correto de frutas em sua dieta. Sabe o que aconteceu? Diminuiu 9,5 minutos de seu tempo de maratona. Cortou seu tempo de recuperação pela metade, e qualificou-se para a Maratona de Boston, pela primeira vez na vida.

Agora, uma coisa final que gostaria que mantivesse em sua mente sobre frutas. Como deve começar o dia? O que deve comer no café da manhã? Você acha que é uma boa ideia pular da cama e encher seu sistema com um grande monte de alimentos, que levará o dia inteiro para digerir? Claro que não.

O que você quer é alguma coisa que seja fácil de digerir, frutas que o corpo pode usar de imediato e que ajudam a limpar o corpo. Quando levantar-se, e por tanto tempo durante o dia quanto for confortavelmente possível, coma só frutas frescas e sucos feitos na hora. Mantenha esse esquema até pelo menos meio-dia, diariamente. Quanto mais tempo ficar só com frutas em seu corpo, maior oportunidade de ele limpar-se. Se você começar a se afastar do café e os outros lixos com que costuma encher seu corpo no começo do dia, sentirá uma nova torrente de vitalidade e energia, tão intensa que você mal acreditará. Tente durante os próximos dez dias e veja por si mesmo.

A sexta chave para viver com saúde é o mito da proteína. Já ouviu dizer que quando se conta uma mentira muito grande, em voz muito alta e muitas vezes, mais cedo ou mais tarde as pessoas acabam acreditando nela? Bem--vindo ao maravilhoso mundo da proteína. Nunca foi dita mentira maior do que essa de que o ser humano precisa de uma dieta rica em proteínas para manter uma ótima saúde e bem-estar.

É bem provável que você esteja muito consciente sobre quanto ingere de proteínas. Por que isso? Algumas pessoas estão tentando um aumento do nível de energia. Algumas pensam que precisam de proteína para aumentar a resistência. Algumas comem-na para ter ossos fortes. Mas, em cada um desses casos, o excesso de proteína produz efeito exatamente oposto.

Procuremos um modelo de quanta proteína você deve realmente precisar. Quando é que você imagina que as pessoas precisam mais de proteínas? Provavelmente quando são crianças pequenas. A Mãe Natureza providenciou um alimento, o leite materno, que fornece à criança tudo que ela precisa. Adivinhe quanta proteína tem o leite materno — 50 por cento,

25 por cento, 10 por cento? Menos! O leite materno tem 2,38 por cento de proteína logo após o parto, que se reduz para 1,2; 1,6 por cento, em seis meses. Isso é tudo. Então, de onde tiramos a ideia de que os seres humanos precisam de doses maciças de proteínas?

Ninguém realmente tem nenhuma ideia de quanta proteína precisamos. Após dez anos estudando as necessidades humanas de ingestão de proteínas, o Dr. Mark Hegstead, antigo professor de nutrição da Harvard Medical School, confirmou o fato de que a maioria dos seres humanos parece adaptar-se a qualquer quantidade de proteína que esteja disponível para eles. Além do mais, mesmo pessoas como Frances Lappé, que escreveu *Diet for a Small Planet*, e que por quase uma década promoveu o conceito de combinar vegetais para conseguir todos os aminoácidos essenciais, dizem que estavam erradas, que as pessoas não têm de combinar suas proteínas, que se você fizer uma dieta vegetariana convenientemente balanceada, conseguirá toda a proteína de que necessita. A Academia Nacional de Ciências diz que o norte-americano adulto precisa de 56 gramas de proteína por dia. Num relatório da União Internacional de Ciências da Nutrição, descobrimos que cada país tem diferentes exigências de proteínas diárias para o adulto, que variam de 39 a 110 gramas por dia. Assim, quem realmente tem alguma ideia? Por que você precisaria de toda essa proteína? Presume-se que seja para repor o que perdeu. Mas você perde só uma pequena quantidade por dia, por meio da excreção e da respiração! Então, onde eles conseguiram esses valores?!

Procuramos a Academia Nacional de Ciências e perguntamos como chegaram ao valor de 56 gramas. De fato, os relatórios deles diziam que só precisamos de 30, mas recomendavam 56. Mas eles também afirmam que o excesso de proteína ingerida sobrecarrega o trato urinário e causa fadiga. Por que, então, recomendam até mais do que dizem que precisamos? Ainda estamos aguardando uma boa resposta. Disseram-nos simplesmente que costumavam recomendar 80 gramas, mas, quando decidiram baixar, depararam com um grande protesto público. De quem? Você ou eu fomos reclamar? Não é provável. O grito de protesto veio dos interesses de industriais que ganham seu sustento com a venda de alimentos e produtos altamente proteínicos.

Qual é o maior plano de comercialização na terra? É fazer as pessoas pensarem que morrerão, a menos que usem certo produto. E foi isso o que aconteceu com as proteínas. Analisemos o fato corretamente. O que você acha da ideia de que precisa de proteínas como energia? O que é que seu corpo usa como energia? Primeiro, ele usa glicose das frutas, vegetais e brotos. Então usa amido, depois usa gordura. E a última coisa que chega a usar é proteína. Basta, quanto ao mito. E sobre a ideia de que as proteínas ajudam a aumentar a resistência? Errado. Proteína em excesso dá ao corpo nitrogênio em excesso, que causa fadiga. Gente com o corpo modelado, todo estufado de proteínas, não é conhecida por sua habilidade de correr maratonas. Ficam muito cansados. Bem, e quanto à questão das proteínas tornarem os ossos fortes? Errado outra vez. É o contrário. Muita proteína tem estado ligada sempre a osteoporose, degeneração e enfraquecimento dos ossos. Os ossos mais fortes do planeta pertencem aos vegetarianos.

Eu poderia lhe dar uma centena de razões pelas quais comer carne devido às proteínas é uma das piores coisas que pode fazer. Um dos produtos derivados do metabolismo da proteína é a amônia, por exemplo. Deixem-me mencionar dois pontos em particular. Primeiro, a carne contém altos níveis de ácido úrico, que é um dos resíduos ou produtos excretórios resultantes do trabalho das células vivas. Os rins extraem ácido úrico da corrente sanguínea e enviam-no para a bexiga para ser passado com a ureia, como urina. Se o ácido úrico não for pronta e seguramente removido do sangue, o excesso se acumula nos tecidos do corpo, para mais tarde provocar gota ou pedras na bexiga, sem mencionar o que ele faz para seus rins. Descobriu-se que as pessoas com leucemia, em geral, têm níveis muito altos de ácido úrico na corrente sanguínea. Um pedaço médio de carne tem 907,2 mg de ácido úrico. Seu corpo só consegue eliminar 518,4 mg de ácido úrico por dia. De mais a mais, você sabe o que dá à carne seu sabor? O ácido úrico do animal, que agora está morto, e que você está consumindo. Se duvidar disso, tente comer carne à moda *kosher* (ortodoxa judaica), antes de ser temperada. O sangue é drenado e, assim, a maior parte do ácido úrico. Carne sem ácido úrico não tem sabor. É isso que você quer pôr em seu corpo, o ácido normalmente eliminado na urina de um animal?!

A carne está fervilhante de bactérias de putrefação. Se você não sabe o que são bactérias de putrefação, elas são germes do cólon. Como explicou o Dr. Milton Hoffman em seu livro *The Missing Link in the Medical Curriculum Which is Food Chemistry in Its Relationship to Body Chemistry*; página 135: "Quando o animal está vivo, o processo osmótico no cólon evita que as bactérias da putrefação passem para ele. Quando o animal está morto, o processo osmótico para e as bactérias da putrefação atravessam as paredes do cólon e entram na carne. Elas amaciam a carne." Você sabe que a carne tem de envelhecer. O que envelhece ou amacia a carne são as bactérias de putrefação.

Segundo técnicos abalizados, as bactérias nas carnes são idênticas àquelas do esterco e mais numerosas em algumas carnes do que no esterco. Todas as carnes tornam-se infectadas com germes de esterco no processo de matança, e o número aumenta quanto mais tempo a carne for mantida armazenada.

É isso que você queria comer?

Se você precisa mesmo comer carne, então proceda assim: primeiro, consiga-a de uma fonte que garanta que o pasto é natural, isto é, uma fonte que garanta que não houve hormônios de crescimento ou DES. Segundo, corte drasticamente o seu consumo. Faça seu novo programa: usar carne só numa refeição por dia.

Não estou dizendo que simplesmente deixando de comer carne você ficará saudável, nem estou dizendo que se comer carne não poderá ser saudável. Nenhuma dessas duas declarações seria verdadeira. Muitos comedores de carne são mais saudáveis do que vegetarianos, simplesmente porque alguns vegetarianos têm a tendência de acreditar que, se não comem carne, podem comer qualquer outra coisa. Eu certamente não estou advogando isso.

Mas você deve saber que pode ser mais saudável e mais feliz do que agora, decidindo que não quer mais comer a carne e a pele de outros seres vivos. Você sabe o que Pitágoras, Sócrates, Platão, Aristóteles, Leonardo da Vinci, Isaac Newton, Voltaire, Henry David Thoreau, George Bernard Shaw, Benjamin Franklin, Thomas Edison, o Dr. Albert Schweitzer e Mahatma Gandhi tinham em comum? Todos eles eram vegetarianos. Um grupo nada mau para ser modelado, não acham?...

São os laticínios melhores? De algumas formas, são até piores. Todo animal tem leite com o equilíbrio certo de elementos para esse animal. Muitos problemas podem surgir se bebermos leite de outros animais, incluindo o de vaca. Por exemplo: os fortes hormônios de crescimento, no leite das vacas, destinam-se a fazer um bezerro crescer de 40 quilos ao nascer até quase 450 quilos na maturidade física, dois anos mais tarde. Em comparação, uma criança humana nasce com cerca de 2.800 a 3.500 gramas e atinge a maturidade física com 46 a 90 quilos, 21 anos mais tarde. Há uma grande controvérsia sobre o efeito que isso tem em nossa população. O Dr. William Ellis, grande autoridade em produtos laticínios e em como eles afetam a corrente sanguínea humana, declara que se você quiser alergias, beba leite. Se quiser um sistema "entupido", beba leite. A razão, declara ele, é que poucos adultos podem metabolizar adequadamente a proteína do leite da vaca. A principal proteína no leite de vaca é a caseína, que é o que o metabolismo da vaca precisa para uma boa saúde. No entanto, caseína não é o que os humanos precisam. De acordo com os estudos do Dr. Ellis, tanto as crianças como os adultos têm grande dificuldade em digerir a caseína. Seus estudos agora mostram que, pelo menos em crianças, 50 por cento ou mais da caseína não são digeridos. Essas proteínas parcialmente digeridas com frequência entram na corrente sanguínea e irritam os tecidos, criando suscetibilidade às alergias. Por fim o fígado tem de remover todas essas proteínas de vaca parcialmente digeridas, e isso — em compensação — coloca uma desnecessária carga no sistema excretório interno e no fígado em particular. Em contraste, a lactoalbumina, a proteína básica no leite humano, é fácil para os seres humanos digerirem. Quanto a beber leite por causa do cálcio, o Dr. Ellis declara que, após fazer testes de sangue em cerca de 25.000 pessoas, descobriu que aqueles que tomam três, quatro ou cinco copos de leite por dia têm o mais baixo nível de cálcio no sangue.

Ainda de acordo com o Dr. Ellis, se você estiver preocupado em obter cálcio suficiente, simplesmente coma muitos vegetais verdes, manteiga de gergelim, ou nozes — todos são muito ricos em cálcio e de fácil digestão. Também é importante notar que se você consome cálcio em excesso, ele pode acumular-se em seus rins e formar pedras. Assim, para manter suas concentrações no sangue relativamente baixas, seu corpo rejeita cerca de 80 por cento do cálcio que você consome. No entanto, se você estiver interessado, há outras fontes além do leite. Por exemplo, os nabos verdes, peso por peso, contêm duas vezes mais cálcio do que o leite. De acordo com muitos técnicos, os interesses da maioria das pessoas sobre o cálcio são de qualquer forma injustificados. Qual é o principal efeito do leite no corpo? Torna-se uma massa destruidora, formada de muco que endurece, obstrui e gruda em qualquer coisa dentro do intestino delgado, tornando o trabalho do corpo muito mais difícil. E sobre queijos? É só leite concentrado.

Lembre-se, são precisos 14 ou 17,5 litros de leite para fazer meio quilo de queijo. O conteúdo de gordura sozinho já é razão suficiente para limitar seu consumo. Se você deseja mesmo comer queijo, corte uma pequena quantidade numa grande salada. Dessa forma, você tem muitos alimentos ricos em água para contrabalançar alguns de seus efeitos obstruidores. Para alguns, desistir de queijo parece horrível. Sei que gosta de sua pizza e queijo branco. Iogurte? Também é mau. Sorvete? Não é alguma coisa que o sustentará para ficar em ótima forma. Mas você não precisa desistir daquele gosto ou textura maravilhosa. Ponha bananas geladas em uma centrífuga para criar alguma coisa que parece e tem gosto de sorvete, mas é um ótimo alimento para seu corpo. E sobre requeijão? Você sabe com que um grande número de leiterias costumam engrossar seus requeijões e fazer com que se agreguem? Gesso-de-paris (sulfato de cálcio). Não estou brincando. É permitido dentro de regulamentos federais, se bem que seu uso é contra a lei na Califórnia. (No entanto, se o requeijão é fabricado num estado onde é permitido, ele pode ser despachado para a Califórnia e vendido lá.) Você pode se imaginar tentando criar uma corrente sanguínea limpa e livre — e então enchê-la de gesso-de-paris?

Por que não ouvimos essas coisas sobre os laticínios antes? Por muitas razões, algumas delas relacionadas a condicionamentos passados e sistemas de crenças. Outra razão pode ter a ver com o fato de que o governo federal gasta cerca de 2,5 bilhões de dólares por ano para negociar os excedentes de laticínios. De fato, de acordo com o *New York Times* (18/11/83), a mais nova estratégia é uma propaganda do governo para incentivar o consumo adicional dos produtos derivados de leite, apesar de essas medidas se chocarem diretamente com outras campanhas que alertam quanto aos perigos de consumir gordura em excesso. Os depósitos do governo norte-americano estão agora repletos com 650 milhões de quilos de leite em pó, 194 milhões de quilos de manteiga e 450 milhões de quilos de queijo. A propósito, isto não é para ser um ataque à indústria de laticínios. Considero os fazendeiros leiteiros alguns dos indivíduos que trabalham mais arduamente em nossa cultura. Mas isso não significa que continuarei a usar seus produtos se descobrir que não fazem com que me sinta melhor fisicamente.

Eu costumava ser como você deve ser agora. Pizza era minha comida favorita. Não pensava que poderia desistir dela. Mas, desde que consegui, me sinto tão melhor que não há uma chance, nem em um milhão de anos, de que eu volte atrás. Tentar descrever a diferença é como tentar descrever o perfume de uma rosa para alguém que nunca cheirou uma. Talvez você devesse tentar cheirar aquela rosa antes de fazer um julgamento sobre ela. Tente eliminar leite e limitar o consumo de outros laticínios durante trinta dias, avalie pelos resultados que sentir em seu corpo.

A finalidade deste livro todo é dar-lhe informações, a fim de que você decida o que acha útil e jogue fora o que acha que não funciona. No entanto, por que não testar todos os princípios antes de julgá-los? Tente os seis princípios do sistema de viver com saúde. Tente nos próximos dez a trinta dias — ou durante toda a sua vida — e avalie, por si, se eles produzem níveis mais altos de energia e uma sensação de vibração, que o apoiará em tudo que fizer. Deixe-me fazer-lhe uma pequena advertência. Se começar a respirar efetivamente, de uma forma que estimule o sistema linfático, se começar a combinar seus alimentos corretamente e comer 70 por cento de alimentos que contêm água, o que irá acontecer? Lembra-se do que o Dr. Bryce afirmou sobre o poder da água? Você já viu um incêndio começar num edifício com somente umas poucas saídas? Todos se dirigem para as mesmas saídas — nosso corpo trabalha da mesma forma. Começará a limpar o lixo que está sendo ajuntado em seus sistemas durante anos, e ele pode usar essa recém-encontrada energia para fazer isso o mais rápido que puder. Assim, você de repente começa a espirrar e expelir o muco em excesso. Significa que pegou um resfriado? Não, você comeu um "resfriado". Você criou um "resfriado" durante anos de péssimos hábitos alimentares. Seu corpo pode agora ter energia para usar seus órgãos de excreção para se livrar do excesso de resíduos anteriormente acumulados nos tecidos e na corrente sanguínea. Um pequeno número de pessoas pode liberar venenos suficientes de seus tecidos, para a corrente sanguínea, produzindo uma leve dor de cabeça. Devem elas tomar um analgésico? Não! Onde você quer esses venenos, fora ou no seu organismo? Onde você quer o excesso de muco, em seus lenços ou em seus pulmões? É um preço pequeno a pagar pela limpeza de anos de péssimos hábitos de saúde. A maioria das pessoas, porém, não terá nenhuma reação negativa, mas se sentirá com um alto senso de energia e bem-estar.

É claro que o espaço neste livro para discutir dieta é limitado; muitos assuntos (como gorduras e óleos, açúcar, cigarros e outros) foram deixados de lado. Assim, espero que este capítulo o incentive a pesquisar sobre sua própria saúde pessoal.

Lembre-se: a qualidade de nossa fisiologia afeta nossas percepções e comportamentos. A cada dia temos mais provas de que a dieta norte-americana de comidas salgadas, comidas rápidas e aditivos químicos está causando "armadilhas" de perdas no corpo, e essas perdas alteram o nível de oxigenação e energia elétrica do corpo, contribuindo para tudo — do câncer ao crime. Uma das mais terríveis coisas que já li foi a dieta de um delinquente juvenil crônico, recontada por Alexander Schauss, em seu *Diet, Crime and Delinquency.*

No café da manhã, o rapaz ingeria cinco xícaras de Sugar Smacks, com mais meia colher de chá de açúcar, um *doughnut* açucarado e dois copos de leite. Ele lanchava uma "corda" de 30 cm de alcaçuz e 3 tiras de 15 cm de carne-seca. Para o almoço, comia dois hambúrgueres, batatas fritas, mais alcaçuz, um pouco de feijões verdes, e pouca ou nenhuma salada. Lanchava pão branco e leite achocolatado, antes do jantar. Comia um sanduíche de creme de amendoim e geleia em pão branco, uma lata de sopa de tomate e um copo de 280 ml de Kool-Aid adoçado. Mais tarde, tomava uma taça de sorvete, uma barra de Marathon e um pequeno copo d'água.

Quanto mais açúcar um corpo poderia aceitar depois de tudo isso? Qual a porcentagem dos alimentos que comeu que eram ricos em água? Estavam combinados com acerto? Uma sociedade que cria seus jovens com uma dieta que, mesmo de longe, se pareça com essa está pedindo problemas. Você acha que esses "alimentos" afetam a fisiologia dele e, assim, seu estado e comportamento? Pode apostar. Num questionário para relacionar fatos de comportamentos nutricionistas, esse jovem de 14 anos apresentou os seguintes sintomas: "após dormir, eu acordo e não consigo voltar a dormir. Tenho dores de cabeça; tenho coceiras e sensações de formigamento na pele; meu estômago ou intestinos estão atrapalhados; me machuco ou fico com manchas roxas com facilidade; tenho pesadelos ou sonhos ruins; tenho desmaios, tonturas, suores frios ou períodos de fraqueza; fico faminto ou sinto-me desmaiar se não comer com frequência. Sempre esqueço as coisas; acrescento açúcar em quase tudo que como ou bebo; sou muito inquieto; não posso trabalhar sob pressão. Tenho dificuldade para decidir; sinto-me deprimido; frequentemente me preocupo com coisas. Fico confuso. Fico deprimido, ou me sinto triste por qualquer coisa. Aumento as pequenas coisas, e facilmente perco o controle. Fico com medo. Sinto-me muito nervoso. Sou bastante emotivo. Choro sem motivo aparente".

Você se admira que, a partir desse estado, esse jovem criasse comportamentos delinquentes? Felizmente, ele e muitos outros como ele estão agora fazendo mudanças radicais em seus comportamentos, não por estarem sendo punidos com longas sentenças na prisão, mas porque a maior fonte de seus comportamentos, seus estados bioquímicos, está sendo mudada por meio de dieta. O comportamento criminoso não está só "na mente". Variações bioquímicas influenciam o estado e, assim, o comportamento. Em 1952, James Simmons, o deão da Escola de Saúde Pública de Harvard, declarou: "Há uma necessidade especial de uma abordagem nova para a investigação de doenças mentais... É possível que estejamos hoje gastando muito tempo, energia e dinheiro para limparmos os poços da mente, mas poderíamos, com mais sucesso, tentar descobrir e remover as causas específicas biológicas das doenças mentais."*

Sua dieta pode não ter feito de você um criminoso, mas por que não desenvolver um estilo de vida que o apoie totalmente para ficar em sua fisiologia de mais recursos, a maior parte do tempo?

Tenho aproveitado um estilo de vida livre de doenças, durante muitos anos. No entanto, meu irmão mais jovem sempre tem estado cansado e doente durante esse mesmo espaço de tempo. Falei com ele sobre isso em diversas ocasiões e, tendo visto as mudanças em minha saúde nos últimos sete anos, estava querendo fazer uma mudança nele. Mas o inevitável desafio ocorreu quando tentou mudar os padrões de sua dieta. Ele aumentou seus desejos por alimentos menos do que desejáveis.

Pare e pense. Como você adquire um desejo? Bem, primeiro imaginemos que você não tem um desejo: você o cria pela maneira como representa coisas para si. Por certo, muito disso é, em geral, inconsciente. No entanto, para você entrar no estado de sentir um intenso desejo por algum tipo de comida, você tem de criar uma espécie específica de representação interior. Lembre-se, as coisas não acontecem simplesmente. Para cada efeito, há uma causa.

O desejo de meu irmão — ou fetiche, se preferir — era pelo Kentucky Fried Chicken (KFC). Ele passava perto de uma lanchonete dessa rede, e isso logo acionava a lembrança de quando tinha comido daquele frango. Ele imaginava a sensação crocante (cinestésica/submodalidade gustativa) em sua boca, e pensava na quentura e na textura da comida enquanto descia

* Citado em *Diet, Crime and Delinquency*, de Alexander Schauss.

pela sua garganta. Bem, depois de poucos minutos disso, a salada estava mesmo fora de cogitação, e o frango frito dentro! Um dia, logo depois de eu ter descoberto como usar as submodalidades para criar mudanças, ele, por fim, pediu-me que o ajudasse a controlar essa necessidade, que estava sabotando sua dieta e metas de saúde. Pedi-lhe que formasse uma representação interior de comer a especialidade do KFC. Dali a pouco, estava salivando. Então, fiz com que descrevesse as submodalidades visual, auditiva, cinestésica e gustativa de sua representação interna, com detalhes. A imagem estava acima, à direita. Tamanho normal, um filme, focado e em cores. Ele podia ouvir-se dizendo: "Hum, isto é tã-ã-o bom..." enquanto comia. Ele adorava a sensação crocante e quente. Fiz, então, com que representasse a comida que mais odiava, alguma coisa que o punha doente do estômago, só de pensar — cenouras. (Eu sabia disso antes porque cada vez que tomava suco de cenoura ele ficava enjoado.) Fiz com que descrevesse com detalhes as submodalidades das cenouras. Ele não queria nem pensar nelas. Começou a sentir-se nauseado. Afirmou que as cenouras estavam embaixo e à esquerda. Eram escuras, um pouco menores do que as reais, moldura parada e sensação fria. Sua representação auditiva era: "Essas coisas são revoltantes. Não quero ter de comê-las. Eu as detesto!" Suas submodalidades cinestésicas e gustativas eram uma sensação de flacidez (em geral muito cozida), morna, pastosa, gosto de estragado. Disse-lhe que comesse algumas, mentalmente. Começou a se sentir realmente mal, dizendo que não podia. Perguntei: "Se tivesse comido, como seria senti-las descendo pela sua garganta?" Ele disse que estaria pronto para vomitar.

Tendo elicitado, com cuidado, as diferenças entre como ele representava o frango frito e as cenouras, perguntei-lhe se gostaria de trocar as sensações sobre os dois, a fim de apoiar sua alimentação de uma forma que produzisse resultados saudáveis. Ele disse que estava certo, com o tom mais pessimista que ouvira em muitos dias. Assim, fiz com que trocasse todas as submodalidades. Fiz com que tirasse a imagem da galinha e movesse-a para baixo e para o lado esquerdo. Imediatamente houve uma reação de náusea em seu rosto. Fiz com que tornasse a imagem escura e menor do que o tamanho real, pondo-a numa moldura parada, dizendo para si mesmo: "Isso é repugnante. Não quero ter de comê-la. Odeio isso", na tonalidade que antes usara para as cenouras. Fiz com que pegasse a galinha, mentalmente, sentisse como era flácida, provasse a gordura morna, com gosto de podre, pastosa, de dentro dela. Começou a ficar enjoado outra vez. Disse-lhe que comesse um pedaço, e ele disse não. Por quê? Porque agora o pedaço de frango estava enviando a seu cérebro os mesmos sinais que as cenouras costumavam, então ele se sentia do mesmo jeito. Por fim, fiz com que mentalmente pegasse um pedaço de frango, e ele disse: "Acho que vou vomitar."

Peguei então sua representação das cenouras e fiz o contrário. Fiz com que pusesse no alto, do lado direito, fizesse com que ficassem do tamanho normal, de cor brilhante, e dissesse para si: "Hum, isto é tão bom", enquanto as comia, sentindo o calor, a textura crocante. Agora, ele adora cenouras. Naquela noite, fomos jantar, e pela primeira vez na sua vida de adulto, ele pediu cenouras. Não só as apreciou, mas passamos pela lanchonete em questão para chegar lá. Desde então, ele tem mantido essa preferência na dieta.

Em cinco minutos, fui capaz de fazer algo similar com minha esposa, Becky. Fiz com que trocasse suas submodalidades de chocolate — rico, doce, cremoso — com as de uma comida que a fazia sentir-se enjoada, ostras — rastejantes, escorregadias, malcheirosas... Nunca mais tocou em chocolate.

As seis chaves deste capítulo podem ser suas para criar a experiência de saúde que deseja. Durante um momento, imagine-se daqui a um mês, tendo seguido os princípios e conceitos dos quais falamos. Veja a pessoa que será após ter mudado sua bioquímica pela alimentação e respiração efetivas. Que tal começar seu dia fazendo dez respirações profundas, limpas, poderosas que fortalecerão todo seu sistema? E começar cada dia sentindo-se alerta e alegre no controle de seu corpo? E começar comendo, saudavelmente, alimentos limpadores que contêm água e parar de comer carne e laticínios que estão cansando e obstruindo seu sistema? E começar a combinar os alimentos adequadamente, de forma que sua energia fique disponível para as coisas que realmente importam? E ir para a cama todas as noites sentindo que experimentou uma vibração total que lhe permitiu ser tudo que podia? E sentir que está vivendo com saúde — que tem energia como nunca sonhou que fosse possível?

Se você olhar para essa pessoa e gostar do que viu, então tudo que estou lhe oferecendo está facilmente a seu alcance! Só é preciso um pouco de disciplina — não muita, pois, uma vez que quebre seus velhos hábitos, nunca voltará atrás. Para cada esforço disciplinado há múltiplas recompensas. Portanto, se gosta do que viu, faça-o. Comece hoje e mudará sua vida para sempre.

Agora que você sabe como se pôr no melhor estado para conseguir resultados, vamos descobrir...

PARTE 2

A FÓRMULA DO SUCESSO DEFINITIVO

CAPÍTULO 11

LIVRANDO-SE DA LIMITAÇÃO: O QUE VOCÊ QUER?

"Só existe um sucesso — ser capaz
de viver à sua própria maneira."

— Christopher Morley

Na primeira parte deste livro, compartilhei com você o que acredito serem os instrumentos para o poder. Você, agora, tem as técnicas e os critérios que lhe permitirão descobrir como as pessoas produzem resultados e como modelar suas ações a fim de poder produzir resultados similares. Aprendeu como dirigir sua mente e apoiar seu corpo. Você, agora, sabe como alcançar o que quer e como ajudar os outros a alcançarem o que querem.

Isso nos deixa uma questão importante. O que quer você? O que querem as pessoas que ama e com quem se preocupa? A segunda parte deste livro faz essas perguntas, faz essas distinções, e encontra esses caminhos, a fim de que você possa usar suas habilidades das maneiras mais elegantes, efetivas e diretas. Você já sabe como ser um atirador perito. Agora precisa encontrar o alvo certo.

Instrumentos poderosos não são de muita serventia, se você não tiver uma boa ideia de onde quer usá-los. Você pode encontrar a maior motosserra já inventada e entrar na floresta. O que você vai fazer com ela? Se souber quais árvores quer cortar e por quê, está no controle da situação. Se não souber, tem um instrumento fabuloso que não lhe serve para nada.

Coloquei antes que a qualidade de sua vida é a qualidade de suas comunicações. Nesta parte, falarei sobre como aperfeiçoar as práticas de comunicação que lhe permitirão usar suas habilidades da maneira mais efetiva para a situação que se apresentar. É importante ser capaz de mapear uma estratégia, a fim de saber, com precisão, aonde quer ir — e conhecer as coisas que podem ajudá-lo a chegar lá.

Antes de prosseguirmos, vejamos o que já aprendemos até aqui. A coisa mais importante que agora você sabe é que não há limites para o que queira fazer. A sua chave é o poder da modelagem. A excelência pode ser duplicada. Se outras pessoas podem fazer alguma coisa, tudo que você precisa é modelá-las com precisão, e poderá fazer exatamente a mesma coisa, quer seja andar no fogo, ganhar um milhão de dólares ou desenvolver um relacionamento perfeito. Como modelar? Primeiro, você deve compreender que todos os resultados são produzidos por algum conjunto específico de ações. Todo efeito tem uma causa. Se você reproduz exatamente as ações de alguém — tanto interiores como exteriores —, então você também pode produzir o mesmo resultado final. Comece modelando as ações mentais de alguém, partindo de seu sistema de crença, indo para sua sintaxe mental e, finalmente, espelhando sua fisiologia. Faça as três coisas com efetividade e elegância, e poderá fazer de tudo.

Você aprendeu que sucesso ou fracasso começam com crença. Quer você acredite que possa fazer alguma coisa, quer acredite que não possa, você está certo. Mesmo que tenha as técnicas e os recursos para fazer alguma coisa, uma vez que diz para si mesmo que não pode, você fecha os caminhos neurológicos que tornariam isso possível. Se disser para si mesmo que é capaz de fazer alguma coisa, você abre os caminhos que podem fornecer-lhe os recursos para a realização.

Você também aprendeu a fórmula do sucesso definitivo: conhece seus efeitos, desenvolveu perspicácia sensorial para saber o que está conseguindo, desenvolveu flexibilidade para mudar seus comportamentos, até encontrar o que funciona — e alcançará seus efeitos. Se não alcançar, terá fracassado? Claro que não. Como um timoneiro guiando seu barco, você só precisa mudar o comportamento até conseguir o que quer.

Aprendeu sobre o poder de estar num estado rico de recursos e aprendeu como ajustar suas fisiologias e suas representações interiores, de modo a servirem, capacitarem e incentivarem você a realizar seus desejos. Você sabe que, se estiver comprometido com o sucesso, você o criará.

> "As pessoas não são indolentes. Elas simplesmente têm metas impotentes — isto é, metas que não as inspiram."
>
> — Tony Robbins

Um ponto importante, que vale a pena acrescentar, é que há um dinamismo incrível inerente a este processo. Quanto mais recursos você desenvolve, mais poder você tem; quanto mais forte você se sente, mais pode acessar recursos maiores e até entrar em estados mais poderosos.

Há um estado absolutamente fascinante que trata de alguma coisa chamada a "síndrome do centésimo macaco". Em seu livro *Life-Tide*, publicado em 1979, o biologista Lyall Watson conta o que aconteceu num bando de macacos, numa ilha perto do Japão, depois que um novo alimento, batatas-doces, cobertas de areia e recentemente desenterradas, foi introduzido em seu meio. Uma vez que os outros alimentos não requeriam preparo, os macacos estavam relutantes em comer as batatas sujas. Foi então que um macaco resolveu o problema, lavando as batatas num riacho e ensinando a mãe e os companheiros a fazerem o mesmo. Então, algo aconteceu. Uma vez que um certo número de macacos — cerca de cem deles — adquirira esse conhecimento, outros que não tinham contato com eles, mesmo macacos que viviam em outras ilhas, começaram a fazer a mesma coisa. Não havia meio físico pelo qual pudessem ter sido influenciados pelos primeiros macacos. Mas, de alguma forma, o comportamento espalhou-se.

Agora, esse não é caso único. Há numerosos casos em que indivíduos, sem maneira de entrarem em contato com outros, agem de notável acordo. Um físico tem uma ideia e, simultaneamente, três físicos em outros lugares têm a mesma ideia. Como acontece isso? Ninguém sabe com certeza, mas muitos cientistas renomados e pesquisadores de cérebro, tais como o físico David Bohm e o biólogo Rupert Sheldrake, acreditam que há uma consciência coletiva* para a qual todos nós podemos ser atraídos — e que quando nos alinhamos por meio de crença, por meio de foco, por meio de ótima fisiologia, encontramos um caminho para mergulhar nessa consciência coletiva.

Nossos corpos, nossos cérebros e nossos estados são como um diapasão em harmonia com esse nível mais alto da existência. Assim, quanto mais afinado você estiver, mais bem alinhado estará e mais poderá entrar nesse conhecimento e nessa sensação muito ricos. Assim, como as informações filtram nosso inconsciente para nós, podem também filtrar de fora de nós, completamente, para dentro, se estivermos num estado de recursos suficiente para recebê-las.

Parte da chave desse processo é você saber o que quer. A mente inconsciente está sempre procurando informações de forma a nos dirigir para determinadas direções. Mesmo no nível inconsciente, a mente distorce, cancela e generaliza. Assim, antes que a mente possa trabalhar com eficiência, devemos desenvolver nossa percepção dos efeitos que esperamos alcançar. Maxwell Maltz chama a isso "psicocibernética", em seu muito conhecido livro *Liberte sua personalidade*. Quando a mente tem um alvo definido, ela pode focar e dirigir, e reforçar e redirigir, até alcançar a meta pretendida. Se não houver um alvo definido, a energia é dissipada. É como uma pessoa com a melhor motosserra do mundo e que não tem ideia do que está fazendo na floresta.

A diferença na habilidade das pessoas para liberarem todos os seus recursos pessoais é diretamente afetada por suas metas. Um estudo sobre os graduados pela Yale University, de 1953, mostra com clareza esse ponto. Foi perguntado aos graduados entrevistados se tinham suas metas claras e específicas anotadas com um plano para atingi-las. Só 3 por cento tinham tais metas anotadas. Vinte anos mais tarde, em 1973, os pesquisadores voltaram e entrevistaram os membros sobreviventes da turma dos graduados de 1953. Descobriram que os 3 por cento valiam muito mais, em termos salariais, do que os restantes 97 por cento postos juntos. É óbvio que esse estudo só mediu o desenvolvimento financeiro

* Rupert Sheldrake, doutor em Biologia, divulgou suas ideias em *A New Science of Life*. David Bohm, físico especializado em holografia, publicou *A Totalidade e a Ordem Implicada*.

das pessoas. No entanto, os entrevistadores também descobriram que as medidas menos mensuráveis ou mais subjetivas, tais como o nível de felicidade e alegria que os graduados sentiam, também pareciam ser superiores nos 3 por cento que tinham as metas escritas. Esse é o poder de se determinar uma meta.

Neste capítulo, você aprenderá a formular suas metas, sonhos e desejos, como fixar com firmeza em sua mente o que quer e como consegui-lo. Você já tentou fazer um quebra-cabeça sem ter visto a figura que ele representa? É o que acontece quando tenta formar sua vida sem saber seus efeitos. Quando você sabe seus efeitos, fornece a seu cérebro uma figura clara das espécies de informações de alta prioridade de que precisa, das que estão sendo recebidas pelo sistema nervoso. Você fornece as mensagens claras de que ele precisa para ser efetivo.

"A vitória começa pelo princípio."

— Anônimo

Há pessoas — todos nós conhecemos algumas delas — que parecem estar sempre perdidas num nevoeiro de confusão. Vão para um lado, depois para outro. Tentam uma coisa, então mudam para outra. Andam em um caminho e, então, voltam em direção contrária. O problema delas é simples: não sabem o que querem. Você não pode atingir um alvo se não souber qual é.

O que você precisa fazer neste capítulo é sonhar. Mas é muito essencial que o faça de uma maneira totalmente concentrada. Se você só ler este capítulo, não vai lhe adiantar nada. Precisa sentar-se com um lápis e papel — ou um computador — e ver este capítulo como uma oficina de decidir metas, em doze passos.

Acomode-se num lugar onde se sinta bem confortável — uma escrivaninha favorita, uma ensolarada mesa de canto —, algum lugar que considere estimulante. Planeje passar uma hora ou mais aprendendo o que espera ser, fazer, compartilhar, ver e criar. Poderá ser a hora de decidir metas e determinar efeitos. Fará um mapa das estradas que quer percorrer em sua vida. Planejará para onde quer ir e como espera chegar lá.

Deixe-me começar com um aviso importante. Não há necessidade de pôr qualquer limite no que é possível. É claro que isso não significa jogar sua inteligência e bom senso pela janela. Se você tem um metro e meio de altura, não tem sentido decidir que sua meta é ganhar o campeonato de vôlei. Por mais que você tente, isso não acontecerá (a não ser que ande bem em pernas de pau).

Mais importante, você estará desviando suas energias de onde podem ser mais efetivas. Mas quando encara as coisas com inteligência, não há limites para os efeitos possíveis para você. Metas limitadas criam vidas limitadas. Portanto, ao determinar suas metas vá o mais longe que quiser. Você precisa decidir o que quer, porque essa é a única maneira possível de consegui-lo. Siga estas cinco leis ao formular seus objetivos:

1. *Exprima seu objetivo em termos positivos.* Diga o que deseja que aconteça. Muito frequentemente, as pessoas exprimem o que não querem que aconteça como suas metas.
2. *Seja o mais específico possível.* Como parece, soa, sente e cheira o seu objetivo. Use todos os seus sentidos para descrever os resultados que quer. Quanto mais ricas de sentidos forem suas descrições, mais fortalecerão seu cérebro para criar seus desejos.
3. *Tenha um procedimento evidente.* Saiba como você se parecerá, como se sentirá e o que verá e ouvirá em seu mundo exterior, após ter alcançado seu resultado. Se você não sabe como reconhecer quando o tiver alcançado, pode ser até que já o tenha feito. Você pode estar ganhando e sentir-se como se estivesse perdendo, se não mantiver o entusiasmo.
4. *Esteja no controle.* Seu objetivo deve ser iniciado e mantido por você. Não deve depender da mudança de outras pessoas para que você seja feliz.
5. *Verifique que seu objetivo seja ecologicamente sadio e desejável.* Projete no futuro as consequências de sua meta atual. Seu objetivo deve beneficiar você e outras pessoas.

ESTABELECENDO OBJETIVOS COMPONENTES-CHAVE

Específico:	O que exatamente você/nós queremos?
Baseado nos sentidos:	O que você/nós veremos? O que você/nós ouviremos? O que você/nós sentiremos? O que você/nós cheiraremos? O que você/nós saborearemos?
Estado desejado/estado presente:	O que você/nós queremos? O que você/nós ouviremos? O que você/nós sentiremos? O que você/nós cheiraremos? O que você/nós saborearemos?
Procedimento evidente:	Como você/nós saberemos que os objetivos foram alcançados?

Sempre faço em meus seminários uma pergunta que quero fazer agora: O que você faria se soubesse que não poderia fracassar? Se estivesse absolutamente certo do sucesso, que atividades seguiria, que ações faria?

Todos nós temos algumas ideias das coisas que queremos. Algumas são vagas — mais amor, mais dinheiro, mais tempo para aproveitar a vida. No entanto, para dar força aos nossos biocomputadores para que criem um resultado, precisamos nos tornar mais específicos do que um carro novo, uma casa nova, um emprego melhor.

Enquanto organiza sua lista, algumas das coisas que anotará serão aquelas em que tem pensado há anos. Algumas delas você, conscientemente, nunca formulou antes. Mas você precisa decidir, com critério, o que quer, porque o conhecimento do que almeja determina o que conseguirá. Antes que alguma coisa aconteça no mundo exterior, deve primeiro acontecer no mundo interior. Há algo bastante espantoso sobre o que acontece quando você tem uma clara representação interior do que quer. Isso programa sua mente e seu corpo para alcançar aquela meta. Para irmos além de nossas limitações presentes, devemos primeiro ter a experiência mais em nossas mentes — e nossas vidas, então, seguirão.

Deixe-me fornecer-lhe uma metáfora física simples para isso. Tente o seguinte: fique de pé, com os pés ligeiramente separados e apontados para fora. Traga ambos os braços para a frente, levantados de forma a ficarem paralelos ao chão. Agora, vire-se para a esquerda, apontando o dedo o mais afastado que possa, confortavelmente, enquanto vira. Tome nota do lugar onde parou, pelo ponto na parede oposta onde o dedo parou. Então, vire-se de volta, feche os olhos, e, mentalmente, imagine-se virando outra vez, só que desta vez indo mais longe. Agora outra vez, e dessa vez mais longe ainda. Agora abra os olhos, e fisicamente torne a virar. Note o que acontece. Você virou muito mais longe? Claro que sim. Você criou uma nova realidade exterior, ao programar primeiro seu cérebro, para ir além dos limites prévios.

Pense neste capítulo como fazendo o mesmo por sua vida. Você vai agora criar sua vida como a quer. Na vida, normalmente, você só pode ir até um ponto, mas em sua mente vai ter tempo para criar uma realidade maior do que a que já experimentou no passado. Então irá externar essa realidade interior.

1. *Comece fazendo um inventário de seus sonhos, das coisas que quer ter, ser e compartilhar.* Crie as pessoas, sensações e lugares que quer que sejam parte de sua vida. Sente-se agora, pegue papel e comece a escrever. A chave é empenhar-se em manter sua caneta movendo-se sem parar, pelo menos de dez a quinze minutos. Não tente definir agora como irá conseguir esses resultados. Só escreva. Não há limites. Abrevie quando for possível, a fim de logo poder passar para a meta seguinte. Mantenha sua caneta movendo-se o tempo todo. Leve o tempo que precisar para elaborar uma extensa lista de objetivos relacionados com trabalho, família, relacionamentos, estado mental, emocional, social, material e físico; e qualquer outra coisa. Sinta-se como um rei. Lembre-se de que tudo está ao seu alcance. Conhecer o objetivo é a primeira chave para alcançá-lo.

Uma chave para determinar metas é fingir. Deixe sua mente navegar livre. Quaisquer limitações que tenha foram criadas por você. Onde elas existem? Só na sua mente. Assim, sempre que começar a pôr limitações em si mesmo, atire-as fora. Faça isso visualmente. Imagine um lutador atirando seu oponente para fora do ringue, e então, faça a mesma coisa com o que estiver limitando você. Pegue essas crenças limitadoras e jogue-as fora e esteja atento para o sentimento de liberdade que terá quando fizer isso. Este é o Passo 1. Faça sua lista agora!

2. Façamos um segundo exercício. *Veja a lista que fez, estimando o tempo em que espera alcançar esses objetivos*: seis meses, um ano, dois anos, cinco anos, dez anos, vinte anos. Ajuda saber em que tipo de moldura de tempo você está operando. Note como sua lista cresceu. Algumas pessoas descobrem que a lista que fizeram é dominada por coisas que querem hoje. Outras descobrem que seus maiores sonhos estão afastados, no futuro, em algum período imaginado de total realização e desempenho. Se todas as suas metas são a curto prazo, você precisa começar a ter uma visão maior de potencial e possibilidade. Se todas forem a longo prazo, precisa primeiro desenvolver alguns passos que o levarão na direção em que pretende ir. Uma viagem de centenas de quilômetros começa com um só passo. É importante estar atento a ambos, o primeiro e o último passo.

3. Agora quero que tente outra coisa: *Separe as quatro metas mais importantes para você para este ano.* Separe as coisas nas quais esteja mais empenhado, mais entusiasmado, coisas que lhe dariam a maior satisfação. Escreva-as. *Agora* quero que escreva por que as realizará mesmo. Seja claro, conciso e positivo. Diga a si mesmo por que está certo que poderá alcançar esses objetivos, e por que é importante que o faça.

Se puder encontrar razões suficientes para fazer alguma coisa, poderá se pôr a fazer qualquer coisa. Nossa determinação para fazer algo é uma motivação muito mais forte do que o objetivo que procuramos. Jim Rohn, primeiro professor de desenvolvimento pessoal, sempre me ensinou que, se temos razões suficientes, podemos fazer qualquer coisa. Razões são as diferenças entre estar interessado *versus* estar empenhado em realizar alguma coisa. Há muitas coisas na vida que dizemos querer, mas na realidade estamos interessados nelas só durante algum tempo. Devemos estar totalmente empenhados em tudo que for preciso para realizá-las. Se, por exemplo, você só diz que quer ser rico, bem, é uma meta, mas não diz muito a seu cérebro. Se você entende por que quer ser rico, o que estar bem de vida significa para você, estará muito mais motivado para chegar lá. Porque fazer alguma coisa é muito mais importante do que como fazê-la. Se você tem um porquê bastante grande, sempre poderá resolver o como. Se você tem razão suficiente, pode fazer virtualmente qualquer coisa neste mundo.

4. *Agora que você tem uma lista de suas metas principais, reveja-as confrontando-as com as cinco leis para formular objetivos.* Suas metas estão expressas no positivo? Suas sensações são específicas? Têm elas um procedimento evidente? Descreva o que experimentará quando realizá-las. Em termos sensoriais mais claros, o que verá, ouvirá, sentirá e cheirará? Repare também se suas metas serão mantidas. São elas ecológicas e desejáveis para você e os outros? Se violar qualquer dessas condições, mude-as para se tornarem viáveis.

5. *A seguir, faça uma lista dos recursos mais importantes que você tem à sua disposição.* Quando começa a elaboração de um projeto, você precisa saber que ferramentas tem. Para construir uma fortalecedora visão de seu futuro, precisa fazer a mesma coisa. Portanto, faça uma lista do que tem: traços de caráter, amigos, recursos financeiros, educação, tempo, energia e tudo mais. Apresente um inventário de forças, habilidades, recursos e ferramentas.

6. *Quando tiver feito isso, focalize as vezes em que usou alguns desses recursos com maior habilidade.* Faça surgir em sua vida o número de vezes, de três a cinco, em que teve sucesso total. Pense nas vezes em que fez alguma coisa particularmente bem em negócios, esportes, assuntos financeiros ou relacionamentos. Pode ser qualquer coisa, desde um notável ganho na bolsa até um dia maravilhoso com seus filhos. Então anote-as. Descreva o que o fez ser bem-sucedido, de quais qualidades ou recursos fez uso efetivo e o que, sobre essa situação, o fez sentir-se um sucesso.

7. *Depois de ter feito tudo isso, descreva a espécie de pessoa que teria que ser para atingir suas metas.* Será preciso muita disciplina, muita educação? Terá de manejar bem o tempo? Se, por exemplo, quiser ser um líder cívico que realmente se distinga, descreva a espécie de pessoa que é eleita e que realmente tem habilidade para atingir um amplo número de pessoas.

Ouvimos muito sobre sucesso, mas não ouvimos muito sobre os seus componentes, as atitudes, crenças e comportamentos que influem para produzi-lo. Se não tiver um bom domínio dos componentes, poderá achar difícil juntar o todo; portanto, pare agora e escreva alguns parágrafos ou uma página sobre todos os traços de caráter, habilidades, atitudes, crenças e disciplinas que precisaria ter como pessoa para alcançar tudo que deseja. Pense um pouco nisso.

8. *A seguir, em poucos parágrafos, anote o que o impede de ter as coisas que deseja agora.* Uma maneira de superar as limitações que criou é saber exatamente quais são elas. Disseque sua personalidade para ver o que o está impedindo de alcançar o que quer. Você falha ao planejar? Você planeja, mas falha ao agir? Você tenta fazer muitas coisas ao mesmo tempo, ou se fixa tanto numa coisa que não faz mais nada? No passado, imaginou o pior cenário possível e, então, permitiu que essa representação interior evitasse que agisse? Nós todos temos meios de limitar nossas próprias estratégias para o fracasso, mas reconhecendo nossas estratégias limitadoras passadas podemos mudá-las.

Podemos saber o que queremos, por que queremos, quem nos ajudará e uma porção de outras coisas, mas o ingrediente fundamental que no final determina se vamos ser bem-sucedidos realizando nossos objetivos são nossas ações. Para guiar nossas ações, devemos criar um plano passo a passo. Quando constrói uma casa, você só sai e pega uma pilha de madeira, alguns pregos, um martelo, um serrote e então começa a trabalhar? Começa a serrar e martelar para ver o que vai sair daquilo? Isso levaria ao sucesso? É pouco provável. Para construir uma casa precisa-se de um projeto, um plano. Precisa-se de uma sequência e uma estrutura, a fim de que suas ações complementem e reforcem umas as outras. De outra forma, só terá um louco amontoado de tábuas. É o mesmo com sua vida. Portanto, agora você precisa juntar seus próprios projetos para o sucesso.

Quais são as medidas necessárias que deve tomar, consistentemente, para produzir os resultados que deseja? Se não estiver certo, pense em alguém que possa modelar, que já tenha realizado o que deseja. Precisa começar com seus últimos objetivos, então trabalhar para trás, passo a passo. Se um de seus maiores objetivos é tornar-se independente financeiramente, o passo anterior a esse pode ser tornar-se presidente de sua própria companhia. O passo anterior a esse pode ser tornar-se vice-presidente, ou outro cargo importante. Outro passo pode ser encontrar um esperto conselheiro de investimentos e/ou um advogado tributarista para ajudá-lo a gerenciar seu dinheiro. É fundamental que continuem a trabalhar para trás, até encontrar alguma coisa que possa fazer hoje para apoiar a realização daquela meta. Talvez você possa hoje abrir uma poupança ou conseguir um livro que lhe ensine algumas estratégias financeiras de pessoas de sucesso em nossa cultura. Se quiser ser bailarino profissional, o que tem que fazer para alcançar esse objetivo? Quais são os passos principais, e quais são algumas das coisas que pode fazer hoje, amanhã, esta semana, este mês, este ano para produzir os resultados? Se quiser ser o maior compositor do mundo, quais são os passos desse caminho? Trabalhando para trás, passo a passo, em objetivos de qualquer natureza, de negócios à vida pessoal, você pode mapear o caminho correto para seguir de sua meta final até o que pode fazer hoje.

Use a informação do último exercício para guiar o esquema de seus planos. Se não estiver certo de como o plano deve ser, pergunte a si mesmo o que impede que tenha agora o que quer. A resposta a essa pergunta será alguma coisa em que pode trabalhar imediatamente para mudar. A solução desse problema torna-se uma submeta ou degrau para a realização de suas maiores metas.

9. *Aproveite agora para pegar cada uma de suas quatro metas principais e criar seus primeiros esboços de um plano, passo a passo, de como realizá-lo.* Lembre-se de começar com a meta e perguntar-se: "O que teria eu de fazer primeiro para conseguir isso?" Ou: "O que impede que eu tenha isso agora, e o que posso fazer para mudar isso?" Esteja certo de que seus planos incluem alguma coisa que possa fazer hoje.

Até aqui completamos a primeira parte da fórmula do sucesso definitivo. Você conhece com absoluta certeza os seus objetivos. Definiu seus objetivos tanto a curto como a longo prazo, e definiu quais aspectos de sua personalidade o ajudam e quais o impedem de ter o que quer. Agora, quero que comece a desenvolver uma estratégia de como chegar lá.

Qual é o caminho mais certo para conseguir excelência? É modelar alguém que já tenha feito o que você quer fazer.

10. *Portanto, aproxime-se de alguns modelos.* Eles podem ser pessoas de sua vida ou pessoas famosas que conseguiram grande sucesso. Anote os nomes de três a cinco pessoas que conseguiram o que você quer conseguir,

e especifique em poucas palavras as qualidades e comportamentos que as fizeram um sucesso. Feito isso, feche os olhos e imagine por um momento que cada uma dessas pessoas vai lhe dar alguns conselhos sobre a melhor maneira de conseguir suas metas. Anote uma ideia principal que cada uma lhe daria se estivesse falando pessoalmente com você. Talvez seja como evitar um obstáculo, ou romper uma limitação, ou no que deve prestar atenção ou procurar. Imagine que elas estejam conversando com você, e anote rápido debaixo de cada um de seus nomes a primeira ideia que lhe ocorra sobre o que acha que cada uma falaria. Mesmo sem conhecê-las pessoalmente, por meio desse processo elas podem tornar-se excelentes conselheiras no seu futuro.

Adnam Khashoggi modelou Rockefeller. Ele queria ser um rico e bem-sucedido homem de negócios, portanto modelou alguém que tinha feito o que queria fazer. Steven Spielberg modelou pessoas da Universal Studios, mesmo antes de ser contratado. Virtualmente, qualquer pessoa que tenha sido um grande sucesso teve um modelo, ou um mentor ou professor que o guiou na direção certa.

Agora você tem uma clara representação interior de onde quer ir. Pode economizar tempo e energia, e evitar andar pelos caminhos errados, seguindo o exemplo de pessoas que já foram bem-sucedidas. Quais são as pessoas em sua vida que podem servir como modelos? Há recursos em amigos, na família, líderes nacionais, celebridades. Se você não conhece bons modelos deve fazer questão de sair e procurar algum.

O que você tem feito é dar sinais a seu cérebro, formando um padrão claro e conciso de objetivos. Metas são como ímãs: atrairão as coisas que as tornarão verdades. No Capítulo 6, você aprendeu como dirigir seu próprio cérebro, como manipular suas submodalidades para realçar imagens positivas e diminuir o poder das negativas. Apliquemos este conhecimento em suas metas.

Mergulhe em sua história pessoal, num tempo quando era um completo sucesso em alguma coisa. Feche os olhos e forme a imagem mais nítida e brilhante possível dessa realização. Anote onde puseram a imagem, se para a direita ou para a esquerda, em cima, no meio ou embaixo. Outra vez, repare em todas as submodalidades — o tamanho, formato e qualidade de seus movimentos, assim como o tipo de som e sensações interiores que elas criam. Agora, pense nos objetivos que anotou hoje. Imagine uma cena de como seria se conseguisse tudo que anotou hoje. Ponha esta imagem do mesmo lado que a outra e torne-a maior, o mais brilhante, focada e colorida que puder. Repare como se sente. Já se sentirá muito diferente, muito mais certo do sucesso do que quando primeiro formulou seus objetivos.

Se tiver problemas para fazer isso, use o método *swish*, do qual já falamos antes. Movimente a imagem do que quer ser para o outro lado de sua moldura mental. Torne-a desfocada, em preto e branco. Então rapidamente movimente-a para o exato lugar de sua imagem do sucesso, fazendo-a romper qualquer representação de possível fracasso que possa ter percebido. Mova-a de modo que tome todas as qualidades grandes, brilhantes, coloridas, focadas das coisas que já realizou. Você deve fazer esses exercícios progressivamente, para que seu cérebro tenha uma imagem sempre mais nítida, sempre mais intensa daquilo que espera realizar. O cérebro responde mais para repetição e sensações profundas; assim, se puder continuamente experimentar sua vida como a deseja, e se experimentar esta vida com sensações profundas e intensas, estará quase certo de criar o que deseja. Lembre-se: a estrada para o sucesso está sempre em construção.

11. É ótimo ter todos os tipos de metas diferentes. No entanto, o que é ainda melhor é ser capaz de designar o que todas elas juntas significariam para você. *Agora crie seu dia ideal.* Que pessoas estariam envolvidas? O que você faria? Como ele começaria? Aonde você iria? Onde você estaria? Faça isso da hora em que se levanta até a hora de ir dormir. Em que tipo de ambiente você estaria? Como se sentiria quando se deitasse na cama, no fim de um dia perfeito? Use a caneta e papel e descreva-o com detalhes. Lembre-se de que todos os resultados, ações e realidades que experimentamos começam com criações em nossas mentes; portanto, crie seu dia, da maneira como mais o deseja.

12. Algumas vezes esquecemos que os sonhos começam em casa. Esquecemos que o primeiro passo em direção ao sucesso é nos proporcionar uma atmosfera que alimente nossa criatividade, que nos ajude a ser tudo que podemos ser.

Finalmente, esboce seus ambientes perfeitos. Quero que acentue o sentido do lugar. Deixe sua mente andar sem limitações. Qualquer coisa que queira é o que deve colocar lá. Lembre-se de pensar como um rei. Esboce um ambiente que traga para fora tudo o que você tem de melhor como pessoa. Onde estaria você — na floresta, no oceano, num escritório? Que ferramentas teria — um bloco de desenhos, tintas, música, um computador, um telefone? Que pessoas teria à sua volta dando apoio para ter certeza de que realizou e criou tudo que desejava na vida?

Se você não tem uma nítida representação de como seriam seus dias ideais, quais são suas chances de criá-lo? Se não sabe como seria o ambiente ideal, como pode criá-lo? Como vai acertar um alvo se nem mesmo sabe qual é? Lembre-se: o cérebro precisa de sinais nítidos e diretos do que quer realizar. Sua mente tem o poder de lhe dar tudo que queira — mas só pode fazê-lo se estiver recebendo sinais nítidos, brilhantes, intensos e focados.

> "Pensar é o trabalho mais pesado que há, e talvez seja essa a razão para tão poucos se dedicarem a isso."
>
> — Henry Ford

Fazer os exercícios deste capítulo pode ser um dos mais importantes passos a dar na direção da produção daqueles sinais inconfundíveis. Você não pode alcançar seus objetivos se não souber quais são. Se você aprendeu alguma coisa com este capítulo, deve ter sido que: resultados são inevitáveis. Se deseja, outros darão essa programação por você. Se não tiver seus próprios planos, outros farão com que entre em seus planos. Se tudo que fez foi ler este capítulo, perdeu seu tempo. É imperativo que encontre tempo para fazer cada um desses exercícios. Talvez não sejam fáceis no começo, mas, acredite, valem a pena; e quando começar a fazê-los, eles se tornarão cada vez mais divertidos. Uma das razões por que a maioria das pessoas não se dão bem na vida é porque geralmente o sucesso está escondido atrás de trabalho pesado. E uma boa decisão, ou o desenvolvimento de um objetivo, é trabalho pesado. É fácil para as pessoas porem coisas como essa para fora e ficarem presas "tocando" a vida em vez de planejar a vida. Exerça seu poder pessoal agora, e aproveite o tempo para disciplinar-se a fim de completar totalmente esses exercícios. Dizem que há somente duas dores na vida, a dor da disciplina ou a dor do arrependimento, e que a disciplina pesa quilos, enquanto o arrependimento pesa toneladas. Há muito entusiasmo a ser ganho, aplicando-se esses doze princípios. Faça isso por você.

Também é importante rever seus objetivos com regularidade. Algumas vezes nós mudamos, mas nossos objetivos permanecem os mesmos porque nunca paramos para ver se ainda queremos criar as mesmas coisas para nossas vidas. Atualize seus objetivos a cada poucos meses, e então talvez uma vez por ano ou a cada seis meses, de uma maneira sistemática. Uma coisa muito útil é ter um diário que lhe dará o registro de suas metas em qualquer tempo de sua vida. Diários são ótimos para se rever, para estudar como sua vida se desenvolveu e quanto se cresceu. Se vale a pena viver a sua vida, vale a pena registrá-la.

E tudo isso funciona? Pode apostar que sim. Há três anos, sentei-me e planejei meu dia ideal e meu ambiente ideal. No momento estou vivendo ambos.

Naquela época, eu estava vivendo num pequeno lugar em Marina del Rey, Califórnia, mas sabia que queria alguma coisa mais. Portanto, decidi fazer minha própria oficina de determinação de meta. Decidi planejar meu dia perfeito e então programar meu subconsciente para criar aquela vida ideal, experimentando diariamente, em minha imaginação, a minha vida como mais a desejava. Foi assim que comecei. Sabia que queria ter condições de me levantar e ver o oceano pela manhã, e poder dar uma corrida na praia. Eu tinha uma imagem — não era perfeitamente nítida — de um lugar que fosse verde e tivesse praia.

Após ter me exercitado, queria ter um lugar amplo para trabalhar. Eu o via como um local alto e espaçoso. Eu o via com uma forma cilíndrica no segundo ou terceiro andar de minha casa. Queria uma limusine e um motorista. Queria ter um negócio com quatro ou cinco sócios que fossem tão fortes e entusiasmados como eu, sócios com quem pudesse me encontrar e expor novas ideias, regularmente. Sonhei com a mulher ideal para ser minha esposa. Não tinha dinheiro algum, e decidi que queria ser financeiramente independente.

Consegui tudo que programei em minha mente. Tudo que então imaginei, aconteceu. Meu castelo é exatamente a espécie de lugar que imaginei, quando morava em Marina del Rey. Encontrei minha mulher ideal, seis meses após tê-la imaginado, e casei-me com ela dezoito meses depois. Criei um ambiente que alimenta minha criatividade, que sempre aciona meu desejo de ser tudo que posso ser, e que cria para mim uma atitude diária de gratidão. Por quê? Escolhi um alvo, e todos os dias enviava coerentemente a meu cérebro a mensagem nítida, precisa e direta de que essa era minha realidade. Tendo um alvo nítido e preciso, minha poderosa mente inconsciente guiou meus pensamentos e ações para produzir os resultados que eu desejava. Funcionou para mim e pode funcionar para você.

"Não havendo profecia, o povo perece."

— PROVÉRBIOS, 2, 18

Agora, você deve fazer uma última coisa: uma lista das coisas que já tem e que já foram metas — todas as coisas de seu dia ideal que já pode fazer, as atividades e pessoas de sua vida a quem seja mais grato, os recursos que já são possíveis para você. Chamo a isso de gratidão diária. Algumas vezes as pessoas ficam tão obcecadas com o que querem que não conseguem apreciar ou usar aquilo que já têm. O primeiro passo em direção a uma meta é ver o que se tem, agradecer por isso e aplicá-lo nas futuras realizações. Todos temos meios de melhorar nossas vidas a qualquer momento. Para realizar os seus mais loucos sonhos você deve começar hoje, com os passos de todo dia que possam colocá-lo no caminho certo. Shakespeare certa vez escreveu: "Ação é eloquência." Comece hoje com ações convincentes que o levarão a objetivos ainda mais convincentes.

Neste capítulo você viu a importância da precisão ao formular seus objetivos. É a mesma coisa em todas as nossas comunicações conosco e com os outros. Quanto mais precisos nós formos, mais efetivos seremos.

Agora vou compartilhar com você alguns dos meios para realizar essa espécie de precisão.

CAPÍTULO 12

O PODER DA PRECISÃO

"A linguagem humana é como uma chaleira rachada na qual tiramos melodias para ursos dançarem, quando durante o tempo todo estamos querendo comover as estrelas."

— Gustave Flaubert

Pense numa ocasião em que ouviu palavras que pareciam magia. Talvez tenha sido num evento público, como no discurso de Martin Luther King Jr., "Eu tenho um sonho". Talvez fossem as palavras de seu pai, de sua mãe ou de um professor.

Todos nós podemos nos lembrar de momentos quando alguém falou com tanta força, precisão e ressonância que as palavras ficaram conosco para sempre. "A palavra é a mais poderosa droga estimulante usada pela humanidade", disse certa vez Rudyard Kipling. Todos nós podemos nos lembrar de ocasiões em que certas palavras pareceram ter uma qualidade mágica e inebriante.

John Grinder e Richard Bandler estudaram pessoas de sucesso e encontraram muitos atributos comuns. Um dos mais importantes foi a técnica precisa de comunicação. Um diretor tem de dirigir informações para ser bem-sucedido. Bandler e Grinder descobriram que a maioria dos diretores de sucesso pareciam ter um talento para chegar rapidamente ao coração da informação e comunicar aos outros o que tinham aprendido. Tinham tendência a usar frases-chave e palavras que transmitiam suas ideias mais importantes com grande precisão.

Eles também entendiam que não tinham necessidade de saber tudo. Distinguiam entre o que precisavam saber e o que não precisavam, concentrando-se no primeiro. Bandler e Grinder também observaram que eminentes terapeutas como Virginia Satir, Fritz Perls e Milton Erickson usaram algumas das mesmas frases, que muitas vezes lhes permitiram conseguir resultados imediatos com pacientes, em uma ou duas sessões, em vez de um ou dois anos.

Não há nada de surpreendente no que Bandler e Grinder encontraram. Lembre-se: aprendemos que o mapa não é o território. As palavras que usamos para descrever experiências não são as experiências. São apenas a melhor representação verbal que podemos apresentar. Assim, é evidente que uma das medidas do sucesso é como nossas palavras podem transmitir com cuidado e precisão o que queremos, ou seja, quanto nosso mapa pode aproximar-se do território. Assim como nos lembramos das vezes em que palavras nos tocaram como magia, também podemos lembrar as vezes em que nossa comunicação foi inteiramente mal compreendida. Talvez pensássemos que estávamos dizendo uma coisa, mas a outra pessoa entendeu uma mensagem diferente. Portanto, assim como a linguagem exata tem a capacidade de movimentar as pessoas em direções úteis, uma linguagem confusa pode desencaminhá-las. "Se pensamento corrompe linguagem, linguagem também pode corromper pensamento", escreveu George Orwell, cujo livro *1984* é baseado exatamente nesse princípio.

Neste capítulo, vamos conhecer instrumentos que o ajudarão a comunicar-se com mais precisão e eficiência do que já fez até agora. Você vai aprender como guiar outras pessoas em direção ao mesmo objetivo. Há instrumentos verbais simples que qualquer um de nós pode usar para desfazer as inconsequências verbais e distorções nas quais a maioria de nós é envolvida. Palavras podem ser paredes, mas também podem ser pontes. É mais importante usar palavras para unir pessoas do que para separá-las.

Em minhas palestras públicas, digo às pessoas que vou mostrar-lhes como conseguirem o que querem. De fato, digo-lhes que escrevam bem no alto de uma folha de papel: "Como conseguir aquilo que quero." E após passar por uma preparação bastante longa, dou-lhes a fórmula mágica.

Como conseguir aquilo que quero: "Peça", eu digo. E é só.

Estou brincando? Não. Quando digo "Peça", não pretendo que a pessoa se lamente ou implore, ou se queixe ou se rebaixe. Não pretendo que espere que alguém faça seus serviços. O que pretendo é que aprenda a pedir com inteligência e exatidão. Aprenda a pedir de uma forma que a ajude tanto a definir como a realizar seus objetivos. No último capítulo, você começou a aprender a fazer isso, quando formulou os objetivos, metas e atividades específicas que queria alcançar. Agora, você precisa de mais alguns instrumentos verbais específicos. Há cinco diretrizes para pedir com inteligência e exatidão.

1. *Peça especificamente.* Você deve descrever o que quer, tanto para você como para alguém mais. Alto, longe, quanto? Quando, onde, como, com quem? Se seu negócio precisa de um empréstimo, você o conseguirá, se souber como pedir. Não o conseguirá se disser: "Precisamos de mais algum dinheiro para nos expandirmos em uma nova linha de produtos. Por favor, empreste-nos algum." Você deve definir com exatidão o que precisa, por que precisa e quando precisará. Deve ter habilidade para mostrar o que será capaz de produzir com o dinheiro. Em nossos seminários sobre colocação de metas, as pessoas sempre dizem que querem mais dinheiro. Eu lhes entrego algumas moedas. Elas pediram e receberam, mas não pediram com inteligência, portanto não conseguiram o que queriam.

2. *Peça a alguém que possa ajudá-lo.* Não é suficiente pedir especificamente, você deve pedir a alguém que tenha os recursos — o conhecimento, o capital, a sensibilidade ou a experiência de negócios. Digamos que esteja tendo problemas com sua esposa. O relacionamento de vocês está terminando. Você pode abrir seu coração e ser tão específico e honesto quanto for humanamente possível. Mas, se procurou ajuda com alguém que tem um relacionamento tão deplorável como o seu, será bem-sucedido? Claro que não.

Encontrar a pessoa certa para pedir nos traz de volta a importância de aprender como notar o que funciona. Qualquer coisa que você queira — um relacionamento ou um emprego melhor, uma opção mais interessante para investir seu dinheiro — é alguma coisa que alguém tem ou alguma coisa que alguém já fez. A questão é encontrar esse alguém e imaginar o que ele fez direito. Muitos de nós tendemos para uma sabedoria de bar.

Encontramos um ouvinte simpático e esperamos que isso se traduza em resultados. Não acontecerá, a menos que a simpatia seja combinada com habilidade e conhecimento.

3. *Crie valor para a pessoa a quem está pedindo.* Não se limite a pedir e esperar que alguém lhe dê alguma coisa. Primeiro imagine como isso também ajuda o outro. Se teve uma ideia sobre negócios e precisa de dinheiro para concretizá-la, uma maneira de fazer isso é encontrar alguém que possa ajudar e também ter proveito. Mostre-lhe como sua ideia pode render dinheiro para você e para essa pessoa. Criar valor não precisa sempre ser tão tangível. O valor que você cria pode ser só uma sensação, ou uma satisfação íntima ou uma esperança plausível. Se você viesse a mim e dissesse que precisa de dez mil dólares, provavelmente eu diria: "Uma porção de outras pessoas também." Se você dissesse que precisa do dinheiro para fazer uma mudança na vida das pessoas, eu poderia começar a escutar. Se especificamente me mostrasse como queria ajudar os outros e criasse valores para eles e para si, eu poderia ver como, ajudando-o, poderia criar valores para mim também.

4. *Peça com crença concentrada, coerente.* A maneira mais segura de fracassar é transmitir ambivalência. Se você não está convencido sobre o que está pedindo, como pode alguém mais estar? Portanto, quando pedir, faça-o com absoluta convicção. Expresse isso em suas palavras e sua fisiologia. Seja capaz de mostrar que está certo do que quer, de que está certo que será bem-sucedido e de que criará valores, não só para si mas também para a pessoa a quem está pedindo.

Algumas vezes as pessoas executam as quatro diretrizes com perfeição. Pedem especificamente. Pedem a alguém que pode ajudá-las. Criam valores para a pessoa a quem estão pedindo. Pedem coerentemente. E, mesmo depois disso tudo, não conseguem o que querem. A razão é que não seguiram a quinta diretriz. Elas não "pediram até". Esta é a quinta e a mais importante parte de pedir com inteligência.

5. *Peça até conseguir o que quer.* Isso não significa pedir à mesma pessoa. Não significa pedir precisamente da mesma maneira. Lembre-se, a fórmula do sucesso definitivo diz que você precisa desenvolver senso de perspicácia para saber o que está conseguindo, e ter flexibilidade pessoal para mudar.

Portanto, quando pedir, você tem de mudar e ajustar até realizar o que quer. Ao estudar as vidas de pessoas de sucesso, descobrirá muitas e muitas vezes que elas continuavam pedindo, continuavam tentando, continuavam mudando, porque sabiam que mais cedo ou mais tarde encontrariam alguém que poderia satisfazer suas necessidades.

Qual é a parte mais difícil da fórmula? Para muitas pessoas, é pedir especificamente. Não vivemos numa cultura que dê grande valor à comunicação precisa. Talvez seja um de nossos maiores fracassos culturais. A linguagem reflete as necessidades de uma sociedade. Um esquimó tem dúzias de palavras para "neve". Por quê? Porque para ser um esquimó eficiente ele tem de ser capaz de fazer as mínimas distinções entre as diferentes espécies de neve. Há neve na qual ele afunda, neve com a qual pode construir um iglu, neve onde pode fazer os cães correrem, neve que ele pode ingerir, neve que está no ponto de derreter. Eu sou da Califórnia. Praticamente nunca vejo neve; logo, a única palavra que tenho para ela já me basta.

Muitas palavras usadas pelas pessoas em nossa cultura têm pouco ou nenhum significado específico. Chamo essas palavras generalizadas, sem sentido básico, de "inconsequentes". Não são linguagem descritiva. Inconsequente é "Mary parece deprimida." Ou, "Mary parece cansada." Ou até pior, "Mary está deprimida." Ou, "Mary está cansada." Linguagem específica é "Mary é uma mulher de 32 anos, de olhos azuis e cabelos castanhos, que está sentada à minha direita. Está recostada em sua cadeira, tomando uma coca dietética, com o olhar vago e a respiração fraca." É a diferença entre dar descrições corretas de experiências externamente verificáveis e fazer adivinhações sobre o que ninguém pode ver. O indivíduo que fala não tem ideia do que está acontecendo na mente de Mary. Ele está fazendo seu mapa e supondo que sabe qual é a experiência dela.

> "Não há expediente ao qual um homem não recorra
> para evitar o trabalho verdadeiro de pensar."
>
> — Thomas Edison

Fazer uma suposição é a marca de um comunicador preguiçoso. É uma das coisas mais perigosas que você pode fazer, ao lidar com outras pessoas. Um bom exemplo é Three Mile Island. Segundo um relatório do *New*

York Times, muitos dos problemas que provocaram o acidente que fechou a usina nuclear já tinham sido delineados em memorandos de equipes de trabalho. Como funcionários da companhia admitiram mais tarde, todos eles supunham que alguém mais estivesse tratando do assunto. Em vez de tomarem as medidas certas, perguntando quem especificamente era responsável e o que especificamente estava sendo feito, eles supuseram que alguém, em algum lugar, estava cuidando de tudo. O resultado foi um dos piores acidentes nucleares da história americana.

Muito de nossa linguagem nada mais é do que uma louca generalização e suposição. Esse tipo de linguagem preguiçosa pode tirar o conteúdo da comunicação real. Se uma pessoa lhe diz com exatidão o que especificamente a está perturbando, e então percebe o que ela quer, você pode enfrentar o problema. Se ela usa frases vagas e generalizações, você fica totalmente perdido na névoa mental dela. A chave para a comunicação efetiva é atravessar essa névoa, para tornar-se um "desfazedor" de inconsequências.

Há inúmeras maneiras pelas quais sabotamos a comunicação real, usando linguagem preguiçosa e supergeneralizada. Se você quiser se comunicar efetivamente, tem de estar atento para a inconsequência, quando ela surgir, e saber como fazer perguntas para obter especificações. A finalidade da precisão de linguagem é encontrar o maior número possível de informações úteis. Quanto mais próximo você estiver de conseguir uma representação total da experiência interior da pessoa, mais poderá efetuar mudanças.

Uma maneira de lidar com inconsequências verbais é o modelo de precisão. Ele pode ser mais bem ilustrado em suas mãos. Durante alguns minutos, memorize o diagrama ao lado. Erga uma das mãos, para a frente e para a esquerda, de forma que seus olhos fiquem em posição de melhor guardar visualmente essa informação. Olhe para os dedos, um de cada vez, e repita as palavras diversas vezes. Então passe para o dedo seguinte, e para o próximo, até que tenha memorizado a mão. Faça o mesmo com a outra mão. Repita esse processo com todos os dedos, olhando a frase e fixando-a com nitidez em sua mente. Após ter feito isso, veja se pode olhar para cada dedo e logo pensar na palavra ou frase em sua ponta. Trabalhe na memorização do gráfico até que as associações sejam automáticas.

Agora que já tem essas palavras e frases instaladas em sua mente, aqui está o que significam. O modelo de precisão é um guia para superar algumas das armadilhas mais comuns na linguagem. E um mapa de algumas das voltas mais perniciosas e erradas que as pessoas fazem com frequência. A ideia é notá-las quando aparecerem e redirecioná-las para um sentido mais específico. Ele nos fornece os meios para qualificar as distorções, anulações e generalizações das pessoas, porém ainda mantendo uma concordância com elas.

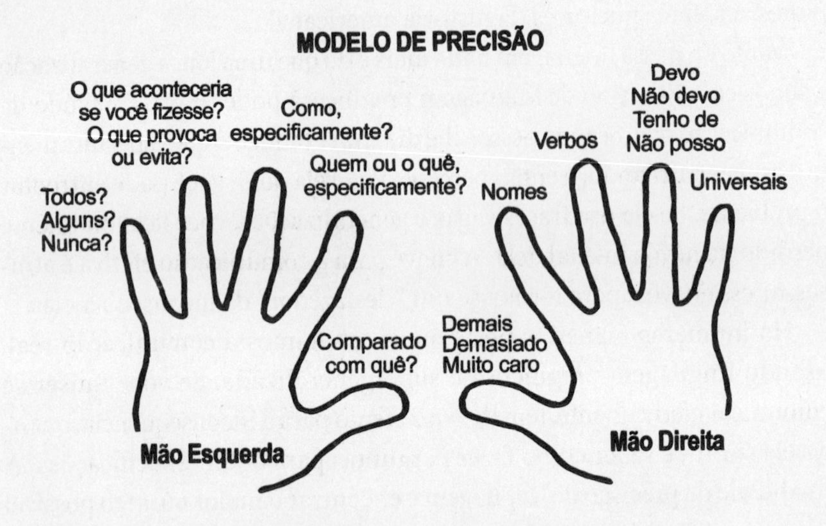

Comecemos com os dedos mínimos. Na mão direita, você deve ter a palavra "universais". Na esquerda, "tudo, todo, nunca". Universais são ótimos, quando são verdadeiros. Se você diz que *toda* pessoa precisa de oxigênio ou *todos* os professores da escola de seu filho são formados, você só está transmitindo fatos. Porém, com mais frequência, os universais são uma maneira de alçar-se à zona da inconsequência. Você vê um grupo de garotos barulhentos na rua e diz: "Meninos de hoje não têm modos." Um de seus empregados não faz o serviço direito e você diz: "Não sei por que pago a essas pessoas. Elas nunca trabalham." Em ambos os casos — e na maioria das vezes usamos universais —, fomos de uma verdade limitada a uma inverdade geral. Talvez aqueles garotos sejam barulhentos, mas nem todos os garotos não têm modos. Talvez um empregado em particular pareça incompetente, mas nem todos o são. Portanto, da próxima vez que ouvir generalizações como essas, simplesmente lembre-se do modelo de precisão. Repita a afirmação, enfatizando o classificador universal.

— Todos os garotos são mal comportados? — pergunte a si mesmo: — Todos?

— Bem, suponho que não. Só esses garotos em particular.

— Seus empregados nunca trabalham? — sua pergunta: — Nunca?

— Bem, creio não ser verdade. É certo que este rapaz errou tudo, mas não posso dizer o mesmo dos outros.

Agora junte os dois dedos seguintes e examine as palavras restritivas "devo, não devo, tenho de, não posso". Se alguém lhe diz que não pode fazer alguma coisa, que sinal está ele enviando ao cérebro? Um limitador que dá certeza, de fato, de que ele não pode fazer aquilo. Se você pergunta às pessoas por que não podem fazer alguma coisa, ou por que se obrigam a fazer algo que não querem, elas sempre têm justificativas. O modo de quebrar esse ciclo é dizer: "O que aconteceria se você fosse capaz de fazer aquilo?" Perguntar isso cria uma possibilidade que eles não percebiam antes, e faz com que considerem as consequências negativas e positivas da atividade.

O mesmo processo funciona para você, num diálogo interior. Quando diz a si mesmo: "Não posso fazer aquilo", o que você tem a fazer em seguida é perguntar: "O que aconteceria se eu pudesse?" A resposta seria uma lista de ações e sensações positivas e habilitadoras. Criaria novas representações de possibilidades e assim novos estados, novas ações e, potencialmente, novos resultados. A simples solicitação dessa pergunta começará a mudar sua fisiologia e seu pensamento para tornar mais possível fazê-los.

Acrescentando, pode perguntar: "O que impede que eu faça isso agora?", e então torna-se claro o que especificamente precisa mudar.

Agora, vá para os dedos médios, que significam verbos, e pergunte: "Como, especificamente?" Lembre-se, seu cérebro precisa de sinais claros para operar de maneira eficaz. Linguagem e pensamentos inconsequentes deixam o cérebro vagaroso. Se alguém diz: "Sinto-me deprimido", está só descrevendo um estado embaraçoso. Não está lhe dizendo nada específico. Não está lhe dando nenhuma informação com que você possa trabalhar de uma forma positiva. Quebre esse estado embaraçoso rompendo a inconsequência. Se alguém diz que está deprimido, você precisa perguntar-lhe como, especificamente, está deprimido, o que em especial está fazendo com que se sinta assim.

Quando conseguir que a pessoa seja mais específica, você deve, em geral, mover-se de uma parte do modelo de precisão para outra. Então, se pedir à pessoa que seja mais específica, ela pode dizer: "Estou deprimida porque sempre confundo o trabalho todo." Qual é a próxima pergunta? É a verdade universal? Não parece. Portanto, deve perguntar: "Você *sempre* confunde o seu trabalho?" Há possibilidade de que a resposta seja: "Bem, não, nem sempre, suponho." Quebrando a inconsequência, conseguindo os específicos, você está a caminho de identificar um problema real e lidar com ele. O que em geral acontece é que a pessoa se confundiu um pouco e fez com que isso representasse um grande fracasso, que existe só em sua mente.

Agora ponha seus indicadores juntos, aquele que representa os nomes, e o outro, que se refere ao "quem ou o quê, especificamente". Sempre que ouvir nomes — de pessoas, lugares ou coisas — em qualquer declaração generalizada, responda com uma frase que inclua "quem (ou o quê) especificamente". É a mesma coisa que fez com os verbos, indo de uma inconsequência não específica para o mundo real. Você não pode trabalhar com uma nuvem generalizada que só existe na cabeça de alguém. Você pode lidar com o mundo real.

Nomes não específicos são uma das piores espécies de inconsequências. Quantas vezes você já ouviu alguém dizer: "Eles não me compreendem", ou "Eles não vão me dar uma oportunidade?" Bem, especificamente quem são "eles"? Se é uma grande organização, deve com certeza haver uma pessoa que irá tomar uma decisão. Portanto, em vez de permanecer nesse vago lugar onde "eles" não compreendem, você precisa encontrar uma maneira de tratar com a pessoa do mundo real, que toma as decisões no mundo real. Usar um "eles" não específico e sem nome pode ser a pior espécie de fuga. Se você não sabe quem são "eles", irá sentir-se desamparado e incapaz de mudar sua situação. Mas se você se concentra em específicos, poderá readquirir o controle.

Se alguém diz "Seu plano simplesmente não funciona", você precisa descobrir especificamente onde está o problema. Uma réplica como "Sim, ele funcionará" não manterá a harmonia ou resolverá a situação. Muitas vezes não é o plano todo — é uma pequena parte dele. Se tentar reorganizar seu programa todo, você será como um avião voando sem radar. Você pode consertar tudo, menos a coisa que é realmente o problema. Se você especifica onde está o problema e ocupa-se dele, está então no caminho para conseguir uma mudança valiosa. Lembre-se: quanto mais o mapa se aproxima do território real, mais valioso ele é. Quanto mais puder descobrir do que o território é feito, mais poder terá para mudá-lo.

Agora pressione seus polegares juntos, para a última parte do modelo de precisão. Um polegar diz: "demais, demasiado, muito caro". O outro diz, "comparado com quê?" Quando dizemos: "demais, demasiado, muito caro", estamos usando outra forma de anulação. Muitas vezes ela é baseada numa construção arbitrária que está alojada em nosso cérebro. Você pode dizer que mais de uma semana de férias é muito tempo afastado do trabalho. Você pode achar que o pedido que seus garotos fizeram de um minicomputador de trezentos dólares representa uma grande despesa.

Você pode sair de suas generalizações fazendo uma comparação. Duas semanas longe de seu trabalho podem valer a pena, se você voltar totalmente relaxado e capaz de trabalhar melhor. O minicomputador pode ser muito caro, se não pensar que poderá ser de utilidade. Se pensar que é um instrumento valioso de ensino, ele pode valer milhares de dólares. A única maneira de fazer esses julgamentos racionalmente é ter pontos válidos de comparação. Você descobrirá que depois de começar a usar o modelo de precisão, acabará utilizando-o com naturalidade.

Por exemplo, de vez em quando alguém me diz:

— Seu seminário é muito caro.

Quando respondo:

— Comparado com quê?, ele pode dizer:

— Bem, comparado a outros seminários a que fui.

Então descubro a que seminários específicos ele está se referindo e pergunto sobre um deles:

— Como especificamente esse seminário é igual ao meu?

— Bem — replica ele —, realmente, não é.

— Isso é interessante. O que aconteceria se você sentisse que meu seminário realmente vale o tempo e o dinheiro?

Seu modo de respirar muda, ele sorri e diz:

— Não sei... suponho que me sentiria bem.

— O que especificamente eu poderia fazer agora para ajudá-lo a sentir-se desse modo sobre meu seminário?

— Bem, se você gastasse mais tempo em tal e tal assunto, provavelmente eu me sentiria bem sobre ele.

— Muito bem. Se eu gastasse mais tempo naquele assunto, você sentiria que meu seminário valeu seu tempo e dinheiro?

Com um gesto de cabeça ele concorda. O que aconteceu nessa conversa? Nós encontramos o mundo real, os pontos específicos que precisávamos para tratar do assunto. Fomos de uma corrente de generalizações para uma corrente de específicos. E tendo chegado aos específicos, somos capazes de lidar com eles de uma maneira que resolva nossos problemas. É dessa maneira em quase toda espécie de comunicação. A estrada para o entendimento é pavimentada com informações específicas.

Durante os próximos dias, comece a prestar atenção na linguagem que as outras pessoas usam. Comece a identificar coisas, tais como verbos e nomes universais e não específicos. Como contestaria esses? Ligue sua televisão e assista a um programa de entrevistas. Identifique a inconsequência que está sendo usada, e faça ao aparelho de televisão perguntas que lhe proporcionem a informação específica de que você precisa.

Aqui estão alguns exemplos adicionais para prestar atenção. Evite palavras como "bom", "mau", "melhor", "pior" — palavras que indicam alguma forma de avaliação ou julgamento. Quando ouvir frases como "Essa é uma má ideia" ou "É bom comer tudo de seu prato", você pode responder com "De acordo com quem?" ou "Como sabe disso?" Algumas vezes pessoas farão declarações ligando causa e efeito. Poderão dizer: "Seus comentários me deixaram bravo" ou "Suas observações me fizeram pensar." Agora, quando ouvir essas afirmações, você saberá perguntar: "Como especificamente X causa Y?" e se tornará um melhor comunicador e um melhor modelador.

Outra coisa para se ter cuidado é com a leitura verbal da mente. Quando alguém diz: "Eu sei, mesmo, que ele me ama", ou "Você pensa que eu não acredito em você", precisa perguntar: "Como sabe disso?"

O último exemplo para aprender é um pouco mais sutil, o que é uma boa razão para prestar atenção. O que as palavras como "atenção", "declaração" e "razão" têm em comum? São substantivos, certo. Mas não podemos encontrá-las no mundo exterior. Você já viu uma atenção? Não é uma pessoa, lugar ou coisa, apenas o derivado do verbo que descrevia o processo de ficar atento, observar. Verbos substantivados são palavras que perderam sua característica específica. Quando ouve uma dessas palavras, você quer fazê-la voltar em um processo — o que lhe dá o poder de redirecionar e mudar sua experiência. Se alguém diz: "Eu quero mudar minha experiência", a maneira de reconduzir essa pessoa é perguntar: "O que quer experimentar?" Se ela diz: "Quero amor", você pode responder com: "Como quer ser amado?" ou: "O que é estar amando?" Há uma diferença em especificação nas duas formas? Com certeza, sim.

Há outras maneiras de conduzir a comunicação, fazendo as perguntas certas. Uma é "emoldurar objetivos". Se você pergunta a alguém o que o está aborrecendo ou o que está errado, conseguirá uma longa dissertação só sobre isso. Se perguntar: "O que você quer?" ou "Como quer mudar as coisas?", você terá reconduzido sua conversação do problema para a solução. Em qualquer situação, não importa quão desanimadora, há um objetivo desejável para ser realizado. Sua meta deve ser mudar a direção para o objetivo e afastar o problema.

Faça isso formulando as perguntas certas. Há um grande número delas. Na PNL, referimo-nos a elas como "perguntas objetivas".

"O que eu quero?"
"Qual é o objetivo?"
"Para que estou aqui?"
"O que quero para você?"
"O que quero para mim?"

Outra moldura importante? Escolha perguntas com "como", em vez de "por que". Perguntas de "por que" podem lhe dar razões, explicações, justificações e desculpas. Mas em geral não trazem informações úteis. Não pergunte a seu filho por que ele está tendo problemas com álgebra. Pergunte-lhe o que precisa para se sair melhor. Não há necessidade de perguntar a um empregado por que ele não conseguiu um contrato que você estava querendo. Pergunte-lhe como ele pode mudar para que você esteja certo de conseguir o próximo. Bons comunicadores não estão interessados na racionalização do porquê de alguma coisa estar indo mal: querem descobrir como fazê-la dar certo. As perguntas certas levarão você nessa direção.

Deixe-me compartilhar com você um ponto final que volta para as crenças habilitadoras que examinamos no Capítulo 5 ("As sete mentiras do sucesso"). Todas as suas comunicações, com os outros e consigo mesmo, devem originar-se do princípio de que tudo acontece com uma finalidade e você pode usá-las para servir a seus objetivos. Isso significa que suas técnicas de comunicação devem refletir avanços passados e não fracassos. Se você estiver montando um quebra-cabeça e uma peça não encaixar, em geral você não considera isso um fracasso e para de trabalhar no quebra-cabeça. Você considera isso coisa passada e tenta outra peça que parece mais promissora. É vantagem para você usar essa mesma regra geral em sua comunicação. Há uma questão específica ou uma frase precisa que transformará quase todo problema em comunicação. Se você seguir os princípios gerais que consideramos aqui, será capaz de encontrá-los em cada situação. ("Cada situação" — comece usando seu modelo de precisão agora!)

No próximo capítulo, vamos olhar para a base de toda interação humana bem-sucedida, a cola que mantém as pessoas unidas.

CAPÍTULO 13

A MAGIA DA HARMONIA

"O amigo que te entende, te cria."

— Romain Rolland

Pense numa época em que você e outra pessoa estavam em sincronia. Pode ser um amigo, ou amante ou um membro da família ou alguém que encontrou por acaso. Volte para aquele tempo e tente pensar o que havia nessa pessoa que fez você sentir-se tão em harmonia com ela.

É bem provável que você descubra que pensavam da mesma forma ou sentiam-se do mesmo jeito sobre um certo filme, livro ou experiência. Você pode não ter notado, mas talvez tivessem tipos semelhantes de respiração ou fala. Talvez tivessem antecedentes ou crenças semelhantes. Qualquer coisa que você descobrir será o reflexo do mesmo elemento básico — harmonia. Harmonia é a habilidade de entrar no mundo de alguém, para fazer esse alguém sentir que você o entende, que vocês têm um forte vínculo comum. É a habilidade de ir totalmente, de ser mapa do mundo para o mapa dele, do mundo. É a essência da comunicação bem-sucedida.

Harmonia é o instrumento final para produzir resultados com outras pessoas. Lembre-se: aprendemos no Capítulo 5 ("As sete mentiras do sucesso") que as pessoas têm seus recursos mais importantes. Bem, harmonia é a maneira de liberar esses recursos. Não importa o que você queira na sua vida, se puder desenvolver harmonia com as pessoas certas, será capaz de preencher as necessidades delas, e elas serão capazes de preencher as suas.

A habilidade de estabelecer harmonia é uma das mais importantes técnicas que uma pessoa possa ter. Para ser um bom realizador ou um bom vendedor, um bom parente ou um bom amigo, um bom persuasor ou um bom político, o que você realmente precisa é de harmonia, a habilidade de formar um poderoso vínculo comum humano e um relacionamento de compreensão.

Muitas pessoas tornam a vida muito complicada e difícil. Ela não tem de ser assim. Todas as técnicas que você irá aprender neste livro são, na verdade, maneiras de conseguir maior harmonia com as pessoas, e a harmonia com os outros torna quase todas as tarefas mais simples, mais fáceis e mais agradáveis. Não importa o que queira fazer, ver, criar, compartilhar ou experimentar na vida, quer seja alcançar realização espiritual, quer seja ganhar um milhão de dólares, há sempre alguém que pode ajudá-lo a realizar sua meta com mais rapidez e facilidade. Alguém que sabe como chegar lá mais rápido ou com mais eficiência ou que pode fazer alguma coisa para ajudá-lo a chegar aonde quer ir, mais rapidamente. A maneira de atrair essa pessoa é conseguir harmonia, o vínculo mágico que une as pessoas e as faz sentirem-se como parceiros.

Quer conhecer o pior clichê já forjado? "Os opostos se atraem." Como todas as coisas que são falsas, há nisso um elemento de verdade. Quando as pessoas têm muito em comum, os elementos de diferença acrescentam uma certa excitação às coisas. Mas, acima de tudo, quem é atraente para você? Com quem você quer passar o tempo? Você está procurando alguém que discorde de você em tudo, que tenha interesses diferentes, que goste de dormir quando você quer brincar, e de brincar quando você quer dormir? Claro que não. Você quer estar com pessoas que sejam como você e, no entanto, únicas.

Quando as pessoas são iguais, elas tendem a gostar uma da outra. As pessoas formam clubes com aquelas que são diferentes delas? Não, elas se juntam como camaradas veteranos de guerra ou colecionadores de selos, ou colecionadores de cartões-postais, porque havendo alguma coisa em comum cria-se harmonia. Você já foi a uma convenção? Não se cria um vínculo instantâneo entre as pessoas que nunca se viram antes? Um dos elementos principais de uma comédia é um extrovertido tagarela e folgazão tentando se entender com um introvertido quieto e retraído. Como eles se dão? Pessimamente. Eles não são o bastante parecidos para gostarem muito mesmo um do outro.

De quem os americanos tendem a gostar mais, dos ingleses ou dos iranianos? Resposta fácil. E com quem temos mais em comum? Mesma resposta. Pense no Oriente Médio. Por que acha que há problemas lá? São os judeus e árabes iguais em suas crenças religiosas? Têm eles o mesmo tipo de sistema de justiça? Têm a mesma língua? Você poderia continuar a enumerar. Os problemas deles resultam de tudo que têm de diferente.

De fato, quando dizemos que as pessoas estão "tendo diferenças", estamos querendo dizer que aquilo que não têm de igual está causando toda espécie de problemas. E sobre brancos e negros nos Estados Unidos? Onde começam os problemas? Eles começam quando as pessoas focalizam aquilo que têm de diferente — as diferenças de cor, cultura e costumes. Um grande número de diferenças pode resultar em tumultos. Semelhanças tendem a resultar em harmonia. Isso tem sido verdadeiro ao longo da história. É verdadeiro numa escala global, e é verdadeiro numa escala pessoal.

Pegue qualquer relacionamento entre duas pessoas quaisquer, e descobrirá que a primeira coisa que criou o vínculo entre elas foi algo que tinham em comum. Elas podem ter maneiras diferentes de fazer a mesma coisa, mas foram as coisas em comum que primeiro as aproximaram. Pense em alguém de quem realmente goste, e repare o que torna esse alguém atraente. Não é a maneira pela qual ele é como você ou pelo menos como você gostaria de ser? Você não pensa: "Uau, esse cara pensa o oposto de mim nos mínimos detalhes. Que grande cara!" Você pensa: "Que cara esperto. Ele é capaz de ver o mundo da maneira que vejo e até acrescentar alguma coisa na minha perspectiva." Agora pense em alguém que você não suporta. É ele alguém como você? Você pensa: "Meu Deus, que pessoa detestável! Ele pensa do mesmo modo que eu?"

Isso significa que não há saída para um círculo vicioso de diferenças que cria conflitos, cria mais conflitos e cria mais diferenças? Claro que não. Porque em cada caso em que há diferença, há também semelhança. Os negros e os brancos nos Estados Unidos têm uma porção de diferenças? Certo, se você quiser olhar as coisas dessa maneira. Mas eles têm muito em comum, não têm? Somos todos homens e mulheres, irmãos e irmãs, com medos e aspirações semelhantes. A maneira de ir da discórdia para a harmonia é ir da concentração de diferenças para a concentração de semelhanças. O primeiro passo para a comunicação real é aprender a traduzir o seu mapa do mundo para o de alguém mais. E o que nos permite fazer isso? Técnicas de harmonia.

"Se você quiser ganhar um homem para a sua causa,
primeiro convença-o de que é seu amigo sincero."

— Abraham Lincoln

Como criamos harmonia? Criando ou descobrindo coisas em comum. Em linguagem PNL, chamamos esse processo de "espelhagem" ou "igualagem".

Há várias maneiras de criar interesses comuns com outra pessoa e, assim, um estado de harmonia. Você pode espelhar interesses — isto é, ter uma experiência semelhante, ou estilo de roupa ou atividade favorita. Ou você pode espelhar associação — isto é, ter amigos ou conhecidos semelhantes. Ou você pode espelhar crenças. Essas são experiências comuns. São a maneira de criarmos amizades e relacionamentos. Todas essas experiências têm uma coisa em comum: são comunicadas por meio de palavras. A maneira mais comum de nos entendermos com os outros é por meio da troca de informações recíprocas, por meio de palavras. No entanto, estudos mostraram que somente 7 por cento do que é comunicado entre as pessoas são transmitidos por meio das palavras em si mesmas. Trinta e oito por cento são por meio do tom da voz. Quando eu era garoto, e minha mãe elevava a voz e dizia "Anthony", num certo tom, eu sabia que isso significava muito mais do que meu nome sozinho. Cinquenta e cinco por cento da comunicação, a maior parte, são um resultado de fisiologia ou linguagem do corpo. As expressões faciais, os gestos, a qualidade e o tipo de movimentos da pessoa que transmite uma comunicação nos esclarecem muito mais sobre o que ela está dizendo do que as palavras em si. Isso explica por que uma pessoa como Don Rickes pode levantar-se e atacá-lo, e dizer coisas terríveis, e fazer você rir. Ou como um Eddie Murphy pode usar palavras de quatro letras e fazer você rir. Porque não são as palavras, é a entrega — sua fisiologia e tonalidade — que o faz rir.

Portanto, se estamos tentando criar harmonia, meramente pelo conteúdo de nossa conversa, estamos desperdiçando os meios mais amplos para comunicar coisas em comum para o cérebro de outra pessoa. Uma das melhores maneiras para alcançar harmonia é por meio da espelhagem, ou criando uma fisiologia comum com essa pessoa. Isso é o que o grande hipnoterapeuta, o Dr. Milton Erickson, fez. Ele aprendeu a espelhar os tipos de respiração, postura, tonalidade e gestos de outras pessoas. E fazendo isso ele alcançava uma total ligação harmoniosa em questão de minutos. Pessoas que não o conheciam de repente confiavam nele irrestritamente. Portanto, se você pode desenvolver harmonia só com palavras, pense no incrível poder da harmonia que pode desenvolver com palavras e fisiologia unidas.

Enquanto as palavras estão trabalhando na mente consciente de uma pessoa, a fisiologia está trabalhando no inconsciente. É onde o cérebro está pensando: "Ei, essa pessoa é como eu. Ela deve ser legal." E uma vez que isso acontece, há uma tremenda atração, uma tremenda ligação. E por ser inconsciente, é ainda mais eficiente. Você não fica atento a nada, além do vínculo que foi formado.

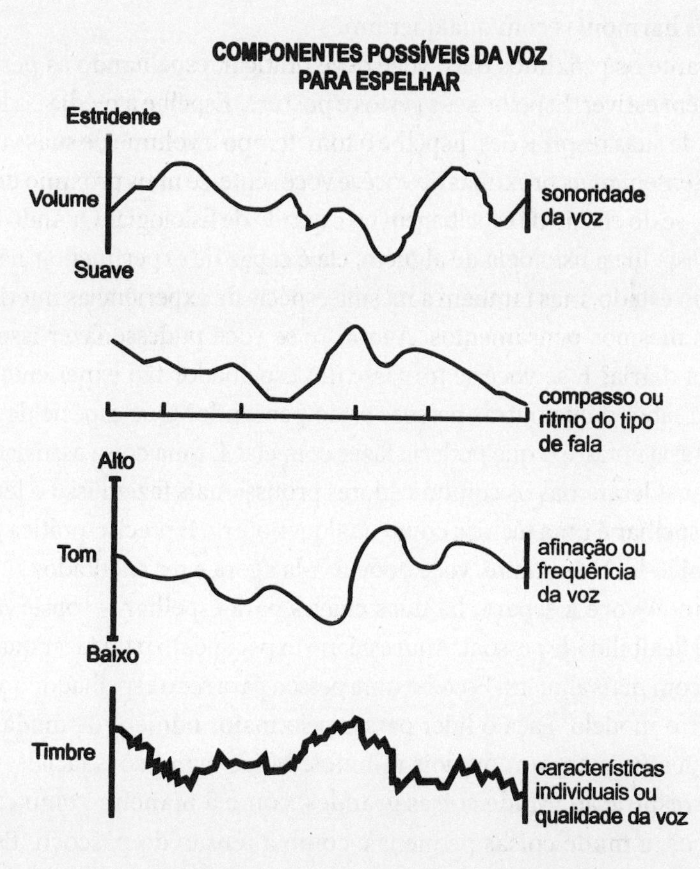

Assim, como você espelha a fisiologia de outra pessoa? Quais itens você pode espelhar? Comece com a voz dela. Espelhe sua tonalidade e fraseado, seu diapasão, a rapidez com que fala, o tipo de pausas que faz, seu volume. Espelhe as palavras ou frases favoritas. E sobre postura e tipo de respiração, ou modo de olhar, linguagem do corpo, expressões faciais, gestos de mãos, ou outros movimentos distintos? Qualquer aspecto da fisiologia, da maneira como a pessoa põe os pés no chão até como inclina a cabeça, é alguma coisa que você pode espelhar. A princípio isso pode parecer absurdo.

E se você puder espelhar tudo sobre outra pessoa? Sabe o que acontece? As pessoas sentem como se tivessem encontrado sua alma gêmea, alguém a quem entendem totalmente, que pode ler seus pensamentos mais profundos, que é como elas. Mas você não tem de espelhar tudo sobre uma pessoa para criar um estado de harmonia. Se começar só com um tom da voz ou uma expressão facial semelhante, você pode aprender a construir incríveis harmonias com qualquer um.

Durante os próximos dias, você deve praticar, espelhando as pessoas com quem estiver. Espelhe seus gestos e postura. Espelhe a média e a localização de suas respirações. Espelhe o tom, tempo e volume de suas vozes. Elas se sentem mais próximas de você, e você sente-se mais próximo delas? Lembra-se do ensaio de espelhagem no capítulo de fisiologia? Quando uma pessoa espelha a fisiologia de alguém, ela é capaz de experimentar não só o mesmo estado, mas também a mesma espécie de experiências interiores e até os mesmos pensamentos. Agora... e se você pudesse fazer isso em sua vida diária? E se você se tornasse um espelhador tão experiente que pudesse saber o que outras pessoas estão pensando? Que espécie de harmonia teria então e o que poderia fazer com ela? É uma coisa assustadora de se considerar, mas os comunicadores profissionais fazem isso o tempo todo. Espelhar é uma técnica como qualquer outra. É preciso prática para desenvolvê-la. No entanto, você pode usá-la agora e ter resultados.

Quando você a separa, há duas chaves para espelhar — observação aguda e flexibilidade pessoal. Aqui está um experimento para fazer quando estiver com mais alguém. Escolha uma pessoa para ser o espelhador e outra para ser o modelo. Faça o líder passar pelo maior número de mudanças físicas possíveis em um ou dois minutos. Mude expressões faciais, posturas e respiração. Mude coisas grandes, como a maneira como cruza os braços, e mude coisas pequenas, como a tensão do pescoço. Este é um grande exercício para fazer com seus filhos. Eles adorarão. Quando tiver terminado, compare as notas. Veja como se saiu, espelhando a outra pessoa. Agora, mudem as posições. Provavelmente você descobrirá que deixou passar, no mínimo, tantas quanto as que acertou. Qualquer um pode tornar-se um especialista em espelhagem, mas você precisa começar reconhecendo que as pessoas usam seus corpos de centenas de formas, e quanto mais atento estiver a essas posições, mais bem-sucedido será. Apesar de haver possibilidades ilimitadas, as pessoas em posição sentada, por exemplo, geralmente fazem um número limitado de movimentos. Depois de alguma prática, você não terá nem de pensar conscientemente para fazer isso. Espelhará sem perceber as posturas e fisiologia das pessoas à sua volta.

Há infinitas particularidades para uma espelhagem eficaz, mas a base é alguma coisa na qual já nos referimos no capítulo sobre elicitar estratégias: os três sistemas representativos básicos. Lembre-se, todos usam os três sistemas representativos. Mas a maioria de nós tem fortes preferências, sistemas representativos para os quais tendemos muitas vezes. Quase sempre somos basicamente visuais, ou auditivos, ou cinestésicos. Uma vez que tenha descoberto o sistema representativo primário da pessoa, você simplificou de modo radical o trabalho de desenvolver harmonia com ela.

> "Para nos comunicarmos efetivamente, devemos compreender que somos todos diferentes na maneira como vemos o mundo, e usar esse entendimento como guia para nossa comunicação com os outros."
>
> — Tony Robbins

Se comportamento e fisiologia são feitos de uma série de fatores fortuitos, você teria de meticulosamente pegar cada sugestão e então pô-las todas juntas. Mas os sistemas representativos são como chaves para um código secreto. Saber um fato lhe dá uma pista para mais uma dúzia. Como vimos no Capítulo 8, há uma total constelação de comportamentos que segue junto com quem é basicamente visual. Há sugestões verbais, frases do tipo: "É como isso parece para mim" ou "Não posso me imaginar fazendo aquilo". A fala é, em geral, rápida, e a respiração é alta, no peito. O tom vocal é alto agudo, nasal e/ou muitas vezes forçado. Em geral há tensão muscular, particularmente nos ombros e abdome. Pessoas visualmente orientadas tendem a indicar muito. Com frequência têm os ombros curvos e o pescoço alongado.

Pessoas auditivas usam frases como: "Soa bem para mim" e "Isso não faz um sino tocar". A fala é mais modulada, o tempo é equilibrado, e a voz tende a ter uma tonalidade nítida e ressoante. A respiração tende a ser regular e profunda, vindo do diafragma ou de todo o peito. Há tendência para ter tensão muscular equilibrada. Quando as pessoas cruzam as mãos ou braços, geralmente é indicação de acesso auditivo. Há uma tendência de os ombros ficarem de certa forma relaxados e de a cabeça pender ligeiramente para um lado.

COMO AS PESSOAS PERCEBEM A COMUNICAÇÃO

Geral	Sistema Visual	Sistema Auditiva	Sistema Cinestésica
Eu compreendo você.	Eu vejo seu ponto.	Eu ouvi o que você estava dizendo.	Eu senti que fiquei tocado com o que você estava dizendo.
Eu quero comunicar alguma coisa a você.	Eu quero que dê uma olhada nisso.	Eu quero fazer isto alto e nítido.	Eu quero que você agarre isso.
Você entende o que estou tentando comunicar?	Estou pintando um quadro claro?	O que estou dizendo soa certo para você?	Você é capaz de apreender?
Eu sei que isso é verdade.	Eu sei, sem sombra de dúvida, que isso é verdade.	Esta informação é correta palavra por palavra.	Esta informação é sólida como uma rocha.
Eu não estou certo sobre isso.	Isto é bastante obscuro para mim.	Isto realmente não soa compreensível.	Não estou certo de o estar acompanhando.
Eu não estou certo sobre isso.	Tenho uma visão sombria de sua pespectiva.	Isto não encontra eco em mim.	O que você está maquinando não me parece certo.
A vida é boa.	Minha imagem mental da vida é brilhante e cristalina.	A vida está em perfeita harmonia.	A vida parece quente e linda.

Pessoas cinestésicas usam frases como "Não parece certo" ou "Não estou em contato com as coisas". Falam num tempo lento. Muitas vezes fazem longas pausas entre as palavras e têm uma tonalidade baixa e profunda. Muitos dos movimentos do corpo tendem a indicar acessos táteis ou cinestésicos exteriores. Relaxamentos de músculos indicam acessos interiores, viscerais cinestésicos. Uma posição caracterizada pelas palmas das mãos viradas para cima com os braços dobrados e relaxados é cinestésica. A postura tende a ser sólida, com a cabeça assentada de modo direito nos ombros.

Há outras sugestões, e as coisas variam bastante de pessoa para pessoa; logo, é sempre preciso uma observação cuidadosa. Cada pessoa é única. Mas, quando você conhece o principal sistema representativo de alguém, então deu um largo passo em direção ao aprendizado de como entrar em seu mundo. Tudo que tem a fazer é igualá-la.

Considere alguém que está basicamente num estado auditivo. Se você está tentando persuadi-lo a fazer alguma coisa, pedindo-lhe que imagine como isso parecerá, e você fala com muita, muita rapidez, provavelmente não se entenderá com ele. A pessoa precisa ouvir o que você tem a dizer, precisa escutar a sua proposta e reparar se está de acordo com ela. De fato, ela pode nem ao menos "escutar" você, simplesmente porque seu tom de voz pode tê-la afastado desde o começo. Uma outra pessoa pode estar num estado visual básico, e se você se aproxima dela de uma forma cinestésica, falando muito devagar sobre como se sente acerca de alguma coisa, ela provavelmente tornar-se-á irritada com o seu passo lento e pedirá por favor que vá direto ao assunto.

Para ilustrar essas diferenças, gostaria de dar o exemplo de uma vizinhança residencial que conheço. Uma casa está localizada numa rua calma e tranquila. A qualquer hora do dia, você pode passear lá fora e ouvir os pássaros cantando. Ela tem um jeito de casa de livro de histórias, que fala tão eloquentemente, que é difícil não nos perguntarmos como alguém pode ignorá-la. Ao entardecer, você pode vagar pelo jardim só para ouvir os pássaros, a brisa sussurrando através dos galhos, e o som do carrilhão no portão de entrada.

A outra casa é espantosamente pitoresca. Você fica excitado só de olhá-la. É visualmente atordoante, do longo portão da entrada até os lindos detalhes em lambris nas paredes cor de pêssego. Há janelas por toda parte, e assim tem uma iluminação maravilhosa quase a qualquer hora do dia. Há tanta coisa para se ver, de suas escadas em espiral até as elegantes portas de carvalho entalhadas, que você poderia passar um dia inteiro explorando cada recanto, cada fenda, descobrindo que novas coisas há para se ver.

A terceira casa é mais difícil de descrever. Você tem de ir e experimentá-la, você tem de senti-la. Sua construção é sólida e segura. Suas salas têm um calor particular. De uma forma totalmente indefinida, ela toca em alguma coisa fundamental em você. É quase alimentadora. Você fica tentado a sentar-se num canto e a deixar-se impregnar com quaisquer que sejam os fluidos que fazem você sentir-se tão tranquilo.

Em todos os três casos, eu falava sobre a mesma casa. A primeira é vista de um ponto de vista auditivo, a segunda, de um visual, e a terceira, de um cinestésico. Se você estiver mostrando a casa para um grupo de pessoas, para que consiga realçar toda sua riqueza, tem de entrar nos três modos. O principal sistema representativo de cada pessoa determinará qual das três descrições parece mais atraente. Mas lembre-se: as pessoas usam todos os três. A maneira mais elegante de comunicar é dizê-las todas, enquanto se concentra no sistema que a outra pessoa mais usa.

Comece fazendo uma lista de palavras visuais, auditivas e cinestésicas. Durante os próximos dias, escute as pessoas com quem esteja conversando e determine que tipos de palavras elas usam mais. Fale então com elas, usando o mesmo tipo de palavras. O que acontece? Fale agora, durante um tempo, usando um sistema representativo diferente. O que acontece dessa vez?

Deixe-me dar-lhe um exemplo de como um espelhamento efetivo pode ser potente. Recentemente eu estava em Nova York, e queria relaxar, portanto fui ao Central Park. Andei por lá e sentei-me num banco para ver o que estava acontecendo. Logo reparei no rapaz sentado do outro lado. Então comecei a espelhá-lo. (Uma vez que você se habitua, é difícil parar.) Eu o espelhei com exatidão. Estou sentado da maneira que ele está, respirando da mesma forma, fazendo a mesma coisa com meus pés. Ele começa a jogar farelos de pão para os pássaros. Eu começo a jogar farelos de pão para os pássaros. Ele balança um pouco a cabeça. Eu começo a balançar um pouco minha cabeça. Então ele levanta o olhar, e eu levanto o olhar. Ele olha para mim e eu olho para ele.

Em pouco tempo ele levanta-se e dirige-se para mim. Não há surpresa. Sou totalmente atraente para ele, porque pensa que sou bem igual a ele. Começamos a conversar, e eu estou espelhando exatamente seu tom de voz e sua fraseologia. Após pouco tempo ele diz: "É obvio que você é um homem muito inteligente." Por que acredita nisso? Porque sente que sou como ele. Em pouco tempo está me dizendo que sente que me conhece melhor do que pessoas suas conhecidas de 25 anos. E, logo depois disso, oferece-me um emprego.

Sei que algumas pessoas a quem falo sobre espelhagem ficam logo revoltadas e dizem que isso não é natural, que é algo manipulatório. Mas a ideia de que não é natural é absurda. Em qualquer ocasião em que você esteja em harmonia com alguém, é natural que comece a espelhá-la na fisiologia, tonalidade, e assim por diante. Onde quer que eu lecione seminários, sempre alguém presente fica confuso sobre espelhagem. Eu simplesmente faço-o ver que, se olhar para a pessoa próxima a ele, notará que ambos estão sentados da mesma maneira. Os dois estão com as pernas cruzadas, suas cabeças estão inclinadas no mesmo ângulo, e assim por diante. Invariavelmente, eles estão se espelhando um ao outro, porque desenvolveram harmonia devido ao convívio de vários dias. Então pergunto a um deles como se sente com respeito ao outro, e ele diz: "Ótimo" ou "Próximo". Faço então com que a pessoa mude sua fisiologia e se sente numa posição completamente diferente. Quando pergunto à primeira pessoa como se sente agora com relação à outra pessoa, as respostas que recebo são: "Não tão próximo", ou "Distante", ou "Já não estou mais certo".

Portanto, a espelhagem é um processo natural da harmonia. Você mesmo o faz inconscientemente. Neste capítulo, estamos aprendendo o que fazer — as receitas para a harmonia —, a fim de que possamos criar aquele resultado a qualquer tempo que quisermos, com qualquer pessoa, até um estrangeiro. Quanto à espelhagem ser manipulatória, diga-me o que requer mais esforço consciente: falar no seu ritmo e tom normais ou realmente descobrir como outra pessoa se comunica melhor e entrar em seu mundo? E lembre-se que enquanto você está espelhando outra pessoa, na realidade, você experimenta o que ela sente se sua intenção era manipular alguém. Uma vez que comece a espelhar, você de fato começa a sentir-se mais como ela — assim, a pergunta torna-se: "Está querendo manipular-me?"

Você não está desistindo de sua identidade quando espelha uma outra pessoa. Você não é exclusivamente uma pessoa visual, auditiva ou cinestésica. Todos nós devemos nos esforçar para sermos flexíveis. A espelhagem simplesmente cria uma igualdade de fisiologia que salienta nossa humanidade compartilhada. Quando estou espelhando, posso conseguir os benefícios das sensações, experiências e pensamentos de outra pessoa. É uma poderosa, bonita e fortalecedora lição para se aprender por experiência, sobre como compartilhar o mundo com outros seres humanos.

Um sucesso cultural sólido resulta da harmonia com as massas. Os líderes mais efetivos são fortes em todos os três sistemas representativos. Tendemos a confiar nas pessoas que nos atraem em todos os três níveis e que demonstram um senso de coerência — todas as partes de sua personalidade transmitem a mesma coisa. Pense na eleição presidencial de 1984. Você acha que Ronald Reagan, pela sua idade, é um homem atraente visualmente? Tem ele um tom de voz e maneira de falar atraentes? Pode ele comovê-lo emocionalmente com sentimentos de patriotismo e possibilidades? A maioria das pessoas — mesmo aquelas que discordam de sua política — responderiam com um sonoro "Sim" a essas três perguntas. Não é de se espantar que eles o chamem de Grande Comunicador. Agora pense em Walter Mondale. É ele, visualmente, um homem atraente? Quando faço essa pergunta em seminários, fico feliz se consigo 20 por cento de respostas "Sim". Tem ele um tom de voz e maneira de falar atraentes? Consigo um número até menor de pessoas que acreditam que ele tem. Mesmo aquelas que concordam com tudo que Mondale diz, raras vezes respondem sim a essa pergunta. Pode ele comovê-lo emocionalmente com sentimentos de patriotismo e possibilidades? Nesse ponto, em geral eu recebo uma risada. Esse foi um de seus maiores fracassos. Assim, foi alguma surpresa que Reagan ganhasse por maioria esmagadora?

Pense no que aconteceu com Gary Hart. Ele era bastante atraente em todos os três níveis. Mondale tinha mais dinheiro e tinha estado na Casa Branca, assim parecia ser a escolha lógica. No entanto, Hart esteve na disputa — mas só por pouco tempo. O que aconteceu? Numa coisa, Hart foi incoerente. Quando lhe perguntaram por que tinham trocado seu nome, ele disse que isso não era importante — mas a linguagem de seu corpo e o tom de voz diziam outra coisa. Ele poderia ter ficado de frente para a imprensa e dito: "Sim, troquei meu nome. Mas fiz isso para que vocês não me julgassem pelo nome, mas sim pela qualidade do trabalho que faço." Em vez disso, ele não foi convincente. Então, teve de ser pressionado para discutir suas "novas ideias" e, quando o fez, muita gente sentiu que não havia consistência nelas. Eram só palavras inconsequentes.

E sobre Geraldine Ferraro? Você acha que ela é uma mulher atraente visualmente? Cerca de 60 por cento das pessoas que entrevistei acham que sim. Sente que ela tem um tom de voz atraente? É aqui que Ferraro perde, e perde feio. Cerca de 80 ou 90 por cento das pessoas que entrevistei disseram que a voz dela não só era sem atrativos, mas irritante. (As únicas exceções foram pessoas da cidade de Nova York.) E só 10 por cento disseram que ela comovia emocionalmente. Pode imaginar como seria difícil para você ser popular — mesmo que tivesse as melhores ideias do mundo — se as pessoas ficassem irritadas cada vez que abrisse a boca? Ser uma mulher e estar na mesma chapa com Mondale não ajudou a sra. Ferraro, aos olhos de algumas pessoas. Talvez não tenham sido essas as maiores razões que fizeram com que não tivesse apoio, mas sim o tom de sua voz, sua falta de habilidade para comover as pessoas e, finalmente, sua incoerência.

Muitos problemas surgiram quando parecia que estava transmitindo mensagens confusas — sobre aborto, primeira greve nuclear, as finanças do marido, e outras. As práticas de comunicação pessoal dos candidatos democratas, sozinhas, tornaram a derrota quase inevitável.

Pense agora num grande sucesso cultural como Bruce Springsteen. Seus concertos ficam lotados, e ele oferece tudo para os olhos e ouvidos. Visualmente atraente, ele conversa com sua plateia com uma voz cheia de sentimento e desenvolve uma tremenda harmonia. Ele parece ser totalmente congruente.

Pense num presidente da história moderna que permanece em sua mente como sendo poderoso, carismático, capaz de fazer uma mudança... Pensou em John F. Kennedy? Noventa e cinco por cento das pessoas a quem perguntei, também. Por quê? Bem, há muitas razões, mas vamos conferir umas poucas. Você sentiu que Kennedy era um homem atraente visualmente? Pode apostar. Pouquíssimas vezes encontrei alguém que achasse que não era. Que tal do ponto de vista auditivo? Noventa por cento das pessoas que entrevistei concordaram em que ele também era atraente dessa maneira. Pode ele comover você emocionalmente com declarações como "Não pergunte o que o país pode fazer por você, pergunte o que você pode fazer pelo seu país"? Ele foi um mestre em usar comunicação para atingir pessoas. Era ele congruente? Kruchóv deve ter pensado que sim. A crise dos mísseis cubanos foi um teste de congruência entre Kennedy e Kruchóv. Eles estavam ambos se olhando, olho no olho, e, como um escritor descreveu, "Kruchóv piscou."

Estudos sobre pessoas de sucesso mostram com frequência que elas têm um grande talento para criar harmonia. Aqueles que são flexíveis e atraentes nos três modos podem afetar grande número de pessoas, seja como professores, homens de negócios ou líderes mundiais. Mas você não precisa de qualquer espécie de dom natural para fazer isso. Se pode ver, ouvir e sentir, pode criar harmonia com qualquer um, só fazendo o que essa pessoa faz. Você deve procurar pelas coisas que possa espelhar, o mais discreta e naturalmente possível. Se espelhar uma pessoa que é asmática ou que tenha um terrível tremor, em vez de alcançar harmonia, você a levará a pensar que está caçoando dela.

Pela prática constante, você entra no mundo da pessoa que estiver com você e fala como ela. Isso logo se torna uma segunda natureza. Você o fará automaticamente sem qualquer pensamento consciente. Quando começar a espelhar com efetividade, aprenderá que o processo faz mais do que permitir que consiga harmonia e compreenda a outra pessoa. Devido ao que é conhecido como compassar e dirigir, você é capaz de conseguir que ela o siga. Não importa o quão diferente você seja. Não importa como vocês tenham se encontrado. Se puder estabelecer bastante harmonia com alguém, em pouco tempo poderá mudar o comportamento desse alguém fazendo com que comece a igualar o seu.

Deixe-me dar-lhe um exemplo. Há poucos anos, meu negócio de nutrição começou a desenvolver um relacionamento com um médico muito conceituado em Beverly Hills. Começamos com o pé errado. Ele queria uma decisão imediata sobre uma proposta, mas eu estava fora da cidade, e era o único que podia tomar a decisão. Ele não gostou de ter de esperar por alguém tão jovem quanto eu — 21 anos, na ocasião — e estava num estado de espírito bastante hostil quando por fim me encontrei com ele.

Encontrei-o sentado em seu escritório numa posição muito rígida, músculos tensos. Sentei-me numa cadeira oposta à dele exatamente na mesma posição e comecei a espelhar o ritmo de sua respiração. Ele falava com rapidez, e então eu falava com rapidez. Ele tinha uma maneira fora do comum de gesticular, rodando seu braço direito em um círculo. Fiz a mesma coisa.

A despeito das péssimas circunstâncias do nosso encontro, começamos a nos entender. Por quê? Porque, por estar imitando-o, estabeleci harmonia. Em pouco tempo, comecei a ver se poderia dirigi-lo. Primeiro tornei mais lenta a cadência de minha fala. Ele também. Recostei-me então, em minha cadeira. Ele fez a mesma coisa. No começo, eu estava me igualando e espelhando-o. Mas, conforme nossa harmonia se desenvolveu, fui capaz de fazer com que ele me igualasse e espelhasse. Por fim, convidou-me para almoçar, e acabamos fazendo uma refeição realmente amigável, como se fôssemos os melhores amigos. E esse era o indivíduo que me odiava quando atravessei a porta. Portanto, você não precisa ter circunstâncias ideais para espelhar bem. Só precisa de perspicácia para adaptar seu comportamento ao daquele alguém.

COMPASSANDO E LIDERANDO

Compasso digital

- igualar predicados
- igualar sequência de disposições de acesso
- igualar tonalidade
- igualar diapasão

Compasso ou espelhagem analógicos

- Respiração
- Pulso
- Umidade da pele
- Posição da cabeça
- Movimentos faciais
- Movimentos das sobrancelhas
- Tamanho da pupila
- Tensão muscular
- Mudanças importantes
- Movimentos dos pés
- Localização das partes do corpo
- Relacionamentos espaciais
- Gestos das mãos
- Movimento do corpo através do espaço
- Postura do corpo

O que eu estava fazendo com esse homem era compassando e dirigindo. Compassar é só espelhar com graça, mover-se da maneira como a pessoa se move, mudar os gestos do modo como a pessoa muda. Uma vez que adquira grande prática em espelhar alguém, você pode mudar sua fisiologia e comportamento quase instintivamente, quando a outra pessoa muda. Harmonia não é estática; não é alguma coisa que permanece estável, uma vez conseguida. É um processo dinâmico, fluido, flexível. Assim como a chave para estabelecer um relacionamento verdadeiramente ressonante, duradouro, é a habilidade de mudar-se e ajustar-se para aquilo pelo qual alguém esteja passando, a chave para compassar é a habilidade para mudar as engrenagens com elegância e inteligência, quando alguém mais as muda.

Compassar é diretamente seguido por liderança. Quando você estabelece harmonia com alguém, cria um vínculo que quase pode ser sentido. Liderar vem tão naturalmente como compassar. Você atinge um ponto em que começa a iniciar a mudança antes mesmo de espelhar a outra pessoa, um ponto no qual desenvolveu tanta harmonia que, quando muda, a outra pessoa inconscientemente o seguirá. Com certeza você já passou pela experiência de estar com amigos até tarde da noite, e não se sentir nada cansado, mas estar em tão profunda harmonia, que, quando eles bocejam, você também boceja. Os melhores vendedores fazem exatamente a mesma coisa. Eles entram no mundo da outra pessoa, conseguem harmonia e então usam essa harmonia para liderar.

Uma pergunta óbvia aparece quando falamos dessa maneira sobre harmonia: E se alguém for louco? Você espelha sua loucura ou sua raiva? Bem, por certo isso é uma escolha. No entanto, no próximo capítulo vamos falar sobre como quebrar o molde de alguém, quer seja de raiva, quer seja de frustração, e como fazê-lo rapidamente. Pode ser melhor quebrar o molde de alguém do que espelhar sua raiva. Às vezes, ao espelhar a raiva de alguém, você pode entrar em seu mundo tão fortemente que, quando você começa a relaxar, a pessoa também começa a relaxar. Lembre-se, harmonia não significa só que você está sorrindo. Harmonia significa compreensão. Pessoas da rua, por exemplo, algumas vezes acham que espelhar a raiva de volta é absolutamente essencial. Em certas ocasiões, você pode precisar ser bastante enérgico em sua comunicação com uma pessoa, considerando-se que o desafio dela para você é uma das muitas maneiras como o respeito é desenvolvido nessa parte de nossa cultura.

Aqui está outro experimento. Puxe conversa com alguém. Espelhe sua postura, voz e respiração. Após um tempo, mude aos poucos sua postura ou tom de voz. A outra pessoa seguiu-o após uns poucos minutos? Se não seguiu, simplesmente volte atrás e compasse outra vez. Tente então uma conduta diferente e faça a mudança menos radical. Se, quando você tenta conduzir alguém, ele não o segue, isso significa simplesmente que você ainda não tem harmonia suficiente. Desenvolva mais harmonia e tente outra vez.

"Eu mandei-o olhar a vida dos homens, como se fosse um espelho, e a dos outros para tirar um exemplo para si."

— Terêncio

Qual é a chave para estabelecer harmonia? Flexibilidade. Lembre-se, a maior barreira para a harmonia é pensar que outras pessoas têm o mesmo mapa que você, e que por você ver o mundo de uma forma elas também o veem assim. Excelentes comunicadores raramente cometem esse erro. Eles sabem que têm de mudar sua linguagem, sua tonalidade, seu tipo de respiração, seus gestos, até descobrirem uma abordagem que seja bem-sucedida na conquista de seus objetivos.

Se você fracassa ao comunicar-se com alguém, é tentador assumir que a pessoa é uma tola sem tamanho, que recusa a ouvir a razão. Mas isso virtualmente garante que você nunca conseguirá. O melhor é mudar suas palavras e comportamentos até que ela iguale seu modelo do mundo.

Um princípio essencial da PNL é que o significado de sua comunicação é a reação que você elicita. A responsabilidade na comunicação fica sobre você. Se tentar persuadir alguém a fazer uma coisa e ele faz outra, a falha estava em sua comunicação. Você não encontrou uma maneira de transmitir sua mensagem.

Isso é absolutamente crucial em qualquer coisa que faça. Olhemos o ensino. A maior tragédia em educação é que a maioria dos professores sabem suas matérias, mas não conhecem seus alunos. Não sabem como seus estudantes processam informações, não conhecem os sistemas representativos deles, não sabem como trabalhar as suas mentes.

Os melhores professores sabem instintivamente como compassar e dirigir. São capazes de estabelecer harmonia, e assim suas mensagens são recebidas. Mas não há razão pela qual todos os professores não possam aprender a mesma coisa. Aprendendo a compassar seus alunos, aprendendo a apresentar-lhes informações de forma que possam processar efetivamente, eles podem revolucionar o mundo educacional.

Alguns professores acham que, uma vez que conhecem seus assuntos, qualquer fracasso na comunicação é dos alunos que não conseguem aprender. Porém reação, e não satisfação, é o significado da comunicação. Você pode saber tudo que existe sobre o Sacro Império Romano, mas se não conseguir estabelecer harmonia, se não puder traduzir essa informação de seu mapa para o de outra pessoa, seu conhecimento não tem sentido. É por isso que os melhores professores são aqueles que estabelecem harmonia. Há uma história sobre uma classe na qual todos os garotos — como uma travessura — combinaram de deixar cair os livros às nove horas em ponto, para se livrarem da professora. Sem perder o jeito, ela pousou o giz, pegou um livro, e jogou-o também. "Desculpem, me atrasei", disse ela. Depois disso, os garotos passaram a comer em sua mão.

Os fundadores da PNL dão um exemplo fascinante de como a educação deve trabalhar. Havia um jovem estudante de engenharia, cujo sistema representativo primário era cinestésico. A princípio teve problemas terríveis para aprender a ler esquemas elétricos. Achava o assunto difícil e aborrecido. Basicamente estava tendo problemas em entender os conceitos que eram apresentados visualmente.

Então um dia começou a imaginar como se sentiria se fosse um elétron flutuando através do circuito que via diagramado em sua frente. Imaginou suas várias reações e mudanças de comportamento, enquanto entrava em contato com os componentes do circuito, simbolizados pelos caracteres no esquema. Quase imediatamente, os diagramas começaram a fazer mais sentido para ele. Começou até a apreciá-los. Cada esquema se apresentava para ele como uma nova aventura. Era tão agradável que acabou se tornando engenheiro. Teve sucesso porque foi capaz de aprender por meio de seu sistema representativo preferido. Quase todos os garotos que fracassam em nossos sistemas educacionais são capazes de aprender. Nós, simplesmente, nunca aprendemos como ensiná-los. Nunca estabelecemos harmonia com eles e nunca igualamos suas estratégias de aprendizado.

Tenho enfatizado o ensino porque, afinal, é alguma coisa que todos nós fazemos, seja em casa com nossos filhos ou no serviço com nossos empregados ou colegas. O que funciona numa sala de aula também funciona numa sala de estar ou num escritório.

Há uma coisa final maravilhosa sobre a magia da harmonia. É a mais acessível habilidade do mundo. Você não precisa de livros, e não precisa de cursos. Você não precisa viajar para estudar junto de um mestre, você não precisa receber um grau. Os únicos instrumentos de que necessita são seus olhos, seus ouvidos, seus sentidos de tato, gosto e cheiro.

Você pode começar a cultivar harmonia agora mesmo. Estamos sempre nos comunicando e nos influenciando. Harmonia é simplesmente fazer ambas as coisas nas maneiras mais efetivas possíveis. Você pode estudar harmonia na mercearia. Pode usá-la no trabalho e em sua casa. Se, quando for entrevistado para se candidatar a um emprego, você igualar e espelhar o seu entrevistador, ele gostará de você de imediato. Use harmonia em seu negócio, para criar uma ligação imediata com os clientes. Se quiser tornar-se um mestre comunicador, tudo que precisa fazer é aprender como entrar no mundo das outras pessoas. Você já tem tudo que precisa para fazê-lo agora.

Há uma outra maneira de estabelecer harmonia: conjuntos de distinções que ajudam a determinar as escolhas que as pessoas fazem. No próximo capítulo falarei sobre metaprogramas.

CAPÍTULO 14
DIFERENÇAS DE EXCELÊNCIA: METAPROGRAMAS

"Na chave certa, alguém pode dizer qualquer coisa.
Na chave errada, nada: a única parte delicada é a escolha da chave."

— George Bernard Shaw

Uma das melhores maneiras para tornar-se ciente da espantosa diversidade de reações humanas é falar com um grupo de pessoas. Você não pode deixar de notar como as pessoas reagem de modo diferente ante a mesma coisa. Você conta uma história de motivação e uma pessoa fica pasmada, enquanto outra a acha maçante. Você conta uma piada, e uma pessoa gargalha, enquanto outra não move um músculo. Você pensa que cada pessoa está escutando numa linguagem mental diferente.

A questão é: por que as pessoas reagem tão diferentemente a mensagens idênticas? Por que uma pessoa vê o copo como meio vazio e outra o vê como meio cheio? Por que uma pessoa ouve uma mensagem energizada, excitada e motivada enquanto outras ouvem a mesma mensagem e não reagem de modo algum? A citação de Shaw é precisamente correta. Se você se dirigir a alguém na chave certa, poderá fazer qualquer coisa. Se se dirigir na chave errada, não poderá fazer nada. A mais inspiradora mensagem, o mais profundo pensamento, a crítica mais inteligente, são absolutamente sem sentido, a menos que sejam entendidas tanto intelectual como emocionalmente pela pessoa a quem foram endereçadas. São chaves importantes não só para o poder pessoal, mas para muitos dos enormes problemas que devemos confrontar coletivamente. Se quiser ser um mestre de persuasão, um mestre comunicador, tanto no trabalho como na vida pessoal, você tem de saber como encontrar a chave certa.

O caminho é por meio de metaprogramas. Metaprogramas são as chaves para a maneira como uma pessoa processa informações. São poderosos padrões interiores que ajudam a determinar como ela forma suas representações interiores e dirige seu comportamento. Metaprogramas são os programas (ou escolhas) interiores que usamos para decidir a que devemos prestar atenção. Nós distorcemos, cancelamos e generalizamos as informações, porque a mente consciente só pode prestar atenção a um certo número delas, num dado tempo.

Nosso cérebro processa as informações da mesma forma que um computador. Capta uma quantidade fantástica de dados e os organiza numa configuração que faz sentido para aquela pessoa. Um computador não pode fazer nada sem *software*, que fornece a estrutura para realizar tarefas específicas. Metaprogramas operam da mesma maneira em nossos cérebros. Eles fornecem a estrutura que governa aquilo em que devemos prestar atenção, como damos sentido a nossas experiências e às direções em que elas nos levam. Eles fornecem a base a partir da qual decidimos que alguma coisa é interessante ou enfadonha, uma bênção ou uma ameaça em potencial. Para se comunicar com um computador, você tem de compreender seu *software*. Para se comunicar efetivamente com uma pessoa, você tem de compreender seus metaprogramas.

As pessoas têm padrões de comportamento, e têm padrões pelos quais organizam suas experiências para criar aqueles comportamentos. Somente por meio do conhecimento daqueles padrões mentais você pode esperar que sua mensagem seja dada, seja para tentar fazer alguém comprar um carro, seja para compreender que você realmente a ama. Ainda que as situações possam variar, há uma estrutura consistente de como as pessoas compreendem as coisas e organizam seus pensamentos.

O primeiro metaprograma inclui mover-se em direção a alguma coisa ou afastar-se. Todo comportamento humano gira em torno da ânsia de obter prazer ou evitar dor. Você se afasta de um fósforo aceso a fim de evitar a dor de queimar sua mão. Você se senta e olha um lindo pôr do sol porque sente prazer no fato de o glorioso show celestial do dia transformar-se em noite.

O mesmo é verdadeiro para ações mais ambíguas. Uma pessoa pode andar quase dois quilômetros para ir trabalhar porque gosta de exercício. Outra pode andar por ter uma terrível fobia de estar num carro. Uma pessoa pode ler Faulkner, Hemingway ou Fitzgerald porque aprecia sua prosa e discernimento. Ela se move em direção a alguma coisa que lhe dá prazer. Outra pode ler os mesmos escritores porque não quer que as pessoas a julguem estúpida e sem cultura. Não está tanto procurando prazer como evitando a dor; está se afastando de alguma coisa, e não indo na direção dela.

Assim como os outros metaprogramas que discutirei, este processo não é um dos absolutos. Todos se movem em direção a alguma coisa e afastam-se de outras. Ninguém reage da mesma maneira a todo e qualquer estímulo, apesar de todos terem um modo dominante, uma forte tendência para um ou outro programa. Algumas pessoas tendem a ser energéticas, são curiosas e expõem-se a riscos. Podem se sentir mais confortáveis movendo-se na direção do que as excita. Outras tendem a ser cautelosas, atentas e protetoras; veem o mundo como um lugar muito perigoso. Preferem tomar medidas que não sejam prejudiciais ou ameaçadoras, em vez de tomar as que sejam excitantes. Para descobrir de que modo as pessoas se movem, *pergunte-lhes o que querem de um relacionamento — uma casa, carro, emprego, ou alguma outra coisa*. Elas lhe dizem o que querem ou o que não querem?

O que significa essa informação? Tudo. Se você é um comerciante vendendo um produto, pode promovê-lo de duas maneiras, pelo que ele faz e pelo que não faz. Você pode tentar vender carros enfatizando que são rápidos, confortáveis ou sensuais, ou pode salientar que eles não gastam muita gasolina, não são de manutenção cara e são particularmente seguros em acidentes. A estratégia que você usa deve depender só da estratégia da pessoa com quem está negociando. Use o metaprograma errado com uma pessoa, e seria melhor que tivesse ficado em casa. Você tenta movê-la em direção a alguma coisa e tudo que ela quer é encontrar uma boa razão para voltar.

Lembre-se, um carro pode andar ao longo de um mesmo caminho, para a frente ou para trás. Depende da direção em que esteja colocado. O mesmo é verdade para uma situação pessoal. Digamos que você queira que seu filho passe mais tempo fazendo o trabalho da escola. Você pode dizer-lhe: "É melhor você estudar ou não entrará numa boa faculdade." Ou: "Olhe o Fred. Não estudou, e foi reprovado na escola; vai passar o resto de sua vida operando uma bomba de gasolina. É esse tipo de vida que quer para você?" Como funcionará essa estratégia? Depende de seu filho. Se ele for primariamente motivado pelo afastamento, então poderá funcionar bem. Mas, e se ele se move em direção às coisas? E se ele for motivado por coisas que o excitem, por dirigir-se a coisas que ache atraentes? Se é assim que ele reage, você não irá mudar seu comportamento oferecendo-lhe o exemplo de alguma coisa da qual deve se afastar. Você pode insistir até ficar roxo, mas está falando na chave errada. Está falando em latim, e o garoto entende grego. Está gastando o seu tempo — e o dele. De fato, pessoas que vão ao encontro das coisas muitas vezes ficam zangadas ou ressentidas com as que apresentam coisas de que devem ser afastadas. Você motivaria melhor seu filho se dissesse: "Se você fizer isso, pode escolher qualquer faculdade que queira."

O segundo metaprograma trata de estruturas conceituais exteriores e interiores. Pergunte a qualquer pessoa como ela sabe que fez um bom trabalho. Para algumas, a prova vem de fora. O patrão lhe dá um tapinha nas costas e diz que seu trabalho estava ótimo. Você consegue um aumento. Ganha uma grande recompensa. Seu trabalho é notado e aplaudido pelos colegas. Quando consegue essa espécie de aprovação exterior, você sabe que seu trabalho é bom. Isso é uma estrutura conceitual exterior.

Para outros, a prova vem do interior. Eles "simplesmente sabem dentro de si", quando trabalham bem. Se você tem uma estrutura conceitual interior, pode projetar um edifício que ganhe todas as espécies de prêmios de arquitetura, mas, se você não sente que o projeto é especial, nenhuma aprovação de fora o convencerá. Reciprocamente, você pode fazer um serviço que tenha uma recepção indiferente por parte de seu patrão e colegas, mas, se você sente que é um bom trabalho, confiará mais em seus próprios instintos do que nos deles. Isso é uma estrutura conceitual interior.

Digamos que esteja tentando convencer alguém a assistir a um seminário. Você pode dizer: "Você tem de assistir a esse seminário. É ótimo. Eu fui e todos os meus amigos foram, e todos acharam que foi fora de série e ficaram entusiasmados com ele durante vários dias. Todos disseram que ele mudou suas vidas para melhor." Se a pessoa com quem está falando tiver uma estrutura conceitual exterior, é provável que se convença. Se todas aquelas pessoas disseram que é verdade várias vezes, ela assumirá que provavelmente é verdade.

Mas e se ela tiver uma estrutura conceitual interior? Você terá muito trabalho para convencê-la, contando-lhe o que os outros disseram. Não significa nada para ela. Isso não computa. Você só pode convencê-la, apelando para coisas que ela já saiba. Se você lhe disser: "Lembra-se da série de conferências a que assistiu no ano passado? Lembra-se como disse que foi a experiência mais criteriosa que teve em anos? Bem, sei de alguma coisa que talvez seja como aquela; penso que, se for constatar, você pode descobrir que terá a mesma espécie de experiência. O que você acha?" Dará certo? Certo que dará, porque você está falando com ela na linguagem dela.

É importante notar que todos esses metaprogramas são *contextos — e relacionados à tensão.* Se você fez alguma coisa durante 10 ou 15 anos, provavelmente tem uma forte estrutura conceitual interior; se for novato, pode não ter uma estrutura conceitual interior tão forte sobre o que é certo ou errado nesse contexto. Portanto, você tende a desenvolver preferências e padrões com o tempo. Mesmo que seja destro, você usa sua mão esquerda em várias situações, onde for de utilidade fazê-lo. O mesmo acontece com metaprogramas. Você não é só de um jeito. Você pode variar. Você pode mudar.

Que espécie de estrutura conceitual a maioria dos líderes têm — interior ou exterior? Um líder verdadeiramente efetivo tem de ter uma forte estrutura interior. Não seria um líder se passasse todo seu tempo perguntando às pessoas o que elas pensam de alguma coisa, antes de tomar qualquer medida. E há uma média ideal a ser atingida, como com os metaprogramas. Lembre-se: poucas pessoas operam estritamente num extremo. Um líder que seja mesmo eficaz tem de ser capaz de aceitar com eficiência informações também de fora. Quando não o faz, a liderança torna-se megalomania.

Após um de meus recentes seminários abertos a convidados, um homem veio a mim com três amigos e me disse asperamente: "Não estou convencido!" Ele estava fazendo tudo que podia para me provocar. Logo tornou-se óbvio que ele agia por uma estrutura conceitual interior. (Pessoas exteriormente orientadas pouquíssimas vezes se aproximam e dizem a você o que deve fazer e como deve fazer alguma coisa.) E pela conversa dele com os amigos, também se tornou claro que se afastava das coisas. Assim, eu lhe disse: "Não posso convencê-lo a fazer qualquer coisa. Você é a única pessoa que pode convencer a si próprio." Ele não soube como lidar com essa reação. Esperava que eu jogasse minhas teorias para que ele então as rejeitasse. Agora tinha de concordar com o que eu dissera, porque, dentro dele, sabia que era verdade. Então eu disse: "Você é a única pessoa que sabe quem sairá perdendo se não for assistir ao curso." Normalmente, tal observação me pareceria terrível. Mas eu estava falando na linguagem dele, e funcionou. Repare, eu não disse que ele perderia se não assistisse ao curso. Se eu tivesse dito isso, ele nunca o faria. Em vez disso, eu disse: Você é o único que sabe (estrutura conceitual interior) quem perderia (afastamento) se não fosse. Ele disse: Sim, isso é verdade — e foi para o fundo da sala e inscreveu-se. Antes de aprender sobre metaprogramas, eu teria tentado persuadi-lo, fazendo-o conversar com outras pessoas (estrutura conceitual exterior) que tivessem feito o curso, e teria contado sobre todos os benefícios que obteria (dirigir-se para). Mas essa teria sido a maneira que interessava a mim, e não a ele.

O terceiro grupo de metaprogramas envolve introvertidos e extrovertidos. Algumas pessoas olham para as interações humanas, primeiramente em termos do que há nelas que interessa pessoalmente, e algumas em termos do que podem fazer por si e pelos outros. É claro que as pessoas nem sempre caem num extremo ou no outro. Se você só se escolhe, torna-se um egoísta. Se você só escolhe para os outros, torna-se um mártir.

Se for obrigado a contratar pessoas, não gostaria de saber onde um pretendente fica nessa escala? Há pouco tempo, uma empresa aérea importante descobriu que 95 por cento das queixas envolviam 5 por cento de seus empregados. Esses 5 por cento preocupavam-se muito consigo mesmos: estavam mais interessados em cuidar de si e não dos outros. Eram empregados ineficientes? Sim e não. Estavam, é evidente, em empregos errados e obviamente faziam um trabalho deficiente, embora pudessem ser trabalhadores espertos, esforçados e adequados. Eles deviam ser pessoas certas colocadas em lugares errados.

O que fez a companhia aérea? Substituiu-os por pessoas extrovertidas. A companhia escolheu por meio de entrevistas de grupos em que perguntava-se aos candidatos por que queriam trabalhar na empresa aérea. Muitos dos indivíduos pensaram que estavam sendo julgados pelas respostas que davam em frente do grupo, quando de fato estavam sendo julgados pelos seus comportamentos como membros de uma plateia. Isto é, receberam as melhores notas os indivíduos que prestaram mais atenção, que estabeleciam contato com olhares, sorrisos ou apoio à pessoa que estava fazendo a palestra na frente da sala, enquanto aqueles que prestaram pouca ou nenhuma atenção, e estavam em seu próprio mundo enquanto outros estavam falando, foram considerados como sendo primariamente introvertidos e não foram contratados. A média das queixas da companhia caiu 80 por cento como resultado dessa mudança. Por isso é que metaprogramas são tão importantes no mundo dos negócios. Como pode você avaliar uma pessoa se não sabe o que a motiva? Como pode preencher a vaga que tem disponível com a pessoa certa, em termos de técnicas requeridas, capacidade de aprender e constituição interior? Muitas pessoas bastante ativas acabam com suas carreiras totalmente frustradas porque estão desempenhando funções em que não fazem o melhor uso de suas capacidades inerentes. Uma deficiência num contexto pode ser um valioso recurso em outro.

Na área de prestação de serviços, como uma empresa aérea, é óbvio que você precisa de pessoas que se preocupem com os outros. Se você estiver contratando um auditor, deve querer alguém que seja extrovertido. Quantas vezes você já teve de lidar com alguém que o deixou num estado de confusão porque fez um bom trabalho intelectualmente mas pobre de emoções? É como um médico que fosse bastante introvertido. Ele pode ser brilhante para diagnosticar, mas, a menos que você sinta que ele se preocupa com você, não será totalmente eficiente. De fato, uma pessoa assim teria probabilidade de ser melhor pesquisador do que clínico. Pôr a pessoa certa no trabalho certo continua sendo um dos maiores problemas nas empresas norte-americanas. Mas é um problema que poderia ser resolvido se as pessoas soubessem como avaliar os meios que os candidatos ao emprego usam para processar informações.

Nesse ponto, vale a pena notar que nem todos os metaprogramas foram criados igualmente. Ficam as pessoas em melhor situação movendo-se em direção às coisas do que afastando-se delas? Talvez. Seria o mundo um lugar melhor se as pessoas se preocupassem mais com os outros e menos consigo mesmas? Provavelmente. Mas temos de lidar com a vida como ela é, e não da maneira que gostaríamos que fosse. Você pode querer que seu filho mova-se em direção às coisas, mais do que se afaste. Se quiser comunicar-se efetivamente com ele, tem de fazer isso de forma que funcione, e não da maneira que você acha que o mundo deve andar. A chave é observar a pessoa, o mais cuidadosamente possível, ouvir o que ela diz, que tipo de metáforas usa, o que sua fisiologia revela quando ela está atenta ou desinteressada. As pessoas revelam seus metaprogramas de uma forma consistente e progressiva. Não é preciso um estudo muito atento para perceber quais são suas tendências ou como estão se classificando no momento. Para determinar se as pessoas se preocupam consigo ou com os outros, veja se prestam atenção às outras pessoas. Elas inclinam-se em direção às pessoas e têm expressões faciais que refletem interesse pelo que as outras estão dizendo, ou recostam-se e permanecem desinteressadas e não dizem nada? Todos se preocupam consigo mesmos vez por outra, e isso é importante algumas vezes. A chave é o que você faz consistentemente e se seu procedimento de escolha lhe possibilitou alcançar os resultados que queria.

O quarto programa de classificação diz respeito a associadores — dessassociadores. Quero tentar uma experiência com você. Olhe para essas figuras e diga-me como elas se relacionam entre si.

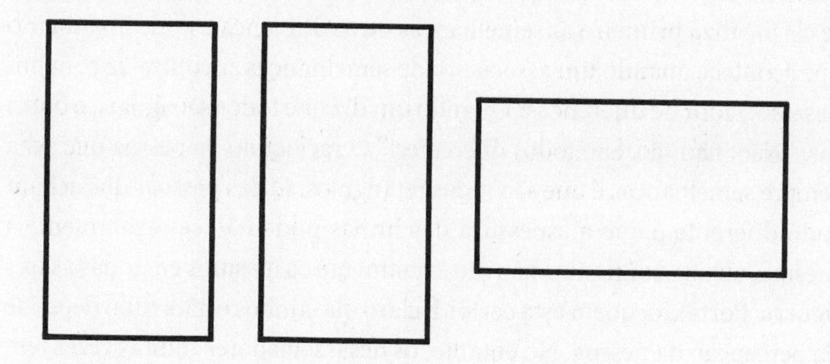

Se eu lhe peço que descreva a relação entre as três figuras, você pode responder de diversas maneiras. Pode dizer que todas são retângulos. Pode dizer que todas têm quatro lados. Pode dizer que duas são verticais e uma é horizontal, ou que duas estão de pé e uma está deitada, ou que nenhuma figura tem precisamente a mesma relação com as outras duas. Ou que uma é diferente e as outras duas são iguais.

Tenho certeza de que você pode pensar em mais descrições. O que está acontecendo? Todas foram descrições da mesma cena, mas foram feitas abordagens completamente diferentes. Assim é com associadores e desassociadores. Esse metaprograma determina como você escolhe informação para aprender e compreender os outros. Algumas pessoas reagem ao mundo encontrando semelhanças. Elas olham para as coisas e veem o que têm em comum. Elas são associadoras. Assim, quando olham para as nossas figuras, poderão dizer: "Bem, todas são retângulos." Outra espécie de associador encontra semelhanças com exceções. Poderá olhar as figuras e dizer: "Todas são retângulos, mas uma está deitada e as outras duas estão em pé."

Outras pessoas são desassociadoras — pessoas que diferenciam. Há duas espécies delas. Um tipo olha para o mundo e vê como as coisas são diferentes. Ele pode olhar as figuras e dizer que elas são todas diferentes e têm diferentes relações entre si. Não são iguais de forma alguma. O outro tipo de desassociador vê diferenças com exceções. Ele é como um associador, que encontra semelhanças com exceções, ao contrário — ele vê primeiro as diferenças e então acrescentará as coisas que têm em comum. Para determinar se uma pessoa é um associador ou desassociador, pergunte-lhe sobre a relação entre qualquer conjunto de objetos ou situações e repare se ele focaliza primeiro as semelhanças ou as diferenças. Pode imaginar o que acontece quando um associador de semelhanças encontra-se com um desassociador de diferenças? Quando um diz que todos são iguais, o outro diz: "Não, não são. São todos diferentes!" O raciocínio da pessoa que acha sempre semelhanças é que são todos retângulos. O das pessoas que acham tudo diferente é que a espessura das linhas pode não ser exatamente a mesma, ou que os ângulos não são exatamente os mesmos em todas as três figuras. Portanto, quem está certo? É claro que ambos estão; tudo depende da percepção da pessoa. No entanto, os desassociadores muitas vezes têm dificuldade em criar harmonia com as pessoas, por estarem sempre criando diferenças. Eles podem desenvolver harmonia com mais facilidade com outros desassociadores.

Por que é importante compreender essas distinções? Vou dar um exemplo no meu trabalho. Tenho cinco sócios e todos, menos um, são associadores. Na maioria das vezes, isso é extraordinário. Somos parecidos, portanto gostamos uns dos outros. Pensamos da mesma maneira e vemos as mesmas coisas, e em nossas reuniões podemos alcançar uma maravilhosa sinergia; todos falamos e apresentamos ideias e todos parecemos ficar cada vez melhores porque estamos nos igualando uns aos outros, vendo o que os outros estão vendo, construindo com seus critérios, nos tornando mais e mais entusiasmados.

Isso, até o nosso desassociador falar. O tempo todo, ele vê as coisas de forma diferente de nós. Enquanto vemos como as coisas se juntam, ele vê a maneira como elas não se juntam. Enquanto ficamos entusiasmados e queremos ir em frente, ele pula e nos diz que não vai dar certo. Não presta atenção ao que vemos e em vez disso enxerga toda espécie de problemas, com os quais não queremos nos preocupar. Nós queremos divagar em nossa nuvem mental. Ele quer os pés no chão, e diz: "Ah, é? E sobre isso? E sobre aquilo?"

Ele é uma pessoa difícil? Pode apostar que sim. É um sócio valioso? Com certeza. O que precisamos fazer é usá-lo no processo de planejamento, na hora certa. Não o queremos criando casos com detalhes e arruinando nossa inspiração. A sinergia que conseguimos planejando juntos é mais valiosa do que suas minúcias, naquela hora. Depois que nos acalmamos, precisamos então desesperadamente de alguém que veja as falhas, as incongruências, que veja como as coisas não se encaixam, como não combinam. Essa é a função que ele desempenha, e muitas vezes nos salva de nós mesmos.

Os desassociadores são minoria. As generalizações oferecidas pela avaliação mostram que cerca de 35 por cento das pessoas entrevistadas eram desassociadoras. (Se você for um desassociador, provavelmente dirá que as avaliações não são exatas.) No entanto, os desassociadores são muito valiosos porque tendem a ver o que o resto de nós não vê. Não são, em geral, as almas da inspiração poética. Muitas vezes, mesmo quando ficam excitados, começam a desassociar e encontram uma maneira de perder o interesse. Mas suas sensibilidades críticas e analíticas são importantes para qualquer negócio. Pense no fracasso de um negócio titânico como o filme *Portal do Paraíso.* Se você pudesse olhar atrás das cenas, poderia ter encontrado um grupo de associadores criativos com estruturas conceituais interiores — todos movendo-se em direção à meta e não olhando para nada do qual precisassem se afastar. Eles precisavam desesperadamente de um desassociador que dissesse: "Esperem um segundo. E sobre isto?", e comunicasse isso de uma forma que pudesse ser aceita pelas molduras interiores de referência das pessoas criativas.

Os hábitos de associar e desassociar são extremamente importantes porque podem ser aplicados de muitas formas, até mesmo na nutrição. Associadores extremos muitas vezes podem acabar comendo alimentos que são maus para eles, porque querem que a comida seja sempre a mesma. Eles não quereriam uma maçã ou uma ameixa. Há uma variedade muito grande de maturação, textura, sabores, tempo de conservação, e várias outras variáveis. Em vez disso eles podem comer muita comida enlatada, porque estas não mudam. Pode ser comida pouco apetitosa, mas satisfaz a alma imutável de um associador.

Se você tem um negócio que requer o mesmo serviço repetitivo, ano após ano, quereria contratar uma pessoa que faz distinções? Claro que não. Você quer contratar uma pessoa que seja uniforme — e ela ficará feliz, muito feliz em tal serviço enquanto você precisar dela. Se, no entanto, você tem um negócio que requer grande flexibilidade ou mudança constante, quereria contratar uma pessoa uniforme para essa posição? É óbvio que não. Essas distinções podem ser muito úteis para se descobrir em que tipo de serviço as pessoas ficariam mais felizes durante um período de tempo mais longo.

Considere o caso de um artilheiro de futebol. Poucos anos atrás, ele começou o campeonato com grande sucesso, chutando com precisão notável. Mas, uma vez que era um desassociador, logo sentiu-se obrigado a variar sua rotina, e começou a fracassar. Começou a concentrar-se nos vários tipos de fãs por trás do gol, em cada estádio diferente. Reparando em como eram diferentes, ele podia desassociar para sua alegria, em alguma coisa trivial, quando na realidade o que interessava é que continuasse o seu melhor desempenho, da mesma maneira.

Você usaria as mesmas técnicas de persuasão com um associador e um desassociador? Você os quereria no mesmo serviço? Trataria da mesma forma duas crianças com estratégias de associação diferentes? Claro que não. Isso não quer dizer que as estratégias são imutáveis. Pessoas não são como os cachorros de Pavlov. Elas podem modificar suas estratégias até um certo ponto, mas somente se alguém conversar com elas, em suas próprias linguagens, sobre como fazer isso. É preciso um tremendo esforço e paciência para transformar uma pessoa que foi desassociadora em uma associadora, mas você pode ajudá-la a fazer grande parte de sua abordagem, e a ser um pouco menos rude e doutrinária no processo. Esse é um dos segredos para viver com pessoas que são diferentes de você. Por outro lado, é útil aos associadores verem mais diferenças, pois têm uma tendência a generalizar. Pode ser útil para os associadores notar todas as diferenças entre esta semana e a semana passada, ou entre as cidades que visitam (em vez de dizerem que Los Angeles é muito parecida com Nova York). Focalize, você também, um pouco as *diferenças* — são parte do tempero da vida.

Podem um associador e um desassociador viver felizes juntos? Sim — desde que se compreendam. Dessa forma, quando ocorrerem as diferenças, eles logo perceberão que a outra pessoa não é má ou está errada, simplesmente percebe as coisas de uma maneira diferente. Você não precisa ser totalmente igual para estabelecer harmonia. Você precisa lembrar-se das diferenças nas formas em que ambos percebem as coisas e aprender a respeitar e a apreciar o outro.

O metaprograma seguinte diz respeito ao que é preciso para convencer alguém de alguma coisa. A estratégia da persuasão tem duas partes. Para calcular o que realmente convence alguém, você deve em primeiro lugar descobrir quais partes da estrutura sensorial desse alguém precisam ser convencidas, e então deve descobrir com que frequência ele tem de receber esses estímulos antes de convencer-se. Para descobrir o metaprograma de persuasão de alguém, pergunte: "Como você sabe quando alguém está indo bem num trabalho?" Você tem de: a) vê-lo trabalhando; b) ouvir dizer como ele é bom; c) trabalhar com ele, ou d) ler sobre sua capacidade?" — A resposta pode ser uma combinação disso tudo. Você pode acreditar que alguém é bom quando o vê fazer um bom serviço e quando outras pessoas lhe dizem que ele é bom. A pergunta seguinte é: "Quantas vezes alguém tem de demonstrar que é bom, antes que você se convença?" Há quatro respostas possíveis: a) imediatamente (por exemplo, se eles demonstram uma vez que são bons em alguma coisa, você acredita neles); b) várias vezes (duas ou mais); c) durante um período de tempo (digamos, umas poucas semanas, ou um mês, ou um ano); e d) consistentemente. No último caso, a pessoa tem de demonstrar que é boa todas as vezes.

Se você é o cabeça de uma organização, um dos mais valiosos estados que pode conseguir com seus auxiliares-chave é a confiança e a harmonia. Se sabem que você se preocupa com eles, trabalharão muito mais e melhor para você. Se não confiam em você, não se esforçarão por você. Mas um meio de estabelecer essa confiança é estar atento às diferentes necessidades das várias pessoas. Algumas estabelecerão um relacionamento e o manterão. Se sabem que você age direito e se preocupa com elas, podem estabelecer um vínculo que durará até você fazer alguma coisa que as traia.

Isso não funciona com todos. Alguns trabalhadores precisam mais do que isso, seja uma palavra amável, um memorando de aprovação, uma demonstração pública de apoio, ou uma tarefa importante para realizar. Eles podem ser bastante leais e capazes, mas precisam de maior confirmação sua do que outras pessoas. Precisam de maiores provas de que o vínculo entre vocês ainda existe. Do mesmo modo, qualquer bom vendedor conhece o cliente só de vender uma vez, e este será sempre seu cliente. Outras pessoas têm de ver o produto duas ou três vezes antes de se decidirem a comprar, enquanto para outras podem passar talvez uns seis meses antes que haja necessidade de vender para elas outra vez. É claro, também há o "favorito" do vendedor — aquele que usa o produto há anos, e, cada vez que o vendedor chega, quer saber, outra vez, por que deve usá-lo. Tem de ser demonstrado a ele todas as vezes. O mesmo processo acontece, com até maior intensidade em relacionamentos pessoais. Com algumas pessoas, se você puder provar seu amor uma vez, terá provado para sempre. Com outras, você tem de prová-lo todos os dias. O valor de compreender estes metaprogramas é que eles lhe dão um esquema de plano para convencer alguém. Você sabe com antecedência o que será preciso para convencê-lo, e assim não será mais perturbado pela pessoa a quem tem de demonstrar a toda hora. Você espera esse comportamento de parte da pessoa.

Outro metaprograma é a possibilidade versus *a necessidade*. Pergunte a alguém por que é que trabalha para determinada companhia ou por que comprou seu carro atual ou casa. Algumas pessoas são principalmente movidas pela necessidade, mais do que pelo que querem. Fazem alguma coisa porque devem fazê-lo. Não são levadas a agir pelo que é possível. Não estão procurando por infinitas variedades de experiências. Elas seguem pela vida aceitando o que aparece e o que está disponível. Quando precisam de um novo trabalho ou de uma nova casa ou de um novo carro ou mesmo de uma nova esposa, elas saem e aceitam o que estiver disponível.

Outras são motivadas pela procura de possibilidades. São menos motivadas pelo que já têm do que pelo que querem fazer. Elas procuram opções, experiências, escolhas, caminhos. A pessoa que é motivada pela necessidade está interessada no que é conhecido e seguro. A pessoa que é motivada pela possibilidade está igualmente interessada no que não é conhecido. Ela quer saber o que pode evoluir, que oportunidades deve desenvolver.

Se você fosse um empregador, que tipo de pessoas gostaria de contratar? Alguns provavelmente responderiam: a pessoa que é motivada pela possibilidade. Afinal, ter um senso rico de potencial resulta numa vida mais rica. Instintivamente, a maioria de nós (mesmo muitas pessoas que são motivadas pela necessidade) defenderia a virtude de se permanecer aberto a uma infinita variedade de novas direções.

Na realidade, nem tudo está tão pronto. Há serviços que requerem atenção para detalhes, firmeza e persistência. Digamos que você seja um inspetor de controle de qualidade de uma fábrica de autos. Um senso de possibilidade é bom. No entanto, o que você pode precisar mais é de senso de necessidade. Você precisa saber exatamente o que é necessário, e tem de verificar se está sendo feito. Alguém motivado por possibilidade provavelmente ficaria muito aborrecido num emprego desses, enquanto alguém motivado pela necessidade se sentiria perfeitamente de acordo com o emprego.

Pessoas motivadas pela necessidade também têm outras vantagens. Alguns empregos dão particular valor à permanência. Quando você os preenche, quer alguém que fique durante um longo tempo. Uma pessoa motivada por possibilidades está sempre procurando por novas opções, novos empreendimentos, novos desafios. Se ela encontra outro emprego que pareça oferecer mais potencial, há uma boa chance de que ela mude. Já a pessoa laboriosa, motivada pela necessidade, não age assim. Ela aceita o emprego quando precisa de um e permanece nele porque trabalhar é uma necessidade da vida. Há vários empregos que pedem pessoas que acreditem em possibilidades, sonhadoras, temerárias, que se arriscam. Se sua companhia estiver diversificando num campo todo novo, você quer contratar alguém que se adapte a todas as possibilidades. E há outros empregos que dão valor à solidez, persistência e longevidade. Para esses empregos você precisa de alguém que seja motivado mais pelo que precisa. É igualmente importante saber quais são seus próprios metaprogramas pessoais, pois se estiver procurando um emprego você pode escolher o que melhor apoie suas necessidades.

O mesmo princípio funciona para motivar seus filhos. Digamos que você está tentando dar ênfase às virtudes da educação e de ir para uma boa faculdade. Se sua filha é motivada pela necessidade, você tem de lhe mostrar por que ela precisa de uma boa educação. Pode falar-lhe sobre todos os empregos que exigem diploma. Você pode explicar por que é preciso base em matemática para ser um bom engenheiro ou em técnicas de linguagem para ser um bom professor. Se seu filho é motivado pela possibilidade, você deve fazer uma abordagem diferente. Ele se aborrece com o que tem de fazer, então você enfatiza as infinitas possibilidades abertas para aqueles que têm uma boa educação. Mostre-lhe como o aprendizado é o maior caminho para a possibilidade — encha sua cabeça com imagens de novos caminhos a serem explorados, novas dimensões a serem abertas, novas coisas para serem descobertas. Com cada uma das crianças o resultado será o mesmo, apesar dos caminhos que as levam até lá serem muito diferentes.

Outro metaprograma é o estilo de trabalho da pessoa. Cada pessoa tem sua própria estratégia para trabalhar. Algumas não são felizes a menos que sejam *independentes.* Têm grande dificuldade em trabalhar junto de outras pessoas e não podem trabalhar bem sob muita supervisão. Têm de dirigir suas próprias vidas. Outras trabalham melhor como parte de um grupo. Chamamos sua estratégia de *cooperativa.* Querem repartir a responsabilidade de qualquer tarefa que façam. Outras, ainda, têm uma estratégia de *proximidade,* que fica entre as outras duas. Preferem trabalhar com outras pessoas, mas mantendo para si a responsabilidade da tarefa. Elas são as encarregadas, mas não são sozinhas.

Se você quiser conseguir o máximo de seus empregados, ou de seus filhos, ou daqueles que supervisiona, descubra suas estratégias de trabalho, as maneiras pelas quais eles são mais eficientes. Algumas vezes encontrará um empregado que é brilhante mas com quem é difícil lidar. Ele sempre tem de fazer as coisas a seu modo. Talvez não tenha sido talhado para ser um empregado: pode ser do tipo de pessoa que tem de dirigir seu próprio negócio, e mais cedo ou mais tarde provavelmente o fará, se você não lhe propiciar um meio de ele se expressar. Se você tem um empregado valioso como esse, deve tentar um meio de aumentar ao máximo seus talentos, dando-lhe a maior autonomia possível. Se você torná-lo parte de uma equipe, ele deixará todos loucos. Mas, se lhe der a independência que for possível, ele poderá tornar-se inestimável. É sobre isso que os novos conceitos de empresariado tratam.

Você ouviu pelo "Princípio de Peter" que todas as pessoas são promovidas ao nível de sua incompetência. Uma das razões para que isso aconteça é que os empregadores são sempre insensíveis às estratégias de trabalho de seus empregados. Há pessoas que trabalham melhor num ambiente de cooperação. Elas têm sucesso com grande quantidade de *feedback* e interação humana. Você as recompensaria pelo bom trabalho, colocando-as à frente de algum novo empreendimento autônomo? Não, se quiser fazer uso de seus melhores talentos. Isso não significa que você deva manter a pessoa no mesmo nível. Significa, porém, que você deve dar promoções e experiências de novos trabalhos que utilizem os melhores talentos da pessoa, e não os seus piores.

Do mesmo modo, muitas pessoas com estratégias de proximidade querem ser parte de uma equipe mas precisam fazer seu próprio serviço sozinhas. Em qualquer estrutura há serviços que estimulam todas as três estratégias. A chave é ter a sutileza de saber como as pessoas trabalham melhor e então encontrar uma tarefa na qual tenham sucesso.

Aqui está um exercício para fazer hoje. Após ler este capítulo, pratique elicitando os metaprogramas das pessoas. Pergunte-lhes: o que você quer num relacionamento (casa, carro ou carreira)? Como você sabe que foi bem-sucedido em alguma coisa? Qual é a relação entre o que está fazendo neste mês e o que fez no mês passado? Quantas vezes alguém tem de demonstrar alguma coisa para você, antes que se convença de que é verdade? Conte-me sobre uma experiência favorita de trabalho e por que ela foi importante para você.

A pessoa prestou atenção enquanto você fazia essas perguntas? Estava ela interessada em suas perguntas, ou estava ocupada com qualquer outra coisa? Há somente umas poucas perguntas que você pode fazer para elicitar com sucesso os metaprogramas que discutimos. Se não conseguir a informação que precisa, reestruture a pergunta até conseguir.

Pense em qualquer problema de comunicação que tenha e provavelmente descobrirá que compreender os metaprogramas das pessoas o ajudará a ajustar as comunicações e assim esse problema desaparecerá. Pense em uma frustração de sua vida — alguém que você ame mas que não se sinta amado, alguém para quem trabalhe e que consegue irritá-lo, ou alguém que tentou ajudar e que não correspondeu. O que você precisa fazer é identificar o metaprograma que está operando, identificar o que você está fazendo e o que a outra pessoa está fazendo. Por exemplo: vamos supor que você precisa só de uma confirmação de que tem um relacionamento amoroso e que sua companheira precise disso com insistência. Ou você faz uma exposição que mostra aspectos semelhantes de determinadas coisas, e seu supervisor só quer ouvir sobre os pontos que são diferentes. Ou você tenta prevenir alguém sobre alguma coisa que precise evitar, e ele só está interessado em ouvir sobre alguma coisa que quer seguir.

Quando você fala na chave errada, a mensagem que sai é a errada. É tanto um problema para pais que lidam com filhos como para executivos que lidam com empregados. No passado, muitos de nós não desenvolvemos a perspicácia de reconhecer e calibrar as estratégias básicas que outros usam. Quando você falha em transmitir sua mensagem para alguém, não há necessidade de mudar o significado. Você tem de desenvolver a flexibilidade de ser capaz de alterar sua forma para se ajustar ao metaprograma da pessoa com quem está tentando se comunicar.

Muitas vezes você pode comunicar-se mais efetivamente quando usa diversos metaprogramas juntos. Meus sócios e eu certa vez tivemos um desacordo de negócios com um homem que tinha feito determinado trabalho para nós. Nos reunimos, e eu comecei a conversa tentando estabelecer um ambiente positivo, dizendo que queria criar um objetivo que satisfizesse a ambos. Imediatamente ele disse: "Não estou interessado em nada disso. Eu tenho esse dinheiro e não vou largá-lo. Eu só não quero mais seu advogado me chamando e me aborrecendo." Começou então a se afastar. Eu disse: "Nós queremos fazer esse trabalho porque estamos todos empenhados em ajudar os outros e nós mesmos a experimentar uma qualidade de vida melhor, e trabalhando juntos poderemos fazer isso." Ele disse: "Nós não estamos todos empenhados em ajudar os outros. Eu não me importo nem um pouco com você. Tudo que me preocupa é sair daqui feliz." Conforme a reunião continuou, com pouco progresso, tornou-se claro que ele se afastava do problema, que era introvertido, que era desassociador, que ele tinha uma moldura interior de referência, e que não acreditava nas coisas a menos que as visse, ouvisse e as tivesse seguidamente reforçadas.

Esses metaprogramas não acrescentaram para um plano de comunicação perfeita, especialmente porque sou o oposto de quase todas essas coisas. Conversamos durante quase duas horas sem progresso, e eu já estava pronto para desistir. E então acendeu-se uma luz na minha cabeça, e eu mudei de tática. Falei: "Sabe, essa ideia que você tem em sua cabeça, eu a tenho bem aqui." Então mostrei-lhe minha mão fechada. Assim tomei sua moldura interior de referência, que eu não podia manipular com palavras, e exteriorizei-a para poder controlá-la. Disse então: "Eu a tenho bem aqui e você tem 60 segundos. Decida-se ou estará prestes a perder — e perder muito. Eu não vou perder, mas você vai perder pessoalmente." Isso deu-lhe algo de novo do que se afastar.

Continuei daí, dizendo: "Você... você mesmo... vai perder, afastar-se, porque não acredita que haja uma solução que possa ser desenvolvida." Ora, ele era um desassociador; logo, começou a pensar o oposto, que havia uma solução. Continuei então: "É melhor você se analisar bem e ver (moldura interior de referência) se está realmente querendo pagar o preço que terá de pagar, dia após dia, como resultado de suas decisões de hoje. Porque vou continuar a contar para as pessoas (sua estratégia de persuasão) como você se comportou aqui e o que fez. Você tem um minuto para decidir. Pode decidir, agora, que quer prosseguir esse trabalho ou caso contrário perderá tudo — você, pessoalmente, para sempre. Avalie-me. Veja se sou congruente."

Levou 20 segundos para que ele pulasse e dissesse: "Olhe, gente, eu sempre quis trabalhar com vocês. Sei que podemos resolver as coisas." Ele não fez isso de má vontade. Levantou-se muito entusiasmado, como se fôssemos verdadeiros amigos, e disse: "Eu só queria saber se podíamos conversar." Por que tão positivo depois de duas horas? Porque usei seus metaprogramas e não meu modelo do mundo para motivá-lo.

O que eu disse teria sido um insulto para mim. Costumava ficar frustrado com as pessoas quando elas agiam de formas opostas às minhas, até que aprendi que as diferentes pessoas têm diferentes metaprogramas e padrões.

Os princípios de classificação de metaprogramas com que lidamos até agora são importantes e poderosos. No entanto, o importante a lembrar é que o número de metaprogramas dos quais você fica ciente é limitado só pela sua sensibilidade, atenção e imaginação. Uma das chaves do sucesso em qualquer coisa é a capacidade de fazer novas distinções. Os metaprogramas lhe dão as ferramentas para fazer distinções importantes, ao decidir como lidar com as pessoas. Você não está limitado aos metaprogramas discutidos aqui. Torne-se um estudante de possibilidades. Constantemente julgue e ajuste as pessoas à sua volta. Anote os padrões específicos que elas tenham para perceber o mundo e comece a analisar se outros têm padrões semelhantes. Por meio dessa abordagem você pode desenvolver um conjunto completo de distinções entre as pessoas que pode capacitá-lo a saber como comunicar-se efetivamente com todo tipo de gente.

Por exemplo, algumas pessoas classificam-se primariamente por sensações, e outras, por pensamentos lógicos. Você tentaria convencê-las usando o mesmo meio? Claro que não. Algumas pessoas tomam decisões baseadas somente em fatos específicos e números. Primeiro têm de saber se as partes vão dar certo — mais tarde pensarão sobre a imagem total. Outras são convencidas primeiro pelo conceito geral ou ideia. Elas reagem ao bloco global. Querem ver primeiro a imagem grande. Se gostarem, então pensarão nos detalhes. Algumas pessoas se prendem em inícios. Ficam muito excitadas quando têm uma nova ideia se realizando, e então logo tendem a perder interesse e partem para outra coisa nova. Outras se fixam em conclusões. Qualquer coisa que façam, têm de ir até o fim, seja a leitura de um livro ou a execução de um trabalho. Algumas pessoas classificam-se por comida. É isso mesmo, por comida. Quase tudo que fazem ou pensam em fazer é avaliado em termos de comida. Pergunte-lhes como chegar a algum lugar e eles dirão: "Desça a estrada até chegar ao Burger King, vire à esquerda, e continue em frente até chegar ao McDonald's e vire à direita, e então vire à esquerda no KFC até chegar àquele edifício marrom-chocolate." Pergunte sobre um cinema a que tenham ido, e imediatamente elas começam a lhe dizer como está ruim o serviço de lanches. Pergunte sobre um casamento, e lhe contarão sobre o bolo. Uma pessoa que é primariamente extrovertida falará muito mais sobre as pessoas que estavam no casamento ou sobre os personagens do filme. Uma pessoa que se classifica primariamente por atividades falará sobre o que aconteceu no casamento, o que aconteceu no filme, e assim por diante.

A outra coisa que um empreendimento de metaprogramas estabelece é um modelo para balança. Todos nós seguimos uma ou outra estratégia para usar os metaprogramas. Por alguns metaprogramas nós poderemos pender ligeiramente mais para um lado do que para outro. Por outros poderemos balançar fortemente para uma estratégia em vez de outra. Mas não há nada que não possa ser mudado em qualquer dessas estratégias. Assim como você pode decidir-se a se colocar num estado que o fortaleça, você pode escolher e adotar um metaprograma que mais o ajude do que o embarace.

O que o metaprograma faz é dizer a seu cérebro o que cancelar. Assim se, por exemplo, você estiver avançando, você está cancelando as coisas para afastar-se. Se você estiver se afastando, está cancelando as coisas das quais poderia se aproximar. Para mudar seus metaprogramas, tudo que tem a fazer é tornar-se consciente das coisas que você normalmente cancela. E começar a concentrar sua atenção nelas.

Não cometa o engano de confundir-se com seus comportamentos, ou fazer o mesmo com outra pessoa. Você diz: "Eu conheço o Joe. Ele faz isso, e isso e isso." Bem, você não conhece o Joe. Você o conhece por meio de seu comportamento. Mas ele não é o comportamento dele, assim como você não é o seu. Se você for alguém que tende a se afastar de qualquer coisa, talvez esse seja seu padrão de comportamento. Se você não gosta dele, pode mudá-lo. De fato, não há desculpa para que não o mude. Você agora tem o poder. A única questão é se você tem bastantes motivos para fazer uso do que sabe.

Há duas maneiras de mudar os metaprogramas. Uma é pelos Acontecimentos Emocionais Significativos (*Significant Emotional Events*) — "SEEs". Se você vê seus pais constantemente se afastando das coisas, sem serem capazes de atingir como resultado os seus potenciais completos, isso pode influenciá-lo na maneira como avança ou se afasta. Se você só se classifica pela necessidade e perdeu a oportunidade de um grande emprego porque a firma estava procurando alguém com um dinâmico senso de possibilidade, você pode ficar chocado em mudar sua abordagem. Se você tende a mover-se em direção a tudo e foi logrado por um chamativo investimento falso, isso provavelmente afetará a maneira como olhará a próxima proposta que aparecer em seu caminho.

A outra maneira pela qual você pode mudar é pela decisão consciente de fazê-lo. A maioria das pessoas nunca se preocupa com os metaprogramas que utiliza. O primeiro passo para a mudança é o reconhecimento. A consciência exata do que estamos fazendo presentemente proporciona oportunidade para novas escolhas e, assim, para mudanças. Digamos que perceba que tem uma forte tendência a se afastar das coisas. Como você se sente sobre isso? Claro, há coisas das quais você quer se afastar. Se você puser a mão num ferro quente, quererá tirá-la o mais depressa que puder. Mas não há coisas das quais você gostaria realmente de se aproximar? A parte que está no controle não está fazendo um esforço consciente para fazer um movimento em direção de alguma coisa? A maioria dos grandes líderes e grandes sucessos não se movem em direção das coisas, mais do que se afastam? Portanto, você deve querer começar a se estender um pouco. Pode começar pensando sobre coisas que o atraiam e ativamente mover-se em direção a elas.

Você também pode pensar em metaprogramas em nível mais alto. As nações têm metaprogramas? Bem, elas têm comportamentos, não é? Logo, têm também metaprogramas. Os seus comportamentos coletivos muitas vezes formam um padrão, baseados nos metaprogramas de seus líderes. A maior parte dos Estados Unidos tem uma cultura que parece avançar. Um país como o Irã tem uma estrutura conceitual exterior ou interior? Pense na última eleição. Qual era o metaprograma básico de Walter Mondale? Muitas pessoas achavam que ele estava recuando. Ele falava sobre condenação e tristeza, e sobre como Reagan não estava falando a verdade e iria aumentar os impostos. Ele nos disse: "Pelo menos, eu lhes direi agora que teremos de subir os impostos ou o desastre é certo." Não estou dizendo que ele estava certo ou errado; só anote o padrão. Ronald Reagan só passava mensagens positivas, enquanto Mondale era notório por invocar questões importantes que a nação precisava confrontar. Mas em nível emocional — que é onde muito da política é apresentado — parece que os metaprogramas de Reagan combinaram mais efetivamente com os da nação.

Como tudo o mais neste livro, os metaprogramas devem ser usados em dois níveis. No primeiro, como um instrumento para ajustar e guiar nossa comunicação com os outros. Assim como a fisiologia de uma pessoa lhe contará inúmeras histórias sobre ela, seus metaprogramas lhe falarão com eloquência sobre o que a motiva e a afugenta. No segundo, como um instrumento para mudança pessoal. Lembre-se: você não é o seu comportamento. Se você tende a seguir qualquer espécie de padrão que trabalhe contra você, tudo que tem a fazer é mudá-lo. Os metaprogramas oferecem uma das mais úteis ferramentas para o ajuste e a mudança pessoal. Eles proporcionam chaves para algumas das mais úteis ferramentas de comunicação disponíveis.

No próximo capítulo, veremos outras ferramentas valiosas de comunicação, ferramentas que lhe mostrarão como enfrentar resistência e resolver problemas.

CAPÍTULO 15
COMO ENFRENTAR A RESISTÊNCIA E RESOLVER PROBLEMAS

"Uma pessoa pode permanecer parada numa correnteza,
mas não no mundo dos homens."

— PROVÉRBIO JAPONÊS

No começo do livro você aprendeu a modelar, a elicitar os padrões decisivos das ações humanas que produzem resultados desejáveis, a dirigir suas próprias ações para ter controle de sua vida. A ideia básica era de que você não precisaria escolher seu comportamento por tentativa e erro — você poderia tornar-se um soberano, aprendendo a maneira mais efetiva de dirigir seu próprio cérebro.

Quando você lida com outras pessoas, um certo número de tentativas e erros é inevitável. Você não pode dirigir o comportamento dos outros com a velocidade, certeza e efetividade com as quais controla seus próprios resultados. Porém, uma chave para o sucesso pessoal é aprender como acelerar esse processo. Você pode fazê-lo, desenvolvendo harmonia, entendendo metaprogramas, aprendendo a ajustar os outros de forma que possa lidar com eles em seus termos. Este capítulo é sobre como dominar tentativas e erros inerentes à interação humana, e aumentar a marcha da descoberta — aprendendo como enfrentar a resistência e resolver problemas.

Se havia uma palavra-chave na primeira parte do livro, ela era "modelagem". Modelar a excelência é crucial para aprender a criar rapidamente os resultados que você deseja. Se há uma palavra-chave para a segunda parte deste livro, ela é "flexibilidade" — a coisa efetiva que os comunicadores têm em comum. Eles aprendem como ajustar alguém e então ficam mudando seu próprio comportamento — verbal e não verbal — até criarem o que querem. A única maneira de se comunicar bem é começar com senso de humildade e vontade de mudar. Você não pode comunicar-se por força de vontade; você não pode ameaçar alguém para que entenda seu ponto de vista. Você só pode comunicar-se por flexibilidade constante, rica de recursos e atenta.

Muitas vezes, a flexibilidade não vem naturalmente. Muitos de nós seguimos os mesmos padrões com uma regularidade sem emoções. Alguns de nós estamos tão certos sobre alguma coisa que assumimos que uma mera repetição vigorosa nos fará alcançar um objetivo. Há uma combinação de ego e inércia trabalhando. Muitas vezes é mais fácil fazer exatamente o que fizemos antes. Mas o mais fácil é muitas vezes a pior coisa para se fazer. Neste capítulo, vamos ver as maneiras de mudar direções, quebrar padrões, redirecionar comunicações e lucrar com a confusão. O poeta místico William Blake certa vez escreveu: "O homem que nunca muda sua opinião é como água estagnada e cria répteis da mente." O homem que nunca altera seus padrões de comunicação encontra-se na mesma lama perigosa.

Aprendemos no começo que, em qualquer sistema, a máquina com o maior número de opções, maior flexibilidade, terá o maior efeito. É o mesmo com as pessoas. A chave para a vida é ir abrindo o maior número possível de avenidas, tentando o maior número de portas, usando as mais diferentes abordagens que sejam necessárias para resolver um problema. Se você segue um programa e trabalha com uma estratégia, será tão eficiente quanto um carro que corre com uma marcha só.

Certa vez vi uma amiga tentar convencer o rapaz da portaria de um hotel a deixá-la manter o quarto durante algumas horas após o tempo marcado. Seu marido se ferira num acidente de esqui, e ela queria que ele pudesse descansar até que o transporte fosse providenciado. O rapaz, polida e persistentemente, continuava dando-lhe todas as excelentes razões pelas quais não era de maneira alguma possível. Minha amiga ouvia respeitosamente e então continuava com razões ainda mais convincentes.

Vi minha amiga percorrer toda a gama de persuasão charmosa e feminina, até a razão e a lógica. Sem nunca tornar-se arrogante ou provocar um clima de tensão, ela simplesmente permanecia ali, perseguindo o objetivo desejado. Afinal, o rapaz deu-lhe um sorriso pesaroso e disse: "Madame, creio que está vencendo." Como ela conseguiu o que queria? Porque foi flexível o bastante para manter-se apresentando novos comportamentos e novas manobras até que o rapaz não tivesse mais como se opor.

A maioria de nós pensa em acertar uma diferença como alguma coisa similar a uma luta de boxe verbal. Você insiste em seus argumentos até conseguir o que quer. Modelos muito mais elegantes e efetivos são as artes marciais do Oriente, como o aikidô e o tai chi. Lá, a meta não é sobrepujar a força, mas redirecioná-la — não se trata de contrapor força com força, mas de alinhar-se com a força dirigida a você e dirigi-la para uma nova direção. Isso foi precisamente o que minha amiga fez — e é o que os melhores comunicadores fazem.

Lembre-se que não há essa coisa chamada resistência, há somente comunicadores inflexíveis que empurram na direção errada. Como um mestre de aikidô, um bom comunicador, em vez de se opor aos pontos de vista de alguém, é flexível e tem recursos suficientes para sentir a criação da resistência, encontrar pontos de concordância, alinhar-se com eles e então redirecionar a comunicação da maneira que queria.

> "O melhor soldado não ataca. O lutador superior vence sem violência. O maior dos conquistadores vence sem esforço. O gerente mais bem-sucedido dirige sem impor. Isso é chamado não agressividade inteligente. Isso é chamado superioridade dos homens."
>
> — Lao-Tsé, *Tao Te King*

É importante lembrarmo-nos que certas palavras e frases criam resistência e problemas. Grandes líderes e comunicadores sabem disso e prestam muita atenção para as palavras que usam e o efeito que causam. Em sua autobiografia, Benjamin Franklin descreve sua estratégia para comunicar suas opiniões e ainda manter harmonia: "Desenvolvi o hábito de expressar-me em termos de despretensiosa timidez, nunca usando, quando avançava em alguma coisa que pudesse ser discutida, as palavras 'certamente', 'indubitavelmente', ou qualquer outra que desse um ar de certeza a uma opinião. Mas eu diria: Eu imagino ou entendo que uma coisa seja assim e assim; parece para mim; ou: Eu não pensaria isso ou aquilo, por tais e tais razões; ou: Imagino que isso seja assim; ou: Isso é assim, se não me engano. Acredito que esse hábito tenha sido de grande vantagem para mim quando tive ocasião de inculcar minha opinião e persuadir homens a tomar providências que eu, de tempos em tempos, me empenhava em promover."

O velho Ben Franklin sabia como persuadir, estando certo ao não criar nenhuma resistência às suas propostas pelo uso de palavras que acionariam reações negativas. Há outras palavras. Deixe-me dar-lhe um exemplo de uma palavra sempre presente: *mas*. Usada de maneira inconsciente e automática, pode ser uma das mais destrutivas palavras de nossa língua. Se alguém diz: "É verdade, mas...", o que está ele dizendo? Está dizendo que não é verdade, ou que é irrelevante. A palavra "mas" negou tudo que foi dito antes. Como você se sente se alguém lhe diz que concorda com você, mas...? E se você disser: "É verdade, e aqui está outra coisa que também é verdade?" Ou: "É uma ideia interessante, e aqui está outra maneira de pensar sobre isso." Em ambos os casos, você começa concordando. Em vez de criar resistência, você criou uma avenida de redireção.

Lembre-se: não há pessoas que resistem, somente comunicadores inflexíveis. Assim como há frases e palavras que automaticamente acionam sensações ou estados de resistência, há também meios de se comunicar que tornam as pessoas envolvidas e abertas.

O que aconteceria, por exemplo, se você tivesse um instrumento de comunicação que pudesse usar para comunicar exatamente o que sente sobre um problema, sem comprometer sua integridade de nenhuma maneira e sem nunca ter de discordar da pessoa? Seria um instrumento bastante poderoso? Bem, aqui está. É a chamada estrutura do entendimento. Consiste em três frases que você pode usar em qualquer comunicação para respeitar a pessoa com quem está se comunicando, manter a harmonia, compartilhar com ela o que sente ser verdade, e, no entanto, nunca se opor às opiniões dela, de nenhuma forma. Sem resistência não há conflito.

Eis as três frases:

"Eu aprecio e..."
"Eu respeito e..."
"Eu concordo e..."

Em cada caso, você está fazendo três coisas. Está construindo harmonia, ao entrar no mundo da outra pessoa e ao conhecer sua comunicação, em vez de ignorá-la ou denegri-la com palavras como "mas" ou "no entanto". Está criando uma estrutura de entendimento que os une. E está abrindo a porta para redirecionar qualquer coisa sem criar resistência.

Deixe-me dar-lhe um exemplo. Alguém lhe diz: "Você está absolutamente errado", sobre alguma coisa. Se você disser: "Não, não estou errado", com bastante veemência, vocês irão continuar em harmonia? Não. Haverá um conflito, e haverá resistência. Em vez disso, diga àquela pessoa: "Respeito a intensidade de seus sentimentos sobre isso, e penso que, se você ouvir o que penso a respeito, poderá se sentir diferente." Repare, você não tem de concordar com o conteúdo da comunicação da pessoa. Você sempre pode apreciar, respeitar ou concordar com os sentimentos de alguém sobre alguma coisa. Você pode apreciar o sentimento dela, porque se estivesse com a mesma fisiologia, se tivesse a mesma percepção, você se sentiria da mesma forma.

Você também pode apreciar a intenção de alguém mais. Por exemplo: muitas vezes duas pessoas em lados opostos de um problema não apreciam os pontos de vista uma da outra nem ao menos se ouvem. Mas, se você usar a estrutura de entendimento, se verá ouvindo com mais atenção o que a outra pessoa está dizendo — e descobrirá, como resultado, novas formas de apreciar as pessoas. Vamos supor que você esteja discutindo com alguém sobre o problema nuclear. Ele é a favor do desenvolvimento de armas nucleares, enquanto você é por um congelamento da produção de armamento nuclear. Vocês dois podem se ver como rivais, no entanto têm a mesma intenção — mais segurança para suas famílias e para si mesmos, e um mundo com paz. Portanto, se a outra pessoa diz: "A única maneira de se cuidar do problema nuclear é ser duro com os russos", em vez de discutir com ele, você entra em seu mundo e diz: "Eu realmente aprecio seu compromisso e seu desejo de criar segurança para nossas crianças, e penso que deve haver uma maneira mais eficiente do que ser intransigente com os russos para conseguir isso. O que acha da possibilidade..." Quando você se comunica dessa maneira, a outra pessoa sente-se respeitada. Sente-se ouvida e não há disputa. Não há desentendimento, e ao mesmo tempo novas possibilidades são também introduzidas. Essa fórmula pode ser usada com qualquer pessoa. Não importa o que alguém diga, você pode sempre encontrar alguma coisa para apreciar, respeitar e concordar. É impossível brigar com você, porque você não brigará.

"A pessoa que é muito insistente em seus próprios pontos de vista encontra poucos para concordar com ela."

— Lao-Tsé, *Tao Te King*

Em meus seminários faço uma pequena e simples experiência que proporciona resultados memoráveis à maioria das pessoas. Faço duas pessoas ficarem em lados opostos numa questão e debatê-la sem nunca usarem a palavra "mas" e sem tentarem denegrir o ponto de vista do outro. Seria um aikidô verbal. As pessoas acham isso uma experiência libertadora. Elas aprendem mais porque são capazes de apreciar o ponto de vista da outra pessoa mais do que sentem que têm de destruí-la. Podem argumentar sem se tornarem beligerantes ou perturbadas. Podem fazer novas distinções. E podem alcançar pontos de entendimento.

Tente a mesma coisa com alguém. Escolha um assunto em que possam ficar em lados opostos e argumentarem exatamente da maneira que descrevi acima — como um jogo de encontrar coisas em comum e então levá-las na direção que você queria. Não quero dizer com isso que você deva trair suas crenças; não quero que você seja um molenga intelectual. Mas você descobrirá que pode atingir seu objetivo mais eficientemente, alinhando-se com gentileza e então dirigindo, em vez de empurrar com violência. E será capaz de desenvolver um ponto de vista mais rico e mais equilibrado, por estar aberto para outra perspectiva. Muitos de nós olhamos uma discussão como um jogo de perder e ganhar. Nós estamos certos, e o outro camarada está errado. Um lado tem o monopólio da verdade, e o outro mora na mais profunda escuridão. Descobri que, ainda hoje, eu aprendo mais e chego aonde quero ir mais rapidamente, encontrando uma moldura de entendimento. Outro exercício de valor é argumentar por alguma coisa em que não acredite. Você se surpreenderá ao descobrir novas perspectivas.

Os melhores vendedores, os melhores comunicadores, sabem que é muito difícil persuadir alguém a fazer alguma coisa que ele não queira fazer. É muito fácil convencer esse alguém a fazer o que ele quer fazer. Criando uma estrutura de entendimento, dirigindo-o naturalmente e não por meio de conflito, você consegue o último, e não o primeiro. A chave para a comunicação efetiva é estruturar as coisas de forma que a pessoa faz o que quer fazer, e não o que você quer que ela faça. É muito difícil superar a resistência. É muito mais fácil evitá-la construindo um entendimento e harmonia. Essa é uma maneira de transformar resistência em assistência.

Uma maneira de resolver problemas é redefini-los, encontrar um modo de concordar mais do que de discordar. Outro modo é quebrar seus padrões. Todos nós nos encontramos em estados fixos, nos quais reciclamos nossas próprias lavadoras de sujeira mental. É como um disco preso num sulco arranhado, que fica tocando o mesmo velho e cansativo refrão, outra e outra vez. A maneira de conseguir soltar o disco é dar uma cutucada na agulha ou tirá-la e colocá-la em outro lugar. A maneira de mudar um estado fixo é a mesma: você precisa interromper o padrão — o velho e cansativo refrão — e começar de novo.

Eu sempre me divirto com o que acontece quando dirijo uma sessão de terapia em minha casa na Califórnia. É um lugar bonito, onde se contempla do alto o oceano, e quando as pessoas chegam tendem a ficar em estado positivo. Gosto de olhá-las da pequena torre sobre a casa. Posso vê-las dirigirem-se até a casa, saírem do carro, olharem em volta com uma excitação evidente e encaminharem-se para a porta da frente. É claro que tudo que veem as está pondo num estado vivo, positivo.

Então o que acontece? Elas sobem, e conversamos um pouco — tudo é muito agradável e positivo — e então pergunto: "Bem, o que os traz aqui?" Imediatamente posso ver seus ombros caírem, seus músculos faciais relaxarem, suas respirações tornarem-se mais leves, suas vozes assumirem um tom de autopiedade quando começam suas histórias de angústia e decidem-se a entrar em seus estados "perturbados".

A melhor maneira de lidar com esse padrão é mostrar como é fácil quebrá-lo. O que geralmente faço é dizer com muita energia, quase de uma forma zangada ou aborrecida: "Desculpem-me. Nós ainda não começamos!" O que acontece? Imediatamente elas dizem: "Sinto muito", sentam-se direito, reassumem a respiração normal, postura, expressões faciais, e tornam a se sentir bem. A mensagem é alta e clara. Elas já sabem como ficar em bom estado. Também sabem como fazer para ficar em mau estado. Elas têm todos os instrumentos para mudar a fisiologia, mudando suas representações interiores, e mudando seus estados a fim de mudar o comportamento na hora certa. Com que rapidez podem fazer isso? Num instante!

Descobri que a confusão é um dos melhores recursos para quebrar um padrão. As pessoas caem em padrões porque não sabem como fazer outra coisa. Elas podem lastimar-se por aí e tornarem-se deprimidas porque pensam que evocarão questões sensíveis e aflitivas sobre o que as está perturbando. É a forma de elas chamarem atenção e usarem seus recursos da melhor maneira que sabem para mudar seus estados.

Se você conhecesse alguém assim, como reagiria? Bem, você poderia fazer o esperado. Poderia sentar-se e começar uma longa, sensível e angustiada discussão. Isso poderia fazer a pessoa sentir-se um pouco melhor, mas também reforçaria o padrão. Esse padrão diz à pessoa que se ela ficar por aí se lastimando conseguirá toda a atenção que quer. E se você fizesse alguma outra coisa? E se começasse a lhe fazer cócegas, ignorá-la ou a latir como um cachorro, na sua cara? Descobriria que essa pessoa não saberia como reagir e, a partir da confusão ou risada dela, surgiria um novo padrão de como perceber sua experiência.

Existem horas em que todos nós precisamos de alguém para conversar, em que precisamos de um amigo. Há circunstâncias reais de pesar e dor que requerem um ouvido sensível e carinhoso. Mas estou falando sobre padrões e estados fixos, repetidas sequências de comportamento que são autoperpetuadoras e destrutivas. Quanto mais você as reforça, mais dano você causa. O verdadeiro alvo é mostrar para as pessoas que elas podem mudar esses padrões, que podem mudar os comportamentos. Se você acredita que é a bola na linha, esperando que alguém a chute, assim é que agirá. Se você acredita que está no controle, que pode mudar seus padrões, então será capaz.

O problema é que muitas vezes nossa cultura nos diz o contrário. Ela diz que não controlamos nossos comportamentos, que não controlamos nossos estados, que não controlamos nossas emoções. A maioria de nós adotou um modelo terapêutico que diz que estamos à mercê de tudo, desde traumas de infância até descontrole hormonal. Portanto, a lição a aprender é que padrões podem ser interrompidos e mudados... num instante.

Quando Richard Bandler e John Grinder estavam fazendo terapia particular, eram conhecidos como os mestres da interrupção de padrões. Bandler contou-me uma história sobre uma visita a uma instituição para doentes mentais e sobre o procedimento com um homem que insistia que era Jesus Cristo, não metaforicamente, não em espírito, mas em carne. Um dia, Bandler foi lá para encontrar esse homem. "Você é Jesus?", perguntou. "Sim, meu filho", respondeu o homem. Bandler disse: "Voltarei em um minuto." Aquilo deixou o homem um pouco confuso. Em três ou quatro minutos, Bandler voltou trazendo uma fita métrica. Pedindo ao homem que abrisse os braços, Bandler mediu a largura de seus braços e a altura da cabeça ao dedo do pé. Depois disso, Bandler saiu. O homem que dizia ser Jesus ficou um pouco preocupado. Um pouco mais tarde, Bandler voltou com um martelo, alguns pregos grandes e afiados e uma porção de tábuas. Começou a prendê-los em forma de uma cruz. O homem perguntou: "O que está fazendo?" Enquanto Richard punha os últimos pregos na cruz, perguntou: "Você é Jesus?" Outra vez o homem respondeu: "Sim, meu filho." Bandler disse: "Então você sabe por que estou aqui." De alguma forma, o homem subitamente lembrou-se quem era na realidade. Seu velho padrão já não parecia uma ideia tão boa. "Eu não sou Jesus! Eu não sou Jesus!", começou o homem a gritar. Caso encerrado.

Uma interrupção de padrão mais positiva é uma campanha contra o fumo que começou poucos anos atrás. Ela sugeria que cada vez que alguém que você ama lhe pedisse um cigarro, você lhe desse um beijo em vez do cigarro. Em primeiro lugar, interrompe o padrão automático de procurar por um cigarro. Ao mesmo tempo, produz uma nova experiência que pode colocar dúvidas na sabedoria da antiga.

Interrupções de padrões são também valiosas em negócios. Um executivo usou-as para fazer os trabalhadores de sua fábrica mudarem a maneira como encaravam seu trabalho. Quando assumiu a direção, foi à fábrica onde estavam fazendo seu modelo pessoal do produto da companhia. Mas, quando saiu de linha, em vez de aproveitá-lo, ele escolheu outro modelo que era feito para o público em geral. Não deu nem para começar. Ele ficou com raiva e deixou claro que queria cada um dos produtos da fábrica feitos como se fossem para seu uso pessoal. Disse que poderia aparecer a qualquer hora para checar a qualidade de cada produto. A notícia se espalhou como fogo, e a experiência interrompeu o padrão de manufatura pobre, e fez com que muitas pessoas reexaminassem o que estavam fazendo. Um mestre de harmonia, o executivo foi capaz de trazer isso para fora sem que os trabalhadores se ressentissem, porque apelou para o orgulho deles.

Interrupções de padrões podem ser particularmente úteis em política. Houve um bom exemplo recentemente, na Luisiana. Kevin Reilly, um deputado estadual de lá, tentava obter aprovação, por meio da sessão legislativa, para mais dinheiro para os colégios e universidades do estado. Todos os seus esforços pareciam em vão: não havia mais dinheiro disponível. Quando, furioso, se retirava da capital estadual, um repórter perguntou-lhe o que pensava. Ele lançou-se em uma tirada, declarando que a Luisiana não passava de uma "república de bananas". Disse: "O que devíamos fazer é declarar falência, nos separar da União e pedir auxílio estrangeiro... Lideramos em todas as 'boas' coisas: falta de instrução, mães solteiras, e somos os últimos em educação."

A princípio suas declarações provocaram uma tempestade de críticas, porque tinham ido muito além do nível geralmente circunspecto de um discurso político. Mas logo ele se tornou uma espécie de herói. Provavelmente ele fez mais para mudar o pensamento do estado sobre verbas para educação, com aquela única tirada, do que ao longo de toda a sua ardente carreira política.

Você pode usar interrupções de padrões na vida diária. Todos nós temos disputas que levam uma vida inteira. A razão original por trás da disputa pode já ter sido esquecida há muito tempo, mas nós nos enraivecemos, ficando mais e mais raivosos, e cada vez mais querendo "vencer" — provando nosso ponto. Disputas como essa podem ser a coisa mais destrutiva que um relacionamento pode enfrentar. Quando terminam, é possível que você pense: Como foi que isso escapou tanto do controle? Mas, enquanto a disputa ainda está acontecendo, você não tem nenhuma outra perspectiva. Pense nas situações em que esteve ultimamente, em que você ou outros estavam enredados. Que interrupções de padrões poderia ter usado? Pare por um momento agora para criar cinco interrupções de padrões que possa usar no futuro e pense nas situações em que elas seriam úteis.

"Reaja inteligentemente mesmo a um tratamento não inteligente."

— LAO-TSÉ, *TAO TE KING*

E se você tivesse uma interrupção de padrão marcada com antecedência, como um despertador, para cortar uma disputa antes que ela saia de seu controle? Descobri que uma piada é um dos melhores interruptores de padrões. É difícil ficar zangado quando você está rindo. Minha esposa, Becky, e eu temos uma escolhida, que usamos a toda hora. A sátira do programa de televisão *Saturday Night Live*, baseada na frase "Eu odeio quando isso acontece", é bastante hilariante. Os atores contam uns aos outros as coisas horríveis que fazem para si mesmos, como esfregar lixa nos lábios ou, então, pôr e esfregar álcool neles, ou ralar o nariz com um raspador de cenoura e então grudar uma pastilha de mentol nele. E depois eles dizem: "Sim, sei o que quer dizer, odeio quando isso acontece."

Assim Becky e eu fizemos um acordo: quando um de nós sente que uma discussão está se tornando corrosiva, o parceiro pode dizer: "Eu odeio quando isso acontece", e o outro tem de parar. Isso nos força a quebrar o estado negativo em que estamos, só de pensar em alguma coisa que nos faz rir. E também nos faz lembrar que odiamos fazer isso. É tão desagradável começar uma discussão viciosa com a pessoa que você ama quanto esfregar lixa nos lábios e depois passar álcool neles.

"Tudo que alarga a esfera dos poderes humanos, que mostra ao homem que ele pode fazer o que pensa que não pode, é valioso."

— BEN JONSON

Há duas coisas principais neste capítulo, e ambas vão contra a base na qual muitos de nós fomos ensinados. A primeira é que você pode persuadir melhor por meio de entendimento do que de conquista. Vivemos numa sociedade que se diverte com competições, que gosta de fazer claras distinções entre ganhadores e perdedores, como se cada interação devesse ter ambos. Lembra-se de uma propaganda de cigarros, de poucos anos atrás, que trazia a mensagem "Prefiro lutar a bater"? Mostrava uma pessoa ostentando orgulhosamente um olho preto como prova de que mantinha seus princípios, não importa o que acontecesse.

Mas tudo que conheço sobre comunicação me diz que o modelo competitivo é muito limitado. Já falei sobre a magia da harmonia e como ela é essencial para o poder pessoal. Se você vê alguém como um competidor, alguém para ser conquistador, você está começando com uma estrutura exatamente oposta. Tudo que conheço sobre comunicação me diz para construir a partir de entendimento, não de conflito; para aprender a alinhar e dirigir mais do que tentar superar a resistência. Isso é mais fácil de dizer do que fazer. No entanto, por meio de atenção consciente e coerente, podemos mudar nossos padrões de comunicação.

A segunda ideia é que nossos padrões de comportamento estão indelevelmente gravados em nosso cérebro. Se repetidas vezes fazemos alguma coisa que nos limita, nós não estamos sofrendo de alguma confusa indisposição mental. Estamos só usando um terrível padrão muitas e muitas vezes. Pode ser uma maneira de nos relacionarmos com os outros ou uma maneira de pensarmos. A solução é simplesmente interromper o padrão, parar o que estávamos fazendo e tentar alguma coisa nova. Nós não somos robôs ligados apenas em lembranças de traumas pessoais. Se fazemos alguma coisa de que não gostamos, tudo que temos a fazer é reconhecer e mudar. O que diz a Bíblia? "Nós seremos mudados num instante. Num piscar de olhos." Nós seremos — se quisermos ser.

Em ambos os casos, a base comum é a ideia da flexibilidade. Se você tem dificuldade em montar um quebra-cabeça, não chegará a lugar nenhum tentando a mesma solução diversas vezes. Você o resolverá sendo flexível o bastante para mudar, adaptar, experimentar, tentar alguma coisa nova. Quanto mais flexível você for, mais opções criará, mais portas poderá abrir e mais bem-sucedido será.

No próximo capítulo, olharemos outro instrumento crucial para a flexibilidade pessoal.

CAPÍTULO 16

REESTRUTURANDO: O PODER DA PERSPECTIVA

"A vida não é uma coisa estática. As únicas pessoas que não mudam suas mentes são os incapazes nos asilos, porque não podem, e aqueles nos cemitérios."

— Everett Dirksen

Considere o som de um passo. Se eu lhe perguntasse: "O que significa um passo?", você provavelmente responderia: "Não significa nada para mim." Bem, pensemos sobre isso. Se estiver andando por uma rua movimentada, há tantos passos que você nem os ouvirá. Nessa situação, eles não têm nenhum significado efetivo. Mas, e se você estiver em sua casa, sozinho, tarde da noite, e ouvir passos lá embaixo? Um momento atrás, você ouviu os passos em sua direção. Os passos, agora, têm um significado? É certo que têm. O mesmo sinal (o som dos passos) terá muitos significados diferentes, dependendo do que significou para você em situações similares no passado. Sua experiência passada pode lhe dar um contexto para esse sinal e, assim, determinar se ele o relaxa ou assusta. Por exemplo: você pode classificar o som como o de seu cônjuge chegando tarde em casa. Pessoas que passaram pela experiência de um assalto podem pensar que seja um intruso. Assim, o significado de qualquer experiência na vida depende da estrutura que colocamos à sua volta. Se você muda a estrutura, o contexto, o significado muda instantaneamente. Um dos mais efetivos instrumentos para a mudança pessoal é aprender como colocar as melhores estruturas em qualquer experiência. Esse processo é chamado reestruturação.

Em um pedaço de papel, descreva a figura da página seguinte. O que você vê? Muitas coisas. Pode ver o que considera ser um chapéu de perfil, um monstro, uma flecha apontando para baixo, e assim por diante. Descreva para você mesmo o que vê agora. Também vê a palavra "fly"? Pode ser que agora a veja porque esse exemplo já foi usado em grandes cartazes e outros itens promocionais. Assim, sua estrutura conceitual anterior ajuda-o a ver "fly", imediatamente. Se você não vê isso, por que será? Agora já vê? Se você não viu a palavra, provavelmente é porque sua estrutura de percepção habitual leva-o a esperar ver palavras escritas em tinta preta sobre um papel branco. Portanto, enquanto usar essa estrutura para interpretar essa situação, você não verá a palavra "fly". Neste caso, "fly" está escrito em branco. Você tem de ser capaz de reestruturar sua percepção para poder ver essa palavra. O mesmo é verdade para a vida. Muitas vezes há ao nosso redor oportunidades que fariam nossas vidas exatamente como gostaríamos que fossem. Há maneiras de ver nossos maiores problemas como se fossem nossas maiores oportunidades — só se pudermos sair de nossos padrões de percepção habituais.

Mais uma vez, como já discutimos em diversas ocasiões neste livro, nada no mundo tem nenhum significado inerente. Como nos sentimos sobre alguma coisa e o que fazemos no mundo depende de nossa percepção das coisas. Um sinal só tem significado na estrutura ou contexto no qual o percebemos. O infortúnio é um ponto de vista. Sua dor de cabeça pode ser boa para um vendedor de aspirina. Os seres humanos tendem a dar significados específicos para as experiências. Nós dizemos que isto acontece, portanto "isto" significa "aquilo", quando na realidade deve haver um número infinito de maneiras de interpretar qualquer experiência.

Tendemos a estruturar as coisas baseados em como as percebemos no passado. Muitas vezes, trocando esses padrões habituais de percepção, podemos criar as maiores escolhas para nossas vidas. É importante lembrar que percepções são criativas. Isto é, se percebemos alguma coisa como uma responsabilidade, essa é a mensagem que enviamos para nosso cérebro. O cérebro então produz estados que a tornam realidade. Se mudarmos nossa estrutura conceitual, olhando para a mesma situação de um ponto de vista diferente, podemos mudar a maneira como reagimos na vida. Podemos mudar nossa representação ou percepção sobre qualquer coisa e, num instante, mudamos nossos estados e comportamentos. Reestruturação é sobretudo isso.

Lembre-se, nós não vemos o mundo como ele é porque as coisas podem ser interpretadas a partir de muitos pontos de vista. Do jeito que somos, nossas estruturas conceituais, nossos "mapas" é que definem o território.

Por exemplo, olhe a figura A. O que você vê? Claro que vê uma mulher velha e feia. Olhe a figura B. Como pode ver, esse é o desenho de uma mulher semelhante, feia e velha, com o queixo enterrado em seu casaco de peles. Olhe com atenção e tente imaginar que espécie de velha ela é. É feliz ou tristonha? O que você acha que ela está pensando? No entanto, há uma coisa interessante sobre essa velha mulher. O artista que a desenhou diz que é um retrato de sua filha jovem e bonita. Se você mudar sua estrutura conceitual, será capaz de ver essa jovem bonita. Aqui vai alguma ajuda. O nariz da velha torna-se o queixo e a linha do maxilar do rosto da jovem. O olho esquerdo da velha torna-se a orelha esquerda da jovem. A boca da mulher mais velha torna-se um colar em volta do pescoço da mulher mais jovem. Se você ainda tem dificuldade, arranjo um desenho que o ajudará a entendê-lo. Olhe a figura C.

Figura A

Figura B

Figura C

A pergunta óbvia é: Por que você viu a mulher velha e feia na figura B, em vez da garota jovem e bonita? A resposta? Você estava antecipadamente condicionado para ver a velha. Muitas vezes, em meus seminários, mostro a figura A para metade do grupo e a figura C para a outra metade. Mostro-lhes então o desenho composto da figura B. Quando os dois grupos se defrontam, as disputas logo começam sobre quem está certo. Aqueles que primeiro viram A têm dificuldade em ver a jovem, e vice-versa para aqueles que primeiro viram C.

É importante notar que nossas experiências passadas filtram regularmente nossa capacidade de ver o que na realidade está acontecendo no mundo. Mas há múltiplas maneiras de ver ou experimentar qualquer situação. O cambista que compra entradas com antecedência para um concerto e depois vende-as a um preço mais alto na porta pode ser visto como uma pessoa desprezível, que tira proveito dos outros — ou pode ser visto como uma valiosa ajuda para aqueles que não conseguiram entradas ou não querem ficar na fila. A chave do sucesso na vida é representar consistentemente sua experiência, de forma que apoie você para produzir até mesmo melhores resultados para si e para os outros.

"Se você aceita o pequeno como ele se vê, o fraco pela força que tem, e o fosco pela luz que dá, então tudo irá bem? Chama-se a isso Agir. Naturalmente."

— Lao-Tsé, *Tao Te King*

Reestruturar em sua forma mais simples é mudar a declaração negativa para uma positiva, trocando a estrutura conceitual usada para entender a experiência. Há dois modos principais para reestruturar, ou meios para alterar nossa percepção sobre alguma coisa: reestruturação de contexto e reestruturação de conteúdo. Ambos alteram suas representações interiores, resolvendo conflitos ou dores interiores, e assim deixando você num estado mais rico de recursos.

A reestruturação de contexto inclui tomar uma experiência que parece ser ruim, perturbadora ou indesejável e mostrar como o mesmo comportamento ou experiência pode ser na verdade uma grande vantagem em outro contexto. A literatura infantil está cheia de exemplos de reestruturação de contexto. O nariz de Rudolph, que fazia as pessoas caçoarem dele, torna-se uma vantagem e transforma-o em herói no contexto de uma noite escura e de nevasca. O patinho feio sofre muito por ser tão diferente, mas sua diferença foi sua beleza ao tornar-se um cisne adulto. A reestruturação de contexto é inestimável em negócios. Nosso sócio desassociador era ineficiente, até que percebemos, depois de uma súbita inspiração, que ele podia ser uma grande ajuda como observador, como a pessoa que nota com antecedência qualquer problema em potencial.

Grandes inovações são feitas por aqueles que sabem como reestruturar atividades e problemas em recursos potenciais, em outros contextos. Por exemplo: o petróleo era considerado uma coisa que acabava com o valor da terra para uso de plantações. Olhe seu valor hoje. Há muitos anos, os depósitos de madeira tinham dificuldade para se livrar da enorme quantidade de serragem de suas serrarias. Um sujeito pegou esse refugo e decidiu aproveitá--lo em outro contexto: prensou a serragem com cola e benzina e criou um tipo de aglomerado! Depois de combinar que retiraria toda a serragem "sem valor" dessas serrarias, em dois anos desenvolveu um negócio multimilionário, e com seu principal recurso não lhc custando nada! Mas isso é próprio de um empreendedor: alguém que dá aos recursos um novo potencial de renda. Em outras palavras, alguém que é um *expert* em reestruturação.

"DEZ SALADAS, POR FAVOR"

A reestruturação de conteúdo inclui pegar exatamente a mesma situação e mudar o seu significado. Por exemplo, você pode dizer que seu filho nunca para de falar. Nunca cala a boca! Depois de reestruturar o conteúdo, você pode dizer que ele certamente deve ser um jovem muito inteligente para ter tanto para dizer. Há a história de um famoso general que ficou conhecido por ter reestruturado suas tropas, durante um pesado ataque inimigo, dizendo: "Nós não estamos nos retirando, estamos avançando em outra direção." Quando morre uma pessoa chegada a nós, a maioria das pessoas em nossa cultura fica triste. Por quê? Muitas razões — sensação de perda, por exemplo. No entanto, algumas pessoas ficam alegres. Elas reestruturam a morte, para significar que o morto está sempre com eles, que nada no universo é jamais destruído, que as coisas só mudam de forma. Alguns consideram a morte uma promoção para um nível mais alto da existência — por isso, ficam felizes.

Outra forma de reestruturar conteúdo é realmente mudar a maneira como você vê, ouve ou representa uma situação. Se está aborrecido com o que alguém lhe disse, você pode imaginar-se sorrindo enquanto ele diz as mesmas palavras negativas, no mesmo tom de voz de seu cantor favorito. Ou você pode ver a mesma experiência em seu cérebro, só que dessa vez com o narrador cercado pela sua cor favorita. Ou, em primeiro lugar, você pode até mudar o que ele lhe diz. Enquanto reexperimenta em sua mente, você pode ouvi-lo se desculpar. Ou pode vê-lo falando de uma perspectiva que coloca você muito acima dele. Reestruturar o mesmo estímulo muda o significado enviado ao cérebro e assim também os estados e comportamentos associados a ele. Este livro é cheio de reestruturas. "As sete mentiras do sucesso" é um capítulo todo de reestruturas.

Pouco tempo atrás, houve um artigo tocante e forte no *Baltimore Sun* republicado nas seleções do *Reader's Digest* com o título "Um menino de visão fora do comum". Era sobre um garoto chamado Calvin Stanley. Parece que Calvin anda de bicicleta, joga beisebol, vai à escola e faz tudo o que meninos de onze anos fazem. Exceto ver.

Como pode esse garotinho fazer todas essas coisas, enquanto muitas pessoas na mesma situação desistem da vida ou vivem em tristeza? Enquanto lia o artigo, tornou-se claro que a mãe de Calvin é uma mestra em reestruturar. Ela transformou todas as experiências que Calvin tinha —

experiências que outros classificariam como "limitações" — em vantagens, na mente dele. Uma vez que isso é o que ele representa para si, isso é o que Calvin experimenta. Aqui estão alguns exemplos de comunicação da mãe com ele:

A mãe de Calvin lembra-se do dia em que seu filho perguntou por que era cego.

— Expliquei-lhe que nascera assim e não era culpa de ninguém.

— Por que eu? — perguntou ele.

— Não sei por quê, Calvin. Talvez haja um plano especial para você — respondi.

Então fez o filho sentar-se e disse-lhe:

— Você vê, Calvin. Só que usa as mãos, em vez de seus olhos. E lembre-se, não há nada que não possa fazer.

Um dia Calvin estava muito triste porque compreendera que nunca veria o rosto da mãe. "Mas a sra. Stanley sabia o que dizer a seu único filho", continua o artigo.

— Calvin, você pode ver meu rosto. Você pode vê-lo com suas mãos e ouvindo minha voz, e você pode contar mais sobre mim do que alguém que pode usar os olhos.

O artigo continua dizendo que Calvin se movimenta, no mundo dos que enxergam, com crença, fé e a inabalável confiança de uma criança cuja mãe sempre esteve a seu lado. Calvin quer tornar-se programador de computadores e algum dia preparar programas para os cegos.

O mundo está cheio de Calvins. Precisamos de mais pessoas que usem a reestruturação tão efetivamente quanto a sra. Stanley. Tive a sorte de recentemente encontrar outro mestre de reestruturação. Seu nome é comandante Jerry Coffey. Ele é um homem incrível, que usou a reestruturação para manter sua sanidade, quando passou sete anos em prisão solitária como prisioneiro de guerra, no Vietnã. Nossa primeira reação ao ouvir isso provavelmente é assustar-nos um pouco. No entanto, nada é bom ou mau no mundo, exceto pela maneira como o representamos para nós mesmos. Jerry decidiu representar a prisão para si mesmo como uma grande oportunidade, um desafio para permanecer forte, uma oportunidade para aprender mais sobre si mesmo, como nunca tivera antes. Uma chance para ficar mais próximo de Deus. Algo que algum dia o faria sentir-se orgulhoso da maneira como se portara. Com essa estrutura, ele via tudo que acontecia como parte do desenvolvimento de uma experiência pessoal, e saiu total e positivamente transformado pela experiência. Diz ele que não desistiria da experiência nem por um milhão de dólares.

Pense num grande engano que cometeu no ano passado. Você pode sentir uma súbita onda de tristeza. Mas é bem provável que o engano tenha sido parte de uma experiência com mais sucesso do que fracasso. E, quando você refletir a respeito, começará a perceber que provavelmente aprendeu mais com aquele engano do que com qualquer outra coisa que tenha feito na época.

Portanto, você pode zerar o que fez de errado, ou pode reestruturar a experiência de forma a focalizar mais além, no que aprendeu. Há inúmeros significados para cada experiência. O significado é tudo o que se escolhe para dar ênfase, assim como seu conteúdo é o que se escolhe para focalizar. Uma das chaves para o sucesso é encontrar a estrutura mais útil para qualquer experiência, a fim de você poder torná-la alguma coisa que trabalhe para você e não contra você.

Há alguma experiência que você não possa mudar? Há algum comportamento que é uma parte imutável de seu ser? Você é seus comportamentos ou você é o encarregado deles? O que eu tenho salientado em cada parte deste livro é que você está no controle. Você dirige seu cérebro. Você produz os resultados de sua vida. A reestruturação é um dos mais poderosos meios que você pode usar para mudar a maneira como pensa sobre uma experiência. Você já põe estruturas em experiências. Algumas vezes você muda as estruturas, conforme os acontecimentos mudam.

Pare por um momento e reestruture estas situações:

1. Meu patrão grita comigo o tempo todo.
2. Tenho de pagar US$ 4,00 a mais de imposto este ano em relação ao ano passado.
3. Temos pouco ou nenhum dinheiro extra para comprar presentes de Natal este ano.
4. Cada vez que começo a ser bem-sucedido em grande estilo, eu saboto meu sucesso.

Aqui estão algumas reestruturações possíveis:

1º É ótimo que ele se preocupe o bastante para lhe dizer como na realidade se sente. Ele poderia simplesmente despedi-lo.
2º Isso é ótimo. Você deve ter ganho muito mais dinheiro neste ano do que no ano passado.
3º Ótimo! Assim você pode se tornar muito mais inventivo e fazer alguma coisa de que as pessoas nunca se esquecerão, em vez de comprar presentes comuns. Seus presentes serão pessoais.
4º É ótimo que você esteja tão consciente do que seu padrão foi no passado. Agora você pode perceber o que acionou a mudá-lo para sempre!

Reestruturar é crucial para aprendermos a nos comunicar com nós mesmos e com os outros. No âmbito pessoal, é como escolhemos o significado para colocar nos eventos. Num âmbito mais amplo, é um dos instrumentos de comunicação mais efetivos de que dispomos. Pense em vendas. Pense em qualquer forma de persuasão. A pessoa que prepara a estrutura, a pessoa que define o campo, é a maior influência. A maioria dos grandes sucessos em que você possa pensar, em campos que variem da propaganda à política, é o resultado de reestruturações engenhosas — mudanças nas percepções das pessoas, de forma que suas novas representações sobre alguma coisa as coloquem em um estado que as faça sentir ou agir diferentemente. Um amigo meu vendeu sua cadeia de restaurantes naturais para a General Mills por 167 vezes o seu lucro. Nunca se ouviu falar disso na indústria. Como ele fez isso? Fez com que a General Mills decidisse o valor de sua companhia, baseada em quanto valeria dentro de cinco anos, se não a comprasse, e ela continuasse a se expandir. Ele poderia facilmente esperar para vendê-la, mas eles precisavam dela naquele momento para alcançar as metas de sua empresa; portanto, concordaram com sua estrutura. Toda a persuasão é uma mudança da percepção.

A maior parte da reestruturação é feita para nós, não por nós. Alguém muda a estrutura para nós e reagimos a ela. O que é a propaganda, afinal, além de uma enorme indústria com o único propósito de estruturar e reestruturar as percepções das massas? Você pensa mesmo que há algo de particularmente másculo em uma marca específica de cerveja ou algo *sexy* em um determinado cigarro? Se você desse a um aborígine um cigarro Virginia Slims, ele não diria: "Ei, isso é muito *sexy*." Mas os concessionários puseram a estrutura, e nós reagimos. Se eles acham que não estamos reagindo satisfatoriamente, põem uma nova estrutura e observam se funciona.

Uma das maiores reestruturações de propaganda que já houve foi feita pela Pepsi-Cola. Como todos podem se lembrar, a Coca-Cola foi a bebida pioneira do tipo cola. Sua história, tradição e posição no mercado são indiscutíveis. Não havia nada que a Pepsi pudesse fazer para vencer a Coca em seu próprio campo. Se você está contra um clássico, não pode dizer: "Somos mais clássicos que eles." As pessoas simplesmente não acreditariam.

Em vez disso, a Pepsi virou o jogo de cabeça para baixo: reestruturou as percepções que o povo já tinha. Quando começou a falar sobre a geração Pepsi e publicou seu "Desafio Pepsi", tornou sua fraqueza uma força. A Pepsi dizia: "É certo que outros sujeitos foram reis, mas olhemos o dia de hoje. Você quer um produto de ontem, ou você quer o de hoje?" Os anúncios reestruturavam o tradicional domínio da Coca como uma fraqueza, como indicando que era um produto do passado, não do futuro. E eles reestruturaram o *status* tradicional da Pepsi, de segundo-violino para grande estrela da companhia.

O que aconteceu? A Coca finalmente decidiu que tinha que jogar no campo da Pepsi. Lançou sua "nova" Coca "oxymoronic", e o resto é história de marketing. Agora teremos de esperar e ver se a reestruturação da Coca de dar ao povo sua velha Coca "clássica" e sua nova "Pepsi" Coca funcionará. Mas o processo foi um clássico exemplo de reestruturação porque a batalha toda foi sobre nada mais do que imagem. Foi simplesmente uma questão de qual estrutura entraria no cérebro das pessoas. Não há nenhum conteúdo social intrínseco numa bebida de açúcar carbonado que estrague seus dentes. Não há nada mais intrinsecamente contemporâneo do que o sabor da Pepsi *versus* o sabor da Coca. Mas mudando a estrutura e definindo os termos, a Pepsi deu um dos maiores golpes de marketing da história atual.

A reestruturação foi o fator principal na conclusão do processo de difamação de 120 milhões de dólares movido pelo general William C. Westmoreland contra a CBS. Ao ir para o tribunal, Westmoreland parecia ter considerável apoio popular para seu ponto de vista, no processo. A *TV Guide*, em uma reportagem, chamou o conflito de "Anatomia de uma Ofensa". A CBS começou a perceber sua dificuldade e finalmente contratou um relações-públicas, John Scanlon. Seu trabalho era inverter a maré de apoio popular ao ponto de vista de Westmoreland e fazer o povo parar de se concentrar nas táticas do processo do *60 Minutos* e começar a prestar atenção às acusações contra Westmoreland, acusações que a CBS estava tentando provar serem verdadeiras. No final, Westmoreland retirou seu processo em troca de uma simples desculpa, ficando a CBS eternamente grata às técnicas de reestruturação de Scanlon.

Pense na política. Como os homens de marketing e os consultores tornaram-se cada vez mais parte do processo, a batalha para estabelecer uma estrutura tornou-se parte dominante da política americana. Às vezes, parece ser a única parte. Depois dos debates Reagan-Mondale, os repórteres eram assediados pelos operadores de ambos os partidos, que tentavam dar a melhor interpretação, a melhor estrutura para cada palavra que fora dita. A razão? Não é o teor, tanto quanto a estrutura, que interessa.

Reagan foi responsável por uma das mais engenhosas reestruturações, no segundo debate presidencial. No primeiro debate, sua idade tornou-se um problema pela primeira vez na campanha. Claro que isso também era uma reestrutura. O povo já sabia a idade dele, não é? Mas seu desempenho hesitante e a cobertura do fato, pela imprensa, reestruturou sua idade de um simples fato para uma deficiência em potencial. No segundo debate, Mondale fez comentários que novamente implicavam que a idade de Reagan era uma deficiência. O público esperava pela réplica de Reagan. Em seu melhor tom de impaciência, ele disse que não, que idade não devia ser um problema na campanha, pois não tinha intenção de transformar em problema a juventude e inexperiência de seu oponente. Com uma sentença, ele reestruturou completamente a questão, de uma maneira que lhe tirou o caráter de fator importante na disputa.

Muitos de nós achamos que é mais fácil reestruturar quando nos comunicamos conosco mesmos. Se estamos tentando vender nosso velho carro a alguém, sabemos que temos de reestruturar nossa apresentação de uma maneira que realce o que o carro tem de bom e disfarce o que é ruim. Se seu comprador em potencial tem uma estrutura diferente, seu trabalho é mudar a percepção dele. Mas poucos de nós passamos muito tempo pensando em como estruturar nossas comunicações conosco mesmos. Alguma coisa acontece conosco. Formamos uma representação interior da experiência. E pensamos que é com isso que temos de viver. Pense como isso é louco. É como ligar a ignição, dar partida no carro, e só então decidir para onde ir.

Em vez disso, você precisa aprender a comunicar-se consigo mesmo com tanta finalidade, direção e persuasão como faria em uma apresentação de negócios. Precisa começar estruturando e reestruturando experiências de forma a fazê-las trabalhar para você. Uma maneira está simplesmente no nível do pensamento cuidadoso e consciencioso.

Todos nós conhecemos pessoas que ficam inseguras depois de um romance malsucedido. Elas se tornam namoradeiras ou magoadas, e decidem afastar-se de relacionamentos subsequentes. O fato é que os relacionamentos traziam a elas mais alegria do que dor. É por isso que era tão difícil de desistir. Mas bloquear as lembranças boas e concentrar-se nas más faz com que a pessoa ponha a estrutura pior possível numa experiência. A ideia é mudar a estrutura, ver a alegria, ver o lucro, ver o crescimento. Então, é possível passar para uma estrutura positiva, mais do que para uma negativa, e ficar fortalecido para criar um relacionamento até maior, no futuro.

Pare por um minuto e pense em três situações, em sua vida, que o estão desafiando. De quantas maneiras diferentes você pode ver cada uma das situações? Quantas estruturas pode pôr ao redor delas? O que você aprende ao vê-las de uma maneira diferente? Como isso liberta você para agir diferentemente?

Eu até posso ouvir alguns de vocês dizerem: "Isso não é fácil de fazer. Algumas vezes fico muito deprimido para fazer isso." O que é depressão? É um estado. Lembra-se do começo do livro, quando discutimos associação/desassociação? Um pré-requisito para ser capaz de reestruturar-se é a habilidade de desassociar-se da experiência depressiva e vê-la sob uma nova perspectiva. Você pode então mudar sua representação interior e a fisiologia. Se estiver em estado rico, então sabe como mudá-la. Se estiver pondo alguma coisa numa estrutura que não lhe esteja fazendo bem, mude a estrutura.

Uma maneira de reestruturar é mudar o significado de uma experiência ou comportamento. Imagine uma situação na qual alguém faz alguma coisa de que você não goste, e então você pensa que o comportamento da pessoa tem um significado particular. Consideremos um casal, no qual o marido gosta especialmente de cozinhar e acha importante que suas comidas sejam apreciadas. Sua esposa permanece muito quieta durante a refeição. O marido acha isso muito perturbador. Se ela estivesse gostando da refeição, deveria comentar. Se não está falando, é porque não deve estar satisfeita. O que você faria para reestruturar a percepção dele em relação ao comportamento da esposa?

Lembre-se, o importante para ele era a apreciação. Uma reestruturação de significado envolve a mudança de uma percepção para outra, que apoie o que é importante para a pessoa e que faça isso de uma forma como ela nunca considerou antes. Nós poderíamos sugerir ao cozinheiro que talvez sua companheira esteja apreciando tanto que não quer perder tempo falando quando pode estar comendo. A ação fala mais alto do que palavras, certo?

Outra possibilidade seria fazê-lo reestruturar, ele mesmo, o significado do comportamento. Poderíamos perguntar: "Já houve alguma ocasião em que você pessoalmente ficou quieto durante uma refeição por estar apreciando muito? O que acontece com você?"

O comportamento de sua esposa só era aborrecido dentro da estrutura em que ele o colocara. Em casos como esse, só é preciso um pouco de flexibilidade para mudar a estrutura.

A segunda espécie de reestrutura é a respeito de trabalhar com um comportamento do qual você não gosta. Geralmente você não aprecia o que ele diz sobre você como pessoa ou não gosta do que ele consegue para você. A maneira de reestruturá-lo é imaginar outra situação, ou contexto, na qual esse comportamento seria útil para conseguir para você alguma coisa que quisesse.

Vamos supor que você seja um vendedor. Você tem uma grande preocupação em conhecer todos os detalhes de seu produto. Mas na hora da venda você tende a dar tantas informações para seus fregueses que eles se sentem oprimidos, algumas vezes até demorando a decidir comprar. A questão é: onde esse comportamento poderia ser mais efetivo? Que tal escrever um folheto de propaganda? Ou um escrito técnico sobre o produto? Conhecendo tantas informações e tendo livre acesso a elas, isso poderia até ser útil ao estudar para um teste ou ao ajudar seus filhos nas lições de casa. Portanto, como vê, não é o comportamento em si que é o problema, mas onde está sendo empregado. Você pode pensar em exemplos em sua própria vida? Todos os comportamentos humanos são úteis em algum contexto. Protelação pode parecer inútil, mas não seria bom deixarmos para ficar zangados ou tristes em outro dia — ou então não ficar nunca?

Você pode aprender a fazer exercícios de reestruturação, com imagens e experiências que o aborrecem. Pense numa pessoa ou experiência, por exemplo, que esteja afligindo sua mente. Você volta para casa após um dia de trabalho terrível, e tudo em que consegue pensar é no ridículo projeto que seu supervisor lhe deu, no finalzinho do expediente. Em vez de se afastar do problema, você trouxe a frustração para casa. Está assistindo à televisão com seus filhos, mas tudo em que está pensando nesse estado é em seu supervisor "burro" e em seu projeto idiota.

Em vez de deixar que seu cérebro o torne infeliz no fim de semana, você pode aprender a reestruturar a experiência de forma a fazê-lo sentir-se melhor. Comece desassociando-se dela. Tome a imagem de seu supervisor e coloque-a em sua mão. Ponha nele um par de óculos engraçados, com um grande nariz e bigode. Ouça-o falando com uma voz engraçada e esganiçada, de desenho animado. Sinta-o como se estivesse acolhedor e afetuoso, e ouça-o dizer que precisa de sua ajuda num projeto: "Você poderia, por favor, ajudar?" Depois de ter forjado isso, talvez você possa considerar que ele estava sob pressão, tendo talvez se esquecido de dizer a você do que precisava, até o último minuto. Talvez possa lembrar-se de uma época em que você fez a mesma coisa com outra pessoa. Pergunte-se se essa situação é de tamanha importância que você deva permitir que ela estrague seu fim de semana, se há qualquer motivo para permitir que ela o aborreça quando está em casa.

Não estou dizendo que o problema não é real. Talvez você precise de um novo emprego, ou talvez precise comunicar-se melhor no emprego em que está. Mas, se o caso for esse, você precisa resolver o problema em vez de ficar atormentado por algum fantasma insistente e negativo em sua mente, que faz com que você reaja e trate aqueles que lhe são próximos de uma maneira pouco agradável. Faça isso com eficiência algumas vezes, e na próxima vez em que encontrar o seu supervisor poderá vê-lo com óculos e um narigão. Daí você se sentirá de modo diferente quando ele lhe falar — criando, pois, um novo *feedback* para ele e uma nova maneira para os dois se entenderem, fora da dinâmica estímulo/reação passada que tinham estabelecido um com o outro.

Usei essas reestruturas em pequenas doses para aquilo que algumas pessoas consideram grandes problemas. Muitas vezes, em situações complexas, você deve ter de fazer uma série de reestruturações menores, para gradual porém radicalmente conseguir o estado desejado.

Em seu sentido mais amplo, a reestruturação pode ser usada para eliminar sensações negativas sobre quase tudo. Uma das técnicas mais efetivas é imaginar-se num cinema. Veja uma experiência que o está perturbando como um filme numa tela. Primeiro você pode querer passá-lo rapidamente, como um desenho animado. Pode querer pôr uma música de circo ou o som de um órgão. Então, pode querer passá-lo do final para o início, olhando a imagem cada vez mais absurda. Tente essa técnica com alguma coisa que o está aborrecendo. Descobrirá que ela logo perde sua força negativa.

A mesma técnica pode ser usada com fobias, mas você tem de mudar tudo. Eis como: uma fobia frequentemente está enraizada num profundo nível cinestésico; portanto, você precisa manter maior distância dela a fim de fazer uma reestruturação eficaz. As reações fóbicas são tão fortes que a pessoa pode reagir ao simples pensamento de alguma coisa. A maneira de lidar com tais pessoas é desassociá-las de suas representações, diversas vezes. Chamamos isso de dupla desassociação. Por exemplo: se você tem uma fobia sobre alguma coisa, tente esse exercício. Volte ao tempo quando se sentia totalmente fortalecido e vivo. Volte àquele estado e sinta aquelas sensações fortes e confiantes. Agora veja-se como se estivesse protegido por uma bolha radiante. Uma vez que tenha essa proteção, vá ao seu cinema mental favorito. Sente-se numa cadeira confortável com uma boa visão da tela. A seguir, sinta-se flutuar fora de seu corpo, entre na cabine de projeção, sentindo o tempo todo a bolha protetora à sua volta. Olhe para baixo e veja-se sentado na plateia, olhando para a tela vazia.

Feito isso, olhe para a tela e veja uma cena parada, a imagem em preto e branco da fobia ou alguma experiência terrível que realmente costuma perturbá-lo. Você olha para si lá embaixo na plateia e se vê observando o que está acontecendo na tela — você está duplamente se desassociando.

Nesse estado, faça a imagem em preto e branco correr para trás com um movimento extremamente rápido, fazendo com que a coisa que o estava perturbando se pareça com um filme doméstico barato ou uma antiga comédia pastelão. Repare em suas reações engraçadas enquanto você se observa na plateia vendo esse filme na tela.

Vamos dar um passo adiante. Quero que a sua parte que está realmente rica de recursos, a parte que está lá em cima na cabine, flutue de volta para onde seu corpo está sentado, e então levante-se e caminhe para a frente da tela. Você deve ser capaz de fazer isso num estado muito forte e confiante. Diga então a seu eu mais antigo que você o esteve observando, e que veio com dois ou três meios que podem ajudar a mudar aquela experiência, duas outras reestruturações do significado ou conteúdo que o ajudarão a controlá-lo diferentemente, agora e no futuro. São meios que o eu mais novo poderá controlar com suas percepções atuais, mais maduras. Você não precisa sentir toda aquela dor e medo. Você está mais enriquecido agora do que quando era mais jovem, e aquela velha experiência é só história, nada mais.

Ajude o seu eu mais novo a competir com alguma coisa que não podia controlar antes, depois volte para sua cadeira e veja o filme mudar. Passe a mesma cena em sua cabeça, mas dessa vez observe como o seu eu mais novo controla a mesma situação com grande confiança. Quando tiver feito isso, você deve andar de volta para a tela e cumprimentar seu eu mais novo, dando-lhe um abraço por livrar-se da fobia, trauma ou medo. Ponha então esse eu mais novo de volta dentro de você, sabendo que está mais rico de recursos do que antes e que é uma parte importante de sua vida. Faça isso com quantas fobias tiver. Então, faça a mesma coisa por outra pessoa.

Essa experiência pode ser incrivelmente poderosa. Fui capaz de lidar com pessoas que tinham fobias terríveis durante toda a vida e livrá-las de seus medos, muitas vezes em questão de minutos. Por que isso resolve? Porque, para entrar num estado de fobia, são necessárias representações interiores específicas. Se você mudar essas representações, mudará o estado que a pessoa cria quando pensa naquela experiência.

Para algumas pessoas, alguns desses exercícios envolvem um nível de disciplina mental e poder de imaginação aos quais elas podem não ter tido acesso antes. Como resultado, muitas das estratégias mentais que estou dando podem a princípio parecer complicadas. No entanto, seu cérebro pode operar com esses meios, e, se você trabalhar cuidadosamente nessas estratégias, se sentirá mais prático o tempo todo.

Uma coisa importante a ser lembrada sobre reestruturação é que todos os comportamentos humanos têm uma finalidade em algum contexto. Se você fuma, não faz isso por gostar de pôr carcinógenos em seus pulmões. É porque fumar faz com que se sinta relaxado ou mais confortável em certas situações sociais. Você adotou esse comportamento para criar algum ganho para si. Logo, em alguns casos você pode achar impossível reestruturar o comportamento sem confrontar a necessidade fundamental que o comportamento satisfaz. Esse é um problema que às vezes surge quando as pessoas tentam terapia de eletrochoque para curar o vício de fumar. Talvez devessem levar choques por outras coisas também ruins, como sentir-se sempre ansioso ou comer demais. Não estou dizendo que essa abordagem é ruim. Estou simplesmente dizendo que para nós é útil descobrir o intento inconsciente a fim de que possamos satisfazer essa necessidade com mais elegância.

Todo comportamento humano é adaptável de uma forma ou de outra; destina-se a preencher uma finalidade. Não é problema fazer as pessoas odiarem o cigarro. Mas eu também quero ter certeza de que criei para elas novas escolhas de comportamento que preencham suas necessidades sem efeitos colaterais negativos como aqueles criados pelo vício de fumar. Se fumar faz as pessoas se sentirem relaxadas, confiantes ou concentradas, elas precisam de um comportamento mais elegante que preencha a mesma necessidade.

Richard Bandler e John Grinder planejaram um processo de reestruturação em seis passos, para mudar qualquer comportamento indesejável que você possa ter para um comportamento desejável, mantendo os benefícios importantes que o antigo comportamento costumava lhe proporcionar:

1. *Identificar o padrão ou comportamento que queira mudar.*

2. *Estabelecer comunicação com a parte de sua mente inconsciente que gera o comportamento.* Entre dentro de si e faça a seguinte pergunta, permanecendo alerta, porém passivo, para detectar e relatar quaisquer mudanças nas sensações do corpo, nas imagens visuais ou nos sons que ocorram

como reação à sua pergunta. A pergunta é: "A parte de mim que gera o comportamento X está querendo se comunicar comigo conscientemente?"

Agora peça a essa parte — que chamaremos de parte X — que intensifique aquele sinal quando quiser comunicar sim, e para diminuí-lo quando quiser comunicar não. Agora, teste a reação pedindo para a parte comunicar sim... e agora não... até poder distinguir bem as duas reações.

3. *Separar intenção de comportamento.* Agradeça à parte sua presteza em cooperar. Agora pergunte se ela estaria disposta a deixar você saber o que está tentando fazer por você, gerando o comportamento X. Enquanto faz a pergunta, mais uma vez esteja alerta para detectar um sim ou um não de resposta. Anote os benefícios que esse comportamento lhe proporcionou no passado e então agradeça a essa parte sua por manter esses importantes benefícios para você.

4. *Criar comportamentos alternativos para satisfazer a intenção.* Entre agora dentro de si, contate a sua parte mais criativa e peça-lhe que gere três comportamentos alternativos que sejam tão bons ou melhores do que o comportamento X, para satisfazer a intenção da parte com a qual esteve se comunicando. Faça sua parte criativa assinalar com um sinal sim, quando tiver gerado três novos comportamentos... Agora pergunte à parte criativa se estaria disposta a lhe revelar quais são os três novos comportamentos.

5. *Fazer a parte X aceitar as novas escolhas e a responsabilidade de gerá-las quando for necessário.* Pergunte agora à parte X se os três novos comportamentos são pelo menos tão eficazes quanto o comportamento X.

Pergunte-lhe então se está disposta a aceitar a responsabilidade de gerar os novos comportamentos em situações apropriadas, quando sua intenção precisar ser preenchida.

6. *Fazer uma verificação ecológica.* Agora entre dentro de si e pergunte se alguma das partes se opõe às negociações que acabaram de ser feitas ou se todas concordam em apoiá-lo. Entre então no futuro e imagine uma situação que teria acionado o velho comportamento. Experimente usar uma de suas novas opções e, ainda, alcançar os benefícios que deseja.

Entre em outra situação que, no futuro, teria acionado um comportamento indesejável, e experimente outra de suas novas opções.

Se você receber um sinal de que outras partes se opõem às novas opções, deve recomeçar do início, identificar qual parte está se opondo e quais benefícios ela lhe proporcionou no passado. Faça-a trabalhar com a parte X para gerar novas opções, que manteriam os benefícios que sempre lhe deu, e também para providenciar-lhe um novo conjunto de opções. Pode parecer um tanto estranho falar sobre conversar com partes de si mesmo, mas isso é um padrão hipnótico básico que pessoas como os Erikson, Bandler e Grinder acharam bastante úteis.

Se você anda comendo realmente muito, por exemplo, pode executar um padrão *swish* que fará com que produza novas espécies de comportamento, ou pode identificar isso como um comportamento que gostaria de mudar. Você pode pedir a seu inconsciente que compartilhe com você os benefícios desse padrão, no passado. Talvez descubra que usa a comida para mudar seu estado, quando se sente sozinho. Ou talvez ela ajude você a criar um senso de segurança e o faça relaxar. A seguir, você deve criar três novos meios para dar a si a sensação de posse e companheirismo, ou segurança e relaxamento. Talvez possa entrar para uma academia de esportes, onde a estrutura dos eventos torna fácil para você conhecer pessoas e sentir a segurança de relaxar com amigos e, simultaneamente, tornar-se mais magro. Além disso, você pode ganhar mais adiante a segurança de saber que está com boa aparência. Talvez você possa meditar e criar uma sensação de unidade com todo o universo, e com essa conexão sentir-se mais seguro e relaxado do que quando comia muito.

Uma vez que apresentou essas alternativas, veja se elas se sentem congruentes — isto é, esteja certo de que você todo está querendo apoiar o uso dessas novas opções no futuro. Se se sentir congruente, essas opções produzirão comportamentos que agora o apoiam para conseguir o que quer, e você não terá de comer muito para consegui-lo. Entre agora no futuro e experimente em sua mente usar essas novas opções efetivamente, anotando o resultado que produzem. Agradeça à sua mente inconsciente essas novas opções, e aproveite seu novo comportamento. Você pode até querer fazer um padrão *swish*, recolocando o comportamento que deseja, uma vez que descobriu o que apoiaria melhor suas necessidades inconscientes do que o velho comportamento indesejado fazia. Você deu novas opções.

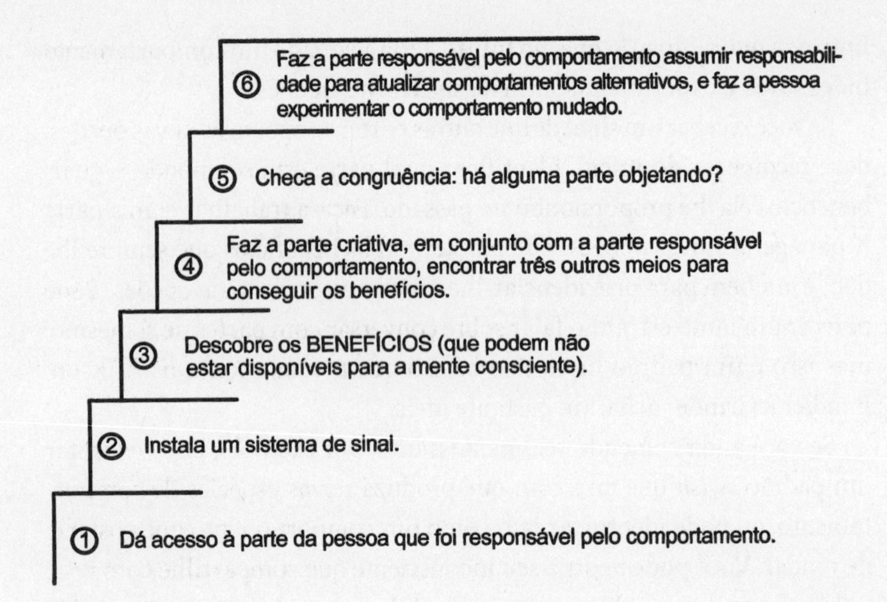

Quase toda experiência aparentemente negativa pode ser reestruturada numa positiva. Quantas vezes você disse: "Algum dia, provavelmente olharei para trás e rirei disso." Por que não olhar para trás e rir disso agora? É tudo uma questão de perspectiva.

É importante notar que você pode reprogramar a representação de alguém por meio de padrões *swish* e outras técnicas, mas, se a pessoa consegue maiores benefícios com o velho comportamento do que com as novas opções que desenvolveu, provavelmente voltará para o velho comportamento. Se trabalho, por exemplo, com uma mulher com uma inexplicável dormência no pé e descubro o que ocorre em sua cabeça e fisiologia para criar isso, e então ela aprende a dar um sinal a seu corpo de uma maneira que não mais crie dormência, seu problema está resolvido. Mas a dormência pode voltar quando ela vai para casa, se não receber mais os grandes benefícios secundários que tinha quando seu pé estava adormecido — tais como seu marido lavar os pratos, dar atenção a ela, massagear seus pés, e assim por diante. Nas primeiras semanas ou meses, ele está entusiasmado por ela não ter mais o problema. No entanto, depois de um tempo, já que ela não tem mais problemas, ele não só espera que ela recomece a lavar os pratos, como não massageia mais seus pés, e até parece lhe dar menos atenção. Logo seu problema reaparece "misteriosamente". Ela não fez isso de maneira conscientemente. Para sua mente inconsciente, o velho comportamento funciona melhor para oferecer-lhe o que quer — e pronto, seu pé está dormente outra vez.

Em tal caso, ela deve encontrar outros comportamentos que lhe deem a mesma qualidade de experiência com seu marido. Deve conseguir mais do novo comportamento do que conseguiu com o comportamento passado. Num de meus treinamentos, uma mulher que estava cega há oito anos parecia invulgarmente habilitada e concentrada. Mais tarde, descobri que ela não era de todo cega. No entanto, tinha vivido sua vida como se o fosse. Por quê? Bem, ela sofrera um acidente no começo de sua vida e ficara com a visão muito fraca. Depois disso, as pessoas a sua volta deram-lhe uma tremenda demonstração de amor e apoio, mais do que já tinha experimentado antes em sua vida. Além do mais, começou a descobrir que, mesmo fazendo as coisas comuns do dia a dia, obtinha grande reconhecimento quando as pessoas pensavam que era cega. Eles a tratavam de modo especial e assim ela manteve seu comportamento, até se convencendo, às vezes, de sua cegueira. Ela não encontrara uma maneira mais poderosa para fazer com que as pessoas reagissem automaticamente a ela de uma forma carinhosa e amorosa. Até estranhos tratavam-na como deficiente. O comportamento só mudaria se ela desenvolvesse alguma coisa maior da qual se afastar ou alguma coisa que lhe desse mais benefícios do que seu atual comportamento oferecia.

ZIGGY. Copyright, 1985, Universal Press Syndicate. Reimpresso com permissão.

Até agora estamos nos concentrando nas maneiras pelas quais podemos reestruturar percepções negativas em positivas. Mas não quero que você pense em reestruturação como uma terapia, como um meio de ir de situações que considera más para outras que considera boas. Reestruturação é na realidade nada mais do que uma metáfora para potencial e possibilidade. Há muito poucas coisas em sua vida que não possam ser reestruturadas em alguma coisa melhor.

Uma das mais importantes estruturas a considerar são as possibilidades. Muitas vezes caímos em rotinas. Podemos estar conseguindo resultados confortáveis, mas poderíamos estar conseguindo resultados espetaculares. Portanto, por favor, faça este exercício. Faça uma lista de cinco coisas que esteja vivendo agora, e com as quais esteja muito satisfeito. Elas podem ser relacionamentos que estão indo bem, alguma coisa no serviço, talvez alguma coisa que tenha a ver com seus filhos ou suas finanças.

Agora imagine-as bem melhores. Passe alguns minutos pensando sobre isso. Você provavelmente se surpreenderá por encontrar maneiras pelas quais sua vida seria dramaticamente melhorada. Reestruturação de possibilidade é alguma coisa que todos podemos fazer. Tudo que é preciso é flexibilidade mental para estar alerta para um potencial e poder pessoal para agir.

Deixe-me acrescentar um pensamento final que se aplica a tudo neste livro. Reestruturação é outra técnica efetiva que você pode tirar do seu estojo de instrumentos mentais para produzir resultados maiores. Pense nisso num sentido mais amplo, como um processo em andamento — de explorar suposições e encontrar contextos úteis para aquilo que você faz bem.

Os líderes e todos os outros grandes comunicadores são mestres da arte de reestruturar. Eles sabem como motivar e fortalecer pessoas, pegando qualquer coisa que aconteça e transformando-a em modelo para possibilidade.

Há uma história famosa contada sobre Tom Watson, o fundador da IBM. Um de seus subordinados cometera um engano pavoroso que custara à companhia dez milhões de dólares. Ele foi chamado ao escritório de Watson e disse: “Suponho que queira minha demissão.” Watson olhou-o e respondeu: “Está brincando? Nós acabamos de gastar dez milhões de dólares educando você!”

Há uma lição valiosa em tudo que acontece. Os melhores líderes são aqueles que aprendem a lição e põem as estruturas mais fortalecedoras em acontecimentos de fora. Isso funciona para política, negócios, ensino e também na sua vida doméstica.

Todos nós conhecemos pessoas que são reestruturadoras às avessas. Não importa quão brilhante seja o céu, elas podem sempre encontrar uma nuvem escura. Mas para cada atitude incapaz, para cada comportamento contraproducente há uma reestruturação efetiva. Você não gosta de alguma coisa? Mude-a. Você está se comportando de uma forma que não o apoia? Faça alguma outra coisa. Há uma maneira de produzir não só comportamentos efetivos, mas de ter certeza de que eles estão disponíveis quando precisamos deles.

No próximo capítulo, aprenderemos como acionar de novo qualquer comportamento útil no momento em que desejarmos.

CAPÍTULO 17

ANCORAR-SE NO SUCESSO

"Faça o que pode, com o que tem, onde estiver."

— Theodore Roosevelt

Há pessoas — eu sou uma delas, você talvez também seja — que ficam orgulhosas cada vez que veem uma bandeira americana. É uma reação curiosa, se você pensar analiticamente sobre isso. Afinal, uma bandeira é só um pedaço de tecido com um padrão colorido e decorativo. Não há nada de mágico inerente a isso. Mas é claro que essa interpretação omite o fundamental. Sim, é só um pedaço de tecido. Ao mesmo tempo, porém, ela representa todas as virtudes e características de nossa nação. Portanto, quando uma pessoa vê uma bandeira, ela também vê um símbolo poderoso e ressoante de tudo que nossa nação significa.

Uma bandeira, como inúmeras outras coisas em nossa volta, é uma âncora, um estímulo sensorial ligado a um conjunto específico de estados. Uma âncora pode ser uma palavra ou uma frase, ou um toque ou um objeto. Pode ser alguma coisa que vemos, ouvimos, sentimos, provamos ou cheiramos. As ancoras têm grande poder porque podem instantaneamente acessar estados poderosos. É o que acontece quando você vê a bandeira do seu país. Imediatamente você experimenta sensações e emoções fortes, que representam como você se sente com relação à nação como um todo, porque tais sentimentos estão associados àquela cor e àquele desenho em particular.

O mundo é cheio de âncoras, algumas delas profundas, outras triviais. Se você não fuma, pode achar que todos os cigarros têm um gosto horrível. Mas os anúncios de determinada marca nada falam do gosto. Ao invés disso, recorrem a imagens agradáveis de beleza, lazer e sucesso, de tal modo que você ficará tentado a experimentar um cigarro. A propaganda foi tão efetiva que ancorou uma reação em você, mesmo que você não acredite nela. O mesmo tipo de reação acontece a toda hora. Você pode ver certas pessoas e ficar instantaneamente num estado bom ou mau, dependendo dos sentimentos que associe a elas. Você pode ouvir uma música e ter uma mudança instantânea de estado. Tudo isso resulta de âncoras poderosas.

Esta parte do livro termina com este capítulo sobre ancoragem por um bom motivo. A ancoragem é a maneira de tornar permanente *uma experiência*. Podemos mudar nossas representações interiores ou nossa fisiologia num momento e criar novos resultados, e essas mudanças requerem pensamento consciente. No entanto, com a ancoragem você pode criar um mecanismo acionador consistente, que automaticamente fará com que crie o estado que deseja em qualquer situação, sem ter que pensar a respeito. Quando você ancora alguma coisa com bastante eficácia, ela estará lá sempre que você quiser. Até agora você aprendeu neste livro um grande número de lições e técnicas muito valiosas. A ancoragem é a técnica mais efetiva que conheço para canalizar construtivamente nossas poderosas reações inconscientes, de forma a estarem sempre ao nosso dispor. Leia outra vez a citação com a qual este capítulo começa. Todos nós tentamos fazer o melhor com o que temos. Todos tentamos usar o máximo dos recursos ao nosso dispor. A ancoragem é a maneira de assegurar que sempre teremos acesso aos nossos maiores recursos. É uma forma de ter certeza de que sempre teremos o que precisamos.

Todos nós ancoramos regularmente. Na verdade, é impossível não fazê-lo. Toda ancoragem é uma associação de pensamentos, ideias, sentimentos ou estados criados por um estímulo específico. Você se lembra de ter estudado sobre Pavlov? Ele pegou cachorros famintos e colocou carne onde estes pudessem cheirá-la e vê-la mas não alcançá-la. Essa carne tornou-se um estímulo poderoso para sensações de fome dos cachorros. Logo eles estavam salivando abundantemente. Enquanto estavam nesse intenso estado de salivação, Pavlov insistentemente tocava uma campainha com um tom específico. Logo ele não precisava mais de carne — era só tocar a campainha e os cachorros salivavam como se a carne estivesse na frente deles. Ele criara um vínculo neurológico entre o som da campainha e o estado de fome ou salivação. A partir daí, tudo que tinha a fazer era tocar a campainha, e os cachorros literalmente entravam em estado de salivação.

"HARRY, CHAME O GATO"

Nós também vivemos num mundo de estímulo/reação, onde muito do comportamento humano consiste em reações inconscientes programadas. Por exemplo: muitas pessoas sob pressão imediatamente procuram por um cigarro, álcool ou, em alguns casos, alguma coisa para dormir. Elas não pensam sobre isso. São exatamente como os cachorros de Pavlov. De fato, muitas dessas pessoas gostariam de mudar sua atitude. Elas sentem que seus comportamentos são inconscientes e incontroláveis. A chave é tornar-se consciente do processo; assim, se as âncoras não o apoiam, você pode eliminá-las e substituí-las, com novos vínculos estímulo/reação, que automaticamente o colocarão nos estados que deseja.

Portanto, como são criadas as âncoras? Toda vez que uma pessoa encontra-se num estado intenso, em que a mente e o corpo estão fortemente envolvidos juntos, e um estímulo específico é coerente e simultaneamente propiciado no auge do estado, o estímulo e o estado tornam-se neurologicamente ligados. Então, cada vez que o estímulo for propiciado, resulta automaticamente o estado intenso. Nós cantamos o Hino Nacional, criamos certos sentimentos em nosso corpo, e olhamos para a bandeira. Pronunciamos o compromisso de fidelidade e vemos a bandeira. Em pouco tempo, só de olhar para a bandeira esses sentimentos são automaticamente acionados.

No entanto, nem todas as âncoras são associações positivas. Algumas são desagradáveis ou piores. Depois de ter sido multado por excesso de velocidade, você fica apreensivo cada vez que passa no mesmo lugar. Como se sente quando vê uma luz vermelha brilhando em seu espelho retrovisor? Seu estado muda de forma instantânea e automática?

Uma das coisas que afeta o poder de uma âncora é a intensidade do estado original. Algumas vezes as pessoas têm uma experiência desagradável tão intensa — como brigar com a esposa ou o chefe — que, a partir de então, cada vez que veem o rosto da pessoa, logo sentem raiva por dentro, e a partir desse ponto seu relacionamento ou emprego perdem toda a alegria. Se você tem tais âncoras negativas, este capítulo o ensinará a substituí-las por âncoras positivas. Você não terá de se lembrar: acontecerá automaticamente.

Muitas âncoras são agradáveis. Você associa uma certa canção dos Beatles com um verão maravilhoso, e até o fim de sua vida, cada vez que ouvir a canção, pensará naquele tempo. Você encerra um encontro perfeito compartilhando uma torta de maçã com sorvete de chocolate, e a partir daí, é a sua sobremesa favorita. Você não pensa nelas mais do que os cachorros de Pavlov, mas a cada dia você tem experiências de ancoragem que o condicionam a reagir de uma maneira particular.

Em geral, recebemos âncoras totalmente por acaso. Somos bombardeados com mensagens de televisão, de rádio e da vida diária. Algumas tornam-se âncoras, outras, não. Grande parte depende simplesmente de possibilidade. Se você estiver num estado forte, seja bom ou mau, quando entrar em contato com um estímulo em particular, há possibilidade de tornar-se ancorado. A consistência de um estímulo é um vínculo poderoso ou um instrumento de ancoragem. Se você ouvir alguma coisa com frequência (como *slogans* de publicidade), há uma boa possibilidade de que isso fique ancorado em seu sistema nervoso. A boa nova é que você pode aprender a controlar o processo de ancoragem e, portanto, instalar âncoras positivas e afastar as negativas.

Ao longo da história, líderes de sucesso souberam como fazer uso das âncoras culturais que os rodeavam. Quando um político está "enrolando-se na bandeira", ele está tentando fazer uso de toda a magia dessa âncora poderosa. Está tentando ligar-se à bandeira. No seu melhor resultado, esse processo pode criar um saudável elo comum de patriotismo e harmonia. Pense em como se sente quando assiste a um desfile do Dia da Independência.

Há alguma surpresa no fato de que qualquer candidato a cargo público que se preze não deixe de comparecer àquele desfile? No seu pior resultado a ancoragem pode proporcionar assustadoras exibições de infâmias coletivas. Hitler era um gênio de ancoragem. Ele vinculou estados específicos de mente e emoção à suástica, tropas com passo de ganso e comícios de massa. Punha o povo em estados intensos e, enquanto os tinha assim, proporcionava coerentemente estímulos específicos e únicos até que tudo que tinha a fazer mais tarde era oferecer aqueles mesmos estímulos, como levantar a mão aberta no gesto de "Heil", para fazer surgir toda a emoção que havia vinculado a eles. Ele usava constantemente esses instrumentos para manipular as emoções e, assim, os estados e comportamentos de uma nação.

Em nosso capítulo sobre reestruturação, notamos que os mesmos estímulos podem ter significados diferentes, dependendo da estrutura que colocarmos em volta deles. A ancoragem vai tanto para o lado positivo como para o negativo. Para os membros do partido, Hitler vinculava emoções positivas, fortes e de orgulho pelos símbolos nazistas. Mas também os vínculos ao estado de medo, para seus oponentes. A suástica tinha o mesmo significado para um membro da comunidade judaica como tinha para um da tropa de choque? É óbvio que não. No entanto, a comunidade judaica fez história dessa experiência e criou uma poderosa âncora positiva que a ajudou a construir uma nação e protegê-la do que poderiam parecer desigualdades impossíveis. A âncora auditiva "nunca mais" que muitos judeus usam os leva a ficar num estado de total compromisso de fazerem o que for preciso para proteger seus direitos soberanos.

Muitos analistas políticos acreditam que foi um erro de Jimmy Carter tentar desmistificar o cargo de presidente dos Estados Unidos. No começo de seu mandato, pelo menos, ele cortou as mais fortes âncoras da presidência, pompas e cerimônias, coisas como tocar "Hail to the Chief". A intenção pode ter sido admirável, mas do ponto de vista tático foi provavelmente tolice. Os líderes são mais efetivos quando podem fazer uso de âncoras poderosas para viabilizar apoio. Poucos presidentes têm-se enrolado na bandeira com tanta assiduidade como Ronald Reagan. Quer você goste ou não de sua política, é difícil não admirar sua perspicácia (ou a de seus assessores) para simbolismo político.

A ancoragem não está restrita às mais profundas emoções e experiências. Os comediantes são mestres de ancoragem. Eles sabem como usar uma frase e tonalidade específicas ou a fisiologia para conseguir risadas instantaneamente. Como fazem isso? Fazem alguma coisa para fazer você rir, e, enquanto você está nesse estado intenso específico, providenciam um estímulo específico e único, como um certo sorriso ou expressão facial, ou talvez um tom de voz específico. Eles fazem isso coerentemente até que o estado de riso esteja vinculado a suas expressões. Em pouco tempo, fazem a mesma expressão facial e você não pode deixar de rir. Richard Pryor é um mestre nisso. E Johnny Carson tem toda a cultura ancorada. Tudo que ele tem a fazer é aquele trejeito com a língua e a bochecha e, antes mesmo de terminar a piada, sua audiência já começa a rir. Ele já fez isso tantas vezes antes que todos sabem o que vai acontecer e suas mentes acionam os mesmos estados. E o que acontece quando Rodney Dangerfield diz: "Leve minha esposa?" Não há nada intrinsecamente engraçado nessas palavras. Mas a frase está ancorada numa piada tão conhecida que quase qualquer pessoa pode dizer essas três palavras e começar a rir.

Deixe-me dar um exemplo de uma época em que eu era capaz de fazer o uso máximo de âncoras disponíveis. John Grinder e eu estávamos negociando com o Exército dos Estados Unidos para criar uma série de novos modelos de treinamento para melhorar a efetividade de várias áreas. O general encarregado arranjou para nós os encontros com os oficiais adequados para combinarmos horários, preços, locais, e assim por diante. Encontramo-nos com eles numa grande sala de conferências, dispostos em forma de ferradura. Na cabeceira da mesa estava a cadeira reservada ao general. Era claro que, mesmo sem ele estar lá, sua cadeira era a mais poderosa âncora na sala. Todos os oficiais tratavam-na com o máximo respeito. Era de onde as decisões eram tomadas, e de onde ordens inquestionáveis eram dadas. John e eu fizemos questão de passarmos pelo outro lado, por trás da cadeira do general, tocando-a e, até por fim, sentando-se nela. Fizemos isso até que transferimos para nós algumas das reações que os oficiais tinham para com o general e aquele símbolo dele. Quando chegou a hora de apresentar o preço que eu queria, fiquei de pé próximo à cadeira do general e disse-lhes, na minha voz e fisiologia mais decisiva e autoritária, quanto queria receber. Antes tínhamos regateado sobre o preço, mas dessa vez ninguém questionou. Por ter usado a âncora da cadeira do general, fomos capazes de negociar por um bom preço sem perder tempo em discussões. As negociações foram tão decisivas como se eu as tivesse ordenado. A maioria das negociações de alto nível faz uso de processos de ancoragem efetivos.

A ancoragem é um instrumento usado por muitos atletas profissionais. Eles podem não a chamar assim, ou não terem consciência do que estão fazendo, mas estão usando esse princípio. Há atletas que são acionados, ou ancorados, por situações de fazer ou morrer para ficarem em seus estados mais efetivos e ricos, com os quais conseguem resultados mais relevantes. Alguns atletas fazem certas coisas para ficarem nesse estado. Tenistas usam um certo ritmo para jogar a bola ou uma certa maneira de respirar para se colocarem em seus melhores estados antes de dar o saque.

Eu usei ancoragem e reestruturação ao trabalhar com Michael O'Brien, o ganhador da medalha de ouro dos 1.500 metros estilo livre, nas Olimpíadas de 1984. Reestruturei suas crenças limitadoras e ancorei seus estados melhores ao disparo do revólver de partida (fazendo-o lembrar o estímulo da música que usara anteriormente, numa disputa bem-sucedida contra seu oponente) e à linha preta que podia focalizar embaixo da água, enquanto nadava. Os resultados que consegui nesse estado máximo eram aqueles que mais desejava.

Vamos rever mais especificamente como você pode, com consciência, criar uma âncora para si ou para os outros. Basicamente, são dois passos simples. Primeiro você deve se pôr — ou a pessoa que vai ancorar — no estado específico que deseja ancorar. Então deve proporcionar consistentemente um estímulo específico, único, enquanto a pessoa experimenta o auge desse estado. Por exemplo, quando alguém está rindo, está num estado congruente específico — naquele momento, seu corpo todo está envolvido. Se você apertar sua orelha com pressão única e específica e simultaneamente emitir um certo som muitas vezes, você pode voltar mais tarde, providenciar o estímulo (o apertão e o som) e ela começará a rir outra vez.

Outra maneira de criar uma âncora de confiança para alguém é pedir-lhe que se lembre de uma época em que sentiu o estado que agora deseja ter disponível, sob sugestão. Faça a pessoa então voltar para aquela experiência, de maneira que fique totalmente associada e possa sentir aquelas sensações em seu corpo. Enquanto ela faz isso, você começará a ver mudanças em sua fisiologia — expressões faciais, postura, respiração. Quando vir que esses estados estão se aproximando do auge, providencie rapidamente um único estímulo específico, diversas vezes.

Você pode intensificar essas âncoras ajudando a pessoa a ficar num estado de confiança, mais rapidamente. Por exemplo, faça-a mostrar-lhe como fica quando está se sentindo confiante e, no momento em que sua postura mudar, providencie um estímulo. Peça-lhe então que lhe mostre como respira quando se sente totalmente confiante e, quando ela o fizer, providencie o mesmo estímulo, outra vez. Pergunte-lhe então o que diz para si mesma quando se sente totalmente confiante, e faça-a falar-lhe no tom de voz que tem quando está confiante. Enquanto a pessoa faz isso, providencie outra vez o mesmo exato estímulo (por exemplo, apertar seu ombro toda vez, no mesmo lugar).

CHAVES PARA ANCORAGEM

Intensidade do estado

Regulagem (auge da experiência)

Singularidade do estímulo

Réplica do estímulo

Uma vez que você acredite ter uma âncora, precisa testá-la. Primeiro ponha a pessoa num estado novo ou neutro. A maneira mais fácil de fazer isso é fazê-la mudar sua fisiologia ou pensar em alguma coisa completamente diferente. Agora, para testar sua âncora, simplesmente providencie os estímulos apropriados e observe. Sua fisiologia é a mesma de quando ele estava no estado? Se estiver, sua âncora é efetiva; se não, você pode ter deixado passar uma das quatro chaves para uma ancoragem bem-sucedida.

1. *Para uma âncora ser efetiva, quando você providenciar o estímulo deve ter a pessoa num estado completamente associado e congruente, com todo seu corpo totalmente envolvido.* Chamo isso de estado intenso. Quanto mais intenso, mais fácil é para ancorar, e mais tempo a âncora permanecerá. Se você ancora alguém enquanto parte dele está

pensando numa coisa e a outra parte em algo mais, o estímulo ficará vinculado a muitos sinais diferentes e assim não será tão poderoso. Também, como já discutimos antes, se uma pessoa estiver olhando uma época em que sentia alguma coisa e você a ancora nesse estado, quando você providenciar o estímulo no futuro, ela estará vinculada mais para ver a cena do que para ter o corpo todo e a mente associados.

2. *Você deve providenciar o estímulo no auge da experiência.* Se você ancorar muito cedo ou muito tarde, não capturará toda a intensidade. Você pode descobrir o auge da experiência observando a pessoa entrar no estado e reparando o que ela faz, quando começa a desaparecer. Ou pode pedir sua ajuda fazendo com que lhe diga quando estiver se aproximando do auge e usar essa informação para ajustar a chave do momento, para providenciar seu único estímulo.
3. *Você deve escolher um único estímulo.* É essencial que a âncora dê um sinal claro e inconfundível para o cérebro. Se alguém entra num estado intenso específico e você tenta vinculá-lo, digamos, com um olhar que dá a essa pessoa o tempo todo, isso provavelmente não será uma âncora muito efetiva porque não é única, e será difícil para o cérebro perceber um sinal específico a partir disso. Um aperto de mão, da mesma forma, pode não ser efetivo porque apertamos mãos a toda hora, apesar de que funcionaria se você apertasse mãos de maneira única (tais como uma pressão diferente, localização e outras). As melhores âncoras combinam vários sistemas de representação — visual, auditivo, cinestésico e outros — de uma só vez para formar um único estímulo que o cérebro pode mais facilmente associar a um significado específico. Portanto, ancorar uma pessoa com um toque e um certo tom de voz em geral será mais efetivo do que ancorar só com um toque.
4. *Para uma âncora funcionar, você deve reproduzi-la exatamente.* Se você põe uma pessoa num estado e toca sua omoplata num ponto específico e com uma pressão específica, você não pode acionar essa âncora mais tarde se tocá-la num lugar diferente ou com uma pressão diferente.

Se seus procedimentos de ancoragem seguirem essas quatro regras, eles serão efetivos. Uma das coisas que faço no passeio no fogo é ensinar as pessoas como produzir âncoras que mobilizem suas energias mais ricas de recursos e mais positivas. Por meio de um processo de "condicionamento", fiz com que fechassem com força as mãos cada vez que convocassem suas mais poderosas energias. No fim da noite, podiam fechar a mão e imediatamente sentiam uma onda poderosa de energia produtiva.

Façamos agora um exercício simples de ancoragem. Levante-se e pense numa época em que você estava totalmente confiante, quando sabia que poderia fazer qualquer coisa que quisesse. Ponha seu corpo na mesma fisiologia em que estava então. Fique em pé, do jeito que fazia quando estava totalmente confiante. No auge dessa sensação, feche a mão e diga "Sim!", com força e certeza. Respire do jeito que fazia quando estava totalmente confiante. Outra vez faça a mesma mão fechada e diga "Sim!" na mesma tonalidade. Agora fale no tom de uma pessoa com confiança e controle total. Enquanto faz isso, torne a fechar a mesma mão e então diga "Sim!" da mesma maneira.

Se não pode lembrar-se de uma época, pense como ficaria se tivesse tido tal experiência. Ponha seu corpo na fisiologia em que ele estaria se você soubesse como se sentir totalmente confiante e controlado. Quero que você faça isso agora, como qualquer outro exercício deste livro. Só ler a respeito não o ajudará. Fazê-lo, operará maravilhas.

Agora, enquanto você permanece num estado de confiança total, no auge dessa experiência, suavemente feche a mão e diga "Sim!" num tom poderoso de voz. Perceba o poder à sua disposição, os notáveis recursos físicos e mentais que tem, e sinta a irrupção completa daquele poder e concentração. Comece novamente e faça isso mais vezes, cinco ou seis, cada vez sentindo-se mais forte, criando uma associação em seu sistema nervoso entre esse estado e o ato de fechar a mão e dizer "Sim!". Mude então seu estado, mude sua fisiologia. Agora feche a mão e diga "Sim!" da mesma forma que fez quando estava ancorado, e repare como se sente. Faça isso diversas vezes durante os próximos dias. Ponha-se no estado mais confiante e poderoso de que esteja ciente, e no auge desses estados feche a mão de uma única maneira.

Em pouco tempo, descobrirá que, fechando a mão, você pode provocar aquele estado à vontade, instantaneamente. Pode não acontecer depois de uma ou duas vezes, mas não levará muito tempo para que você faça isso consistentemente. Você pode ancorar-se com somente uma ou duas repetições, se o estado for bastante intenso e seu estímulo for também único.

Uma vez que se ancorou dessa forma, você pode usá-la na próxima vez que estiver numa situação que ache difícil. Pode fazer o gesto de fechar a mão e sentir-se totalmente rico de recursos. A ancoragem tem muito poder porque num instante alinha sua neurologia. O tradicional pensamento positivo faz com que você pare e pense. Mesmo o ato de colocar-se numa fisiologia poderosa leva tempo e esforço consciente. A ancoragem leva um só instante para convocar seus recursos mais poderosos.

COMO ANCORAR

1. Esclarecer o objetivo específico para o qual deseje usar uma âncora, e o estado específico que terá o maior efeito no apoiar a realização desse objetivo para si e/ou outros.
2. Calibrar a linha básica da experiência.
3. Elicitar e ajustar o indivíduo no estado desejado através do uso de seus padrões de comunicação verbal e não verbal.
4. Usar acuidade sensorial para determinar quando a pessoa está no auge do estado e nesse exato momento providenciar o estímulo (âncora).
5. Testar a âncora:
   a. Mudando a fisiologia para interromper o estado.
   b. Acionando o estímulo (âncora) e observando se a reação é o estado desejado.

É importante para você saber que as âncoras podem ficar mais poderosas se forem "amontoadas" — uma empilhada em cima da outra —, juntando muitas das mesmas ou semelhantes experiências ricas de recursos sobre uma base cumulativa. Eu, por exemplo, fico num de meus mais poderosos e centralizados estados entrando numa fisiologia e posição que é alguma coisa como a de um mestre de caratê. Nesse estado, fiz centenas de passeios no fogo, saltei de paraquedas em queda livre, superei desafios notáveis, de todas as espécies. Em cada uma dessas situações quando me punha mais rico de recursos, no auge da experiência eu fazia um único fechamento de mão. Agora, portanto, quando faço o mesmo gesto, todas aquelas poderosas sensações e fisiologias são simultaneamente acionadas dentro de meu sistema nervoso. É uma sensação maior do que qualquer droga jamais poderia criar. Tive experiência de saltar de paraquedas, mergulhar à noite no Havaí, dormir nas grandes pirâmides, nadar com golfinhos, andar no fogo, romper limitações e ganhar uma competição esportiva — tudo ao mesmo tempo. Assim, quanto mais frequentemente fico nesse estado e anexo a ele experiências novas, poderosas e positivas, mais poder e sucesso é ancorado nele. É outro exemplo do ciclo do sucesso. Sucesso gera sucesso. Poder e estados ricos de recursos geram mais poder e mais recursos.

Eu tenho um desafio para você: saia e ancore três pessoas diferentes, em estados positivos. Faça-as lembrarem uma época em que estavam se sentindo exuberantes. Certifique-se de que elas estejam reexperimentando plenamente e ancore-as diversas vezes no mesmo estado. Comece então a conversar com elas, e teste a âncora quando estiverem distraídas. Elas voltaram para o mesmo estado? Se não voltaram, verifique os quatro pontos-chave e ancore outra vez.

Se sua âncora falhou ao acionar o estado que desejava, você omitiu um dos quatro pontos. Talvez você, ou a outra pessoa, não estivesse num estado específico e totalmente associado. Talvez você tenha aplicado a âncora no tempo errado, depois que o auge do estado tinha passado. Talvez o estímulo não fosse bastante distinto, ou você não o reaplicou perfeitamente quando tentou trazer de volta a experiência ancorada. Em todos esses casos, você só precisa de perspicácia sensorial para ter certeza de que a ancoragem está sendo feita corretamente e, quando ancorar outra vez, fazer as mudanças apropriadas em sua abordagem até conseguir uma âncora que funcione.

Aqui está outra tarefa: selecione três a cinco estados ou sensações que você gostaria de ter na ponta de seus dedos, ancore-os então numa parte específica de si, de forma que tenha fácil acesso a eles. Digamos que você é o tipo de pessoa que tem dificuldades em tomar decisões mas gostaria de mudar. Você quer se sentir mais decisivo. Para ancorar a sensação de ser capaz de tomar uma decisão rápida, efetiva e facilmente você deve escolher a junta de seu dedo indicador. A seguir, pense numa época de sua vida em que você se sentiu totalmente cheio de decisão, entre dentro dessa situação em sua mente e associe-se plenamente a ela, para se sentir da mesma maneira. Comece por experimentar-se tomando a grande decisão de seu passado. No auge da experiência, quando se sentir com maior espírito de decisão, aperte sua junta e emita um som em sua mente — como a palavra "Sim". Agora, pense em outra experiência parecida e, no auge desse processo de tomar decisões, crie a mesma pressão e o mesmo som. Faça isso cinco ou seis vezes para acumular uma série de âncoras poderosas. Agora, pense numa decisão que precisa tomar — pense em todos os fatos que precisa saber. Então, apronte-se e dispare a âncora — e você será capaz de tomar uma decisão rápida e facilmente. Você pode usar outro dedo para ancorar sensações de relaxamento, se precisar. Eu ancorei sensações de criatividade numa junta. Posso transformar-me em questão de momentos, de sentir--me parado a sentir-me criativo. Aproveite o tempo para selecionar cinco estados e instalá-los, e então divirta-se usando-os para dirigir seu sistema nervoso com rapidez e precisão infinitesimal. Por favor, faça isso agora.

MANEIRAS DE CALIBRAR (IDENTIFICAR) MUDANÇAS DO ESTADO

Notar mudanças em:

RESPIRAÇÃO:
localização
pausas
média
volume

MOVIMENTO DOS OLHOS

TAMANHO DO LÁBIO INFERIOR

POSTURA

TÔNUS MUSCULAR

DILATAÇÃO DA PUPILA

COLORAÇÃO DA PELE/REFLEXO

VOZ:
predicados
tempo
timbre
tom
volume

A ancoragem sempre é mais efetiva quando a pessoa que está sendo ancorada não sabe o que aconteceu. Em seu livro *Keeping Faith*, Jimmy Carter dá um exemplo excepcional de ancoragem. Durante as conversações sobre controle de armas, Leonid Brezhnev surpreendeu-o ao colocar sua mão no ombro de Carter e dizer em um inglês perfeito: "Jimmy, se nós não tivermos sucesso, Deus não nos perdoará." Anos mais tarde, quando entrevistado na televisão, Carter descreveu Brezhnev como "um homem de paz", e contou sua história. Enquanto falava, Carter tocou o próprio ombro e disse: "Eu ainda posso sentir sua mão em meu ombro." Carter lembrava-se tão vivamente da experiência porque Brezhnev surpreendeu-o ao usar um inglês perfeito e falar em Deus. Sendo profundamente religioso, é óbvio que Carter teve sensações intensas sobre o que Brezhnev falou, e o momento-chave foi quando ele o tocou. A intensidade da emoção de Carter e a importância do problema virtualmente garantem que ele se lembrará dessa experiência pelo resto de sua vida.

A ancoragem pode ser muito bem-sucedida para superar medos e mudar comportamentos. Deixe-me dar um exemplo de ancoragem que uso em meus seminários. Peço a alguém, homem ou mulher, que tenha dificuldade em lidar com o sexo oposto, que venha à frente da sala. Recentemente, foi um jovem bastante tímido que se ofereceu. Quando lhe perguntei como se sentia ao falar com uma mulher desconhecida ou convidar uma estranha para sair, pude ver uma reação física imediata. Sua postura decaiu, seu olhar se abaixou, sua voz ficou trêmula. "Não me sinto nada à vontade fazendo isso", disse. Mas na verdade, ele não precisava dizer nada. Sua fisiologia já tinha me contado o que eu precisava saber. Quebrei seu estado perguntando-lhe se podia se lembrar de uma época em que se sentia muito confiante, orgulhoso e seguro, época em que sabia que seria bem-sucedido. Ele concordou, e eu o dirigi para aquele estado. Fiz com que parasse daquela maneira, respirasse daquela maneira, para sentir-se muito confiante de todas as formas, como já tinha se sentido antes. Disse-lhe para pensar sobre o que alguém lhe dissera nessa época, quando se sentia confiante e orgulhoso, e que se lembrasse das coisas que dizia para si, enquanto estava naquele estado. No auge de sua experiência, toquei-o no ombro.

Então levei-o pela mesma experiência diversas vezes. A cada vez eu me certificava de que ele sentia e ouvia exatamente as mesmas coisas. No auge de cada experiência, fazia o mesmo toque da ancoragem. Lembre--se: o sucesso da ancoragem depende de repetição precisa; portanto, eu tinha o cuidado de tocá-lo da mesma maneira e punha-o exatamente no mesmo estado, a cada vez.

Nesse ponto eu tinha a reação muito bem ancorada. Logo, precisava testá-la. Quebrei seu estado e outra vez lhe perguntei como se sentia com relação às mulheres. Imediatamente, começou a voltar para aquela fisiologia deprimida. Seus ombros se curvaram, sua respiração parou. Quando toquei seu ombro no ponto que havia escolhido como uma âncora, automaticamente seu corpo começou a mudar para aquela fisiologia rica. Por meio da ancoragem, é interessante ver como o estado de alguém pode mudar rapidamente do desespero ou medo para a confiança.

Neste ponto do processo, uma pessoa pode tocar o ombro dela (ou qualquer que seja o ponto que tenha escolhido para servir de âncora) e acionar seu estado desejado toda vez que quiser. No entanto, podemos levar as coisas um passo à frente. Podemos transferir esse estado positivo para o próprio estímulo que costuma criar sensações de riqueza de recursos. Assim, aqueles estímulos criarão estas sensações. Eis como: pedi ao jovem que escolhesse uma mulher atraente na plateia, alguém que normalmente ele nem sonharia em se aproximar. Ele hesitou um momento, até que o toquei no ombro. No instante em que fiz isso, a postura de seu corpo mudou e ele escolheu uma mulher atraente. Pedi a ela que viesse para a frente da sala. Disse-lhe então que o rapaz ia tentar marcar um encontro, e que ela devia rejeitá-lo completamente.

Toquei o ombro dele, ele ficou em sua fisiologia rica, seus olhos para cima, respiração profunda, ombros para trás. Dirigiu-se para ela e disse: "Oi! Como vai?"

Ela retrucou: "Deixe-me sozinha." Ele não se perturbou. Antes, até olhar para uma mulher deixava toda sua fisiologia confusa. Agora, ele só sorria. Continuava a segurar seu ombro, e ele continuava a importuná-la. Quanto mais áspera ela se mostrava, mais ele ficava em seu estado forte. Ele continuou a sentir-se rico de recursos e confiante, mesmo depois que retirei minha mão de seu ombro. Criei um novo vínculo neurológico que agora faz com que se torne mais rico de recursos quando vê uma bela mulher ou quando encontra rejeição. Nesse caso, a mulher finalmente disse: "Você não pode me deixar sozinha?", e ele replicou com uma voz profunda: "Você não reconhece o poder quando o vê?" A plateia inteira explodiu em risadas.

Ele estava num estado muito poderoso e o estímulo que o mantinha assim era uma bela mulher e/ou sua rejeição. Resumindo, eu peguei uma âncora e a transferi. Mantendo-o num estado poderoso enquanto ela o rejeitava, seu cérebro começou a associar a rejeição da mulher com seu estado calmo e confiante. Quanto mais ela o rejeitava, mais relaxado, confiante e calmo ele se tornava. É notável ver a transformação que ocorre em questão de momentos.

A pergunta lógica é: "Bem, isso é ótimo num seminário. Agora, o que acontecerá no dia a dia?" O mesmo laço estímulo/reação está estabelecido. De fato, as pessoas com as quais trabalhávamos saíram naquela noite e encontraram outras pessoas, e os resultados foram surpreendentes. Como o medo fora afastado, elas começaram a desenvolver relacionamentos com pessoas de quem nunca teriam se aproximado, no passado. Isso não é tão surpreendente se você pensar a respeito. Afinal, você teve de aprender como reagir à rejeição, quando cresceu. Há muitos modelos. Agora, você simplesmente tem um novo conjunto de reações neurológicas para escolher. Um homem que assistiu aos nossos seminários cerca de dois anos atrás, e que era totalmente amedrontado pelas mulheres, agora é cantor num ambiente frequentado só por mulheres e adora isso. Eu uso algumas variações dessa situação em cada seminário "Revolução da Mente" que dirijo, e em cada caso a mudança na pessoa é notável. Uso variações dessa técnica de ancoragem para alterar reações de pessoas com fobias.

"Se você faz o que sempre fez, conseguirá o que sempre conseguiu."

— Anônimo

É importante estar ciente da ancoragem porque ela está sempre acontecendo à nossa volta. Se você estiver ciente de quando ela está acontecendo, poderá lidar com ela e mudá-la. Se não estiver ciente dela, ficará iludido com estados que vêm e vão aparentemente sem razão. Vou lhe dar um exemplo comum. Digamos que houve uma morte na família de uma pessoa. Ela está num estado de profundo pesar. No enterro, muitas pessoas aproximam-se dela e a tocam, com simpatia, na parte superior de seu braço esquerdo, apresentando condolências. Se muitas pessoas a tocarem da mesma maneira, e ela permanecer num estado depressivo, essa espécie de toque nesse lugar pode ficar ancorada em seu estado depressivo — o que muitas vezes acontece. Então, muitos meses mais tarde, quando alguém tocá-la ali com o mesmo tipo de pressão, num contexto completamente diferente, isso pode liberar a mesma sensação de pesar, e a pessoa nem mesmo saberá por que está se sentindo assim.

Você já teve uma experiência assim, quando de repente se sente deprimido e nem ao menos sabe por quê? É provável que já tenha tido. Talvez não tenha nem reparado na música tocando baixo, ao fundo — uma música que você ligava a alguém a quem amava muito, e que não está mais em sua vida. Ou talvez foi um certo olhar que alguém lhe deu. Lembre-se, as âncoras funcionam sem nossa atenção consciente.

Deixe-me fornecer-lhe algumas técnicas para controlar âncoras negativas. Uma é disparar âncoras opostas ao mesmo tempo. Peguemos aquela sensação de pesar ancorada, acionada no funeral. Se ela está ancorada na parte superior de seu braço esquerdo, um jeito de lidar com ela é ancorar uma sensação oposta — suas sensações mais poderosas e ricas de recursos — no mesmo lugar, no seu braço direito. Se você acionar ambas as âncoras ao mesmo tempo, descobrirá que acontece uma coisa notável. O cérebro conecta as duas em seu sistema nervoso; então, a qualquer hora que qualquer âncora for tocada, ela tem uma escolha de duas reações. E o cérebro quase sempre escolherá a reação mais positiva. Ou ela o porá num estado positivo, ou irá para um estado neutro (no qual ambas as âncoras se cancelam).

A ancoragem é importante se você deseja desenvolver um relacionamento duradouro e íntimo. Minha esposa Becky e eu, por exemplo, viajamos muito juntos, compartilhando essas ideias com as pessoas, por todo o país. Entramos frequentemente em estados poderosos positivos, e sempre estamos nos olhando ou tocando durante essas experiências importantes. Como resultado, nosso relacionamento está cheio de âncoras positivas — toda vez que nos olhamos no rosto, todos esses momentos poderosos, amorosos, felizes são acionados. Em contraste, quando um relacionamento chega ao ponto de dois companheiros não se suportarem mais, a razão, muitas vezes, são as âncoras negativas. Há um período em muitos relacionamentos em que um casal pode ter mais experiências negativas do que positivas. Se eles se veem um ao outro firmemente, enquanto estão nesses estados, as sensações ficam vinculadas; algumas vezes, só de se olharem um ao outro, ficam querendo se separar. Isso acontece especialmente se um casal começa a brigar muito, e se, durante esses estados de aborrecimento, cada um diz coisas destinadas a magoar ou irritar o outro. (Lembre-se de usar os padrões de interrupção!) Esses estados intensos ficam ligados ao rosto da outra pessoa. Depois de um tempo, cada um deles quer estar com outra pessoa, talvez alguém novo, alguém que represente só experiências positivas associadas.

Becky e eu tivemos uma experiência como essa quando nos registramos num hotel, tarde da noite. Não havia mensageiro ou camareiro na frente do hotel; portanto, pedimos ao homem da recepção que fizesse o camareiro estacionar e pedisse ao mensageiro que subisse as malas. Ele disse que não havia problemas. Daí, subimos para nosso quarto e começamos a relaxar. Passou uma hora e nossas malas ainda não tinham chegado: descemos, então. Para encurtar a história, tudo que tínhamos tinha sido roubado — nossos cartões de crédito, passaportes e um vultoso *cashier check*, que eu já tinha assinado. Tínhamos nos preparado para uma viagem de duas semanas. Pode imaginar em que estado fiquei. Enquanto sentia essa raiva, um estado perturbador, ficava olhando para Becky e ela também estava brava. Cerca de quinze minutos depois, compreendi que ficar perturbado não iria mudar nada, e, uma vez que acredito que nada acontece por acaso, tinha de haver algum benefício naquilo. Portanto, mudei meu estado e estava me sentindo bem outra vez. Mas, dez minutos depois olhei para Becky, e quando o fiz, comecei a sentir raiva pelas coisas que ela não havia feito naquele dia. Certamente, eu não estava me sentindo atraído por ela. Parei, então, e perguntei-me: "O que está acontecendo aqui?" Compreendi que tinha vinculado todos os meus sentimentos negativos por ter perdido nossas coisas a Becky, apesar de ela não ter nada com aquilo. Olhar para ela fazia com que eu me sentisse desprezível. Quando lhe contei o que estava sucedendo, percebemos que ela também estava sentindo a mesma coisa em relação a mim. Por conseguinte, o que fizemos? Simplesmente deixamos cair as âncoras. Começamos a fazer algumas coisas excitantes positivas, um com o outro, coisas que em dez minutos nos puseram num estado ótimo, enquanto nos olhávamos no rosto.

Virginia Satir, a mundialmente famosa conselheira familiar e conjugal, usa ancoragem o tempo todo em seu trabalho. Seus resultados são relevantes. Ao modelá-la, Bandler e Grinder notaram a diferença entre seu estilo e o dos terapeutas familiares tradicionais. Quando um casal se apresenta para terapia, muitos terapeutas acreditam que o problema básico seja a emoção e raiva reprimidas que o casal sente um pelo outro, e que contar ao outro exatamente como se sentem, todas as coisas de que têm raiva, os ajudará. Você pode imaginar o que muitas vezes acontece quando eles começam a dizer todas as coisas de que têm raiva. Se o terapeuta os encoraja a libertar as mensagens de raiva com força e vigor, eles criam âncoras negativas até mais fortes, ligadas só à vista do rosto, um do outro.

Com certeza expressar esses sentimentos pode ajudar, se as pessoas os mantiveram dentro de si durante um longo tempo. E, mesmo acreditando que contar a verdade num relacionamento é necessário para o sucesso, eu questiono os efeitos das âncoras negativas que esse processo possa criar. Todos nós tivemos discussões, em que começamos a dizer coisas que não são realmente o que significam, e quanto mais dizemos, pior fica. Assim, quando uma pessoa sabe quais são seus "reais" sentimentos? Há um número regular de desvantagens em se pôr num estado negativo antes de comunicar seus sentimentos a uma pessoa amada. Em vez de fazê-los gritarem um com o outro, Virginia Satir faz com que seus pacientes olhem-se como se olharam quando se apaixonaram. Ela lhes pede que falem um ao outro como falaram quando se apaixonaram. Sugere empilhar âncoras positivas, a fim de que ao se olharem no rosto sintam-se muito bem. A partir desse estado, eles podem resolver seus problemas por meio de uma comunicação clara, sem ferir os sentimentos um do outro. De fato, eles se tratam com muito mais carinho e um novo padrão se estabelece, uma nova maneira de resolver os problemas no futuro.

Deixe-me dar-lhe outro poderoso instrumento para lidar com âncoras negativas. Primeiro, vamos criar uma âncora positiva e de recurso poderoso. É sempre melhor começar com a positiva do que com a negativa, pois se ficar difícil lidar com a negativa, sempre temos um instrumento para nos ajudar a sair daquele estado rápida e facilmente.

Quero que você pense na experiência positiva mais poderosa que já teve em toda sua vida. Ponha essa experiência e suas sensações em sua mão direita. Imagine-se fazendo isso e sinta como é tê-la em sua mão direita. Pense numa época em que se sentiu totalmente orgulhoso de alguma coisa que fizera, e coloque essa experiência e sensação também na sua mão direita. Agora pense numa época em que se sentiu poderoso, positivo, com sentimentos amorosos, e coloque-os também na sua mão direita, e sinta essas sensações lá. Lembre-se de uma época em que você vivia rindo. Pegue essa experiência e coloque-a também na sua mão direita, e perceba todos esses sentimentos amorosos, de recurso positivo e poderoso. Agora, repare que cor esses sentimentos poderosos criaram juntos em sua mão direita. Anote a cor que primeiro veio à sua mente. Repare que forma eles criaram juntos. Se você fosse atribuir-lhes um som, como soariam todos eles? Qual é a textura de todas essas sensações juntas, em sua mão? Se todas elas viessem juntas para lhe fazer uma poderosa declaração positiva, qual seria? Aprecie todas essas sensações, e então feche sua mão direita e deixe-as ficar lá.

Agora, abra sua mão esquerda e coloque nela uma experiência negativa, frustrante, depressiva, ou de raiva, alguma coisa que está ou esteve aborrecendo-o. Talvez alguma coisa da qual tenha medo, ou que o preocupe. Coloque-a na sua mão esquerda. Não há necessidade de senti-la dentro de você. Esteja certo de ter se desassociado dela — ela só está lá, na sua mão esquerda. Agora quero que se torne consciente de suas submodalidades. Qual a cor que essa situação negativa cria em sua mão esquerda? Se você não vê uma cor ou não tem uma sensação na hora, aja como se tivesse. Que cor seria, se tivesse havido uma? Percorra as outras submodalidades. Qual a forma? Parece leve ou pesada? Qual é a textura dela? Que som ela faz? Se ela fosse lhe dizer uma sentença, o que diria? Como é a textura?

Agora, vamos fazer o que é chamado de "deixar cair âncoras". Você pode brincar com isso, de qualquer maneira que lhe pareça natural. Uma abordagem seria tomar a cor na sua mão direita, positiva, fazer de conta que é um líquido, e derramá-lo na sua mão esquerda num ritmo bem rápido, emitindo ruídos engraçados e divertindo-se enquanto faz isso. Faça-o até que a âncora negativa na sua mão esquerda esteja da cor da experiência positiva da direita.

A seguir, pegue o som que sua mão esquerda estava fazendo e jogue-o na sua mão direita. Repare o que sua mão direita faz com ele. Agora pegue as sensações de sua mão direita e derrame-as na sua esquerda, reparando o que elas fazem com a sua mão esquerda assim que entram lá. Junte suas mãos, uma palma contra a outra, e continue mantendo-as assim por uns momentos até que se sintam equilibradas. Agora, a cor na sua mão direita e esquerda deve ser a mesma — as sensações devem ser similares.

Quando terminar, veja como se sente sobre a experiência que está na mão esquerda. É bem provável que você tenha acabado com todo o poder que ela tinha para aborrecê-lo. Se não acabou, tente o exercício outra vez. Faça-o com submodalidades diferentes em um senso mais ativo de brincadeira. Depois de uma ou duas vezes, qualquer pessoa pode anular completamente o poder de alguma coisa que costumava ser uma forte âncora negativa. Você pode agora sentir-se bem a esse respeito ou, pelo menos, ter sensações neutras sobre a experiência.

Você pode usar esse mesmo processo se estiver aborrecido com alguém e quiser mudar seus sentimentos sobre ele. Pode imaginar o rosto de alguém de quem realmente gosta em sua mão direita, e o rosto de alguém de quem não gosta muito na esquerda. Comece olhando para a pessoa de quem não gosta, então para a pessoa de quem gosta, a pessoa de quem não goste, a pessoa de quem goste. Faça isso cada vez mais rapidamente, não mais dizendo de quem você gosta ou não gosta. Junte suas mãos, respire, espere um momento. Agora pense na pessoa de quem não gosta. Você deve agora gostar dela ou, pelo menos, sentir-se bem a respeito. A beleza desse exercício é que pode ser feito em questão de momentos — e você pode mudar seus sentimentos sobre quase tudo! Fiz esse processo de três minutos recentemente num seminário, com um grupo todo. Uma mulher do grupo pôs em sua mão direita alguém de quem realmente gostava, e na esquerda pôs o rosto de seu pai, com quem não falava havia quase dez anos. Dessa forma, ela foi capaz de neutralizar seus sentimentos negativos sobre o pai. Ligou para ele naquela noite e conversaram até as quatro horas da manhã. Depois disso tornaram a desenvolver seu relacionamento.

É importante que compreendamos o poder de nossas ações em ancorar crianças. Por exemplo, meu filho Joshua foi um dia à escola, e um grupo de pessoas bem-intencionadas fez uma apresentação para as crianças sobre não aceitar caronas de estranhos — uma mensagem admirável e importante. Eu gostei de meu filho ter sido reforçado a respeito. O problema foi a maneira como a mensagem foi transmitida. O grupo mostrou uma série de *slides*, muito parecidos com aqueles repulsivos mostrados para adultos que vão para a autoescola. Mostraram pôsteres de crianças desaparecidas. Mostraram até os corpos de criancinhas sendo retiradas de valas. Crianças, diziam eles, que aceitam caronas de estranhos podem acabar assim. Obviamente essa era uma grande motivação para estratégia de afastar-se.

Os resultados, no entanto, foram bastante destrutivos, pelo menos para meu filho, e posso supor que para outras crianças também. O que eles fizeram foi o equivalente a instalar uma fobia. Meu filho tinha agora aquelas figuras grandes, brilhantes, ensanguentadas associadas com a volta para casa. Naquele dia recusou-se a voltar andando e tivemos de ir buscá-lo na escola. Nos dois ou três dias seguintes ele acordou à noite com pesadelos e recusava-se a ir a pé para a escola, com a irmã. Felizmente, conheço os princípios do que cria e afeta o comportamento humano. Eu tinha estado fora da cidade e, quando soube da situação, fiz uma série de quedas de âncoras e uma cura de fobia pelo telefone. No dia seguinte, ele foi a pé para a escola, sozinho, confiante, forte e cheio de recursos. Ele não iria ser imprudente — sabia o que evitar, o que fazer para cuidar-se. Até agora ele está fortalecido para viver sua vida da maneira que quiser, sem medo.

As pessoas que fizeram a apresentação tinham a melhor das intenções. No entanto, sinceridade não garante que não resultarão danos de uma falta de entendimento sobre os efeitos da ancoragem. Preste atenção no efeito que está causando nas pessoas — especialmente nos pequeninos!

Façamos um último exercício. Ponha-se naquele estado poderoso e cheio de recursos e escolha a cor que seja a de mais recursos para você. Faça a mesma coisa com uma forma, um som e uma sensação que você associaria ao seu estado mais poderoso e cheio de recursos. Pense agora numa frase que você diria quando estivesse se sentindo mais feliz, mais centralizado e mais forte, como nunca se sentiu antes. A seguir, pense numa experiência desagradável, uma pessoa que seja uma âncora negativa, alguma coisa de que tenha medo. Em sua mente, ponha aquela forma positiva em volta da experiência negativa. Faça isso com a completa crença de que pode capturar a sensação negativa dentro da forma. Pegue então sua cor cheia de recursos e fisicamente atire-a por sobre toda a âncora negativa, com uma força tal que a âncora se dissolva. Ouça o som e sinta a sensação que ocorre quando está totalmente rico de recursos. Por fim, diga a coisa que você diria em seu estado mais poderoso. Enquanto a âncora negativa dissolve-se numa névoa de sua cor favorita, diga a coisa que acentua seu poder. Como se sente agora sobre a situação negativa? É provável que ache difícil imaginar que aquilo possa tê-lo aborrecido tanto antes. Faça isso com três outras experiências, e então faça-o com mais alguém.

Se você só estiver lendo o livro, esses exercícios poderão lhe parecer estranhos e tolos. Mas, se os fizer, será capaz de ver o incrível poder que têm. Esta é a chave componente do sucesso: *a capacidade de eliminar de seu próprio ambiente acionadores que tendem a colocá-lo em estados negativos ou pobres de recursos, enquanto instala outros positivos em si e em outros.* Uma das maneiras de fazer isso é elaborar uma relação de âncoras importantes — positivas e negativas — em sua vida. Anote se são primariamente acionadas por estímulos visuais, auditivos ou cinestésicos. Uma vez que sabe o que são suas âncoras, você deve seguir, deixando cair as negativas e fazendo o melhor uso das positivas.

Pense no bem que pode fazer ao aprender como ancorar aqueles estados positivos efetivamente, não só em você mas também nos outros. Já pensou se você falasse com seus associados, deixasse-os com uma estrutura mental motivada e otimista, e ancorasse isso com um toque, expressão ou tom de voz que pudesse repetir no futuro? Depois de um tempo, ancorando aqueles estados mentais positivos diversas vezes, você poderia elicitar aquela espécie de motivação intensa, a qualquer hora. Seus trabalhos seriam mais recompensadores, a empresa, mais lucrativa, e todos seriam muito mais felizes. Pense no poder que poderia ter em sua própria vida, se pudesse pegar as coisas que costumavam aborrecê-lo e fazer com que elas o fizessem sentir-se bem ou cheio de recursos, o bastante para mudá-las. Você tem poder para fazê-lo.

Vou deixá-lo com um pensamento final, não só sobre ancoragem, mas sobre todas as técnicas que aprendeu até agora. Há uma incrível sinergia, um sentido "processional", sequencial, que surge do domínio de qualquer dessas técnicas. Assim como uma pedra atirada numa lagoa calma forma um padrão de ondulações, o sucesso com qualquer dessas técnicas gera mais e mais sucesso. Você já deve ter uma percepção forte e clara de como elas são poderosas. Minha esperança é que você as use não só hoje, mas, continuamente, em sua vida. Assim como as âncoras empilhadas em minha postura de caratê ficam mais poderosas cada vez que as uso, você aumentará seu poder pessoal com cada técnica que aprende, domina e usa.

Há um filtro para experiências humanas que afeta como nos sentimos sobre tudo que fazemos ou não fazemos em nossas vidas. Esses filtros afetam a ancoragem e tudo o mais de que já falamos neste livro. Estou falando de liderança.

PARTE 3

LIDERANÇA: O DESAFIO DA EXCELÊNCIA

CAPÍTULO 18

AVALIAR HIERARQUIAS: O JULGAMENTO DEFINITIVO DO SUCESSO

"Um músico deve fazer música, um artista deve pintar, um poeta deve escrever, se for para estar em paz consigo mesmo no fim."

— ABRAHAM MASLOW

Todo sistema complexo, seja um instrumento de fábrica, seja um computador ou um ser humano, tem de ser congruente. Suas partes têm de trabalhar juntas; cada ação deve apoiar uma outra ação, se é para trabalhar em um nível alto. Se as partes de uma máquina tentam ir em duas direções diferentes ao mesmo tempo, a máquina sairá de sincronia e pode acabar quebrando.

É assim também com os seres humanos. Podemos aprender a produzir os mais efetivos comportamentos, mas se esses comportamentos não apoiam nossas mais profundas necessidades e desejos, se infringem outras coisas que são importantes para nós, então temos conflitos interiores, e nos falta a congruência necessária para um sucesso em larga escala. Se uma pessoa está conseguindo uma coisa, mas vagamente quer alguma outra, ela não será totalmente feliz ou realizada. Ou se uma pessoa alcança uma meta, mas, a fim de fazê-lo, violou sua própria crença sobre o que é certo ou errado, então resulta confusão. A fim de realmente mudarmos, crescermos e prosperarmos, precisamos nos tornar muito conscientes das regras que temos para nós e para os outros, e de como realmente medimos ou julgamos, o sucesso ou o fracasso. Caso contrário, podemos ter tudo e ainda nos sentirmos nada. Esse é o poder do elemento final e crítico chamado valor.

Que são valores? São simplesmente suas próprias crenças, pessoais e individuais, sobre o que é mais importante para você. Seus valores são seus sistemas de crenças sobre certo, errado, bom e mau. Maslow fala sobre artistas, mas a questão é universal. Nossos valores são as coisas de que todos nós fundamentalmente precisamos para seguir em frente. Se não os temos, não nos sentiremos completos e realizados. Essa sensação de congruência, ou de totalidade e unidade, vem da compreensão de que estamos satisfazendo nossos valores com nosso comportamento presente. Eles até determinam do que você deve se afastar. Eles governam todo o seu estilo de vida. Determinam como você reagirá a qualquer experiência na vida. Eles são muito parecidos com o *executive level* de um computador. Você pode colocar qualquer programa de que goste, mas se o computador vai aceitar o programa, ou se vai usá-lo ou não, só depende de como o *executive level* foi programado pela fábrica. Valores são como o *executive level* do julgamento no cérebro humano.

O impacto de seus valores é sem fim: sobre o que você veste e o que dirige para onde mora, com quem você se casa (se casar) ou como educa seus filhos, os motivos que o levaram a escolher o que faz para viver. Eles são a base que define nossas reações a qualquer situação dada, na vida. São a chave máxima para compreender e prognosticar seus próprios comportamentos assim como os comportamentos dos outros — a chave mestra que libera a magia interior.

Mas de onde vêm eles, esses poderosos ensinamentos sobre o certo e o errado, bom e mau, o que fazer e o que não fazer? Uma vez que os valores são específicos, altamente emocionais, crenças associadas, eles vêm de algumas das mesmas origens que discutimos antes, no capítulo sobre crenças. Seu ambiente desempenha um papel, começando quando você era um bebê. Seu pai e sua mãe, especialmente em famílias tradicionais, desempenharam o papel principal ao programarem a maioria de seus valores originais. Constantemente eles expressaram seus valores, dizendo-lhe o que queriam ou não queriam que você fizesse, dissesse e acreditasse. Se você aceitava seus valores, era recompensado; você era um bom menino ou menina. Se você os rejeitava, ficava em apuros, você era um mau menino. Em algumas famílias, se você continuava a rejeitar os valores de seus pais, era punido.

De fato, a maioria de nossos valores tem sido programada por meio dessa técnica de recompensa/punição. Quando você ficou mais velho, os grupos de companheiros foram outra fonte de valores. Quando se encontrou com outros garotos na rua pela primeira vez, eles podiam ter valores diferentes dos seus. Você misturou os seus valores com os deles, ou pode ter alterado os seus, porque, se não o fizesse, eles poderiam bater em você ou — pior — não brincar com você! Ao longo de sua vida, você foi constantemente criando novos valores ou misturando, ou instalando os seus próprios nos outros. Também, pela sua vida afora, você teve heróis ou talvez anti-heróis. E, por admirar seus feitos, você tenta igualar-se a quem pensa que eles são. Muitos garotos começaram com drogas porque seus ídolos, cuja música eles amavam, pareciam valorizar as drogas. Felizmente, hoje, muitos desses ídolos — compreendendo suas responsabilidades e oportunidades como figuras públicas para moldar os valores de um grande número de pessoas — estão mostrando que não usam ou apoiam o uso de drogas. Muitos artistas estão deixando claro que são por uma mudança positiva no mundo. Isso é moldar os valores de uma porção de pessoas. Compreendendo o poder da mídia, para levantar dinheiro para alimentar pessoas famintas, Bob Geldof (dos famosos Live Aid e Band Aid) liberou os valores de outros artistas poderosos. Por meio de seus esforços conjuntos e de seu exemplo, ajudaram a fortalecer o valor de doar e de se compadecer dos outros. Muitas pessoas que não tinham esses valores como de grande importância em suas vidas mudaram seus comportamentos quando viram seus ídolos — Bruce Springsteen, Michael Jackson, Kenny Rogers, Bob Dylan, Stevie Wonder, Diana Ross, Lionel Richie e outros — dizendo-lhes direta e diariamente por meio de suas músicas e vídeos que pessoas estão morrendo e que temos de fazer alguma coisa! No próximo capítulo, olharemos mais de perto a tendência da criação. Por ora, compreenda o poder que a mídia tem no dirigir e criar valores e comportamentos.

A formação de valores não termina com heróis. Também acontece no trabalho, onde vigora o mesmo sistema de punição/recompensa. Para trabalhar para alguém e subir na empresa, você adota alguns de seus valores.

Se você não compartilha os valores de seu chefe, as promoções poderão ser impossíveis. E, para começar, se não compartilha os valores da companhia, será infeliz. Os professores em nosso sistema escolar estão sempre expressando seus valores, e muitas vezes inconscientemente usam o mesmo sistema punição/recompensa para assegurar sua adoção.

Nossos valores também mudam quando mudamos as metas ou a imagem própria. Se você estabeleceu a meta de ser o número um na empresa, quando atingi-la estará ganhando mais dinheiro e esperando coisas diferentes dos outros. Seus valores de como vai ter de trabalhar dali para a frente também mudam. O que você acha que é um belo carro será bastante diferente. Até as pessoas com quem passa o tempo podem também mudar para combinar com a sua "nova" autoimagem. Em vez de ir tomar uma cerveja com os amigos, você poderá estar bebericando um Perrier com as três outras pessoas em seu escritório que estão planejando expansão.

Qual o seu impulso, aonde vai, quem são os seus amigos, o que você faz, tudo reflete sua autoidentificação. Eles podem envolver o que o psicólogo industrial Dr. Robert McMurray chamou de símbolos do ego invertido, que também demonstram valores. Por exemplo, o fato de alguém dirigir um carro barato não significa que ele não se tenha em alta consideração, ou que o preço da gasolina seja um valor importante. Porém, ele pode querer mostrar que está acima da tendência comum da humanidade ao adotar símbolos incongruentes. Um cientista ou empresário altamente educados, que tenham um salário bastante substancial, podem querer provar para si mesmos e para outros como são diferentes ao dirigirem um carro barato e supereconômico. O multimilionário, que mora numa cabana, pode valorizar a perda de espaço, ou pode querer demonstrar seus únicos valores para si e para os outros.

Portanto, acho que você pode ver como é importante descobrirmos quais são os nossos valores. O desafio para a maioria das pessoas é que muitos desses valores são inconscientes. Muitas vezes as pessoas não sabem por que fazem certas coisas — elas só sentem que têm de fazê-las. As pessoas sentem-se muito pouco à vontade e desconfiadas em relação a indivíduos que têm valores diferentes dos seus. Muitos dos conflitos que as pessoas têm na vida resultam de valores conflitantes. Assim como isso é verdade numa escala local, também o é em escala internacional. Quase toda guerra é uma guerra sobre valores. Veja o Oriente Médio, Coreia, Vietnã e outros. E o que acontece quando um país conquista o outro? Os conquistadores começam a converter a cultura para seus próprios valores. Não são só os países diferentes que têm valores diferentes, e pessoas diferentes que têm valores diferentes, mas cada indivíduo pensa que alguns valores são mais importantes do que outros. Quase todos nós temos uma meta final — coisas que são importantes para nós, acima de qualquer coisa. Para algumas pessoas isso é honestidade; para outras, é amizade. Algumas pessoas podem mentir para proteger um amigo, mesmo que a honestidade seja importante para elas. Como podem elas fazer isso? Porque a amizade está mais alto, na sua escala de importâncias (hierarquia de valores), do que a honestidade, nesse contexto. Você pode colocar um alto valor pessoal no sucesso de sua firma, mas também em ter uma vida familiar unida. Assim surgem os conflitos: você prometeu estar com sua família certa noite e então surge uma reunião de negócios. O que você escolherá para fazer depende do que colocar como seu valor mais alto, naquela hora. Assim, em vez de dizer que é mau gastar o tempo com negócios, e não com sua família, ou vice-versa, descubra quais são seus valores verdadeiros. Então, pela primeira vez em sua vida, você compreenderá por que faz certas coisas, ou por que outras pessoas fazem o que fazem. Os valores são um dos mais importantes instrumentos para descobrir como uma pessoa trabalha.

Para lidar efetivamente com pessoas, precisamos saber o que é mais importante para elas, especificamente qual é sua hierarquia de valores. Uma pessoa pode ter grande dificuldade em compreender as motivações ou comportamentos básicos de outras pessoas, a menos que compreenda a importância relativa dos valores. Uma vez que compreenda, pode virtualmente antecipar como irão reagir a algum conjunto específico de circunstâncias. Uma vez que conheça sua própria hierarquia de valores, você pode ficar fortalecido para resolver qualquer relacionamento ou representação interior que seja conflitante para você.

Não existe sucesso real se não for possível manter os valores básicos. Algumas vezes é uma questão de aprender como conciliar valores existentes com os que estão em conflito. Se uma pessoa está tendo problemas num trabalho altamente remunerado, e um de seus principais valores é que dinheiro é nocivo, não basta concentrar-se no trabalho. O problema está no nível mais alto de valores conflitantes. Se uma pessoa não pode concentrar-se no trabalho porque seu valor mais alto é a família e ela está passando o tempo todo no serviço, é preciso recorrer ao conflito interior e ao sentimento de incongruência que ele produz. E uma ótima forma de fazer isso é reestruturar e encontrar essa intenção. Você pode ter um bilhão de dólares, mas se a vida que você leva entra em conflito com seus valores, você não será feliz. Vemos isso frequentemente. Pessoas com saúde e poder levam vidas pobres. No outro lado, você pode ser pobre como um rato de igreja financeiramente, mas se a vida que leva está de acordo com seus valores, você se sentirá realizado.

Não é uma questão de quais valores são certos ou errados. Não vou impor meus valores a você. É importante saber quais são os seus valores, a fim de que possa dirigir, motivar e apoiar-se no nível mais profundo. Todos temos um valor maior, uma coisa que mais desejamos de qualquer situação, quer seja um relacionamento ou um trabalho. Pode ser liberdade, pode ser amor, pode ser excitação ou pode ser segurança. Provavelmente você lê esta lista e diz consigo mesmo: "Eu quero todas estas coisas."

A maioria de nós também. Mas colocamos um valor relativo nelas todas. O que uma pessoa mais quer de uma amizade é êxtase; outra, amor; uma terceira, comunicação honesta; uma quarta, a sensação de segurança. A maioria das pessoas são totalmente ignorantes de suas hierarquias ou daquelas das pessoas que amam. Têm um senso vago de querer amor, ou desafio, ou êxtase, mas não têm ideia de como essas peças se juntam. Essas distinções são absolutamente críticas. Determinam se as máximas necessidades da pessoa serão ou não encontradas. Você não pode satisfazer as necessidades de alguém se não souber quais são elas. Você não pode ajudar alguém a fazer o mesmo por você, e não pode lidar com seus próprios valores conflitantes, até compreender as hierarquias nas quais elas estão interagindo. A primeira chave para compreender é elicitá-las.

Como você descobre a hierarquia de valores, sua ou de alguém mais? Primeiro, você precisa colocar uma estrutura em volta dos valores que está procurando. Isto é, você precisa elicitá-los num contexto específico. Eles são divididos em compartimentos. Muitas vezes temos valores diferentes, relacionamentos ou família. Você deve perguntar: "O que é mais importante para você numa relação pessoal?" A pessoa pode responder: "Os sentimentos de apoio." Então, você pode perguntar: "Por que é importante o apoio?" Ela pode responder: "Mostra que alguém me ama." Você pode perguntar: "Por que é tão importante alguém amar você?" Ela pode responder: "Isso cria sentimentos de alegria em mim." Continuando a perguntar mais e mais: "O que é importante?" Você começa a desenvolver uma lista de valores.

Então, para ter uma compreensão clara da hierarquia de valores de alguém, tudo que você precisa fazer é pegar esta lista de palavras e compará-las. Pergunte: "O que é mais importante para você? Ser apoiado ou sentir alegria?" Se a resposta é: "Sentir alegria", então é óbvio que a alegria está mais alta na hierarquia de valores. A seguir, você perguntaria: "O que é mais importante para você, sentir alegria ou sentir-se amado?" Se a resposta é: "Sentir alegria", então, desses três valores, alegria é o número um. Pergunte então: "O que é mais importante para você? Sentir-se amado ou ser apoiado?" A pessoa pode olhar zombeteiramente e responder: "Bem, ambas são importantes." Você replica: "Sim, mas qual é mais importante: que alguém o ame ou que alguém o apoie?" A pessoa pode dizer: "Bem, é mais importante que alguém me ame." Agora você sabe que o segundo mais alto valor depois da alegria seria amor, e o terceiro seria apoio. Você pode fazer isso com uma lista de qualquer tamanho para compreender o que é mais importante para uma pessoa e o peso relativo dos outros valores. A pessoa, nesse exemplo, ainda pode se sentir bastante forte quanto a um relacionamento, mesmo que não se sinta apoiada. Outra pessoa, no entanto, pode colocar apoio acima de amor (e você poderá se surpreender ao descobrir quantas pessoas o fazem). Essa pessoa não acreditará que alguém a ame a menos que ela a apoie, e não será suficiente sentir-se amada se não se sentir apoiada.

As pessoas têm certos valores que, quando violados, fazem com que deixem um relacionamento. Por exemplo: se apoio for o número um na lista de valores de uma pessoa e ela não se sentir apoiada, ela poderá terminar o relacionamento. Já alguém que classifique apoio como terceiro, quarto ou quinto, e amor em primeiro, não deixará o relacionamento, não importa o que aconteça — enquanto se sentir amado.

Estou certo de que você pode apresentar várias coisas que lhe são importantes num relacionamento íntimo. Fiz uma lista de algumas importantes, a seguir:

_______ Amor
_______ Prazer
_______ Comunicação mútua
_______ Respeito
_______ Alegria
_______ Crescimento
_______ Apoio
_______ Desafio
_______ Criatividade
_______ Beleza
_______ Atração
_______ Unidade espiritual
_______ Liberdade
_______ Honestidade

Você achou isso difícil? Se não formar uma hierarquia sistematicamente, arrumá-la pode tornar-se um tanto cansativo e confuso, conforme a lista aumenta. Assim, comparemos valores, uns com outros, para determinar quais são mais importantes do que outros. Comecemos com os dois primeiros da lista: "O que é mais importante para você — amor ou prazer?" Se a resposta for amor, ele é mais importante do que comunicação mútua? Você precisa percorrer a lista toda e ver se alguma coisa é mais importante do que o valor com o qual começou. Senão, amor está no alto da hierarquia. Agora, vá para a palavra seguinte da lista. O que significa mais para você: "Prazer ou comunicação mútua?" Se a resposta é prazer, continue descendo pela lista, comparando-a à palavra seguinte. Se a qualquer hora outra escolha é preferida à escolha inicial (nesse caso, amor), comece fazendo as comparações para o valor.

Por exemplo: se comunicação mútua está mais valorizada do que prazer, você deve então continuar com a pergunta: "O que é mais importante: comunicação mútua ou respeito?" Se ainda for comunicação mútua, então pergunte: "Comunicação mútua ou alegria?" Se nenhum valor for considerado mais importante do que comunicação mútua, ele é o segundo na hierarquia. Se outro valor for considerado mais importante, você compara os valores remanescentes com ele até completar a lista.

Se você, por exemplo, comparou comunicação mútua com todas as palavras deste exemplo e chegou ao último valor da lista, honestidade, e verificou ser mais importante do que comunicação mútua, então você não tem de compará-lo com criatividade, uma vez que criatividade não é tão importante como comunicação mútua. Assim, sabemos que, como honestidade é mais importante do que comunicação mútua, ela será também mais alta do que criatividade ou qualquer outra palavra na lista, já abaixo de comunicação mútua. Para completar a hierarquia repita esse processo usando toda a lista.

Como verá, classificá-los nem sempre é um processo fácil. Alguns desses valores têm diferenças muito pequenas, que não estamos acostumados a fazer. Se a decisão não for clara, torne-as mais específicas. Você pode perguntar: "O que é mais importante, prazer ou crescimento?" Uma pessoa pode responder: "Bem, se estou crescendo, eu tenho prazer." Então, você precisa perguntar: "O que significa prazer para você? O que significa crescimento para você?" Se a resposta for: "Prazer significa sentir uma sensação total de alegria pessoal, e crescimento significa superar obstáculos", então, você pode perguntar: "O que é mais importante, superar obstáculos ou sentir uma sensação total de alegria?" Isso tornará a decisão mais fácil.

Se as diferenças ainda não estiverem claras, pergunte o que aconteceria se você excluísse um valor: "Se você nunca pudesse sentir prazer mas pudesse crescer, seria essa sua escolha?" Ou: "Se você nunca pudesse crescer mas pudesse ficar extasiado, qual delas você preferiria?" Isso, em geral, proporciona a informação necessária para distinguir qual valor é mais importante.

Reunir uma de suas próprias hierarquias de valores é um dos mais valiosos exercícios que você pode fazer neste livro. Pare um pouco para decidir o que deseja de um relacionamento. Você deve fazer a mesma coisa com sua parceira, se estiver com um relacionamento agora. Cada um de vocês irá desenvolver uma nova consciência das mais profundas necessidades do outro. Façam uma lista de todas as coisas que são mais importantes para vocês num relacionamento — por exemplo, atração, alegria, excitação e respeito. Para aumentar essa lista, você deve perguntar: "O que é importante com relação ao respeito?" E sua parceira pode dizer: "É a principal coisa num relacionamento." Portanto, você já tem o valor número um. Ou, sua parceira pode dizer: "Quando me sinto respeitada, sinto-me unida a outra pessoa." Logo, você tem outra palavra, união. Você pode perguntar: "Qual a importância da união? "E sua parceira pode dizer: "Se eu me sinto unida a outra pessoa, eu me sinto amada por ela." Então você pode perguntar: "Por que é importante o amor?" Continue dessa maneira para desenvolver uma lista de palavras, até que fique satisfeito por estabelecer a maioria dos principais valores que são importantes para você num relacionamento. Agora, crie uma hierarquia de importância usando a técnica descrita anteriormente. Compare sistematicamente cada valor até que tenha uma hierarquia clara, que lhe pareça certa.

Após ter criado uma hierarquia de valores para seus relacionamentos pessoais, faça a mesma coisa com seu ambiente de trabalho. Crie o contexto de trabalho e pergunte: "O que é importante para mim, no trabalho?" Você poderia dizer, criatividade. A questão óbvia seguinte seria: "O que é importante sobre criatividade?" Você poderia responder: "Quando sou criativo, sinto que cresço." Então: "O que é importante sobre crescer?" Continue daí. Se você for pai ou mãe, sugiro fazer o mesmo com seus filhos. Descobrindo as coisas que verdadeiramente os motivam, você terá instrumentos únicos e efetivos para criá-los melhor.

O que descobriu? Como se sente sobre a lista que criou? Na sua opinião ela é correta? Se não for, faça comparações adicionais até que sinta que está certa. Muitas pessoas ficam surpresas ao descobrirem seus valores mais altos. No entanto, tornando-se conscientemente informadas de suas hierarquias de valores, elas começam a entender por que fazem o que fazem. Em relacionamentos pessoais, ou no trabalho, você pode expressar o que lhe é mais importante, agora que já sabe quais são seus valores. E, conhecendo-os, pode começar a dirigir suas energias para alcançá-los.

Reunir uma hierarquia não é suficiente. Como veremos mais tarde, as pessoas têm significados diferentes para uma mesma palavra, quando se trata de valores. Agora que você se tornou consciente de sua hierarquia, aproveite para perguntar o que ela significa.

Se o valor primário num relacionamento é amor, você pode perguntar: "O que faz alguém sentir-se amado?" ou: "O que faz com que uma pessoa ame alguém?" ou: "Como se pode saber quando não se é amado?" Você deve fazer isso com a maior precisão possível, pelo menos com os quatro primeiros itens de sua hierarquia. Sozinha, a palavra "amor" provavelmente significa dúzias de coisas para você, e vale a pena descobrir quais são. Não é um processo fácil, mas, executando-o cuidadosamente, você saberá mais sobre si mesmo, o que deseja de verdade e que evidência deve usar para saber se seus desejos estão sendo satisfeitos.

É claro que você não pode ir pela vida afora fazendo escalas completas de eliciações de valores, para todas as pessoas que conhece. O grau de precisão e especificidade que você irá buscar dependerá inteiramente de seu objetivo. Se for para ter um relacionamento que durará para sempre com sua esposa ou um filho, você quererá saber tudo que for possível sobre como funciona o cérebro dessas pessoas. Se você for um treinador tentando motivar um jogador ou um homem de negócios procurando avaliar um possível cliente, você ainda desejará conhecer os valores da pessoa, mas não com tanta profundidade. Você só está procurando vantagens grandes. Lembre-se: em qualquer relacionamento — seja intenso, como entre pai e filho, ou casual, como o de dois vendedores que compartilham o mesmo telefone — você tem um contrato, quer este tenha sido verbalizado ou não. Ambos esperam certas coisas um do outro. Ambos julgam as ações e palavras do outro, pelo menos inconscientemente, por seus valores. Você pode muito bem ficar sabendo quais são esses valores e criar um acordo a fim de que saiba com antecedência como seus comportamentos afetarão a ambos e quais são suas verdadeiras necessidades.

Você pode elicitar esses valores dominantes em uma conversa casual. Uma técnica simples, mas valiosa, é ouvir com atenção as palavras que as pessoas usam. As pessoas tendem a usar com frequência palavras-chave que demonstram quais são os valores no alto de suas hierarquias. Duas pessoas podem compartilhar juntas uma experiência de prazer. Uma pode delirar com ela, dizendo como deixou sua criatividade ativa. Outra pode só ter ficado entusiasmada, e poderá dizer como eram intensas as sensações compartilhadas pela comunidade. É provável que elas lhe deem pistas fortes sobre seus valores mais altos e sobre o que você deve entender se quiser motivá-las ou excitá-las.

Elicitações de valores são importantes, tanto em negócios como na vida pessoal. Há um valor maior que todos procuram no trabalho. É o que leva uma pessoa a entrar num serviço e, se o trabalho não satisfizer este valor

— ou se este valor for violado —, faz com que ela o deixe. Para algumas pessoas, pode ser dinheiro. Se você os paga bem, você os manterá. Para muitos outros, todavia, é alguma coisa mais. Pode ser criatividade, ou desafio, ou um senso de família.

É fundamental para os gerentes saber o valor mais alto na hierarquia de valores de seus empregados. Para elicitá-lo, a primeira coisa a perguntar é: "O que faz com que você entre numa organização?" Digamos que o empregado responda: "Um ambiente criativo." Você desenvolve uma lista sobre o que é importante perguntando: "O que mais o faria entrar?" Então você procura saber, mesmo que todos os valores mais altos existam, o que o faria deixar o serviço. Suponha que a resposta é: "Falta de confiança." Poderia continuar daí perguntando: "Mesmo que haja falta de confiança, o que o faria ficar?" Algumas pessoas poderiam dizer que nunca ficariam numa organização com falta de confiança. Se dizem isso, esse é o maior valor para elas, a coisa que devem ter para permanecer num emprego. Alguém mais pode dizer que ficaria, mesmo que não houvesse confiança, se houvesse chance de subir na organização. Continue perguntando e questionando até descobrir as coisas que a pessoa tem de ter para permanecer feliz, e então saberá com antecedência o que a faria sair. As palavras que as pessoas usam são como superâncoras — têm fortes associações emocionais. Para ser até mais efetivo, seja claro: "Como você sabe quando tem isso?" E também: "Como você sabe quando não tem isso?" Também é essencialmente importante notar o procedimento evidente de uma pessoa, para determinar como seu conceito de confiança difere do dela. Ela pode acreditar que só há confiança se nunca for questionada em suas decisões. Ela pode acreditar que há falta de confiança se a responsabilidade de seu trabalho é mudada sem uma explicação clara para ela. É inestimável para um gerente compreender esses valores, e ser capaz de saber com antecedência, quando estiver lidando com pessoas em qualquer situação dada.

Há alguns gerentes que acreditam estarem sendo bons motivadores se forem bons em seus próprios termos. Eles pensam: "Eu pago um bom salário a esse sujeito, logo espero isso e isso em troca." Bem, de uma certa forma isso é verdade. Mas várias pessoas valorizam as coisas diferentemente. Para algumas, a coisa mais importante é trabalhar com pessoas de quem gostamos. Quando essas pessoas começam a sair, o emprego perde seu brilho. Alguns valorizam um senso de criatividade e excitação.

Outros valorizam outras coisas. Se você quiser gerenciar bem, precisa saber os valores supremos de um empregado, e como satisfazê-los. Se você não os proporcionar, o perderá, ou pelo menos nunca o terá trabalhando no auge de seu desempenho e gostando de seu trabalho.

Isso tudo exige mais tempo e sensibilidade? Claro. Mas, se você valoriza as pessoas com quem trabalha, vale a pena — por você e por elas. Lembre-se de que os valores têm enorme poder emocional. Se você se afasta de seus valores e assume que não está agindo certo do seu ponto de vista, provavelmente passará muito tempo sentindo-se amargurado e traído. Se você puder resolver a diferença de valores, provavelmente terá associados, amigos e membros da família mais felizes — e também será mais feliz. Não é essencial na vida ter os mesmos valores de outra pessoa. Mas é essencial ser capaz de alinhar-se com outras pessoas para entender quais são seus valores e também para apoiá-los e trabalhar com eles.

Os valores são os instrumentos de motivação mais poderosos que temos. Se quiser mudar um mau hábito, a mudança pode ser feita muito rapidamente se você vincular o sucesso da manutenção dessa mudança a altos valores. Sei de uma mulher que colocou um valor extremamente alto no orgulho e no respeito. Assim, o que fez foi escrever um bilhete para as cinco pessoas que ela mais respeitava no mundo, dizendo que nunca mais fumaria, que tinha respeito pelo seu próprio corpo e pelo dos outros e não permitiria que isso acontecesse outra vez. Após ter enviado as cartas, deixou de fumar. Houve muitas ocasiões quando, disse ela, teria dado qualquer coisa por um cigarro, mas seu orgulho nunca a deixou voltar atrás. Era um valor mais importante do que a sensação de tirar baforadas de um cigarro. Hoje é ela uma saudável não fumante. Valores usados corretamente têm um grande poder para mudar nosso comportamento!

Deixe-me compartilhar com vocês uma experiência recente que tive. Estava trabalhando com um time de futebol de faculdade que tinha três zagueiros. Todos tinham valores muito diferentes. Elicitei seus valores simplesmente perguntando a cada um por que era importante jogar futebol — o que isso dava a ele. Um disse que futebol era a maneira de fazer sua família ficar orgulhosa e glorificar Deus e Jesus Cristo, Nosso Senhor. O segundo disse que futebol era importante como uma expressão de poder, e que quebrar as limitações, vencer e subjugar outros eram os valores máximos para ele. O terceiro era um jovem do gueto que não foi capaz de encontrar nenhum valor particular no futebol. Quando lhe perguntei: "Por que é importante jogar futebol?", ele disse que não sabia. Acontece que estava quase sempre se afastando das coisas, como pobreza e vida difícil em casa, e não tinha uma noção clara do que o futebol significava para ele.

Obviamente, você motivaria esses três de maneiras muito diferentes. Se tentasse motivar o primeiro (cujos valores eram fazer Jesus e sua família orgulhosos) enchendo-lhe a cabeça com a importância de agarrar seus oponentes e amassá-los na poeira, isso provavelmente lhe causaria um grande conflito interno porque ele vê no jogo um valor positivo e não violento, negativo. Se você conversasse com ardor sobre glorificar Jesus e deixar a família orgulhosa com o segundo, ele não ficaria motivado porque não é essa a principal razão para ele estar jogando.

Acontece que o terceiro zagueiro é que tinha mais talento, mas estava fazendo menos uso dele do que os outros dois. Os treinadores estavam tendo dificuldades em motivá-lo porque não tinha valores claros — nada claro, para o queria dirigir-se ou afastar-se. Nesse caso, eles tinham de encontrar algum valor que ele tivesse em outro contexto — como orgulho — e transferi-lo para o contexto do futebol. Por fim, apesar de já ter-se machucado antes do primeiro jogo, pelo menos tornou-se motivado para apoiar o time, e os treinadores tinham um meio de motivá-lo no futuro, quando seu corpo ficasse curado.

Os valores trabalham de uma maneira tão complexa e delicada como tudo de que já falamos neste livro. Lembre-se de que quando usamos palavras, estamos usando um mapa — e o mapa não é o território. Se eu lhe digo que estou com fome ou que quero dar uma volta de carro, você ainda está trabalhando a partir de um mapa. Fome pode significar estar pronto para uma grande refeição ou querer um pequeno lanche. Sua ideia de um veículo pode ser um Honda ou uma limusine. Mas o mapa se aproxima bastante. Sua equivalência complexa está bastante perto da minha e não temos muitos problemas em nos comunicar. Os valores se apresentam a nós como os mapas mais sutis de todos. Portanto, quando lhe digo quais são os meus valores, você está trabalhando com um mapa do mapa. O seu mapa, sua equivalência complexa dos valores, pode ser muito diferente do meu. Se você ou eu dizemos que a liberdade é o nosso valor mais alto, isso cria harmonia e concordância entre nós, porque queremos a mesma coisa, estamos motivados na mesma direção. Mas não é tão simples assim.

Liberdade para mim pode significar ser capaz de fazer o que eu quiser, quando quiser, onde quiser, com quem eu quiser e tanto quanto eu quiser. Liberdade para você pode significar ter alguém que tome conta de você o tempo todo, ficar livre de discussões vivendo num ambiente estruturado. Liberdade para outra pessoa, ainda, pode ser um planejamento político, a disciplina necessária para manter um determinado sistema político.

"Se um homem não descobriu algo por que morrer,
ele não está preparado para viver."

— Martin Luther King Jr.

Por terem tanta prioridade, os valores carregam uma incrível carga emocional. Não há maneira mais fácil de ligar pessoas do que alinhá-las por meio de seus valores mais altos. É por isso que uma força leal lutando pelo seu país quase sempre subjugará um grupo de mercenários. Não há maneira mais traumática de separar pessoas do que criar comportamentos que ponham seus valores mais altos em conflito. As coisas que valem mais para nós, seja um sentimento de patriotismo, seja o amor pela família, são todas reflexos dos valores. Assim, construindo hierarquias exatas, você desenvolve alguma coisa que nunca teve antes — o mapa mais útil possível do que alguém precisa e do que será a reação desse alguém.

O tempo todo vemos nos relacionamentos o poder explosivo e as delicadas nuances dos valores. Uma pessoa pode sentir-se traída por um romance que fracassou: "Ele dizia que me amava", diz ela. "Que piada!" Para uma pessoa, amor pode ser um compromisso que dure para sempre. Para outra, pode ser uma união breve, mas intensa. Essa pessoa pode ter sido grosseira, ou pode ter sido alguém com um complexo de equivalência diferente do que é o amor.

Portanto, é absolutamente fundamental que você construa um mapa o mais correto possível, que você determine o que o mapa da outra pessoa é realmente. Você precisa saber não só a palavra que ela está usando, mas o que significa. A maneira de fazer isso é perguntar com toda flexibilidade e persistência que você consiga para construir um complexo de equivalência exato do que seja a hierarquia de valores deles.

Muitas vezes, as ideias de valores variam tanto que duas pessoas que professam valores partilhados podem não ter nada em comum, e duas pessoas que professam valores diferentes podem descobrir que realmente querem a mesma coisa. Para uma pessoa, diversão pode significar usar drogas, ficar acordado todas as noites em festas e dançar até o dia raiar. Para outra, diversão pode significar subir montanhas ou descer corredeiras, qualquer coisa que seja nova, excitante ou desafiadora. A única coisa que seus valores têm em comum é a palavra que usam. Uma terceira pessoa pode dizer que seu valor mais importante é o desafio. Para ela também pode significar subir montanhas e descer corredeiras. Pergunte-lhe sobre diversão, e ela pode dispensá-la como algo frívolo e sem importância. Mas, por desafio, ela pode querer significar exatamente a mesma coisa que a segunda pessoa faz para diversão.

Valores comuns formam a base para a harmonia máxima. Se duas pessoas têm valores totalmente vinculados, seu relacionamento pode durar para sempre. Se seus valores são totalmente diferentes, há pouca chance de um relacionamento ser duradouro e harmonioso. Poucos relacionamentos podem ser classificados em qualquer dessas categorias extremas. Como resultado, você tem de fazer duas coisas. Primeiro, encontre os valores que tem em comum com a outra pessoa a fim de poder usá-los para ajudar a superar os outros que não são iguais. (Não foi isso que Reagan e Gorbachov tentaram fazer em seus encontros de cúpula? Preservar os valores que ambos os países têm em comum, capazes de manter seu relacionamento — como a sobrevivência, por exemplo?) Segundo, procure apoiar e preencher os valores mais importantes da outra pessoa, o mais que puder. Isso é a base de um relacionamento poderoso, apoiador e duradouro, quer seja de negócios, quer seja pessoal ou familiar.

Os valores são o fator dominante, que provocam congruência e fazem com que as pessoas fiquem motivadas ou não. Se você conhece os valores delas, você tem a chance final. Se não tem, pode criar um comportamento poderoso, que não dura ou não produz o seu final desejado. Se estiver em conflito com os valores da pessoa, ela agirá como um interruptor de circuito para dominá-los. Os valores são como uma corte suprema.

Eles decidem quais comportamentos funcionam e quais não, quais produzem estados desejados e quais produzem incongruência.

Assim como as pessoas têm ideias diferentes do que os valores significam, elas têm diferentes maneiras de determinar se seus valores estão sendo preenchidos.

Num âmbito pessoal, o procedimento para elicitar uma evidência é uma das coisas mais valiosas que você pode fazer para estabelecer metas para si. Aqui está um exercício que vale a pena: pense em cinco valores que são importantes para você e imagine seu procedimento evidencial. O que tem de acontecer para que você saiba que seus valores estão sendo encontrados e preenchidos? Responda isso agora em outra folha de papel. Avalie se seu procedimento evidencial o ajuda ou o afasta.

Você pode controlar e mudar seus próprios procedimentos evidenciais. Os que apresentamos eram inventados, nada mais. Deveriam nos servir em vez de nos manter afastados.

Os valores mudam. Algumas vezes mudam radicalmente, mas em geral mudam num plano inconsciente. Muitos de nós temos procedimentos evidenciais que são autodestrutivos ou ultrapassados. Quando você estava no colégio, deve ter precisado de inúmeros envolvimentos românticos para sentir-se atraente. Como adulto, deve ter querido desenvolver estratégias mais elegantes. Se você valoriza a atração pessoal, mas só se sente atraente se seu aspecto rivalizar com Cheryl Tiegs ou Robert Redford, pode estar garantindo uma frustração para si mesmo. Todos nós conhecemos pessoas que estão fixas num objetivo, alguma coisa que simbolize algum valor máximo para elas. E então, quando o alcançam, descobrem que não significava nada. Seus valores mudaram, mas o procedimento evidencial teve uma vida própria. Algumas vezes as pessoas têm um procedimento evidencial que não está ligado a nenhum valor. Elas sabem o que querem, mas não sabem por quê. Portanto, quando o conseguem, isso torna-se uma miragem, alguma coisa que a cultura lhes vendeu, mas que realmente não desejavam. A incongruência entre valores e comportamentos é um dos grandes temas na literatura e filmes, de *Cidadão Kane* a *O Grande Gatsby*. Você precisa desenvolver um sentido para ver o progresso de seus valores e como eles estão mudando. Assim como precisa reavaliar regularmente os objetivos e metas que listou no Capítulo 11, você deve regularmente rever os valores que mais o motivam.

Outra maneira de rever procedimentos evidenciais é anotar se são acessíveis num nível que possa ser atingido dentro de um período de tempo razoável. Pegue dois formandos do colegial, que estão começando a vida. Para um garoto, sucesso pode significar uma família estável, um emprego que pague 40.000 dólares por ano, uma casa de 100.000 dólares e ser fisicamente apresentável. Para outro, pode significar uma grande família, uma renda de 240.000 dólares por ano, uma casa de 2 milhões de dólares, o corpo de um triatleta, muitos amigos, um time profissional de futebol e um Rolls-Royce, com motorista. Ter metas grandiosas é ótimo, se elas trabalharem por você. Certamente eu criei grandes metas para mim e, como resultado de criar aquelas representações interiores, fui capaz de criar os comportamentos que as apoiaram.

Mas assim como as metas e os valores mudam, os procedimentos evidenciais também. As pessoas são mais felizes se também encontrarem metas intermediárias, para dirigirem seus esforços. Essas proporcionam o *feedback* de que alguém está sendo bem-sucedido, de que pode realizar seus sonhos. Algumas pessoas podem ser totalmente motivadas pela meta de um corpo de triatleta, uma casa de 2 milhões de dólares, um time de futebol e um Rolls-Royce. Outras podem primeiro ver sucesso em disputar honrosamente uma corrida de 10 quilômetros, ou mudar seus hábitos alimentares, ou ter uma linda casa de 100.000 dólares ou um adorável relacionamento ou família. Após criar esses objetivos, eles podem estabelecer outros novos. Ainda podem querer alcançar visões mais opulentas, mas podem conseguir mais satisfação realizando a meta antiga.

Outro aspecto dos procedimentos evidenciais é a especificação. Se colocar um valor num romance, você pode dizer que seu procedimento evidencial é ter um bom relacionamento com uma mulher atraente e adorável. Esse é um objetivo razoável, que merece ser tentado. Você até pode ter uma boa imagem da aparência e traços de personalidade que mais queira. Isso também é ótimo. Outra pessoa pode ter como procedimento evidencial um romance tempestuoso com uma coelhinha loura e de olhos azuis da *Playboy*, com um busto de 105 centímetros, um apartamento na 5.ª Avenida em Manhattan e uma renda de seis dígitos. Somente essas exatas de submodalidades a satisfarão. Não há nada errado em ter-se um alvo, mas há um grande potencial de frustração se você ligar seus valores a uma imagem que seja muito específica. Você está excluindo 99 por cento das pessoas, coisas ou experiências que poderiam satisfazê-lo. Isso não significa que não possa criar tais resultados na vida — você pode. No entanto, com mais flexibilidade em seu procedimento evidencial, poderá facilmente realizar seus verdadeiros desejos ou valores.

Há uma linha comum aqui: a importância da flexibilidade. Lembre-se de que, em qualquer contexto, o sistema com maior flexibilidade, com mais escolhas, será o mais efetivo. É absolutamente essencial lembrar que os valores têm prioridade para nós, mas representamos suas prioridades pelos procedimentos evidenciais que adotamos. Você pode escolher um mapa do mundo que seja tão limitado, que se torna quase uma garantia de frustração. Muitos de nós fazemos isso. Dizemos que sucesso é precisamente isso e um bom relacionamento é precisamente outra coisa. Mas tirar toda a flexibilidade do sistema é uma das maneiras mais certas de garantir frustração.

As mais dolorosas questões com as quais as pessoas podem se deparar geralmente dizem respeito a seus valores. Algumas vezes dois valores diferentes, como liberdade e amor, nos puxam para direções opostas. Liberdade pode significar a capacidade de você fazer o que quiser, a qualquer hora. Amor pode significar compromisso com uma só pessoa. A maioria de nós já sentiu esse conflito. Quando acontece, não é agradável. No entanto, é da maior importância saber quais são nossos valores mais altos a fim de escolhermos comportamentos que os apoiem. Se não o fizermos, mais tarde pagaremos o preço emocional por não termos apoiado o que acreditávamos que fosse o mais importante em nossas vidas. Os comportamentos ligados aos valores mais altos da hierarquia substituirão os comportamentos ligados aos valores classificados como mais baixos.

Não há nada tão desanimador como ter valores fortes a puxarem você para direções opostas. Isso cria um tremendo sentido de incongruência. Se a incongruência permanecer por bastante tempo, poderá destruir um relacionamento. Você pode agir com um deles — por exemplo, exercer sua liberdade — de uma forma que destrói o outro. Você pode tentar adaptar — isto é, reprimir seus anseios de liberdade — de tal forma que se torna frustrado e destrutivo no relacionamento. Ou, como poucos de nós realmente confrontamos e compreendemos nossos valores, podemos só experimentar um sentimento geral de frustração e mal-estar; logo começaremos a filtrar todas as nossas experiências de vida através dessas emoções negativas até se tornarem parte de nós, sentimentos de insatisfação que poderemos tentar aliviar comendo muito, fumando e coisas do tipo.

Se você não compreende como os valores trabalham, é difícil aproximar-se de qualquer espécie de compromisso elegante. Mas, se você compreende, não tem necessidade de enfraquecer — o relacionamento ou seu senso de liberdade. Você pode mudar o procedimento evidencial. Quando você era um rapaz do colegial, liberdade talvez significasse tentar imitar a vida sexual de Warren Beatty. Mas talvez um relacionamento amoroso proporcione o conforto, os recursos e a alegria que incorporam mais liberdade real do que a capacidade de correr para a cama com qualquer pessoa que você encontre num bar. Esse é essencialmente o processo de reestruturar uma experiência, de forma a criar congruência.

Às vezes a incongruência não vem dos valores em si, mas dos procedimentos evidenciais para os valores diferentes. Sucesso e espiritualidade não têm de produzir incongruência. Você pode ser um grande sucesso e ainda ter uma vida espiritual rica. Mas o que acontece se o seu procedimento evidencial para o sucesso é ter uma imensa mansão e o seu procedimento evidencial para a espiritualidade é viver uma vida simples e austera? Você terá de redefinir seu procedimento evidencial ou reestruturar sua percepção. De outra forma, você poderia estar se condenando a uma vida de conflitos interiores. Poderia ser útil lembrar o sistema de crenças que W. Mitchell usou para apoiar-se a fim de ter uma vida rica e feliz, apesar do que poderiam ter sido circunstâncias limitadoras: não há nenhuma relação entre dois fatores. Isto é, para ele, estar paralítico não significa que não possa ser feliz. Ter muito dinheiro não significa que você não seja espiritual e viver uma vida austera necessariamente não significa que você seja espiritual.

A PNL proporciona instrumentos para mudar a estrutura da maioria das experiências, a fim de que possam criar congruência. Uma vez trabalhei com um homem que tinha um problema não fora do comum. Ele tinha um relacionamento amoroso com uma mulher. Mas também tinha em alto valor ser sexualmente atraente e se relacionar com outras mulheres. Quando elicitava sinais sexuais em uma mulher atraente começava a sentir-se culpado, devido ao valor que dava ao seu relacionamento.

Quando encontrava uma mulher atraente, sua sintaxe para a atração trabalhava dessa maneira. Ele veria uma tal mulher (Ve) e diria alguma coisa para si (Aid): "Essa mulher é deslumbrante, e ela me quer." Isso levaria a um sentimento ou desejo de continuar (Ki), e algumas vezes o desejo iria se tornar realidade e ele agiria (Ke). Mas o desejo e a aventura romântica que se seguissem resultariam em conflitos graves com a sua necessidade de um relacionamento forte com uma só pessoa, que para ele era um profundo desejo.

Ensinei-lhe acrescentar uma nova peça à sua estratégia, que tinha sido Ve-Aid-Ki-Ke. Instalei-a de forma que depois que visse uma mulher (Ve) e dissesse para si: "Essa é uma bela mulher, e ela me quer" (Aid), acrescentasse outra frase auditiva interior: "E eu amo a mulher com quem estou." Então, eu o fazia ver a mulher com a qual estava envolvido sorrindo para ele, e olhando-o de uma maneira totalmente amorosa (Vi), que criava para ele uma nova sensação cinestésica interior, a qual fazia com que ele se sentisse amando a mulher com quem vivia. Fiz com que instalasse a estratégia, por repetição. Fazia-o simplesmente ver uma mulher por quem tinha sido atraído e dizer para si: "Esta é uma bela mulher e ela me quer", e imediatamente pronunciar a nova sensação auditiva interior: "E eu amo a mulher com quem vivo", num tom de voz amoroso, e então imaginar sua companheira sorrindo para ele de maneira amorosa. Fiz com que repetisse muitas e muitas vezes, até que estivesse instalado, como um sistema *swish*, de forma que cada vez que uma mulher atraente passasse, imediatamente fizesse com que ele percorresse o novo padrão.

Essa estratégia permitiu-lhe ter tudo. Sua antiga estratégia o empurrava para duas direções ao mesmo tempo, provocando grande desgaste no seu relacionamento. Só reprimir o impulso de sentir-se atraente teria feito com que se sentisse frustrado e conflitado. A nova estratégia permitiu que conseguisse as sensações positivas de atração de que precisava, enquanto afastava o conflito que estava enfraquecendo seu relacionamento. Agora, quanto mais mulheres atraentes ele vê, mais ele sente que ama a mulher com quem vive.

A maneira suprema de usar valores é integrá-los com metaprogramas a fim de nos motivarmos e nos entendermos e aos outros. Os valores são os filtros finais. Metaprogramas são os padrões de operações que guiam a maioria de nossas percepções e, assim, de nossos comportamentos. Se souber como usar os dois juntos, você pode desenvolver os mais exatos padrões de operações, que guiam a maioria de nossas percepções e, pois, de nossos comportamentos. Se souber como usar os dois juntos, você pode desenvolver os mais exatos padrões de motivação.

Uma vez trabalhei com um jovem tão irresponsável que deixava seus pais loucos. Seu problema era que vivia completamente o momento, sem nenhuma consideração pelas consequências. Se surgissem oportunidades que o mantivessem fora a noite toda, não queria dizer com isso que fosse irresponsável. Mas ele reagia às coisas que estivessem diretamente à sua frente (as coisas para quais se dirigia), mais do que reagia às consequências de suas ações (coisas das quais devia se afastar).

Quando encontrei esse jovem e conversei com ele, elicitei seus metaprogramas. Aprendi que se movia em direção às coisas e agia pela necessidade. Comecei então a elicitar seus valores. Ficou claro que seus três valores mais altos eram segurança, felicidade e confiança. Essas eram as coisas principais de que precisava na vida.

Portanto, estabeleci harmonia igualando-o e espelhando-o. Então, de uma maneira totalmente congruente, comecei a explicar como seus comportamentos estavam enfraquecendo todas as coisas nas quais ele colocava o maior valor. Ele tinha acabado de voltar depois de uma ausência de dois dias inteiros, sem ter permissão de seus pais e sem se comunicar com eles, o que os deixara desesperados e transtornados. Disse-lhe que eles estavam perdendo toda a paciência e que seu comportamento iria abalar toda a segurança, felicidade e confiança que a família lhe proporcionava. Se ele continuasse a agir assim, iria viver num lugar sem segurança, felicidade ou confiança. Poderia ser a cadeia. Poderia ser o reformatório. Mas, se ele não fosse suficientemente responsável para viver em casa, seus pais teriam de mandá-lo para algum lugar onde alguém mais fosse responsável por ele.

Assim, dei-lhe alguma coisa do que se afastar, alguma coisa que era a antítese de seus valores. (A maioria das pessoas, mesmo que se mova normalmente para a frente, evitará perder um valor-chave.) A seguir dei-lhe a alternativa otimista, alguma coisa para a qual se dirigir. Dei-lhe tarefas específicas que serviriam como um procedimento evidencial, que seus pais usariam para determinar a sua capacidade de continuar e apoiar os valores de segurança, felicidade e confiança que eram tão importantes para ele. Ele teria de estar em casa todas as noites às dez horas. Teria de arranjar um emprego, em sete dias. Teria de fazer seus deveres domésticos todos os dias. Disse-lhe que reveríamos seus progressos dentro de sessenta dias, e que, se ele mantivesse seus acordos, o nível de confiança de seus pais se elevaria — e assim também o apoio deles para sua felicidade pessoal e segurança. Deixei bem claro que essas coisas eram necessidades para as quais ele devia se dirigir agora. Se quebrasse seu acordo uma vez, seria visto como uma experiência de aprendizado. Se quebrasse seu acordo duas vezes, seria repreendido. Se quebrasse seu acordo uma terceira vez, iria embora.

O que fiz foi dar-lhe coisas para as quais se dirigir na hora, a fim de manter e aumentar o aproveitamento das coisas que valorizava. Antes, ele não tinha as coisas certas para as quais se dirigir, que apoiassem seu relacionamento com os pais. Também deixei claro que essas mudanças eram totalmente necessárias e lhe davam um procedimento evidencial muito específico para seguir. A última vez que ouvi falar dele ainda estava se comportando como um rapaz modelo. Juntos, seus valores e metaprogramas lhe proporcionaram os instrumentos motivadores fundamentais. Dei-lhe uma maneira de criar para si a segurança, felicidade e confiança de que precisava.

> "Aquele que sabe muito sobre os outros pode ser instruído, mas aquele que se compreende é mais inteligente. Aquele que controla os outros pode ser forte, mas aquele que se domina é ainda mais poderoso."
>
> — LAO-TSÉ, *TAO TE KING*

Penso que você pode ver como os valores são explosivos e como podem ser valiosos instrumentos para mudanças. Antes, seus valores operavam quase totalmente no nível subconsciente. Agora, você tem a capacidade tanto de entendê-los como de manipulá-los para uma mudança positiva. Houve um tempo em que não sabíamos o que era um átomo, portanto éramos incapazes de usar seu terrível poder. Aprender sobre os valores tem o mesmo efeito sobre nós. Trazendo-os para a consciência, podemos produzir resultados que nunca poderíamos antes. Podemos brincar com botões que não sabíamos que existiam. Lembre-se: valores são sistemas de crenças que têm efeitos globais. Assim, fazendo mudanças em valores — seja eliminando conflitos ou acentuando o poder de valores fortalecedores —, podemos realizar profundas mudanças em toda nossa vida.

Em vez de nos sentirmos desconfortáveis sobre conflitos de valores que pouco compreendíamos no passado, podemos compreender o que está acontecendo dentro de nós, ou entre nós e os outros, e começarmos a gerar novos resultados. Fazemos isso de diversas maneiras. Podemos reestruturar a experiência a fim de que seja mais efetiva. Podemos mudar nossos procedimentos evidenciais, manipulando suas submodalidades, como fizemos ao longo deste livro. Quando os valores são conflitantes, o conflito real é quase sempre entre um dos muitos procedimentos evidenciais. Podemos virar a figura e o som, de forma que o conflito fique oculto. Em alguns casos, podemos até mudar os próprios valores. Se você tem um valor que gostaria que estivesse mais alto em sua hierarquia, você pode mudar suas submodalidades de forma que fiquem mais parecidas com aquelas no alto da hierarquia. Na maioria dos casos é muito mais fácil e mais efetivo lidar com submodalidades, mas acho que você pode ver como são poderosas essas técnicas. Dessa maneira, você pode mudar o nível de importância dos valores mudando a maneira como os representa em seu cérebro.

Por exemplo: eu estava cuidando de um homem cujo valor número um era utilidade. Amor era o número nove na sua escala. Como você pode imaginar, com essa espécie de hierarquia de valores, ele fazia muitas coisas que não provocavam grande quantidade de harmonia com outros seres humanos. Descobri que ele representava seu valor número um, a utilidade, como um enorme quadro, colocado à direita, muito brilhante, com um certo tom associado a ele. Após compará-lo com o que ele representava como sendo um valor mais baixo, amor (um quadro muito menor em preto e branco numa posição diferente, mais baixo, mais escuro, menor, desfocado), tudo que eu precisava fazer era tornar as submodalidades do valor classificado mais baixo exatamente iguais àquelas do valor classificado mais alto, e tornar as submodalidades do valor classificado mais alto iguais àquelas do valor classificado mais baixo, e então criar um padrão *swish* para mantê-las assim. Fazendo isso, mudamos a maneira como se sentia sobre seus valores: mudamos sua hierarquia. O amor tornou-se seu valor número um. Isso alterou radicalmente a maneira como percebia o mundo, o que era mais importante para ele, e assim as espécies de ações que criou sobre uma base consistente.

Mudar a hierarquia de valores de alguém pode ter implicações imensas que nem sempre aparecem imediatamente. Geralmente é melhor começar descobrindo o procedimento evidencial da pessoa e mudar suas percepções sobre se estava alcançando seus valores; mudar sua escala de importância.

Acredito que você consiga ver como isso poderia ser valioso num relacionamento pessoal. Suponhamos que o valor número um de uma pessoa seja atração, que o número dois é comunicação honesta, o número três é criatividade e o número quatro é respeito. Há duas abordagens para criar um sentimento de satisfação dentro desse mesmo relacionamento. Uma seria fazer respeito ser o valor número um e fazer atração ser o número quatro. Por meio disso, você poderia pegar um indivíduo que não se sente mais atraído por sua companheira e tornar esse sentimento menos importante do que seu respeito por ela. Enquanto sentisse respeito por ela, sentiria que sua maior necessidade estava sendo preenchida. Uma abordagem mais simples e menos radical seria determinar seu procedimento evidencial para achar alguém atraente. O que ele deve ver, ouvir, sentir? Então ou mude essa estratégia de atuação ou faça-o compartilhar com sua companheira o que ele precisa para ter aquele valor preenchido.

Muitos de nós temos alguns valores conflitantes. Queremos sair e conseguir grandes resultados no mundo, e queremos descansar na praia; queremos passar bastante tempo com nossas famílias, e queremos trabalhar com afinco para sermos bem-sucedidos em nossos empregos. Queremos segurança e queremos excitação. Algum conflito de valores é inevitável; ele empresta uma certa riqueza e textura à vida. Os problemas surgem quando valores fundamentais nos empurram em direções diferentes. Após ler este capítulo, olhe sua hierarquia de valores e procedimentos evidenciais, para ver onde estão os conflitos. Vê-los claramente é o primeiro passo para resolvê-los. Valores têm prioridade para as sociedades assim como para indivíduos. A história dos Estados Unidos, durante os últimos vinte anos, é um triste estudo da importância e variação dos valores. O que foi a revolta dos anos 1960, se não um exemplo catastrófico de valores em conflito? Repentinamente, um enorme e influente segmento da sociedade estava professando valores que iam de encontro radicalmente àqueles da sociedade como um todo. Muitos dos mais queridos valores de nossa pátria — patriotismo, família, casamento, o trabalho ético — estavam sendo repentinamente questionados. O resultado foi um período de incongruência social e tumultos.

Há duas diferenças principais entre hoje e ontem. Uma é que a maioria dos jovens dos anos 1960 encontraram maneiras novas e mais positivas para expressar seus valores. Nos anos 1960, uma pessoa podia achar que liberdade significava usar drogas e deixar o cabelo crescer. Nos anos 1980, a mesma pessoa podia sentir que ter um negócio e estar no controle de sua vida era a maneira mais efetiva de alcançar o mesmo resultado. A outra diferença é que nossos valores mudaram. Quando você olha para a evolução dos valores americanos, realmente não vê a vitória de um conjunto de valores sobre outros. Em vez disso, você vê que um conjunto de valores evoluiu. De certa maneira retrocedemos para alguns valores tradicionais, como patriotismo ou vida familiar. Em outros, adotamos muitos dos valores dos anos 1960. Somos mais tolerantes, temos valores diferentes sobre os direitos das mulheres e minorias, sobre a natureza do trabalho produtivo e satisfatório.

Há uma lição útil para todos nós no que ocorreu: os valores mudam, e as pessoas mudam. As únicas pessoas que não mudam são aquelas que não respiram. Portanto, o importante é estar consciente desse fluxo e mover-se com ele. Lembre-se do exemplo das pessoas que se fixam num objetivo, só para descobrir que ele não serve mais a seus valores. Muitas vezes, nos encontramos nessa situação, em diferentes ocasiões. O meio de contorná-las é reconhecer nossos valores atenta e ativamente e os procedimentos evidenciais que construímos para elas.

Todos nós temos de viver com algum grau de incongruência. Isso é parte da ambiguidade do ser humano. Assim como as sociedades atravessaram períodos de alterações como os anos 60, as pessoas também. Mas, se sabemos o que está acontecendo, estamos mais bem capacitados para competir ou mudar o que pudermos. Se sentimos a incongruência e a compreendemos, frequentemente agiremos de maneira imprópria. Começaremos a fumar, ou beber ou qualquer outra coisa para fazer frente a frustrações que não entendemos. Assim, o primeiro passo para lidar com conflitos de valores é compreendê-los. A Fórmula do Sucesso Supremo confirma os valores, assim como as outras coisas. Você precisa saber o que quer — seus valores primários e sua hierarquia de valores. Você precisa agir. Você precisa desenvolver o sentido de perspicácia para saber o que está conseguindo. E precisa desenvolver a flexibilidade para mudar. Se seus comportamentos atuais não combinam com seus valores, você precisa modificar seus comportamentos para resolver o conflito.

Há um ponto final que vale a pena considerar. Lembre-se: todos nós estamos modelando, o tempo todo. Nossas crianças, nossos empregados e nossos sócios nos negócios estão sempre nos modelando de diferentes maneiras. Se quisermos ser modelos efetivos, não há nada mais importante do que termos valores fortes e comportamentos congruentes. Modelar comportamentos é importante, mas os valores dominam quase completamente. Se você apoia compromisso enquanto sua vida reflete infelicidade e confusão, aqueles que veem você como um modelo ligarão a ideia de compromisso a uma infelicidade confusa. Se você apoia um compromisso enquanto sua vida reflete excitação e alegria, você está proporcionando um modelo congruente que liga compromisso e alegria.

Pense nas pessoas que mais o afetaram em sua vida. É bem provável que tenham proporcionado os mais efetivos e congruentes modelos. Foram pessoas cujos valores e comportamentos proporcionaram o mais vibrante e convincente modelo de sucesso. As mais importantes forças motivadoras na história, livros como a Bíblia, são a respeito de nada mais do que valores. As histórias que os livros religiosos contam, as situações que descrevem, são modelos que enriqueceram a vida da maioria das pessoas no planeta, dando grande poder àqueles valores!

Descobrir os valores de alguém é simplesmente uma questão de descobrir o que é mais importante para ele ou ela. Sabendo disso, você pode conhecer mais efetivamente não somente as necessidades do outro, mas as suas próprias. No próximo capítulo vamos olhar as cinco coisas que toda pessoa de sucesso tem de confrontar e com as quais tem de se haver a fim de usar e aplicar tudo de que falamos neste livro.

CAPÍTULO 19

AS CINCO CHAVES PARA A PROSPERIDADE E A FELICIDADE

"O homem não é criação das circunstâncias.
As circunstâncias é que são criação dos homens."

— Benjamin Disraeli

Você tem agora os recursos para se responsabilizar por sua vida. Tem capacidade para formar representações interiores e produzir os estados que levam ao sucesso e poder. Ter a capacidade, porém, nem sempre é o mesmo que usá-la. Há certas experiências que vez por outra põem as pessoas em estados pobres de recursos. Há curvas na estrada, corredeiras nos rios, pessoas traídas. Há experiências que consistentemente evitam que as pessoas sejam tudo que poderiam ser. Neste capítulo, quero lhe dar um mapa mostrando onde estão os perigos e o que você precisa saber para superá-los.

Eu as chamo de as cinco chaves da prosperidade e da felicidade. Se você for usar todas as habilidades que tem agora, se você for tudo que pode ser, vai ter de entender essas chaves. Toda pessoa que é sucesso, mais cedo ou mais tarde, tem de entendê-las. Se você as entender, se puder usá-las consistentemente, sua vida será um sucesso indômito.

Tempos atrás, eu estava em Boston. Uma noite, depois do seminário, fui dar uma volta em Copley Square. Estava reparando nas construções, que vão de modernos arranha-céus até estruturas tão antigas como a América, quando reparei num homem oscilando para a frente e para trás, vindo em minha direção. Seu aspecto era de quem estava dormindo nas ruas havia semanas. Recendia a álcool e parecia que não fazia a barba havia meses.

Imaginei que se aproximaria e pediria dinheiro. Bem, assim você pensa, assim você atrai. Ele aproximou-se e pediu: "Senhor, poderia me emprestar uma moeda de 25 centavos?" Primeiro perguntei-me se eu queria recompensar seu comportamento. Então, disse a mim mesmo que não queria que ele sofresse. De qualquer forma, uma moeda desse valor não ia fazer muita diferença. Então imaginei que o mínimo que poderia fazer era tentar ensinar-lhe uma lição: "Uma moeda. É isso que você quer, uma moeda de 25 centavos?" Ele disse: "Só isso." Assim, procurei em meu bolso, tirei uma moeda desse valor, e falei: "A vida pagará qualquer preço que você pedir." O camarada olhou espantado, e então afastou-se cambaleando.

Enquanto o via afastar-se, eu pensava sobre as diferenças entre aqueles que são bem-sucedidos e os que falham. Pensei: "Qual é a diferença entre eu e ele? Por que minha vida é tão feliz, eu que posso fazer o que quiser, quando quiser, onde quiser, com quem quiser, o quanto quiser? Ele deve ter 60 anos e mora na rua, pedindo moedas." Deus desceu e disse: "Robbins, você foi bom. Você vai viver a vida que sonhou"? Não foi nada disso. Alguém lhe deu recursos superiores ou vantagens? Não creio. Eu estava num estado quase tão ruim quanto o dele, apesar de não ter tomado nada de álcool e de não ter dormido na rua.

Penso que parte da diferença é a resposta que lhe dei — que a vida lhe pagará aquilo que pedir. Peça uma moeda de 25 centavos, e é o que receberá. Peça alegria retumbante ou sucesso, e conseguirá isso, também. Tudo que estudei convence-me de que, se você aprende a dirigir seus estados e comportamentos, você pode mudar qualquer coisa. Você pode aprender o que pedir da vida, e pode ter certeza de que conseguirá. Nos meses seguintes, encontrei mais pessoas nas ruas e perguntei-lhes sobre suas vidas e como tinham chegado lá. Comecei a descobrir que tínhamos desafios em comum. A diferença era como os controlávamos.

"Qualquer espécie de palavra que
você disser, a mesma você ouvirá."

— PROVÉRBIO GREGO

Deixe-me compartilhar com você cinco coisas para usar como sinais na estrada do sucesso. Não há nada profundo ou obscuro a respeito delas. Mas elas são absolutamente cruciais. Se você dominá-las, não há limite para o que queira fazer. Se não usá-las, você já colocou limites na altura a que pode chegar. Pensamentos afirmativos e positivos são um começo, mas eles não são a resposta completa. Afirmação sem disciplina é o começo da desilusão. Afirmação com disciplina cria milagres.

Aqui está a primeira chave para a criação da prosperidade e da felicidade. *Você deve aprender como controlar a frustração.* Se quiser tornar-se tudo que você pode se tornar, fazer tudo que pode fazer, ouvir tudo que pode ouvir, ver tudo que pode ver, você tem de aprender a lidar com a frustração. Ela pode matar sonhos. Acontece a toda hora. A frustração pode mudar uma atitude positiva em negativa, um estado fortalecedor num decadente. A pior coisa que uma atitude negativa faz é destruir a autodisciplina. E quando essa disciplina se vai, os resultados que deseja também se vão.

Assim, para assegurar sucesso duradouro, você deve aprender como disciplinar sua frustração. Deixe-me contar-lhe uma coisa. A chave do sucesso está na frustração maciça. Olhe para quase todos os grandes sucessos, e descobrirá que houve muita frustração pelo caminho. Qualquer pessoa que lhe diga outra coisa, não sabe nada sobre realização. Há duas espécies de pessoas — aquelas que controlaram as frustrações e aquelas que gostariam de tê-las controlado.

Havia uma pequena companhia chamada Federal Express. Um sujeito chamado Fred Smith começou a firma e construiu um negócio de muitos milhões de dólares, a partir de montes de frustrações. Quando começou a firma, após tê-la financiado com cada centavo que tinha, ele esperava entregar aproximadamente 150 encomendas. Em vez disso, entregou dezesseis, cinco das quais eram para a casa de um dos empregados. As coisas então pioraram. Periodicamente, os empregados descontavam seus cheques com agiotas, porque não havia fundos para cobri-los. Muitas vezes seus aviões estavam quase para ser devolvidos, e algumas vezes tinham de conseguir uma certa quantidade de vendas durante um dia para continuar operando. A Federal Express é agora uma empresa de bilhões de dólares. A única razão pela qual ainda existe é que Fred Smith foi capaz de controlar frustração em cima de frustração.

As pessoas recebem uma boa recompensa por controlar frustrações. Se você faliu, provavelmente é porque não estava controlando muito a frustração. Você diz: "Bem, estou falido, e por isso estou frustrado." Dizer isso é um retrocesso. Se você tivesse controlado mais frustrações seria rico. A grande diferença entre pessoas que estão seguras financeiramente e as que não estão é como controlam as frustrações. Eu não sou bastante calejado para sugerir que pobreza não tenha grandes frustrações. Estou dizendo que a maneira de não ser pobre é enfrentar frustração após frustração até ser bem-sucedido. As pessoas dizem: "Bem, gente com dinheiro não tem problemas." Se têm bastante, provavelmente têm mais problemas. Acontece que elas sabem como enfrentá-los, como elaborar novas estratégias, novas alternativas.

Lembre-se: ser rico não é só uma questão de ter dinheiro. Um relacionamento excelente proporciona problemas e desafios. Se você não quer problemas, não deve ter um relacionamento. Há grandes frustrações na estrada de qualquer grande sucesso — nos negócios, num relacionamento, numa vida.

A maior dádiva que as Técnicas de Desempenho Ótimo nos proporcionam é que nos ensinam como controlar as frustrações de maneira efetiva. Você pode pegar as coisas que costumavam frustrá-lo e programá-las para que o excitem. Instrumentos como a PNL não são só o pensamento positivo. O problema com o pensamento positivo é que você tem de pensar sobre ele e, muitas vezes, já é muito tarde para fazer o que queria.

O que a PNL oferece é uma maneira de transformar tensão em oportunidade. Você já sabe como pegar as imagens que antes o deprimiam e fazê-las enfraquecer e desaparecer ou mudá-las em imagens que lhe tragam prazer. Não é difícil de fazer. Você já sabe como é.

Aqui está uma fórmula, em dois passos, para controlar a tensão. Passo 1: Não sofra por pequenas coisas. Passo 2: Lembre-se, são só pequenas coisas.

Todas as pessoas bem-sucedidas aprenderam que o sucesso está escondido no outro lado da frustração. Infelizmente, algumas pessoas não chegam ao outro lado. Pessoas que falham ao tentar alcançar suas metas geralmente são detidas pela frustração. Elas permitem que a frustração as impeça de tomarem as medidas necessárias que as apoiariam na realização de seus desejos. Você afasta essa pedra da estrada, abrindo caminho através da frustração, pondo cada revés com o qual possa aprender como *feedback* e segue em frente. Duvido que encontre muitas pessoas de sucesso que não tenham passado por isso.

Aqui está a segunda chave. *Você deve aprender a controlar a rejeição.* Quando repito isso num seminário posso sentir que a fisiologia na sala muda. Há alguma coisa na linguagem humana capaz de ferir mais do que a pequenina palavra "não"? Se você trabalha em vendas, qual é a diferença entre fazer 100.000 dólares e fazer 25.000? A principal diferença é aprender como controlar a rejeição, de modo que esse medo não mais o impeça de agir. Os melhores vendedores são aqueles que são mais rejeitados. São aqueles que podem pegar qualquer "não" e usá-lo como estímulo para tentar o próximo "sim".

O maior desafio para as pessoas de nossa cultura é que elas não podem controlar a palavra "não". Lembra-se da pergunta que fiz antes? O que você faria se soubesse que não pode falhar? Pense sobre isso agora. Se você soubesse que não pode falhar, isso mudaria seu comportamento? Isso permitiria que você fizesse exatamente o que quer fazer? Então, o que o está impedindo de fazê-lo? É aquela pequenina palavra "não". Para ter sucesso, você deve aprender como competir com rejeição: aprender como tirar toda a força da rejeição.

Certa vez trabalhei com um atleta de salto em altura. Ele tinha sido atleta olímpico, mas atingira um ponto onde não mais conseguia saltar nem à altura de seu chapéu. Imediatamente vi qual era seu problema, ao vê-lo saltar. Realmente, ele bateu na barra e começou a sofrer toda espécie de rotações emocionais. Transformava cada fracasso num grande acontecimento. Chamei-o e lhe disse que nunca fizesse aquilo outra vez se quisesse trabalhar comigo. Ele guardava a coisa toda como um fracasso. Enviava para seu cérebro uma mensagem que reforçava a imagem de fracasso — e, assim, lá estava ela cada vez que saltava. Todo o tempo, seu cérebro estava mais preocupado com o fracasso do que em estar num estado rico de recursos que traria sucesso.

Disse-lhe que, se batesse na barra outra vez, deveria dizer para si: "Ah! Outra distração", e não: "Droga! Outro fracasso." Ele deveria se colocar novamente num estado rico de recursos e tentar outra vez. Com três saltos ele estava tendo um desempenho melhor do que nos últimos dois anos. Não leva muito tempo para mudar. A diferença entre 2,10 m e 1,90 m é só 10 por cento. Não é uma grande diferença em altura, mas é uma grande diferença em desempenho. Da mesma maneira, pequenas mudanças podem provocar uma mudança grande na qualidade de nossas vidas.

Já ouviu falar de um camarada chamado Rambo? Sylvester Stallone? Será que ele apareceu na porta de algum agente ou estúdio e ouviu: "Ei! Gostamos de seu corpo. Vamos colocá-lo num filme?" Não exatamente. Stallone tornou-se um sucesso porque foi capaz de resistir a rejeição após rejeição. Quando começou, foi rejeitado mais de mil vezes. Ele foi a todo agente que pôde encontrar em Nova York, e todos diziam não. Mas ele continuou seguindo, continuou tentando e finalmente fez um filme chamado *Rocky*. Ouviu a palavra "não" mil vezes e foi bater na 1001ª porta.

Quantos "não" você aguenta? Quantas vezes você quis se aproximar e falar com alguém que achou atraente e decidiu não ir porque não queria ouvir a palavra "não"? Quantas pessoas decidiram não tentar um emprego, ou fazer uma visita de vendas, ou um teste para um papel, porque não queriam ser rejeitadas? Pense em como isso é loucura. Pense em como você está criando limitações por causa de seu medo dessa pequena palavra de três letras. A palavra em si não tem poder. Ela não pode cortar sua pele ou absorver sua força. Seu poder vem da maneira como você a representa para si. Seu poder vem das limitações que ela faz você criar. E o que os pensamentos limitados criam? Vidas limitadas.

Assim, quando você aprende a dirigir seu cérebro, pode aprender a controlar a rejeição. Pode até ancorar-se a fim de que a palavra "não" o mude. Você pode pegar qualquer rejeição e transformá-la em oportunidade. Se trabalha em vendas por telefone, pode ancorar-se de forma que simplesmente, ao pegar o telefone, se ponha em êxtase, em vez de fazer surgir o medo da rejeição. Lembre-se: o sucesso está escondido do outro lado da rejeição.

Não há sucessos reais sem rejeição. Quanto mais rejeição receber, melhor você se torna, mais você aprende e mais próximo de seu objetivo você fica. Na próxima vez que alguém rejeitá-lo, você deve dar-lhe um abraço. Isso mudará a fisiologia dele. Transforme os "não" em abraços. Se você puder controlar a rejeição, aprenderá a conseguir tudo que quer.

Aqui está a terceira chave para a prosperidade e a felicidade. *Você deve aprender a controlar a pressão financeira*. A única maneira de não ter pressão financeira é não ter nenhum dinheiro. Há várias espécies de pressão financeira, e elas destruíram muitas pessoas. Elas podem criar ganância, inveja, falsidades ou paranoia. Podem roubar sua sensibilidade ou roubá-lo de seus amigos. Agora, lembre-se: eu disse que elas podem, e não que elas farão isso. Controlar a pressão financeira significa saber como conseguir e como dar, saber como ganhar e como economizar.

A princípio, quando comecei a ganhar dinheiro, passei o inferno por isso. Meus amigos me repudiavam. Eles diziam: "Você está cheio de dinheiro. Qual é seu problema?" Eu dizia: "Não estou cheio de dinheiro. Eu só tenho algum." Mas eles não viam desse jeito. De repente, as pessoas por algum motivo achavam que eu era uma pessoa diferente porque tinha um *status* financeiro diferente. Algumas estavam muito ressentidas. Assim, essa é uma das espécies de pressão financeira. Não ter dinheiro suficiente é outra espécie de pressão financeira. Você provavelmente sente essa pressão todos os dias. A maioria das pessoas sente. Mas, quer você tenha pouco ou muito, você lida com pressão financeira.

Lembre-se de que todas as nossas ações na vida são guiadas pelas nossas filosofias, nossos guias de representações interiores sobre como agir. Eles nos dão os modelos de como agir. George S. Clason forneceu um grande modelo para aprender a controlar pressão financeira em *O homem mais rico da Babilônia*. Você já leu? Se já leu, leia outra vez. Se não, corra e consiga-o agora. É um livro que pode tornar você totalmente rico, feliz e excitado. Para mim, a coisa mais importante que o livro ensina é pegar 10 por cento de tudo que você ganha e dar. É isso mesmo. Por quê? Uma razão é que você deve pôr de volta o que tirou. Outra é que ele cria valor para você e para os outros. Mais importante, ele diz para o mundo e para seu próprio subconsciente que há mais do que o suficiente. E essa é uma crença muito poderosa para alimentar. Se há mais do que suficiente, significa que você pode o que quiser e os outros também podem. E quando você detém esse pensamento, você o faz tornar-se real.

Quando você começa a dar 10 por cento? Quando estiver rico e famoso? Não. Você deve fazê-lo quando estiver começando. Porque o que você dá torna-se como uma semente de milho. Você tem de investi-la, não comê-la, e a melhor maneira de investi-la é dá-la para que produza valores para os outros. Você não terá dificuldades em encontrar as maneiras. Há necessidade à volta de todos nós. Uma das coisas mais valiosas no dar é como isso faz com que você se sinta. Quando você é do tipo de pessoa que tenta encontrar e preencher as necessidades dos outros, isso faz você sentir-se diferente a respeito de quem você é. E a partir dessa espécie de sentimento, ou estado, você vive sua vida numa atitude de gratidão.

Tive a felicidade de voltar outro dia à minha escola em Glendora, Califórnia. Estou organizando um programa para professores, e queria agradecer aos professores que influenciaram minha vida. Quando cheguei, soube que um programa de aprendizado de língua, que me ensinara como me expressar, tinha sido cortado por falta de fundos e porque as pessoas não achavam que fosse bastante importante. Assim, patrocinei o programa. Devolvi uma parte do que tinha sido dado para mim. Não o fiz por ser um camarada legal. Fiz porque devia isso. E não é ótimo saber que você pode pagar uma coisa que está devendo? Essa é a verdadeira razão para se ter dinheiro. Todos nós temos débitos positivos. A melhor razão para se ter dinheiro é sermos capazes de pagá-lo.

Quando eu era pequeno, meus pais trabalhavam diligentemente para nos criar bem. Por várias razões nos encontrávamos em situação financeira extremamente difícil. Lembro-me de um Dia de Ação de Graças em que não tínhamos dinheiro. Recordo-me que estávamos tristes, até que alguém chegou à porta da frente, com uma caixa cheia de enlatados e um peru. O homem que a entregou disse que era da parte de alguém que sabia que não pediríamos nada, que nos amava e queria que tivéssemos um ótimo Dia de Ação de Graças. Nunca esqueci esse dia. Assim, todo ano, no Dia de Ação de Graças, faço o que alguém fez por mim naquele dia: saio e compro mantimentos para uma semana e entrego-os a uma família necessitada. Entrego os mantimentos como um empregado ou garoto de entregas, nunca como a pessoa que está proporcionando o presente. Sempre deixo uma nota que diz: "Isto é da parte de alguém que se preocupa com vocês, e espera que algum dia vocês possam se cuidar e que saiam e devolvam o favor para alguém mais que precise."

Isso tornou-se um dos pontos mais luminosos de meu ano. Ver o rosto das pessoas quando sabem que alguém se preocupa — faz uma diferença —, isso é que é vida. Num ano eu quis dar perus no Harlem, mas não tínhamos uma caminhonete, nem mesmo um carro, e tudo estava fechado. Minha equipe disse: "Esqueçamos disso este ano." Eu retruquei: "Não, eu vou." Eles perguntaram: "Como você vai fazer isso? Você nem ao menos tem uma caminhonete para fazer as entregas!" Disse que havia inúmeras caminhonetes na rua; nós só precisaríamos encontrar uma que nos levasse. Comecei a fazer sinais para as caminhonetes, uma prática que não recomendo em Nova York. Muitos motoristas pensavam que estávamos em uma missão de procurar e destruir, e o fato de ser Dia de Ação de Graças não mudou nada.

Assim, fui para um semáforo e comecei a bater nas janelas dos carros, dizendo às pessoas que eu lhes daria 100 dólares se nos levassem ao Harlem. Quando isso também não resolveu, mudei um pouco a minha mensagem. Dizia às pessoas que queria tomar uma hora e meia de seu tempo, para entregar mantimentos para pessoas necessitadas numa "área pobre" da cidade. Isso nos aproximou mais um pouco.

Eu já tinha decidido que queria ir numa caminhonete que fosse comprida e larga o bastante para fazer uma grande entrega. Logo, uma linda caminhonete, vermelha, apareceu, e era extralonga, com uma extensão atrás. Eu disse: "É essa!" Um dos meus rapazes correu imediatamente para a rua e, pegando-a no sinal, bateu na janela e ofereceu 100 dólares ao motorista se nos levasse aonde queríamos. O motorista falou: "Olhe, você não tem que me pagar. Ficarei feliz em levá-los." Essa era a décima pessoa que tentávamos. Então ele nos alcançou, pegou o chapéu e colocou-o. Estava escrito *Exército da Salvação*. Disse que seu nome era capitão John Rondon, e queria ter certeza de que trazíamos comida para pessoas realmente necessitadas.

Assim, em vez de só entregarmos comida no Harlem, também fomos ao South Bronx, que é uma das mais arruinadas paisagens do país. Passamos pelos terrenos vazios e ruínas de edifícios até uma mercearia. Lá compramos comida e a entregamos aos invasores, refugiados urbanos, gente da rua e famílias que lutavam para conseguir uma vida decente.

Não sei quanto modificamos a vida dessas pessoas, mas, de acordo com o capitão Rondon, aquilo mudava suas crenças sobre pessoas que se preocupavam com outras. Não há quantia de dinheiro que possa comprar o que você ganha quando você dá de si. Nenhum planejamento financeiro pode fazer mais por você do que você doar 10 por cento. Isso lhe ensina o que o dinheiro pode fazer, e o que o dinheiro não pode fazer. E essas são duas das mais valiosas lições que você pode aprender. Costumava achar que a melhor maneira de ajudar os pobres era ser um deles. A melhor maneira de ajudar os pobres é ser um modelo de outras possibilidades, deixá-los saber que há outras escolhas possíveis e auxiliá-los a desenvolver os recursos para se tornarem autossuficientes.

Depois de dar 10 por cento de seu rendimento, pegue outros 10 por cento para diminuir suas dívidas e um terceiro 10 por cento para formar um capital para investir. Você precisa viver com 70 por cento do que ganha. Vivemos numa sociedade capitalista na qual a maioria dos seres humanos não são capitalistas. Como resultado, eles não têm o estilo de vida que desejam. Por que viver numa sociedade capitalista, rodeado de oportunidades, e não tirar vantagem do mesmo sistema que nossos antepassados lutaram para criar? Aprenda a pegar seu dinheiro e usá-lo como capital. Se você o está gastando, nunca formará nenhum capital. Nunca terá os recursos de que precisa. Quando este livro foi escrito, a renda média na Califórnia era de 25.000 dólares por ano. A despesa média era de 30.000 dólares. A diferença entre esses dois valores é chamada pressão financeira. Não queira juntar-se a multidão que sofre com essa pressão!

O essencial é que o dinheiro é como todas as coisas. Você pode fazê-lo trabalhar para si ou pode deixá-lo trabalhar contra você. Você deve ser capaz de lidar com dinheiro em sua mente como com qualquer outra coisa, com a mesma finalidade e elegância. Aprenda a ganhar, a economizar e a doar. Se puder fazer isso, aprenderá a controlar a pressão financeira e o dinheiro nunca mais será um estímulo para pô-lo em estado negativo, que faz com que você seja infeliz ou trate os outros à sua volta de uma maneira menos rica de recursos.

Quando dominar as primeiras três chaves, você começará a sentir a vida como um imenso sucesso. Se puder controlar a frustração, a rejeição e a pressão financeira, não há limites para o que possa fazer. Já viu Tina Turner representar? Ela é alguém que controlou grandes quantidades de todas as três. Depois de tornar-se uma estrela, desmanchou seu casamento, perdeu seu dinheiro e passou oito anos no purgatório de shows em saguões de hotéis e clubes baratos. Ela não conseguia que as pessoas a atendessem ao telefone, muito menos que lhe oferecessem um contrato de gravação. Mas continuou tentando, não ligando para os "nãos", continuou a trabalhar para pagar as dívidas e pôr sua vida financeira em ordem.

Finalmente, percorreu o caminho de volta para o mundo dos grandes espetáculos.

Assim, você pode fazer qualquer coisa. E aqui é onde a número quatro entra. *Você deve aprender como controlar a acomodação.* Você já viu pessoas em sua vida, ou celebridades ou atletas que atingem um nível de sucesso e então param. Começam a se sentir confortáveis e começam por perder quem os pôs lá.

> "Aquele que realizou mais, ainda tem
> todo o futuro para ser realizado."
>
> — LAO-TSÉ, *TAO TE KING*

O conforto pode ser uma das mais desastrosas emoções que um corpo humano pode ter. O que acontece quando uma pessoa consegue muito conforto? Ela para de crescer, para de trabalhar, para de criar valores adicionais. Você não quer conseguir muito conforto. Se você se sentir realmente confortável, é provável que pare de crescer. O que disse Bob Dylan? "Aquele que não deu trabalho para nascer, dá trabalho para morrer." Você ou está subindo ou está escorregando. Perguntaram certa vez a Ray Kroc, o fundador do McDonald's, qual seria seu conselho para quem quisesse garantir uma longa vida de sucesso. Ele disse para simplesmente lembrarem-se disso: "Quando você está verde, você cresce; quando você amadurece, você apodrece." Enquanto você permanecer verde, você cresce. Você pode pegar qualquer experiência e torná-la uma oportunidade para crescer, ou pode pegá-la e torná-la um convite para decair. Você pode encarar a aposentadoria como o começo de uma vida mais rica, ou pode vê-la como o fim de sua vida de trabalho. Você pode ver o sucesso como o trampolim para coisas maiores, ou pode encará-lo como um lugar de descanso. E se for um lugar de descanso, é provável que não o manterá por muito tempo.

Uma espécie de acomodação (ou complacência) vem da comparação. Eu costumava pensar que estava indo tudo bem, porque estava indo bem comparado com pessoas que eu conhecia. Esse é um dos maiores enganos que você pode fazer. Talvez só signifique que seus amigos não estão indo muito bem. *Aprenda a julgar-se por suas metas em vez de tomar como base aquelas pelas quais seus colegas parecem estar se realizando.* Por quê? Porque você pode sempre encontrar pessoas para justificar o que está fazendo.

Você não fez isso quando era garoto? Você dizia: "Johnny fez isso, por que eu não posso?" Provavelmente sua mãe dizia: "Bem, não me importa o que Johnny faz", e ela estava certa. Você não deve se preocupar com o que Johnny ou Mary ou os outros fazem. Preocupe-se com o que você é capaz. Preocupe-se com o que você cria e com o que quer fazer. Trabalhe a partir de um conjunto de metas dinâmicas, envolventes, cheias de possibilidades que o ajudarão a fazer o que quer, não o que alguém fez. Sempre haverá alguém que tem mais do que você. Sempre haverá alguém que tem menos. Nada disso importa. Você precisa julgar-se pelas suas metas e nada mais.

"Pequenas coisas afetam pequenas mentes."

— Benjamin Disraeli

Aqui está outra maneira de evitar acomodação. Afaste-se de seminários de papo furado. Você sabe do que estou falando. Das sessões onde todos expõem hábitos de trabalho, vida sexual, *status* financeiro e tudo o mais torna-se distração. Esses tipos de seminários são como suicídio. Eles envenenam seu cérebro, fazendo com que você concentre sua atenção no que as outras pessoas estão fazendo em suas vidas privadas, em vez do que você pode estar fazendo para intensificar sua experiência de vida. É fácil cair nesses "seminários", mas lembre-se de que as pessoas que o fazem estão meramente tentando se distrair do aborrecimento criado por sua incapacidade de produzir os resultados que desejam em suas próprias vidas.

Há uma frase que Rolling Thunder, o índio sábio, usava muito e que era: "Só fale com bons propósitos." Lembre-se, o que colocamos para fora, volta para nós. Portanto, meu desafio para você é: mantenha-se afastado do lixo da vida. *Não cresça em coisas pequenas*. Se quiser ser acomodado e medíocre, passe sua vida mexericando sobre quem está dormindo com quem. Se quiser ser diferente, esteja certo de que você se desafia, se testa, que faz de sua vida algo especial.

Aqui está a última chave. *Sempre dê mais do que espera receber*. Esta pode ser a chave mais importante de todas porque virtualmente garante a verdadeira felicidade.

Lembro-me de estar dirigindo de volta para casa, depois de uma reunião noturna, com muito sono. A trepidação mantinha-me consciente. E nesse estado semilúcido, tentava imaginar o que dava significado à vida. De repente uma vozinha em minha cabeça disse: "O segredo de viver é dar."

Se quiser fazer sua vida correr bem você tem de começar com "como dar". A maioria das pessoas começa suas vidas pensando só em receber. Receber não é um problema. Receber é como o oceano. Mas você tem de estar certo de que está dando, para poder pôr o processo em movimento. O problema na vida é que as pessoas querem primeiro as coisas. Um casal vem a mim, e o homem diz que sua mulher não o trata bem. E a mulher diz que é porque ele não é muito carinhoso. Isto é, cada um está esperando que o outro tome a iniciativa, apresente a primeira prova.

Que espécie de relacionamento é esse? Quanto tempo irá durar? A chave para qualquer relacionamento é que você tem primeiro de dar, e continuar dando. Não pare e espere para receber. Quando você começa a marcar pontos, o jogo termina. Você fica lá, dizendo: "Eu dei, agora é a vez dela", e o papo termina. Ela se foi. Você pode pegar seu resultado e levar para outro planeta, porque o placar não funciona desta maneira aqui. Você tem de estar querendo plantar a semente, e cuidar para que ela germine.

O que aconteceria se você se dirigisse ao solo e dissesse: "Dê-me alguns frutos. Dê-me algumas plantas"? O solo provavelmente responderia: "Desculpe-me, senhor, mas está um pouco confuso. Deve ser novo aqui. As regras do jogo são outras." Então explicaria que você planta a semente, cuida dela, põe água e lavra a terra. Fertiliza-a. Protege-a e alimenta-a. Então, se cuidar bem dela, conseguirá sua planta ou seu fruto, mais tarde. Você pode pedir ao solo muitas vezes, mas isso não muda as coisas. Você tem de continuar dando, alimentando, para que o solo produza frutos — e a vida é exatamente da mesma maneira.

Você pode ganhar muito dinheiro. Você pode imperar sobre reinos ou dirigir grandes empresas ou controlar vastas terras. Mas, se estiver fazendo só para si, você realmente não é um sucesso. Na verdade, você não tem poder, não tem riqueza real. Se você subiu ao topo da "montanha do sucesso" em seu benefício, provavelmente pulará fora.

Quer saber qual a maior das ilusões sobre o sucesso? Que ele é como um pináculo a ser atingido, uma coisa a ser possuída, ou um resultado estático a ser obtido. Se quiser ter sucesso, se quiser realizar todos os seus objetivos, você tem de pensar no sucesso como um processo, um meio da vida, um hábito da mente, uma estratégia para a vida. Este capítulo foi sobre isso. Você deve saber o que tem e deve conhecer os perigos em seu caminho. Você deve ter a habilidade de usar seu poder de uma forma responsável e amorosa se quiser experimentar a verdadeira riqueza e felicidade. Se puder controlar essas cinco coisas, será capaz de usar todas as técnicas e poderes ensinados neste livro para fazer coisas maravilhosas.

Agora vejamos como são as mudanças em nível mais elevado, envolvendo grupos, comunidades e nações.

CAPÍTULO 20

DIRIGIR A CRIAÇÃO: O PODER DA PERSUASÃO

"Nós não vamos ser capazes de operar com sucesso nossa nave
espacial Terra por muito mais tempo, a menos que a vejamos
como uma nave inteira e nosso destino como comum.
Tem que ser todos ou ninguém."

— Buckminster Fuller

Até agora lidamos principalmente com mudanças individuais, maneiras como as pessoas podem crescer e tornarem-se fortalecidas. Mas um dos aspectos inconfundíveis do mundo moderno é a quantidade de mudanças que acontecem no plano das massas. A ideia de uma aldeia global há muito tempo tornou-se um clichê, mas ainda é verdadeira. Nunca antes na história do mundo houve tantos mecanismos poderosos para persuasão de grupo, maciça e duradoura. Isso pode significar mais gente comprando Coca-Cola, usando jeans Levi's e ouvindo bandas de *rock-and-roll*. Pode também significar mudanças nas atitudes maciças, positivas no mundo todo. Tudo depende de quem esteja persuadindo e por quê. Neste capítulo, vamos ver as mudanças que ocorrem em grande escala, ver como elas acontecem e examinar o que significam. Vamos então ver como você pode se tornar um persuasor e o que pode fazer com suas habilidades.

Pensamos em nosso mundo de hoje como estando inundado de estímulos, mas não é o que realmente o diferencia dos tempos antigos. Um índio andando pelos bosques confrontava-se constantemente com visões, sons e cheiros que poderiam significar a diferença entre a vida e a morte, entre comer e morrer de fome. Não havia falta de estímulos em seu mundo.

A maior diferença hoje está na intenção e procura dos estímulos. O índio na floresta tinha de interpretar os significados dos estímulos do acaso. Contrastando, nosso mundo está cheio de estímulos que são conscientemente dirigidos para que façamos alguma coisa. Pode ser uma justificativa para comprar um carro ou um pedido para votar num candidato. Pode ser um apelo para salvar crianças famintas ou um lance para fazer com que compremos mais bolo e bolinhos. Pode ser uma tentativa para nos fazer sentir bem sobre ter alguma coisa ou uma mensagem para nos frustrar por não termos alguma coisa. Mas o fato principal que caracteriza o mundo moderno é a persistência da persuasão. Estamos constantemente cercados por pessoas com os meios, a tecnologia e o *know-how* para nos persuadir a fazer alguma coisa. E essa persuasão tem alcance global. A mesma imagem que nos está sendo imposta pode ser imposta em grande parte do mundo no mesmo exato instante.

Consideremos o hábito de fumar cigarros. As pessoas em tempos antigos podiam alegar ignorância. Mas, hoje, sabemos que cigarros são prejudiciais à nossa saúde. Eles contribuem para tudo, desde câncer até doenças do coração. Há até uma grande quantidade de forte sentimento público — expresso por meio de passeatas locais antifumo ou plebiscito — que faz os fumantes sentirem que estão fazendo algo errado. As pessoas têm todas as razões do mundo para não fumar. No entanto, a indústria de tabaco continua a prosperar e milhões de pessoas continuam a fumar cigarros — e muitas outras começando a toda hora. Por que isso?

As pessoas podem aprender a apreciar a experiência de fumar, mas é isso que as faz começar? Elas tiveram de ser ensinadas a usar um cigarro como um dispositivo para criar prazer; não era uma reação natural. O que aconteceu a primeira vez que fumaram? Odiaram. Elas tossiram, engasgaram e sentiram-se nauseadas. O corpo delas dizia: “Esse negócio é terrível. Afaste-o de mim.” Na maioria dos casos, se sua própria evidência física lhe diz que alguma coisa é má, seria de esperar que você ouvisse. Logo, por que as pessoas não fazem isso com o fumo? Por que continuam a fumar até que o corpo desiste de protestar e finalmente torna-se viciado?

Elas fazem isso por que foram reestruturadas sobre o que o cigarro significa, e então essa nova representação e estado foram ancorados em um lugar. Alguém com um grande conhecimento sobre persuasão gastou milhões e milhões de dólares para convencer o público de que fumar é uma coisa desejável. Por meio de propaganda perspicaz, imagens e sons inteligentes foram usados para nos colocar num estado positivo de sentimentos; então, aqueles estados desejados foram associados ou vinculados a um produto chamado cigarro. Graças à repetição contínua, a ideia de fumar tem sido ligada a vários estados desejáveis. Não há nenhum valor inerente ou conteúdo social em um punhado de tabaco enrolado num pedaço de papel. Mas fomos persuadidos que fumar é *sexy*, ou suave, ou adulto, ou macho. Quer ser como o homem Marlboro? Fume um cigarro. Quer mostrar que foi longe, garota? Fume um cigarro. Você foi longe, tudo bem — se você estava fumando, provavelmente percorreu um longo caminho para chegar perto de um câncer pulmonar.

Isso não é uma loucura? O que é que o fato de colocar cancerígenos em seus pulmões tem a ver com qualquer estado desejável? Mas os anunciantes fazem em alta escala exatamente o que falamos neste livro. Eles criam imagens que deixam você num estado elevado, receptivo e, no auge da experiência, ancoram a mensagem em você. Repetem na televisão, nas revistas ou no rádio de forma que a âncora seja constantemente reforçada e acionada.

Por que a Coca-Cola pagava Bill Cosby ou a Pepsi-Cola pagava Michael Jackson para vender seus produtos? Por que os políticos enrolam-se na bandeira? Por que gostamos de cachorro-quente, beisebol, torta de maçã e Chevrolet? Essas pessoas e símbolos já são âncoras poderosas na cultura, e os anunciantes simplesmente transferem o sentimento que temos por essas pessoas ou símbolos para os seus produtos. Eles os usam para nos tornar receptivos a esses produtos. Por que as campanhas de Reagan na televisão acrescentaram como lance decisivo o símbolo agourento do urso na floresta? O urso, simbolizando a Rússia, era uma âncora negativa poderosa que reforçava a imagem da necessidade de uma poderosa liderança, alguma coisa que Reagan se propunha a continuar a manter. Vocês já não viram ursos nas florestas e sentiram como eram carinhosos? Por que essa propaganda afetou de tal forma o povo? Devido ao cenário, à iluminação, às palavras e à música que usaram.

Você pode analisar qualquer propaganda efetiva ou campanha política e descobrirá que ela segue a mesma estrutura que expusemos neste livro.

Primeiro, ela usa estímulos visuais e auditivos para colocá-lo no estado que os promotores desejam. Aí, então, ancoram seu estado num produto ou ação que queiram que você adote. É claro que isso é feito muitas e muitas vezes até que seu sistema nervoso ligue efetivamente o estado com o produto ou comportamento desejado. Se for uma boa propaganda, usará imagens e sons que atraiam e afetem todos os três maiores sistemas representativos — visual, auditivo e cinestésico. A televisão é um meio bastante persuasivo por fazer o melhor uso de todos os três sistemas: pode dar belas imagens, pode incluir uma canção ou *jingle* que pegue e pode proporcionar uma mensagem como um soco emocional. Pense nas mais efetivas propagandas feitas para uma bebida leve como Coca-Cola, para uma cerveja como Miller ou, ainda, para uma lanchonete como as da rede McDonald's. O que todas elas têm em comum é uma forte mistura de V-A-K que oferece um gancho para todos.

É claro que há algumas propagandas que são efetivas em produzir a imagem oposta — elas quebram o estado da maneira mais completa possível. Pense nas propagandas antifumo. Você já viu uma que mostra um feto fumando um cigarro, no ventre da mãe? Ou Brooke Shields com um ar de dopada, e com cigarros saindo de seus ouvidos? Essas propagandas são mais efetivas quando funcionam como padrões interrompidos, quando destroem a aura de encanto que tentaram criar em volta de um produto nocivo.

Num mundo cheio de pessoas persuasivas, você também pode ser uma... ou pode ser aquela que é persuadida. Você pode dirigir sua vida ou ser dirigido. Este livro, na realidade, foi sobre persuasão. Mostrou-lhe como desenvolver o poder pessoal que o deixa no controle, a fim de que possa persuadir, seja no papel de modelo para seus filhos ou como uma força poderosa no trabalho. As pessoas no poder são as persuasivas. Pessoas sem poder simplesmente agem a partir de imagens e ordens que são enviadas em suas direções.

Poder hoje em dia é a capacidade de comunicar e a capacidade de persuadir. Se você for persuasivo sem pernas, convencerá alguém a carregá-lo. Se não tiver dinheiro, convencerá alguém a lhe emprestar algum. A persuasão pode ser a técnica máxima para criar mudança. Afinal, se você for um persuasivo que esteja sozinho no mundo e não queira continuar assim, encontrará um amigo ou amante. Se for um persuasivo com um bom produto para vender, encontrará alguém que o comprará. Você pode ter uma ideia ou um produto que possa mudar o mundo, mas, sem o poder de persuadir, você não tem nada. A vida toda é sobre comunicar o que você tem a oferecer. Essa é a técnica mais importante que você pode desenvolver.

Deixe-me dar-lhe um exemplo de como essa tecnologia é poderosa e quanto você pode fazer uma vez que domine as técnicas que a PNL oferece. Quando criei meu primeiro treinamento de doze dias para profissionais em neurolinguística, decidi introduzir um exercício que realmente fizesse as pessoas usarem o que tinham aprendido. Eis o que fiz. Reuni todos os participantes do curso às onze e meia da noite e disse-lhes que me dessem suas chaves, dinheiro, cartões de crédito, carteiras, tudo, com exceção das roupas que vestiam.

Disse-lhes que queria provar que, para serem bem-sucedidos, eles não precisavam de nada além de seus poderes pessoais e capacidades persuasivas. Disse-lhes que tinham as técnicas para descobrir e preencher as necessidades das pessoas, e que não precisavam de dinheiro, *status*, um carro ou qualquer outra coisa que a cultura ensina que precisamos para fazer de nossas vidas o que quisermos.

Encontrávamo-nos em Carefree, Arizona. O primeiro desafio era achar um meio de chegar a Phoenix, distante cerca de uma hora de carro. Pedi-lhes que recorressem às suas habilidades para chegarem sãos e salvos em Phoenix, que encontrassem um bom lugar para ficar e comer bem, e que usassem suas técnicas de persuasão de maneira efetiva e fortalecedora, tanto para eles como para os outros.

Os resultados foram surpreendentes. Muitos deles foram capazes de conseguir empréstimos em bancos de 100 dólares a 500 dólares, simplesmente pela força de seus poderes pessoais e coerência. Lembre-se, eles nem tinham documento de identidade, e estavam numa cidade onde nunca haviam estado antes. Uma mulher foi a uma grande loja de departamentos e, sem nenhuma identificação, conseguiu cartões de crédito, que usou no local. Das 120 pessoas que saíram, cerca de 80 por cento foram capazes de conseguir um emprego e sete conseguiram três ou mais empregos no mesmo dia. Uma mulher queria trabalhar no zoológico. Disseram-lhe que havia uma lista de espera de seis meses, só para voluntários. Mas ela se desempenhou com tanta harmonia que lhe permitiram entrar e trabalhar com os animais. Ela até tratou de um papagaio, usando as técnicas da PNL para estimular seu sistema nervoso. O treinador do zoológico ficou tão impressionado que ela terminou fazendo um minisseminário sobre como usar esses instrumentos, de forma a afetar os animais positivamente. Um sujeito que amava crianças e sempre tinha querido falar a um grande grupo delas foi a uma escola e disse: "Eu sou o orador da reunião. Quando começo?" As pessoas perguntaram: "Que reunião?", ao que ele respondeu: "Vocês sabem, a reunião marcada para hoje. Vim de muito longe. Posso esperar até uma hora, mas temos de começar logo." Ninguém tinha certeza de quem era, mas ele parecia tão seguro, tão coerente que decidiram que tinha de haver uma reunião. Portanto, reuniram os garotos, e ele falou durante hora e meia sobre como os garotos podiam melhorar suas vidas. As crianças e os professores adoraram.

Outra mulher entrou numa livraria e começou a autografar um livro, escrito por uma pregadora da televisão, Terry Cole-Whittaker. Ela não se parecia em nada com Terry Cole-Whittaker, cuja fotografia estava na capa. Mas modelou o andar, as expressões faciais e a risada de Terry Cole tão bem que o gerente da loja, depois de ficar atrapalhado com aquela estranha escrevendo em seus livros, deu uma olhada para conferir e disse: "Desculpe, sra. Cole-Whittaker. É uma honra tê-la aqui." Algumas pessoas pediram autógrafos e compraram livros, enquanto permaneceu lá. Nesse dia, alguns indivíduos ricos de recursos acabaram com as fobias de algumas pessoas, outros resolveram problemas emocionais. O forte desse exercício era mostrar a essas pessoas que elas não precisavam de nada mais do que os próprios comportamentos ricos e das técnicas para encontrar seus caminhos — sem nenhum dos costumeiros sistemas de apoio (tais como transporte, dinheiro, reputação, contatos, créditos e outros) — e a maioria delas teve um dos mais poderosos e agradáveis dias de suas vidas.

No primeiro capítulo, falamos como as pessoas têm sentimentos diferentes sobre o poder. Algumas pensam que, de alguma forma, ele é inconveniente, significa ter controle indevido sobre outros. Permita-me dizer algo: no mundo moderno, a persuasão não é uma escolha. É um fato presente na vida. Alguém está sempre persuadindo. As pessoas estão gastando milhões e milhões de dólares para que suas mensagens saiam com poder máximo e técnica. Portanto, ou você ou outra pessoa qualquer persuadem. A diferença no comportamento de nossos filhos pode ser a diferença entre quem é o mais persuasivo — você, eu ou o passador de drogas. Se quiser controlar sua vida, se quiser ser o modelo mais elegante e efetivo para aqueles com quem se preocupa, você tem de aprender como ser persuasivo. Se você abdica da responsabilidade, há muitos outros prontos para preencher a vaga.

Até aqui, você viu o que essas técnicas de comunicação podem significar para você. Agora, precisamos considerar o que essas técnicas podem significar para todos nós juntos. Vivemos na era mais notável da história humana, numa época em que as mudanças que antes levavam décadas agora podem levar dias, quando viagens que antes levavam meses agora podem ser feitas em horas. Muitas dessas mudanças são boas. Vivemos mais, com mais conforto, e com mais estímulos e liberdade do que nunca antes.

Algumas das mudanças, no entanto, podem também ser terríveis. Pela primeira vez na história, sabemos que temos a capacidade de destruir um planeta inteiro, seja por meio de explosões terríveis ou por morte lenta, poluindo e envenenando o planeta e a nós mesmos. Não é algo sobre o que a maioria de nós goste de conversar; é alguma coisa de que nossas mentes se afastam e não se aproximam. Mas essas situações são fatos da vida. A boa-nova é que Deus — ou a inteligência humana, ou o puro acaso, ou qualquer que seja a força ou as combinações de forças que você acredite fazer com que estejamos onde hoje estamos —, que criou esses problemas terríveis, também criou os meios de mudá-los. Acredito que todos esses problemas do mundo são fatores, mas também acredito numa fonte muito maior do que meu presente entendimento. Dizer que não há uma fonte de inteligência que podemos chamar Deus é como dizer que o *Webster's Dictionary* é o resultado de uma explosão em uma gráfica e que tudo se juntou perfeitamente e em equilíbrio.

Um dia, quando comecei a pensar em todos os "problemas" do mundo, fiquei muito excitado porque notei uma relação comum entre todos eles. Todos os problemas humanos são problemas de comportamento! Espero que você esteja usando seu modelo de precisão agora, e esteja perguntando: "Todos?" Bem, deixe-me colocar a coisa dessa maneira: se a origem do problema não é o comportamento humano, geralmente tem uma solução de comportamento. Por exemplo: o crime não é o problema, é o comportamento das pessoas que cria essa coisa que chamamos crime.

Muitas vezes pegamos conjuntos de ações e as transformamos em nomes como se fossem objetos, quando na verdade são processos. Enquanto representarmos os problemas humanos como se fossem coisas, acredito que nos enfraqueceremos ao torná-los alguma coisa grande e fora de nosso controle. A força nuclear ou a perda nuclear não é o problema. Como os seres humanos usam o átomo pode ser um problema, se não for controlado efetivamente. Se nós, como nação, decidirmos que esses instrumentos não são as abordagens mais efetivas e saudáveis para o desenvolvimento e consumo de energia, podemos mudar nosso comportamento. A guerra nuclear não é um problema em si. A maneira como os seres humanos se comportam é que cria ou evita a guerra. Fome não é o problema na África. O comportamento humano é o problema. Destruir as terras, uns dos outros, não ajuda a criação de um grande suprimento de alimentos. Se a comida enviada pelas pessoas de todo o mundo está apodrecendo nos cais porque outras pessoas não querem cooperar, isso é um problema de comportamento. Em constraste, os israelenses resolveram o problema muito bem, no meio de deserto.

Portanto, se pudermos concordar, como uma generalização proveitosa, em que o comportamento humano é a origem de todos os problemas humanos ou que novos comportamentos podem resolver a maioria dos problemas que surgem, então podemos nos tornar bastante animados porque compreendemos que esses comportamentos são os resultados dos estados em que os seres humanos se encontram e são seus modelos de como agir quando estão nesses estados.

Também sabemos que os estados dos quais brotam os comportamentos são o resultado de suas representações interiores. Sabemos, por exemplo, que as pessoas vincularam o processo de fumar a um estado particular. Elas não fumam durante todos os minutos de todos os dias, só quando estão num estado de fumar. As pessoas não comem demais a todos os minutos de todos os dias, só quando estão num estado que vincularam a comer demais. Se você mudar efetivamente essas associações, ou as ações vinculadas, pode efetivamente mudar o comportamento das pessoas.

Estamos agora vivendo numa época em que a tecnologia usada para comunicar mensagens para quase o mundo inteiro já está instalada e sendo usada. A tecnologia é a mídia — rádio, televisão, cinema e imprensa.

Os filmes que vemos hoje em Nova York e Los Angeles são os vistos amanhã em Paris e Londres, depois de amanhã, em Beirute e Manágua, e poucos dias depois, em todo o mundo. Portanto, se esses filmes, ou livros, ou shows de televisão, ou outras formas de mídia mudam para melhor as representações interiores e os estados das pessoas, eles podem também mudar o mundo para melhor. Temos visto como a mídia pode ser eficaz para vender produtos e espalhar cultura. Estamos agora aprendendo como ela pode ser efetiva para mudar o mundo para melhor. Pense nos concertos de Live Aid. Se não foi uma imensa demonstração do poder positivo da tecnologia da comunicação, então não sei o que foi.

Logo, os meios para mudar as representações interiores de um imenso número de pessoas e, pois, os estados de um imenso número de pessoas, e assim os comportamentos de um imenso número de pessoas, agora estão à nossa disposição. Usando efetivamente nossos conhecimentos dos acionadores do comportamento humano e da atual tecnologia para comunicar essas novas representações para as massas, podemos mudar o futuro de nosso mundo.

O filme documentário *Scared Straight* é um grande exemplo de como podemos mudar as representações interiores das pessoas e dessa forma mudar seus comportamentos, usando os recursos da mídia. É um documentário sobre um trabalho, no qual garotos que estavam tendo comportamentos destrutivos e delinquentes eram levados a uma prisão, onde os próprios presos se ofereciam como voluntários para ajudar a mudar as representações interiores dos garotos sobre o que crime e prisão realmente significavam. Esses garotos haviam sido entrevistados antes. A maioria deles era realmente dura e disse que ir para a prisão não era algo que os amedrontava. Suas representações interiores e estados foram efetivamente mudados quando um assassino de várias pessoas começou a lhes contar como era realmente a vida na prisão, relatando os detalhes com tanta intensidade que mudaria a fisiologia de qualquer um! *Scared Straight* deve ser visto. A continuidade do trabalho mostrou que ele era incrivelmente efetivo na mudança dos comportamentos desses garotos. A televisão foi então capaz de fazer a mesma experiência para um grande número de garotos (e adultos), simultaneamente mudando os pensamentos e comportamentos de muitas pessoas.

Podemos mudar um grande número de comportamentos humanos se pudermos fazer apresentações efetivas que atraiam as pessoas em todos os sistemas representativos primários e se reestruturarmos as coisas de maneira a atrair todos os principais metaprogramas. Quando mudamos comportamentos das massas, mudamos o curso da história.

Qual era, por exemplo, o sentimento da maioria dos jovens nos Estados Unidos, quando perguntavam: "Como se sentiria indo lutar durante a Primeira Guerra Mundial?" Bastante positiva, não? Por quê? As representações da maioria dos jovens sobre a guerra foram criadas por canções como *Over There* e por pôsteres do Tio Sam em todos os lugares, dizendo: "Eu quero você." O jovem da era da Primeira Guerra Mundial provavelmente imaginava-se como um salvador da democracia e dos povos livres de todos os lugares. Essa espécie de estímulos externos representava a guerra, de maneira que o deixava num estado positivo de desejo de ir e lutar. Ele se apresentava como voluntário. Ao contrário, o que aconteceu quando a guerra do Vietnã começou? Qual era o sentimento da maioria dos jovens sobre ir e lutar "lá"? Bastante diferente, não era? Por quê? Porque havia um conjunto diferente de estímulos externos sendo oferecidos todas as noites a um imenso número de indivíduos, por meio dessa nova tecnologia chamada "notícias da noite". Isso mudou as representações interiores deles, dia a dia. As pessoas começaram a representar a guerra como alguma coisa diferente do que tinha sido até então. Não tinha mais "lá" — era agora, na nossa sala, na hora do jantar, enquanto a víamos em detalhes vívidos. Não eram grandes paradas ou a salvação da democracia. Era estar vendo um rapaz de 18 anos, exatamente como o seu filho ou o do vizinho, com o rosto estraçalhado, morrer numa selva longínqua. Como resultado, mais e mais pessoas desenvolveram uma nova representação interior do que significava a guerra, e consequentemente seus comportamentos mudaram. Não estou dizendo que a guerra era má ou boa; estou simplesmente chamando a atenção para o fato de que as representações das pessoas estavam mudadas, e assim estavam seus comportamentos, e a mídia criou o veículo para essa mudança.

Nossos sentimentos e comportamentos estão até agora sendo mudados de algumas formas, nas quais podemos nem ter reparado antes. Por exemplo: como você se sente sobre extraterrestres? Pense em filmes como *E.T.*, *Cocoon* ou *Contatos Imediatos do Terceiro Grau*. Costumamos pensar em alienígenas como horríveis monstros disformes que viriam morder seu rosto, engolir sua casa e torturar sua mãe. Agora pensamos neles como seres que se escondem em armários de meninos e andam de bicicleta com seus filhos até poderem voltar para casa; ou como sujeitos que emprestam ao avô a sua piscina, para refrescar-se em dias quentes. Se você fosse um alienígena, com vontade de que as pessoas reagissem a você de forma positiva, preferiria que eles o encontrassem depois de terem visto *Invasores de Corpos* ou saindo de alguns dos filmes de Steven Spielberg? Se eu fosse um alienígena, antes de vir a um planeta como este, conseguiria alguém para fazer muitos filmes sobre o grande sujeito que sou: assim, o povo me receberia entusiasticamente, de braços abertos. Conseguiria para mim um grande agente de relações públicas, para mudar representações interiores das massas sobre quem sou, ou com o que me pareço. Talvez Steven Spielberg seja, no final das contas, de um planeta diferente.

Como é que um filme como *Rambo* faz você se sentir sobre a guerra? Faz com que matar e atirar bombas napalm pareçam uma diversão ótima, alegre, muito engraçada, não é? Ele nos faz menos ou mais receptivos à ideia de lutar numa guerra? Obviamente, um filme não consegue mudar os comportamentos de um país. Também é importante notar que Sylvester Stallone não está tentando promover a matança de pessoas. Muito pelo contrário, seus filmes são todos sobre como superar grandes limitações por meio de trabalho duro e disciplina. Eles são modelos da possibilidade de ganhar, apesar das enormes desigualdades. No entanto, é importante para nós observarmos o efeito da cultura de massa com que nos deparamos constantemente. É importante para nós ficarmos conscientes daquilo que estamos colocando em nossas mentes e termos certeza de que isso está apoiando os nossos objetivos desejados.

O que aconteceria se você trocasse a representação interior do mundo sobre a guerra? E se o mesmo poder e tecnologia que fazem com que um enorme número de indivíduos lute pudessem ser usados efetivamente para ligar as diferenças de valores e representar a união de todos os povos? A tecnologia existe? Acredito que sim. Não me entenda mal, não estou sugerindo que isso seja fácil, que tudo que temos a fazer seja realizar uns poucos filmes, exibi-los para todos — e o mundo mudará. O que estou sugerindo é que os mecanismos para a mudança estão tão à disposição como os instrumentos para destruição. Estou sugerindo que nos tornemos mais conscientes daquilo que vemos e ouvimos de uma forma coerente e que prestemos atenção em como representamos essas experiências para nós mesmos individual e coletivamente. Se temos de criar os resultados que queremos dentro de nossas famílias, comunidades, países e mundo, devemos nos tornar muito mais conscientes.

Aquilo que representamos conscientemente numa larga escala tende a tornar-se interiorizado em um grande número de pessoas. Essas representações afetam os futuros comportamentos de uma cultura e do mundo. Assim, se quisermos criar um mundo que trabalha, devemos querer rever e planejar consistentemente aquilo que queremos fazer para criar representações que nos fortaleçam numa escala global unida.

Você pode viver sua vida de duas maneiras. Você pode ser como os cachorros de Pavlov, respondendo a todas as ordens e mensagens que surgem em seu caminho. Você pode ser seduzido pela guerra, seduzido por uma droga de comida ou cativado por todas as tendências que passem pelos canais. Alguém certa vez descreveu a propaganda como "a ciência de controlar a inteligência humana o tempo suficiente para tirar dinheiro dela". Alguns de nós vivemos num mundo de inteligências permanentemente controladas.

A alternativa é tentar alguma coisa mais elegante. Você pode aprender a usar o seu cérebro, a fim de escolher os comportamentos e representações interiores que o tornem uma pessoa melhor e, assim, tornem o mundo melhor. Você pode tornar-se consciente de quando está sendo programado e manipulado. Você pode determinar quando seus comportamentos e os modelos que lhe são transmitidos refletem seus valores reais, enquanto desliga os que não o fazem.

Vivemos num mundo onde parece haver uma direção a cada mês. Se você for persuasivo, torna-se um criador de direções mais do que alguém que só reage a uma grande quantidade de mensagens. A direção na qual as coisas estão indo é tão importante como o que esteja acontecendo. Direções causam destinos. Portanto, é importante descobrir a direção da corrente, e não esperar até você chegar na beira das cataratas do Niágara, para perceber que está num pequeno bote sem remos. O trabalho de um persuasor é orientar as maneiras, fazer o mapa do terreno e encontrar os caminhos que levem a objetivos melhores.

Tendências são criadas por indivíduos: por exemplo, o feriado nacional do Dia de Ação de Graças foi criado não por um político, mas por uma mulher que teve uma enorme vontade de unir nosso país. Seu nome era Sarah Joseph Hale, e ela foi bem-sucedida numa tarefa que durante mais de 250 anos frustrara outros.

Muitas pessoas têm a falsa ideia de que o feriado do Dia de Ação de Graças é uma tradição desde que os pioneiros "deram graças" em outubro de 1621, mas isso não é verdade. Durante 155 anos depois disso, não havia uma celebração regular ou unificada do Dia de Ação de Graças nas colônias. A Guerra da Independência conseguiu uma vitória que foi celebrada pela primeira vez, por todo o país. Mas, ainda assim, a tradição não foi mantida. O terceiro Dia de Ação de Graças foi feito após a bem-sucedida convocação da Constituição, quando o presidente George Washington proclamou 26 de novembro de 1789 como Dia Nacional de Ação de Graças. No entanto, esse também falhou e não se tornou um evento repetido.

Só em 1827 surgiu Sarah Joseph Hale, uma mulher com bastante determinação e persistência para fazer com que tudo acontecesse. Mãe de cinco crianças, escolheu sustentar-se e à família, tornando-se escritora profissional numa época de nossa história em que poucas mulheres eram conhecidas por terem tido sucesso nessa profissão. Como editora de uma revista feminina, fez com que se tornasse um dos maiores periódicos nacionais, com uma tiragem de 150.000 exemplares. Ficou conhecida por suas campanhas editoriais a favor de colégios femininos, *playgrounds* públicos e creches diversas. E escreveu a canção de ninar *Mary Had a Little Lamb*. No entanto, o mais importante feito de sua vida foi criar o Dia Nacional de Ação de Graças. Ela usou sua revista como instrumento principal para influenciar aqueles que poderiam instituir tal festividade para a nação. Durante quase 36 anos fez campanha por esse sonho, escrevendo constantemente cartas pessoais aos presidentes e governadores. Em sua revista, publicava anualmente tentadores cardápios de Ação de Graças, escrevia histórias e poesias focalizando temas de Ação de Graças e escrevia editorial após editorial apoiando um dia anual de Ação de Graças.

Finalmente, a Guerra Civil fez com que Hale tivesse uma oportunidade para expressar sua opinião de uma maneira que atingisse a nação. Ela escreveu: "Não seria uma grande vantagem social, nacional e religiosa ter o nosso Dia de Ação de Graças definitivamente acertado?" Em outubro de 1863, ela publicou um editorial: "Pondo de lado os sentimentos por algum único estado ou território isolado que deseje escolher sua própria data, não seria mais nobre, mais verdadeiramente americano, tornar uma união nacional quando oferecemos a Deus nosso tributo de alegria e gratidão pelas bênçãos do ano?" Ela escreveu uma carta para o secretário de Estado William Sward, que a mostrou ao presidente Abraham Lincoln, que sentiu que o conceito de uma unidade nacional estava precisamente certo.

Quatro dias mais tarde, o presidente fez uma proclamação estabelecendo a última quinta-feira de novembro de 1863 como o Dia Nacional de Ação de Graças. O resto é história. Tudo porque uma mulher com persistência e habilidade persuasiva usou a mídia existente, de uma maneira eficaz.*

Deixe-me oferecer-lhe dois possíveis modelos para criação dirigida, efetiva. Eu tento fazer uma diferença positiva, por meio da educação. Se quisermos ter um efeito positivo no futuro, devemos dar aos membros da próxima geração os instrumentos disponíveis mais efetivos para criarem o mundo deles, da maneira que quiserem. Nossa organização tenta fazer isso por meio de nossos Campos de Excelência Ilimitada. Nesses campos, ensinamos as crianças a usarem instrumentos específicos para dirigirem seus próprios cérebros, para dirigirem seus próprios comportamentos e, assim, os resultados que criam em suas vidas. Elas aprendem a desenvolver profundos níveis de harmonia com pessoas de todas as origens, a modelar pessoas efetivas, a superar limitações e a reestruturar suas percepções do que é possível para elas. No fim do curso, a grande maioria das crianças me diz que foi a mais poderosa experiência de aprendizado que já tiveram. É um dos mais agradáveis e recompensadores programas que já tive o privilégio de dirigir.

Porém, eu sou só uma pessoa, e nossos sócios só podem atingir algumas crianças. Assim, desenvolvemos um programa de treinamento para preparar professores com técnicas de PNL e outras capacidades de Técnicas de Desempenho Ótimo. Esse foi um grande passo visando atingir mais jovens, apesar de não ser em alta escala, que verdadeiramente criasse uma nova tendência em educação. Estamos nos primeiros estágios da conceituação de um novo projeto, ao qual chamamos de Challenge Foundation [Fundação Desafio]. Um dos desafios que muitos garotos enfrentam — particularmente aqueles em áreas carentes — é que não têm acesso a modelos poderosos e positivos. A ideia da Challenge Foundation é formar uma biblioteca de apresentações de vídeos interativos, mostrando os mais poderosos e positivos desempenhos-modelo de nossa cultura: pessoas contemporâneas, como juízes da Suprema Corte, artistas e homens de negócios, assim como figuras poderosas que já faleceram, como John F. Kennedy, Martin Luther King Jr. ou Mahatma Gandhi. Isso dará aos jovens poderosas experiências para tentarem igualar. Você pode ouvir

* Informações de Marshall Berges, do *Los Angeles Times*.

um professor falar em Martin Luther King Jr. e pode ler as palavras dele, mas isso é só uma parte da experiência. E se você pudesse passar trinta minutos vendo-o falar-lhe pessoalmente sobre suas filosofias e crenças? E se nos últimos cinco minutos ele o desafiasse a fazer alguma coisa com sua vida? Eu gostaria que as crianças fossem capazes de modelar não só as palavras, mas a tonalidade, fisiologia e presença total desses mestres da persuasão. Muitas crianças ao estudarem a Constituição, por exemplo, não têm ideia de como ela se relaciona com a vida de hoje. E se tivéssemos um vídeo do principal juiz da Suprema Corte dizendo aos estudantes por que ele dedica cada dia de sua vida para preservar esse documento e como ele as afeta, hoje? E se no final ele fizesse a esses jovens um desafio? Pode imaginar o que aconteceria se uma grande quantidade de jovens por todo o país pudesse ter acesso regular a essa espécie de *input* positivo e desafio? Um programa assim poderia mudar o futuro. Se você tem sugestões para tal sistema, convido-o a nos escrever e fazer comentários.

Outro exemplo de como usar influência para criar novas tendências positivas é o trabalho de um homem chamado Amory Lovins, diretor de pesquisa do Rocky Mountain Institute, em Snowmass, Colorado. Lovins está envolvido há anos em projetos de energia alternativa. Hoje, muitas pessoas acreditam que a energia nuclear é muito dispendiosa, muito ineficiente e muito perigosa para ser usada. No entanto, o movimento antinuclear fez pouco progresso porque é só isso. É *antinuclear.* Muitas pessoas que se movem em busca de soluções imaginam para que é esse movimento. Algumas vezes é difícil dizer. Mas Lovins foi capaz de ter grande sucesso com as companhias de energia por ser mais um perspicaz persuasor do que um mero "protestador". Em vez de atacar as empresas de energia nuclear, ele está proporcionando alternativas que são mais rentáveis porque não requerem fábricas enormes com custos que podem ultrapassar a casa dos bilhões.

Lovins gosta de praticar o que chama de "política aikidô", que usa o mesmo princípio de estrutura de concordância para direcionar comportamentos, de forma a reduzir ao mínimo os conflitos. Em certo caso, pediram que numa audiência de avaliação ele depusesse, para uma empresa de utilidade pública, que estava planejando uma nova e imensa usina nuclear. A construção ainda não havia começado, mas a usina já tinha custado 300 milhões de dólares. Ele começou dizendo que não estava lá para depor a favor ou contra a fábrica. Disse que era no melhor interesse de todos — do serviço e dos usuários — ter um serviço que operasse em condições financeiras seguras. Prosseguiu, então, explicando quanto dinheiro seria economizado só com a conservação, e quanta energia custaria se a dispendiosa nova usina fosse construída. Em termos financeiros conservadores, ele discutiu o que isso significaria para a empresa. Foi uma apresentação bem calma. Não foi preciso brigar contra a fábrica ou a energia nuclear.

Após terminar, ele foi chamado pelo vice-presidente de finanças da empresa de serviços públicos. Quando se encontraram, o funcionário falou sobre o efeito que a usina poderia ter nas finanças da companhia. Disse que se ela fosse construída, poderia fazer com que a empresa não pagasse dividendos, um desastre para as ações da companhia. Finalmente, o funcionário disse que, se os interventores quisessem, a companhia poderia preferir desistir da usina, assumindo a perda de 300 milhões de dólares. Se Lovins tivesse começado como adversário, a companhia poderia ter feito pé firme, de uma forma que não satisfaria ninguém. Mas, encontrando um chão comum, tentando criar uma alternativa viável, eles foram capazes de chegar a um acordo que beneficiou ambos os lados. Uma nova tendência está começando a se formar, como resultado do trabalho de Lovins. Outras companhias de eletricidade contrataram-no como consultor para limitar a dependência nuclear e, simultaneamente, aumentar os lucros.

Outro caso envolveu trabalhadores em fazendas de San Luis Valley no Colorado e Novo México. Tradicionalmente eles recolhiam lenha como principal fonte de energia. Mas os proprietários de terras cercaram a área. Eram pessoas muito pobres, mas alguns líderes tentaram persuadi-las de que a situação não era uma desvantagem, mas uma oportunidade. Como resultado, começaram um dos mais bem-sucedidos projetos de energia solar do mundo e ganharam um senso de poder coletivo e boa vontade como nunca tinham tido antes.

Lovins cita um caso semelhante em Osage, Iowa, onde a pequena cooperativa de serviço público local decidiu que não estavam usando a sua energia eficientemente. O resultado foi um impulso para a climatização das casas e economia de combustível, um esforço tão bem-sucedido que a companhia pôde saldar seu débito. Em dois anos a despesa se reduziu a um terço e os usuários de uma cidade de 3.800 pessoas economizaram 1,6 milhão de dólares por ano em custos de combustível.

Duas coisas aconteceram em ambos os casos. As pessoas foram capazes de se beneficiar encontrando uma estrutura vencer-vencer, que ajudou a todos. E foram capazes de desenvolver um novo senso de autoridade e segurança aprendendo a agir para conseguir um objetivo desejado. Os ganhos secundários em boa vontade e espírito de comunidade que advieram de trabalharem e agirem juntas foram tão importantes quanto o dinheiro economizado. Essas são as espécies de tendências positivas que podem ser criadas por uns poucos persuasores decididos.

Há um ditado no mundo dos computadores: "GIGO: GARBAGE IN — GARBAGE OUT" [lixo entra — lixo sai]. Significa que a qualidade que você consegue de um sistema depende inteiramente do que você coloca nele. Se você puser informações ruins, falhas ou incompletas, obterá a mesma espécie de resultados. Hoje, em nossa cultura, muitas pessoas têm pouca ou nenhuma preocupação consciente da qualidade das informações e experiências que diariamente são disseminadas. De acordo com as últimas estatísticas, o americano médio assiste à televisão sete horas por dia. O *U.S. News World Report* declara que crianças em idade escolar assistem a uma média de 18.000 assassinatos. Durante doze anos de escola elas assistirão a 22.000 horas de televisão — mais do que duas vezes o tempo gasto em aulas. É fundamental que observemos como estamos alimentando nossas mentes, se esperamos que elas cresçam e se alimentem de nossa capacidade de experimentar e aproveitar completamente isso que chamamos de vida. Nós trabalhamos como um computador. Se formarmos representações interiores que nos dizem que arrasar vilas com metralhadoras é certo e que a não saudável *junk food* [comida sem valor, descartável; comida lixo] é o que pessoas de sucesso comem, essas representações governarão nossos comportamentos.

Temos mais poder agora do que jamais tivemos para moldar nossas percepções interiores, que governam os comportamentos. Não há garantia de que as moldaremos para melhor. Mas o potencial está lá, e devemos começar a fazer algo a respeito. Os mais importantes problemas que enfrentamos como nação e como planeta têm a ver com a espécie de imagens e representações de massa que produzimos.

A liderança tem a ver com a criação de tendências e é a verdadeira mensagem deste livro. Você sabe agora como dirigir seu cérebro para processar informações da forma mais fortalecedora. Você já sabe como tirar o som e aumentar a luminosidade da comunicação *junk* [lixo], e sabe como resolver conflitos dentro de seus próprios valores. Mas, se realmente quiser se destacar, você precisa saber como ser um líder, como pegar essas técnicas de persuasão e fazer do mundo um lugar melhor. Isso significa ser um modelo mais positivo e mais perspicaz para seus filhos, para seus empregados, para seus sócios nos negócios, para o seu mundo. Você pode fazer isso no âmbito da persuasão individual e pode fazê-lo no âmbito da persuasão de massa. Em vez de ser influenciado por imagens de Rambo delirantemente explodindo outros seres humanos, você pode querer dedicar sua vida a comunicar mensagens fortalecedoras que podem ser a diferença para fazer com que este mundo fique da maneira que você quer que ele seja.

Lembre-se: o mundo é governado pelos persuasores. Tudo que você aprendeu neste livro e tudo que você vê à sua volta confirma isso. Se você puder externar suas representações interiores sobre o comportamento humano, sobre o que é elegante, o que é efetivo, o que é positivo, você pode mudar a futura direção de seus filhos, sua comunidade, seu país, seu mundo. Nós temos as técnicas para mudá-la, bem aqui. Sugiro que você as use para maximizar seu poder pessoal, aprender como ser efetivo e bem-sucedido no que tentar fazer. Mas não há valor em ser soberano de um planeta agonizante. Tudo sobre o que conversamos — a importância das estruturas de acordo, a natureza da harmonia, a modelagem da excelência, a sintaxe do sucesso e todo o resto — funciona melhor quando é usado de forma positiva, que gere sucesso para os outros tão bem como para nós mesmos.

O poder supremo é sinérgico. Vem de pessoas que trabalham juntas, não separadas. Nós agora temos as técnicas para mudar as percepções das pessoas quase num instante. É tempo de usá-las de maneira positiva para a melhoria de todos nós. Thomas Wolfe certa vez escreveu: "Não há nada no mundo para acabar com o aborrecimento de alguém como um sentimento de sucesso." Esse é o real desafio da excelência — usar essas técnicas em nível mais amplo para nos fortalecer, e aos outros, de forma a serem verdadeiramente positivas, de forma a gerarem sucesso maciço, alegre e comunitário. A hora de começar a usá-las é agora.

CAPÍTULO 21

VIVENDO EXCELÊNCIA: O DESAFIO HUMANO

"O homem não é a soma do que ele tem, mas a totalidade do que ainda não tem, do que poderia ter."

— JEAN-PAUL SARTRE

Viemos juntos por um longo caminho. Quanto mais longe você for, será decisão sua. Este livro lhe deu instrumentos, técnicas e ideias que podem mudar sua vida. Mas o que você fará com elas é totalmente escolha sua. Ao fechar este livro, você poderá sentir que aprendeu um pouco de alguma coisa e continua como era antes. Ou pode fazer um esforço conjunto para controlar sua vida e seu cérebro. Você pode criar crenças fortes e estados que produzirão milagres para você e para as pessoas com quem se preocupa. Mas isso só acontecerá se você fizer com que aconteçam.

Vamos rever as principais coisas que aprendeu. Você agora sabe que o mais poderoso instrumento no planeta é o biocomputador localizado entre suas duas orelhas. Dirigido com propriedade, seu cérebro pode fazer sua vida maior do que qualquer sonho que já tenha tido antes. Você aprendeu na Fórmula do Sucesso Supremo a conhecer seu objetivo, agir, desenvolver a acuidade sensorial para saber o que está conseguindo e mudar seu comportamento até conseguir o que quer. Aprendeu que vivemos numa época em que o sucesso fabuloso está à disposição de todos nós, mas que só o alcançam aqueles que agem. Conhecimento é importante, mas não é suficiente. Muitas pessoas têm as mesmas informações que um Steve Jobs ou um Ted Turner. Mas aqueles que agem criam sucesso fabuloso e mudam o mundo.

Você aprendeu o valor da modelagem. Você pode aprender por experiência, por tentativa e erro — ou pode acelerar o processo, de maneira incomensurável, aprendendo como modelar. Todo resultado produzido por um indivíduo foi criado por algum conjunto específico de ações em alguma sintaxe específica. Você pode diminuir grandemente o tempo que leva para dominar alguma coisa, modelando as ações interiores (mentais) e as ações exteriores (físicas) das pessoas que produzem resultados relevantes. Em poucas horas, ou poucos dias, ou poucos anos, dependendo do tipo de tarefa, você pode aprender o que eles levaram meses ou anos para descobrir.

Você aprendeu que a qualidade de sua vida é a qualidade de sua comunicação. A comunicação tem duas formas. A primeira é sua comunicação consigo mesmo. O significado de cada acontecimento é o significado que você lhe dá. Você pode enviar a seu cérebro sinais poderosos, sensíveis e fortalecedores que farão tudo trabalhar para você, ou pode enviar a seu cérebro sinais sobre o que você não pode fazer. Pessoas de excelência podem encarar qualquer situação e fazê-las trabalhar para elas — pessoas como W. Mitchell, Julio Iglesias, o comandante Jerry Coffey, que puderam enfrentar terríveis tragédias e transformá-las em triunfos. Não podemos voltar no tempo, não podemos mudar o que já aconteceu. Mas podemos controlar nossas representações de forma que nos deem alguma coisa positiva no futuro. A segunda forma de comunicação é com os outros. As pessoas que mudaram nosso mundo foram mestres de comunicação. Você pode usar tudo neste livro para descobrir o que as pessoas querem; assim você pode tornar-se um comunicador efetivo, perito elegante.

Você aprendeu sobre o temível poder das crenças. Crenças positivas podem torná-lo um mestre, crenças negativas podem torná-lo um perdedor. Você aprendeu que pode mudar suas crenças para fazê-las trabalhar para você. E aprendeu sobre o poder do estado e o poder da fisiologia. Você aprendeu as sintaxes e estratégias que as pessoas usam, e aprendeu a estabelecer harmonia com qualquer pessoa que encontre. Você aprendeu técnicas poderosas para reestruturar e ancorar. Aprendeu como se comunicar com precisão e perspicácia, como evitar a linguagem inconsequente que mata a comunicação e como usar o modelo de precisão para conseguir que os outros se comuniquem efetivamente com você. Aprendeu como controlar os cinco empecilhos na estrada do sucesso e aprendeu sobre os metaprogramas e valores que servem como os principais organizadores do comportamento pessoal.

Não espero que você se encontre totalmente transformado quando puser este livro de lado. Algumas coisas que discutimos virão com mais facilidade para você do que outras. Mas a vida tem um efeito sequencial: mudanças levam a mais mudanças. Crescimento leva a mais crescimento. Começando a fazer mudanças, crescendo aos poucos e por partes, você pode lenta mas firmemente mudar sua vida. Assim como a pedra jogada na lagoa tranquila, você cria circuitos que se alargam no futuro. Muitas vezes são as menores coisas que, vistas depois de um tempo, fazem as maiores diferenças.

Pense em duas flechas apontando para a mesma direção. Se você fizer uma pequena mudança na direção de uma delas, se empurrá-la três ou quatro graus numa direção diferente, a mudança provavelmente será imperceptível, a princípio. Mas, se você seguir esse caminho durante metros e depois por quilômetros, a diferença se tornará maior e maior — até que não haja relação nenhuma entre o primeiro e o segundo caminho.

É isso que este livro pode fazer por você. Ele não mudará você numa noite (a menos que você trabalhe em si, esta noite!). Mas, se você aprende a dirigir seu cérebro, se você compreende e faz uso de coisas como sintaxe, submodalidades, valores e metaprogramas, as diferenças — em seis semanas, seis meses, seis anos — mudarão sua vida. Algumas coisas neste livro, como modelagem, de alguma forma você já faz. Outras são novas. Lembre-se apenas de que tudo na vida é cumulativo. Se você usa um dos princípios deste livro hoje, já deu um passo. Você pôs uma causa em movimento, e cada causa cria um efeito ou resultados, e cada resultado se acumula com o último, para nos levar numa direção. Cada direção traz consigo um destino final.

"Há duas coisas a almejar na vida: a primeira, conseguir o que se quer; e, depois disso, aproveitá-la."

— Logan Pearsall Smith

Agora a questão final a considerar. Em que direção você está indo neste momento? Se você seguir sua atual direção, onde estará em cinco ou dez anos? É para onde quer ir? Seja honesto consigo mesmo. John Naisbitt certa vez disse que a melhor maneira de se predizer o futuro é ter uma ideia clara do que está acontecendo agora. Você precisa fazer a mesma coisa em sua vida. Assim, quando terminar este livro, sente-se e pense na direção em que está indo, e se é para onde realmente quer ir. Se não for, sugiro que mude. Se este livro lhe ensinou alguma coisa, foi a possibilidade de criar mudanças positivas com rapidez, quase instantaneamente — tanto em âmbito pessoal como global. Poder supremo significa a capacidade de mudar, adaptar-se, crescer e evoluir. Poder ilimitado não significa que você será sempre bem-sucedido ou que nunca fracassará. Poder ilimitado significa só que você aprende com cada experiência humana e faz com que toda experiência trabalhe para você, de alguma maneira. É poder ilimitado para mudar suas percepções, para mudar suas ações, e para mudar os resultados que está criando. É o seu poder ilimitado para se preocupar e amar que pode fazer a maior diferença na qualidade de sua vida.

Gostaria de sugerir outra maneira de mudar sua vida e assegurar a continuação do sucesso. Encontre um time onde gostaria de jogar. Lembre-se: falamos sobre poder em termos do que as pessoas podem fazer juntas. O poder supremo é o poder das pessoas trabalhando juntas, não separadas. Ele pode significar sua família, ou pode significar bons amigos. Podem ser sócios de negócios confiáveis ou pessoas com quem trabalhe e com quem se preocupe. Mas você trabalhará mais a sério e melhor se estiver trabalhando para os outros como para si mesmo. Você dá mais — e consegue mais.

Se perguntar às pessoas sobre suas experiências mais ricas na vida, em geral elas virão com alguma coisa que fizeram, como parte de uma equipe. Algumas vezes é literalmente isso, uma equipe esportiva que eles lembraram para sempre. Algumas vezes é um time de negócios que lhes fez alguma coisa memorável. Algumas vezes o time é sua família ou sua esposa. Estar num time faz você se estirar, faz você crescer. Outras pessoas podem cuidar e desafiá-lo em coisas que você não pode sozinho. Pessoas farão coisas para outras que não farão para si mesmas. E conseguirão coisas dos outros que farão com que valham a pena.

Se você está vivo, você está em algum time. Pode ser sua família, seu relacionamento, seu negócio, sua cidade, seu país, seu mundo. Você pode sentar-se no banco e olhar, ou pode levantar-se e jogar. Meu conselho a você é que seja um jogador. Junte-se à busca. Compartilhe seu mundo. Porque, quanto mais você der, mais receberá. Quanto mais você usar as técnicas deste livro para si e para os outros, mais elas trarão de volta para você.

Esteja certo de estar no time que o desafia. É fácil para as coisas saírem dos trilhos. É fácil saber o que fazer, e, mesmo assim, não fazê-lo. Isso até parece ser como a vida é. A força normal da vida é a gravidade, e ela é para baixo. Todos nós temos nossos dias ruins. Todos temos épocas em que não usamos o que sabemos. Mas se nos rodearmos de pessoas que são sucesso, que se movimentam para a frente, que são positivas, que estão concentradas na obtenção de resultados, que nos apoiam, isso nos desafiará a sermos mais, a fazermos mais e a compartilharmos mais. Se você puder se cercar de pessoas que nunca deixam você se acomodar com menos do que pode ter, você tem o maior presente que qualquer um pode esperar. A associação é um instrumento poderoso. Esteja certo de que as pessoas que o cercam fazem de você uma pessoa melhor pela sua associação com elas.

Uma vez que tenha um compromisso com um time, o desafio da excelência é tornar-se um líder. Isso pode significar o presidente de uma companhia Fortune 500, ou pode significar ser o melhor professor que você possa ser. Pode significar ser um melhor empresário ou um pai melhor. Líderes verdadeiros têm conhecimento do poder da progressão, o sentido de que as grandes mudanças provêm de muitas coisas pequenas. Eles entendem que tudo que dizem e fazem tem um enorme poder para fortalecer e encorajar os outros.

Isso aconteceu em minha vida. Quando estava no colégio, tinha um professor de línguas que um dia me pediu que ficasse depois da aula. Fiquei imaginando o que teria feito de errado. Ele disse: "Robbins, acho que você tem jeito de ser um ótimo orador e quero convidá-lo para falar na próxima semana com o time de nossa escola."

Eu não achava que fosse alguma coisa especial como orador, mas ele estava tão firme e congruente que acreditei nele. Sua mensagem mudou minha vida. Levou-me para minha profissão de comunicador. Ele fez uma pequena coisa, mas mudou minha vida para sempre.

O desafio da liderança é ter bastante poder e visão para ser capaz de projetar com antecedência que objetivo resultará de suas ações, grandes e pequenas. As técnicas de comunicação neste livro oferecem meios críticos para você fazer aquelas distinções. Nossa cultura precisa de mais modelos de sucesso, mais símbolos de excelência. Minha vida foi agraciada por professores e mentores que me deram coisas de infinito valor. Minha meta na vida é retribuir alguma delas. É isso que espero que este livro tenha ajudado você a fazer — e é isso que tento fazer com meu trabalho.

Meu primeiro mentor chamava-se Jim Rohn. Ele ensinou-me que felicidade e sucesso na vida não resultam do que temos, mas, sim, de como vivemos. O que fazemos com as coisas que temos faz a maior diferença na qualidade da vida. Ele me ensinou que até mesmo as menores coisas podem fazer as maiores diferenças na vida. Por exemplo: ele me disse que sempre fosse uma pessoa de duas moedas de 25 centavos e deu-me o exemplo de um engraxate. Digamos que o engraxate está fazendo um serviço ótimo. Está assobiando e batendo seu pano de lustrar. Ele está lhe dando grande valor. Jim disse que quando você puser a mão no bolso para lhe dar a gorjeta e não estiver certo se lhe dá uma ou duas dessas moedas, deve ir sempre pelo número mais alto. Você não faz isso só por ele, mas também por si mesmo. Se você lhe der uma moeda só, mais tarde, no mesmo dia, olhará para baixo, verá seus sapatos e pensará: "Eu lhe dei uma moeda só. Como pude ser tão mesquinho, quando ele fez um trabalho tão bom?" Se você tivesse lhe dado duas, afetaria a maneira como o engraxate vê a si mesmo — para melhor. E se você fizer disso um princípio? De cada vez que passar por alguém que esteja coletando donativos ou qualquer coisa sempre colocar dinheiro no prato das contribuições? E se fizer questão de ligar para amigos de vez em quando, só para dizer: "Não estou ligando por nenhuma razão especial. Só queria que soubesse que eu o estimo. Não quero interromper você, só quero lhe comunicar isso"? E se você fizesse questão de enviar pequenos bilhetes de agradecimento a pessoas que fizeram coisas por você? E se gastasse tempo e esforço consciente imaginando maneiras novas e únicas de conseguir mais alegria da vida, acrescentando valores à vida de outras pessoas? O estilo de vida tem a ver com isso tudo. Nós todos temos tempo: a pergunta sobre a qualidade da vida é respondida pela maneira como o gastamos. Caímos num sistema ou estamos sempre trabalhando para torná-lo único e especial? Parece ser pouco, mas o efeito que essas pequenas coisas têm sobre como você se sente e sobre quem você é como pessoa é muito poderoso. São coisas que afetam suas representações interiores de quem você é e, assim, a qualidade de seus estados e vida. Mantive aquele compromisso das duas moedas de

25 centavos comigo e colhi as recompensas que vieram. Ofereço-o para seu uso próprio. Acredito que é uma filosofia que possa enriquecer sua vida imensamente, se é que ainda não a está praticando.

> "O químico que puder extrair de seu coração os elementos compaixão, respeito, saudade, paciência, tristeza, surpresa e esquecimento, e os juntar em um pode criar aquele átomo que é chamado amor."
>
> — Kahlil Gibran

Minha última conversa é para desafiá-lo a compartilhar esta informação com outros — na verdade, por dois motivos. Primeiro, nós todos ensinamos o que mais precisamos aprender. Compartilhando uma ideia com outros, nós a ouvimos outra vez e nos lembramos do que valorizamos e acreditamos que seja importante na vida. O outro motivo é que há uma incrível, quase inexplicável, riqueza e alegria que vem quando ajudamos os outros a fazerem uma mudança verdadeiramente importante e positiva em suas vidas.

No ano passado tive uma experiência da qual nunca me esquecerei, num dos nossos programas para crianças. Os programas são de doze dias, durante os quais ensinamos às crianças muito do que foi discutido neste livro e damos-lhes experiências que mudam sua competência, suas técnicas de aprendizado e sua confiança como seres humanos totalmente vivos. Durante o verão de 1984, encerramos o curso com uma cerimônia na qual todas as crianças receberam medalhas de ouro como aquelas das Olimpíadas. Na medalha estava gravado: "Você pode fazer mágica." Terminamos cerca de duas horas da manhã, e foi um acontecimento alegre e emocionante.

Voltei para meu quarto sentindo-me exausto, sabendo que teria de me levantar às seis, a fim de pegar um avião para meu próximo compromisso, mas também sentindo-me daquele jeito, quando sabemos que realmente cumprimos a obrigação do dia. Estava pronto para me deitar às três, quando ouvi uma batida na minha porta. Pensei, quem poderá ser?

Abri a porta e encontrei um rapazinho. Ele disse: "Sr. Robbins, preciso de sua ajuda." Comecei perguntando-lhe se não poderia me procurar na semana seguinte em San Diego, quando ouvi um som atrás dele, e lá estava uma garota chorando muito. Perguntei qual era o problema, e o jovem respondeu que ela não queria ir para casa. Disse-lhe que a fizesse entrar, ancorei-a, e ela se sentiu melhor e foi para casa. Ele disse que o problema não era esse: ela não queria voltar para casa porque o irmão andava abusando sexualmente dela, nos últimos sete anos.

Fiz com que ambos entrassem, e usando os instrumentos dos quais falamos neste livro, mudei suas representações interiores dessas experiências negativas passadas, de forma que não criassem mais nenhuma dor. Então, ancorei-a nos seus estados mais poderosos e ricos e vinculei-a às representações interiores então alteradas, de forma que, só de pensar ou ver seu irmão, a menina ficaria imediatamente num estado de alerta. Depois da sessão, decidiu ligar para o irmão. Telefonou num estado bastante forte e acordou-o. "Irmão!", disse, num tom que provavelmente ele nunca ouvira antes. "Só quero que você saiba que estou voltando para casa, e é melhor que nem olhe para mim do jeito que me faz pensar que esteja pensando nas coisas que costuma fazer. Porque se você fizer isso, irá para a cadeia, onde ficará o resto de sua vida, e as coisas irão se complicar. Você pagará o preço sem dúvida nenhuma. Gosto de você como meu irmão, mas não aceitarei nunca mais aqueles comportamentos. Se eu ao menos pensar que está indo na direção deles, é o fim para você. Ponha em sua cabeça que estou falando sério. Eu te amo. Até logo." Ele entendeu a mensagem.

Ela desligou o telefone, sentindo-se totalmente forte e responsável pela primeira vez em sua vida. Abraçou seu jovem namorado e juntos choraram de alívio. Naquela noite em que trabalhei com eles, ambos me deram os mais incríveis abraços que eu já recebera. O jovem me disse que não sabia como poderia me retribuir. Respondi que ver as mudanças nela tinha sido o maior agradecimento que eu poderia receber. "Não", disse ele. "Tenho de lhe pagar de alguma forma. Sei de alguma coisa que significa muito para mim. Procurou e lentamente tirou sua medalha de ouro e colocou-a em mim." Beijaram-se e saíram, dizendo que nunca se esqueceriam de mim. Depois que saíram, subi e me deitei. Minha esposa, Becky, que tinha ouvido tudo, estava chorando e eu também. "Você é incrível", disse ela. "A vida dessa garota nunca será a mesma."

Agradeci: "Obrigado, querida, mas qualquer pessoa com as técnicas poderia ajudá-la." Becky retrucou: "Sim, Tony, qualquer um poderia, mas foi você quem ajudou."

"Se você pudesse somente amar bastante, poderia ser a pessoa mais poderosa do mundo."

— Emmett Fox

Essa é a mensagem maior deste livro. Seja um doador. Assuma. Aja. Use o que aprendeu aqui, e use agora. Não faça só para você, faça também pelos outros. As dádivas dessas ações são maiores do que possamos imaginar. Há muitos "faladores" no mundo. Há muitas pessoas que sabem o que é certo e o que é forte e, no entanto, não conseguem os resultados que desejam. Não é suficiente só falar. Você tem de executar o que falou. O poder ilimitado diz respeito a isso tudo. Poder ilimitado para conseguir com que faça as coisas necessárias para produzir excelência. Julius Erving, do Philadelfia 76ers, tinha uma filosofia de vida que, acredito, resume a filosofia de um "andante". Vale a pena modelar. Ele diz: "Eu exijo mais de mim do que qualquer um poderia esperar." É por isso que ele é o melhor.

Houve dois grandes oradores na Antiguidade. Um foi Cícero, o outro, Demóstenes. Quando Cícero falava, as pessoas o aplaudiam e elogiavam: "Que grande discurso!" Quando Demóstenes terminava, o povo dizia: "Marchemos!", e iam. Essa é a diferença entre apresentação e persuasão. Espero ter sido classificado na última categoria. Se você lê este livro e pensa: "Que grande livro!", tem recursos ótimos — e não usa nada dele, perdemos nosso tempo juntos. No entanto, se você começar agora e voltar a olhar o livro, e usá-lo como um manual para dirigir sua mente e corpo, como um guia para mudar qualquer coisa que queira mudar, então você pode ter começado a jornada de sua vida que fará com que os maiores sonhos de sua vida até agora pareçam quase triviais. Sei o que aconteceu comigo quando comecei a aplicar estes princípios diariamente.

Eu o desafio a fazer de sua vida uma obra-prima. Eu o desafio a juntar-se às fileiras de pessoas que vivem o que ensinam, que põem em marcha aquilo de que falam. Elas são os modelos de excelência, que maravilham o resto do mundo. Junte-se a esse time único de pessoas, conhecidas como as poucas que "fazem" *versus* as muitas que "querem" — pessoas de resultados orientados, que produzem suas vidas exatamente como as desejam. Minha vida é inspirada pela história de pessoas que usaram seus recursos para criar novos sucessos e realizações para si e para os outros. Algum dia talvez eu contarei sua história. Se este livro ajudou você a se mover nessa direção, eu, honestamente, vou me considerar muito feliz.

Enquanto isso, eu lhe agradeço o compromisso de aprender e crescer, desenvolver-se e permitir que eu compartilhe com você alguns dos princípios que fizeram grande diferença em minha vida. Possa sua busca pela excelência humana ser frutífera e eterna. Possa você dedicar-se não somente a conquistar as metas que estabeleceu, mas a encontrá-las e estabelecer outras e não somente apegar-se aos sonhos que teve, mas sonhar sonhos maiores do que antes; não somente aproveitar esta terra e suas riquezas, mas torná-la um lugar melhor para viver; não somente tomar o que puder desta vida, mas amar e dar generosamente.

Eu o deixo com uma bênção irlandesa simples: "Possa a estrada levantar-se para encontrá-lo. Possa o vento estar sempre às suas costas. Possa o sol brilhar quente em seu rosto, as chuvas caírem macias em seus campos, e, até que nos encontremos outra vez, possa Deus tê-lo mansamente na palma de Sua Mão."* Até breve e Deus o abençoe.

* Bênção irlandesa, copyright 1967 Bollind, Inc., Boulder, CO 80302.

GLOSSÁRIO

Acuidade sensorial — Processo de aperfeiçoar nossa capacidade de fazer distinções entre os sistemas visual, auditivo, cinestésico, olfativo e gustativo. Isso nos dá experiências sensoriais mais plenas, mais ricas e a capacidade de criar descrições detalhadas, baseadas em sensações, de nossa interação com o mundo exterior.

Ancoragem — Processo pelo qual qualquer representação (interior ou exterior) fica vinculada e aciona uma subsequente corrente de representações e reações. As âncoras podem ocorrer naturalmente ou serem instaladas deliberadamente. Um exemplo de âncora para um conjunto particular de reações é o que acontece quando você pensa na maneira como uma pessoa muito especial e amada diz o seu nome.

Calibragem — Capacidade de notar e medir as mudanças relativas a um padrão. A calibragem depende de uma aperfeiçoada acuidade sensorial. Provavelmente você logo percebe quando uma pessoa amada está se sentindo insegura ou muito feliz. Isso é porque você calibrou o significado de sua filosofia.

Combinar — Adotar partes do comportamento de outra pessoa — tais como gestos particulares, expressões faciais, maneiras de falar, tom de voz e outras. Feito com sutileza, ajuda a criar um sentimento de harmonia entre as pessoas.

Compassar — Alcançar e manter harmonia durante um período de tempo, enquanto um atua sobre o outro. Você pode compassar crenças e ideias tão bem quanto comportamentos.

Comportamento — Atividade que os seres humanos adotam. Inclui "grandes" comportamentos, como gestos ou atirar uma bola, e "pequenos" comportamentos (talvez mais difíceis de serem observados), como pensamentos, movimentos dos olhos, mudanças de respiração, e assim por diante.

Comunicação — Processo de transmitir informações pela linguagem, sinais, símbolos e comportamentos. Pode ser direcionada, o que significa que o fim de uma conversação é diferente de como começou, como em negociações, terapia, vendas. A comunicação se move na direção de um objetivo.

Cancelamento — O que estava lá em sua experiência original e foi deixado fora de sua representação interior. Esse é um dos processos cognitivos que evita que sejamos afogados pela entrada de dados sensoriais. No entanto, há coisas que deixamos de fora que seriam de muito mais utilidade se as tivéssemos incluído.

Congruência/Incongruência — Uma situação na qual a mensagem que a pessoa comunica é a mesma ou similar em todos os canais de saída — isto é, as palavras da mensagem transmitem o mesmo significado do tom da voz, e os gestos têm o mesmo significado que os outros dois. Todos os canais de saída estão alinhados. A incongruência mostra mensagens conflitantes entre os canais de saída.

Descrições baseadas nos sentidos — Usar palavras que transmitem informações que podem ser observadas e verificadas pelos seus cinco sentidos. É a diferença entre: "Os lábios dela estão repuxados, algumas partes de seus dentes estão à mostra, os cantos de sua boca estão mais altos do que a linha principal de seus lábios" e "Ela está feliz".

Distorção — Processo pelo qual coisas são incluídas incorretamente na representação interior de uma pessoa, de forma a limitá-la. Pode ser "fora de proporção", "distorcido" e outros. Permite-nos trocar nossos dados sensoriais.

Ecologia — Uma preocupação com a totalidade dos tipos de relacionamento entre um ser e seu ambiente. Na PNL o termo é usado também com referência à ecologia interior — padrões de valores, estratégias e comportamentos que uma pessoa expressa em relação a si mesma.

Elicitação — Colher informações por observação direta dos sinais de acesso, gestos, e assim por diante, mediante perguntas bem formuladas, para determinar a estrutura das experiências interiores das pessoas.

Espelhagem — Adotar os comportamentos de outras pessoas como se você fosse uma "imagem de espelho". Se você estiver de frente para alguém que tenha a mão esquerda na face, você deve colocar sua mão direita em sua face, na mesma posição.

Estado — A soma total de todos os processos neurológicos dentro de um indivíduo, num determinado momento. O estado em que estivermos filtrará ou afetará o resultado final da nossa interpretação de qualquer experiência que tivermos no momento.

Estratégia — Uma sequência ancorada de representações, usada para guiar nossos comportamentos. Uma estratégia geralmente inclui cada um dos sistemas representativos sensoriais (visual, auditivo, cinestésico) em alguma ordem. Podemos descobri-los em nós e nos outros, ouvindo as palavras que escolhemos, observando o tipo de movimento dos olhos e perguntando sobre a forma e a sequência das representações interiores.

Experiência com bases sensoriais — Uma experiência que é processada no nível do que pode ser visto, ouvido, sentido, cheirado e/ou provado.

Generalização — Processo cognitivo pelo qual partes da experiência interior de uma pessoa separam-se da experiência original e tornam-se uma classe própria. Em muitos casos isso é útil. Por exemplo: uma criança tem a experiência de tocar a porta do forno e ficar ligeiramente queimada. Ela pode generalizar para: "Os fornos são quentes" ou "Não toque em fornos quando estiverem ligados". Em outros casos, a generalização pode limitar o modelo do mundo de uma pessoa, de maneira inútil.

Harmonia — O fenômeno das pessoas trocarem e/ou compartilharem comportamentos particulares. Ela acontece natural e inconscientemente quando as pessoas passam o tempo juntas. Pode ser feita conscientemente pela espelhagem e combinação, para realçar a comunicação.

Método de exploração pelo olhar — Um conjunto particular de sinais de acesso que tem a ver com os movimentos dos olhos e a sequência de posições que eles tomam. Saber a quais processos interiores cada posição é correlata ajuda a elicitar e entender estratégias.

Modelagem — Processo de descobrir a sequência das representações interiores e comportamentos que permitem a alguém cumprir uma tarefa. Uma vez que os componentes da estratégia, crenças de linguagem e comportamentos tenham sido detalhados, a técnica pode ser muito mais facilmente aprendida por outra pessoa.

Modelo — A descrição de como alguma coisa trabalha (mas não das possíveis razões de como possa trabalhar). Quando dizemos "o modelo do mundo de alguém", queremos dizer a composição de suas crenças, processos interiores e comportamentos que lhe permitem trabalhar de uma certa forma. Um modelo é uma maneira de organizar experiências.

Representação interior — É a configuração de informações que você cria e guarda em sua mente, em forma de imagens, sons, sensações, cheiros e paladares. Para "relembrar" como era a casa onde cresceu, a menos que esteja lá no momento, você lembra uma representação interior.

Sinais de acesso — Comportamentos que afetam nosso processamento neurológico de tal maneira que podemos ter acesso a um sistema representativo mais fortemente do que aos outros. Por exemplo, diminuir a média de sua respiração e o tempo de sua voz pode fazer com que você tenha acesso de um modo cinestésico; movimentar a cabeça como se estivesse segurando um telefone, pode fazer com que tenha um modo auditivo, e assim por diante.

Sintaxe — Um sistema unido ou ordenado; sequência na qual os acontecimentos interiores e exteriores podem ser postos juntos. Em linguagem refere-se à ordem na qual as palavras aparecem para formar sentenças gramaticais.

Sistemas representativos — Maneira como codificamos informações sensoriais em nossa mente. Incluem os sistemas visual, auditivo, cinestésico, olfativo e gustativo. Eles permitem que captemos e guardemos informações, e que as retiremos e usemos. As distinções que fazemos como seres humanos (interior e exteriormente) vêm a nós por meio desses sistemas.

Submodalidades — Subclassificação das experiências exteriores: uma cena tem brilho, distância, profundidade. Os sons têm volume, localização, tom — e assim por diante.

Este livro foi composto na tipografia Minion
Pro, em corpo 11/15, e impresso em
papel off-white no Sistema Cameron da
Divisão Gráfica da Distribuidora Record.